JN086023

The Black Box Society
The Secret Algorithms
That Control Money and Information
by Frank Pasquale

ブラック
ボックス化
する社会

金融と情報を支配する
隠されたアルゴリズム

フランク・パスカーレ
田畑暁生 訳

青土社

ブラックボックス化する社会　目次

第1章　序――知る必要性　11

秘密の持つ力　評判、検索、金融　秘密と複雑性　ソフトウェアの秘密の判断

マジックミラー　「ビジネスにおける秘密」と「秘密のビジネス」

振り返る　本書の構成　自己予防的予言

第2章　評判がデジタルで広まるデータ暴走時代　35

データから、データを超えて　プロフィールの暴走　ビッグデータが働く

人種偏見の亡霊　監視国家の誕生　「国家」と「市場」の融合

全脅威、全危険、全情報？　うち続く不透明性

出口なし　「十分な開示（フル・ディスクロージャー）」の未来

第3章　検索の隠れた論理　89

検索と透明性　検索、信頼、競争　検索と競争　検索とコントロール

コンテンツ、通信、検索――「コーペティション」の出現

デジタル・ニューディールに向けて

第4章　金融のアルゴリズム――皇帝の新しいコード　147

初期の警告サイン　機械の夢　サブプライムアート部門

統計の正統性――格付け機関の失敗　社内で異論を黙らせる

リスクと規制　戦略的なずさんさ　嘘とリボー〔ロンドン銀行間取引金利〕

自分の（そして他人の）妄想を説明する　リスクと忠誠

高頻度取引の社会的価値の低さ　コンピュータ化される市場　マーチンゲールの警告

ブラックスワンか、ブラックボックスか？　貨幣、情報、権力

第5章　観察者を観察する（そして改良する）　199
誰がいつ、何を、なぜ、非開示にしているのか？　プライバシーという虚構
より十分な開示――公正なデータ実践に向けて　合法的なデータ利用　スパイ・ファイル
「透明な市民」vs「不透明な政府／企業装置」　条件付き透明性
修正第一条というワイルドカード　「金融のＣＩＡ」　金融規制が信頼を失う
「大き過ぎて潰せない」が「貧し過ぎて規制できない」と出会う
医療詐欺対策からの教訓　企業ＮＳＡ　デジタル時代の「怪しい肉」

第6章　知的な社会に向けて　261
ブラックボックス社会　なされたことがなぜ少ないのか？　政府とビジネスの接近
公的オルタナティブの公約　信頼回復　ブラックボックスの限界――ハイエク的視点
ブラックボックス・エンドゲーム　知的な社会に向けて

原註　301
訳註　397
謝辞　401
訳者あとがき　403
索引　i

ブラックボックス化する社会

金融と情報を支配する隠されたアルゴリズム

レイに

両親を偲びつつ

凡例

・本文中の原文による補足は（　）、訳者による補足は〔　〕に入れて示している。

・本文中の原註は（　）、訳註は［　］にて示した。

目覚めている人々は共通の世界にいる。しかし眠っている人々はそれぞれ別の世界の中にいる

——ヘラクレイトス

幾百万もの薪をたき　自然の篝火は燃えつづける　だが自然のもっとも美しい　自然がなによりもいとおしんでいる　またなによりも明らかな個となった自然の火花　すなわちあの人間というものが消えるなら　火によっておされたその烙印　心に刻まれるその本性はどんなにすみやかに消えることだろう　二つながら　測り知れぬ暗闇に　すべては巨大な暗闇に溺れ去ってしまうのだ

——ジェラード・マンリ・ホプキンス

（安田章一郎訳『ホプキンズ詩集』春秋社、一九八〇年、二二〇ページより）

第1章　序——知る必要性

深夜、街灯の近くで熱心に探し物をする男の話を、おそらくみなさんも聞いたことがあるだろう。警官がやってきて何をしているのかと尋ねると、男は鍵を探していると答えた。警官が「ここでなくしたんですか？」と言うと、男はこう答えた。「いいえ、でも灯りがあるのがここだけなので」。有用性についてのこの寓話は、その後、徐々に神秘性を増してゆくテクノロジーにまつわる新たなメタファー（隠喩）ともなっている。

社会科学者のあいだには、権力の作用（誰が何に、いつ、どこで、どのように権力を行使するのか）を明らかにしようという高貴な伝統がある[1]。『達成社会』（*The Achieving Society*）、『勝者総取り社会』（*The Winner-Take-All Society*）、『善い社会』（*The Good Society*）、『上品な社会』（*The Decent Society*）といった著作において、私たちの共有する生活が追究され、なぜこのような問題が重要であるかも語りかけられている[2]。

しかしこうした努力が意味を持つのは、情報が入手可能である限りにおいてである。全く未知の事柄については、私たちは理解できないし、探求することさえできない。素人の認識論者たちがこれにいろいろな名前を付けているが、その中でも「未知の未知」「ブラックスワン」「深い秘密」などはこうした「社会的空白」を表すものとしてよく知られている[3]。無知は怠慢、忘却、近視眼、絶滅、秘密、抑圧などから生ずるものだが、無知の多様な原因や構造、その生成を体系的に考察する「無知学（アグノトロジー）」なる新たな学問分野さえ出現した[4]。

知識におけるギャップが、現実のものであれ推定上のものであれ、それが利用されて大きな影響を及ぼしている。世界で最も強力な中央銀行トップであったアラン・グリーンスパンは、「今日の市場はアダム・スミスの言う「見えざる手」の「取り返しのつかないほど不透明な」バージョンによって動かされており、現代の金融システムは、規制当局も含めて誰も、その最も単純な内的作動について、一瞥する以上のことはできない」と語る。もしこれが真実ならば、唯一妥当な政策はリバタリアン的な自由放任策だ、ということになる。レッセフェール（自由放任）の著名な理論家であるフリードリヒ・フォン・ハイエクは、「知識問題」を、政府が慈悲深い介入策を取る際に超えられない障壁である、としている(5)。

しかし、もし「知識問題」が市場に本質的なものではなく、特定のビジネスによって巧妙に仕組まれたものだとしたらどうだろうか？　金融業者が故意に、規制逃れや混乱を起こすため、自分たちの行動を不透明にしていたとしたら？　だとすれば規制緩和のメリットとはかけ離れている。

「知識経済」の課題は、「社会的世界について私たちが知っていることや知らないことは、自然についての知識とは違い、生来のものではなく、それ自体が社会的構築物である」という真理の、一つの実例に過ぎない。私たちが企業や政府について見つけられることの大部分は、法律によって制御されている。プライバシー関係法や、企業秘密、いわゆる「情報自由法」といった法規が、私たちの探求に枠をはめている。ある種の問いは、問い始める前から、統制されているのである。私たちは「誰の利益か？」と問う必要がある。

前述した法規制のいくつかは、社会の品位を保つために重要である。トイレでの音を上司に録音されるような世界に住みたい人はいない。しかし、情報を保護する様々な法律は、個人のプライバシー以外のものを守っている。企業秘密という名目で薬品会社が新薬の危険性に関する情報を隠蔽し、ペーパーカンパニーの陰で銀行は課税の信頼性を損ねている。企業側の利益は大きく、容易に手放せるものではない。

人々の関わり合う場所として、最もオープンかつ透明であることが期待される政治や法律のシステムでさえ、「秘密」という論理に植民化されている。「テロとの戦い」下において、企業幹部は熱心に、秘密を守るための法律の制定と施行を求めてロビー活動を行った。そして有権者たちは、「ダークマネー」の洪水に怒っている。ダークマネーがどこから流れ、どのような影響を及ぼしたのかは、もし明らかになるとしても選挙の後であるし、あるいはまったく明らかにされない(6)。

強力な企業や金融機関、政府組織が「不開示合意」「適切な手法」「言論統制法」等のもとで自らの行動を隠しているのに対し、市民の生活は徐々に裸にされてしまっている。私たちのオンラインでの行動はすべて記録されている。そのデータが誰に、どのくらい開示されるのかといった問題が残っているに過ぎない。匿名化を行うソフトウェアは多少の助けにはなるが、「隠れよう」とする行動自体が、監視当局にとっては目印となっているのではないか？　監視カメラや、データ業者、センサーのネットワーク、「スーパークッキー」等が、私たちの運転速度、飲んでいる薬、読んでいる本、訪れたサイトなどを記録している。法律は、ビジネスの世界での営業秘密を守ることには熱心だが、個人のプライバシー保護については比較的寡黙なのである。

本書が焦点を当てるのはこの不均衡である。ウォール街からシリコンバレーまで、産業にとってなぜ「秘密」がこれほど重要になったのか？　人々やビジネスがラベル付けされ取引されるあり方が、かくも「不可視な」ものになったことは、どのような社会的影響をもたらすのか？　プライバシーと開放性の間で、法律はいかに最適なバランスを見出すのか？　これらの問題に答えることが、より分かりやすい社会秩序に向かう道筋となるだろう。

しかし私たちはまずこの問題を十分に理解しなくてはならない。「ブラックボックス」という言葉はそのために有用なメタファー〔隠喩〕であり、それ自体二重の意味を持っている。一つは、飛行機や列車、自動車などが搭載している、データ記録機器である。そしてもう一つ、入力と出力は観察できるが内部の仕組みが分からない、ミステリアスな装置をも意味する。私たちは日々、この二つの意味に直面している。企業や政府によって行動を追跡されるが、その情報がいったいどれほど遠くまで運ばれ、どのように利用され、どんな結果をもたらすのか、私たちにはまったく明らかではない。(7)

秘密の持つ力

知識は力である。自分を隠しながら他者を精査できれば、それは最も強い力となる。(8) 企業は顧客や従業員になり得る人の詳細な個人データを得ようとするが、企業自身の統計や手続きに関する情報は、当局に対して必要最小限しか開示しない。(9) ネット企業は利用者についてますます多くの情報を集めているが、その記録に対して利用者が権利を行使しようとすると、規制と争う姿勢を見せる。

テクノロジーの進展に伴い、市場の圧力はデータゲームの賭け金をつり上げている。監視カメラは年々安くなり、センサーはより多くの個所に埋め込まれるようになった。(10) ケータイは私たちの動きを捕え、キーボード打鍵を記録するプログラムもある。好むと好まざるとにかかわらず、新たなハードウェアやソフトウェアは私たち全員を数値化する。(11) その結果、近年まで記録されてこなかった大量のデータが蓄えられ、かつてないほどの深さと特定性とを備えたプロフィールとして集約されている。

しかしその目的は何で、誰に向けられたものなのか? 個人のプライバシーが損なわれることは、それに応じて企業や政府の透明性の水準が上がるなら、十分に価値がある。しかし大半の場合、そうではない。クレジットの格付け会社や、検索エンジンの運営者、大手銀行や米運輸保安庁（TSA）

は、私たちについてのデータをスコアやランク、リスク計算、ウオッチリストに変え、重大な帰結をもたらしている。彼らが私有するアルゴリズムは、内部告発やリークによる例外的事象を除けば、他者による精査を免れている。

秘密にする正当な理由がある場合もある。国土安全保障省の捜査が筒抜けになっているために、テロリストが侵入してきたといった事態は避けねばならない[12]。しかし、遠隔でさえ人員や手続きが精査を免れているような組織によって私たちの一挙手一投足が観察されていたら、民主主義や自由市場といった言葉は空しく響く。秘密が限度を超えると、私たちは重大な意思決定から疎外される。よりオープンにすることが必須なのである。

評判、検索、金融

情報経済の中心にあるのは、大量のデータを蓄積して顧客（私たち）の生活について詳細な情報を集めるネット企業や金融企業である。彼らは、私たちに重大な決断をさせるため、あるいは、私たちについての決定に影響を及ぼすために、データを活用する。しかしそれについて私たちは何を知っているだろうか？　信用スコアの数字が悪いと、当人にとって何十万ドルも余計なコストがかかるかもしれないが、その正確な計算式を私たちは決して知ることがない。分析に基づいて予測を行う企業は、ある労働者を「高コスト」「信用できない」と判定するかもしれないが、労働者自身にその決定を伝えることはない。

こちらはまだましな方だが、同様の企業は、私たち自身が行う選択に対しても影響を及ぼすことだろう。アマゾンやユーチューブで使われている「おすすめエンジン」（Recommendation engine）は自動的に、「おそらく」私たちが気に入るであろうものを親し気に優しくおすすめしてくる。この「おそらく」を見くびってはいけない。おすすめの背後にある経済的、政治的、文化的なアジェンダは、解明することが極めて困難である。おすすめエンジンは顧客と供給者の間で、時としては顧客の、時としては供給者の利害に沿うが、結局のところ彼ら自身の利益を最大化するように、オンライン世界を調整しているのだ。

金融機関は融資や信用に関わって、私たちに対し直接に力を及ぼしている。彼らもまた、重要な取引については、見通せない複雑な層という帷子を着せて覆い隠している。二〇〇八年、金融界では秘密に包まれた出来事によって信用危機が起き、銀行システムは破綻の淵にまで追い込まれた。安定化のために連法準備制度理事会（ＦＲＢ）が介入したが、どのような介入をしたのかは秘密にしていた。二〇一一年末になってやっと、ジャーナリストたちがこの介入の莫大な規模を明らかにした[13]。時代を画する「金融規制改革」が（それも選挙民からの意見を聞くことなく）議論され議会を通過した後のことである。金融機関の大物たちは、既にＦＲＢによって許され、多額の退職金を得て逃げ出していた。

評判、検索、金融。この三つはビッグデータが私たちの生活に最も侵入している領域である。しかもその侵入は密かに行われることが多く、私たちの社会の開放性や、市場の公正さを損なう結果となる。ランク付けや評価に関わる新たなテクノロジーがもたらす問題のいくつかを考えてみよう。

・ある夫婦がマリッジカウンセリングを探していたら、クレジットカード会社はその夫婦の金利を上げても良いだろうか？　もし良いのであれば、カード保有者にそれを知らせるべきだろうか？
・グーグルやアップル、ツイッター、フェイスブックなどが合法なウェブサイトや本を完全に閉め出すことができても良いのだろうか？　もしそうしたならば、利用者に伝えるべきだろうか？
・ＦＲＢは、スキャンダラスなふるまいによって危機に陥った銀行を救うために、果てしない額の紙幣を印刷しても許されるのだろうか？　もし許されるのであるなら、市民はいつ、どのようにその事態を知るべきだろうか？
・何十万人ものアメリカ市民は、自分が秘密裡に「ウオッチリスト」に載せられていることを知らされるべきだろうか？　彼らには自分の名前を消してもらう機会が与えられるべきだろうか？

自らの行為を秘密にしているのは、ウォール街やシリコンバレーのリーディングカンパニーばかりではないが、私はそれらが社会で果たしている独特の役割に鑑み、そうした企業に焦点を当てる。二〇一〇年第四四半期の米国経済は、全体として「付加価値が一〇％未満」であったが、金融部門は二九％もの利益（五七七億ドル）を上げた。(14)シリコンバレーの企業群も利益率が大きく、力を持っている。(15)金融機関が扱っているのがお金なら、強力なネット企業が扱っているのは「注目」だ。彼らは特定の考えや財・サービスへと「注目」を集め、それ以外のものを遠ざける。彼らは「私たちのために」世界を整理する。そして私たちは、データがもたらす便利さを、考えなしに歓迎する。しかし、それがもたらす代償について、私たちは正直になる必要がある。

秘密と複雑性

ビッグデータのブラックボックスを解明するのは容易なことではない。ＩＴ企業や金融機関がその手法を進んで開示してくれたとしても、理解するのが難しいのである。従業員の生産性、ウェブサイトの関連性、投資の魅力などに関わって彼らが出した結論は、多数のエンジニアが導出した公式によるものであり、法律家たちによって守られている。

本書において私たちは、ブラックボックスを閉じておくための主要な三つの戦略について探究する。その三つとは、「実際の」秘密、法的な秘密、そして「不明瞭さ」である。「実際の秘密」は、隠れたコンテンツと、それへの承認されないアクセスとの間に、障壁を建てる。私たちがドアに鍵を掛けたり、メールをパスワードで保護したりするのと同じである。法的な秘密とは、ある種の情報を秘密にしておく法律上の義務がある事柄である。銀行員が顧客の財産について同僚にも話してはいけないということは、規制当局によっても、内部規則によっても定められている。(16)「不明瞭さ」とは、秘密が明かされねばならない時に、それを何とか誤魔化そうという試みに関わる。例えば企業は、情報開示の要求に対して、三〇〇〇万ページの書類で応ずるかもしれない。投資家は、干し草の山から針を探すような時間の浪費を強いられるのだ。(17)これら三つによって生まれるのが「不透明さ」である。私はこの「不透明さ」を、矯正可能な分からなさを広く表す用語として用いている。(18)

例えば詳細な投資目論見書は、何十いや何百ページにもわたるかもしれない。それらは他の資料を引用しているだろうし、引用されている資料もさらに別の資料を引用しているだろう。出典同士で対立点もあるかもしれない。(19)この投資を本当に理解しようとしたら、何千ページにもわたる複雑で冗長な法的文書を処理しなければならない。これは「不明瞭」と言えるのではないか。同様のことが会計文書にもあてはまる。二〇一三年初め、法学教授のフランク・パートノイとピュリッツアー賞受賞ジャーナリストのジェシー・アイジンガーは、「アメリカの銀行の内側」を追究するためにチームを組んだ。二人はどこまでも続く不透明さに仰天した。経済を再び破壊する可能性を秘めた巨大リスクを隠しているかもしれない銀行群を、彼らは「ブラックボックス」と呼んでいる。[20] 彼らの報告からの以下の引用文が示すように、米国の銀行システムは、危機から五年後においても依然として統制を失っている。

・ある巨大なファンドのマネージャーは、「財務諸表が意味のある手掛かりを提供できるような機関は存在しない」と語った。

・ドン・ヤングは、「財務会計基準審議会（ＦＡＳＢ）に勤めて以降、私は銀行の会計を信用しなくなった」と語った。

・別のＦＡＳＢメンバーも、銀行の会計を信用できるかを問われて、「全く信用していない」と答えている。[21]

これらの発言は、金融危機から五年後、銀行法制を変えた巨大な法体系の一部である「ドッド＝フランク・ウォール街改革・消費者保護法」から三年後のものである。不信に乗じた投資家が一定数を超えた時に金融危機が発生し、彼らの懐疑がシステムに雪崩を起こした。政府が彼らの「緊急援助」や「流動性ファシリティ」に介入した時、彼らは既に複雑怪奇なシステムにさらに複雑な階層を付け加えたのである。

ハイテク企業の場合は、複雑性は秘密ほどには重要ではない。しかしながら、ウェブのスプロール化が進むにつれ、グーグルの検索エンジニアたちの仕事は少なくとも、インターネットを自社内でコピーした「閉じたシステム」の中で行われるようになった。同じように、ツイッターやフェイスブックの「フィード」を扱うエンジニアも、仕事の対象はひとまとまりの情報である。彼らの使っている手法を理解しにくいのは、一つには秘密のためであり、もう一つは規模が大きいためである。技術的および法律的に禁止されているために、当該企業の外部からは、手法の根本を理解できない。

本書で提起するブラックボックス問題に対し、活動家たちは解決策としてしばしば「透明性」を強調する。確かに多くの場合、「日光が最高の消毒剤」となるのだが、透明性は実際の、あるいは法律上の秘密として理解することを妨げるような複雑性を召喚してしまうかもしれない。政府は消費者向けの「平易な言葉」と情報開示とをしばしば業者に要求するが、金融業者はより複雑な取引を発明して「透明性ルール」を妨害してきた。こうした効率性を向上させないような場合には、規制当局は踏み込んで複雑性を制限すべきだ。透明性とはそれ自体が目的なのではなく、より良き理解のための一時的なステップなのである。

ソフトウェアの秘密の判断

ではなぜこれが重要なのか？　権力が次第にアルゴリズム的なふるまいをするようになってきたからである。[22] それまでは人間の熟考を基に決められていた事柄が、今では自動的に判断される。ソフトウェアは何千ものルールをコード化し、瞬時のうちに計算をして判断する。こうした自動プロセスが既に長らく私たちの地平を先導するようになっており、インターネットのバックボーンともなり、GPSを解釈する。私たちが気付いているか否かにかかわらず、それが日常生活の質の向上に寄与していることは間違いない。

しかしどこで「ストップ」をかけたら良いのだろう？　同様のプロトコルは見えない形でも影響を

与えている。初めて行くレストランへの道筋を探す場合だけでなく、グーグルやイエルプ、オープンテーブル、Siriなどがおすすめのレストランを推薦してくる場合もそうだ。自動車の購入や、レストランの選択でさえも、効率的な道筋を探す場合ほどは一筋縄ではいかない。例えばおすすめエンジンは、そのレストランや自動車会社が、従業員に対してきちんと健康保険や出産休暇を与えているかどうか考慮するだろうか？　それを考慮に入れるように私たちが促すことができるだろうか？　社会的現実を地図に落とし込むのに、最も収益の上がる方法を競う中で、シリコンバレーやウォール街のデータサイエンティストは「おすすめ」を純粋に技術的問題と捉える傾向がある。ルールの形でコード化された価値観や権力は、ブラックボックス内部に隠されている。[23]

最もあからさまな問題は、「こうしたアルゴリズムは公正に作動しているのか？」ということだ。ユーチューブはグーグルに保有されているが、例えばユーチューブ以外の動画サイトはなぜグーグルの動画検索結果から排除されているのだろうか？　レストランや自動車販売業者を検索すると、特定の業者がリストの上位に来るが、どんな順序で並べているのだろうか？　ネット上の業者が、同じ商品の価格を顧客ごとに変えていることは何を意味しているのだろうか？　一部の人だけ借金返済の遅れを許されているのはなぜか？

こうした現状を擁護する人々は、企業がウェブや投資や顧客の質に対して公正な判断を下しているからだ、と言う。それに対して反対者は、業者は利己的な「値踏み」や利害対立を、テクノロジー的な呪術のヴェールの中に隠しているとする。どちらが正しいのだろうか？　アルゴリズムが秘密にされている以上、いずれにしても推測に過ぎない。グーグルによる「ランク付け」の実態を知らなければ、それがいつ本当に利用者の助けになっていて、いつ商業的利益のために検索結果が歪められているのか、私たちは評価することができない。同様のことは、フェイスブックで表示される記事の更新や、ツイッターにおける「トレンド」にもあてはまる。こうしたことはすべて、秘密に関する法規や、難解なテクノロジーによって、「保護」されているのである。

マジックミラー

かくも公然と「秘密」がまかり通っているので、個人や市民組織における「情報保護」と、企業や政府のそれとをざっくり同等視するような気楽な観察者が出るのも不思議ではない。私たち個人の銀行記録が、銀行自体の秘密と同じくらい安全に守られていると考えるのは、気休めにもなるだろう。しかし私はこうした前提を覆そうと考えている。私たちが住んでいるのは、壁に守られた平和な庭園という王国ではない。現代の世界はむしろ、片側だけからしか見えないマジックミラーと似てきている。力のある企業は私たちの生活の詳細をかつてないほど知っているが、逆に私たちは、企業の中で私たちの情報がどのように使われているのかについて、それが私たちの重要な意思決定に影響をもたらすにもかかわらず、ほとんど知らないのだ。

その上、金銭や新たなメディアに対する権力は、一握りの私企業へと集中しつつある。私たちは、こうした企業が重大なやり方で、公権力とどのように相互作用（および対立）するかについて、ほとんど知らない。本書の対象は主として民間部門であるが、タイトル（原題）を「ブラックボックス経済」ではなく「ブラックボックス社会」としたのは、国家と市場との間の垣根が崩れているためである。私たちは次第に、かつて政治の中枢にいたジェフ・コノートンが「ブロブ」（Blob、政府機関と産業界とを行き来する人材）と呼んだような人々によって支配されるようになってきている。ブロブたちは、政府・

企業のいずれに属している時も、私益のためひそかに、金銭やメディアを動員するネットワークを作っている。[24] 各政策（もしくは産業）分野において、こうしたインサイダーたちが社会の利益（低利子融資や雇用創出）および負担（監査や盗聴や雇用不安）の分配を決定する。

ヤン・エルスターが著書『ローカルジャスティス』で書いたように、機会を分配する完璧に公平な方法は確かに存在しない。[25] しかし市場と国家は、速度と機密の上での優位性を利用して、こうした選択をより公平にしようという最も基本的な努力を押しのけることに専心している。テクノクラートと経営者は、「科学」という装いのもとで、議論の余地のある価値判断を下している。主観的で微妙な結論（例えば、労働者やサービスや論文や生産物の価値など）には、測定可能なデータに作り替えるような数学モデルが強く求められる。[26] ビッグデータが駆動する決定は、ひょっとすると空前の利益をもたらすのかもしれない。しかし、ひとたび計算による権力を、物に対してだけでなくヒトに対しても及ぼしたら、「ブロブ」が現在享受しているようなものより強固な倫理的フレームワークを構築する必要があるだろう。

「ビジネスにおける秘密」と「秘密のビジネス」

今日の金融機関とネット企業は、熱心に「並べ替え、ランク付け、レート付け」を行う。彼らは知的財産を守るために、それに関連する技術を秘密にしていると言うが、より隠された動機があることも明らかだ。例えば一部の製薬会社は、治験結果のうち都合の良いものだけを選んで公表し、健康や安全性に問題のある結果は隠していたことが裁判で判明した。[27] ウォール街の金融以前の危機について、ブラックボックスをこじ開けようとしているジャーナリストもいる。[28]「サンライト財団」、「効率的政府のためのセンター」「オールトライアルス・ネット」「トランスペアランシー・インターナショナル」が、開放性を求めている。

こうした流れに応えて、各所で開示を進めようとしている政治家もいるが、注意が必要である。嗅ぎまわる人々のことをうるさく感じたら、企業側は「特別政治行動委員会」(super PAC)を作って結束し、改革志願者を財政的に攻撃することができるのだ。これが明らかとなるのは選挙のずっと後である。[29]

グーグルのプライバシー対策について問われた元CEOのエリック・シュミットはかつて、「グーグルの方針は、不快を抱かせるぎりぎりのラインを決して踏み越えず、その線上を歩くことだ」と語ったことがある。より正確に言い直せば、グーグルや他のIT企業のリーダーは、一線を超えたために「捕まる」ことがいやなのだ。[30] 市場での競争や法律の執行を掘り崩すために「秘密」を持ち出すことができる限り、彼らは大胆に、線を踏み超えて、利益につながるような実践を行うだろう。

振り返る

米国の先導的な改革者たちは、より透明な社会、言い換えるとより理解しやすく、先取権についてもよりオープンな社会を追求してきた。ルイス・ブランダイスの「日光は最良の消毒剤である」というコメントは一〇〇年経った今でもしばしば引用されるが、今日の「カジノ資本主義」にも奇妙に似た「金ぴか時代」〔Gilded Age, 1865-1893頃〕のビジネススキャンダルにさかのぼるものである。[31] 革新主義時代〔Progressive Era, 1890-1930頃〕の暴露ジャーナリストや独禁法取締官たちは、「泥棒男爵」の悪行を暴いて彼らを恥じ入らせた。[32] 政治家も標的となった。一九一〇年のパブリシティ法〔Publicity

Act）は、政治キャンペーンへの寄付の開示を命令した。(33)

当時、多くの国が同様の改革を行った。選挙民は政治家や企業に、公衆による精査の対象となることを求めた。一九二〇年代に再び怪しい経済行為が増えたが、その後、ニューディール政策が実施され、進歩主義が盛り返すことになった。議会は、一九二九年の大恐慌への道を舗装した商売人たちに憎まれながらも、一九三三年の証券法（Securities Act）、一九三四年の証券取引所法（Securities Exchange Act）で、新たな開示義務を課した。新たな立法で連邦通信委員会（ＦＣＣ）を作り、電信やラジオ産業による権利濫用を調査する権限を与えた。(34) ニューディールによって、重要な産業の内部を探るようになったのである。(35)

政府はさらに重要な方法で自らを開示し、新たな権力のバランスを取った。例えば一九四七年の行政手続法（Administrative Procedure Act）において、重要な規則を制定する際に担当機関は、公示しコメントを求める期間を設けねばならないとした。改革者はそこにさらに一九六六年、多数の政府記録を開示させる「情報自由法」を付け加えた。(36)

一九六〇年代、市民のエンパワーメントや消費者保護の名のもとに、政府および企業の秘密に対して、利害を共にする団体が広く連携して戦った。(37) その時獲得したものの中で、最も息が長いのは、情報を開示させる手続きの確立であろう。一例を挙げると、国家環境政策法においては、主要な連邦のプロジェクトに対し「環境影響評価書」（Environmental Impact Statements）を含めて、大気・水・植物・動物への影響を明らかにするよう求めている。食品医薬品局から消費者製品安全委員会まで、各政府機関は、私たちが購入するもののリスクを明らかにすることによって、毎日の生活の危険性を低減している。(38)

しかし常に揺り戻しがある。一九六〇年代末、産業界は彼らが「子守国家」（nanny state）と呼ぶものからの精査に反撃し、勝利を収めた。例えば、環境保護庁が殺虫剤の成分の開示を求めたところ、モンサントが反撃したのだ。成分は「企業秘密」（知的財産の一種で、これについては後でより詳しく述べる）であるとの主張が最高裁で認められた。このために、フィリップ・モリスの煙草や、油圧破砕された化学物質の成分など、情報開示を求める多数の運動が水をさされた。[39]

一九七〇年代のスタグフレーション下で政府の信用は衰え、産業界のロビイストたちには、『企業の悪行を暴いて罰するのは官僚制よりもジャーナリストの方が上手だ」と主張する機会が与えられた。熱心な調査者が悪行を暴いている時に、なぜわざわざ（政府に）報告書を出さなければならないのか？　銀行が過度に大きく、複雑になり、貪欲になり過ぎたことを嘆く役人もいた。もし「洗練された投資家」が銀行の抱えるリスクを理解していれば、銀行自体も評判を守るために二枚舌を使うことはなかったのではないかと、彼らは主張する。[40]

ライバルに差をつけるために企業は、「専有」「秘密」といったことを売り物にしようとした。コンピュータを使って秒単位で取引ができるようになると、情報による優位性が経済の中で決定的に重要となった。動きの速い企業世界の中で、「規制」や、場合によっては「モニタリング」まで、その意義を問い直すエコノミストも現れた。複数の企業に同じような報告書を出してコンサルタント料をもらうエコノミストもいた。企業同士は連絡を取り合わないからである。ビジネススクールのＭＢＡコースでは、ライバルに勝つために情報での優位を取ることの重要性を強調している。[41]

ここ一〇年ほど、ステルス技術を使った成功により、「秘密」はよりセクシーとなった。グーグルは、検索のランクを決めるアルゴリズムを「秘密のソース」として熱心に守り続け、ハイテク企業トップの地位に上り詰めた。投資銀行やヘッジファンドは、自分の資産の価値を知らない売り手と、自分が買おうとしている資産の問題点を理解しない買い手とを縁結びすることで、何十億ドルも荒稼ぎした[42]。

急速に変化するビジネスを規制当局が「開示させ（理解する）能力」をネオリベが無効化する一方、ネオコンは国家の深層を隠すために秘密の壁を築き始めた[43]。ニクソン政権で既に、ディック・チェイニーとドナルド・ラムズフェルドは、外交や戦略について当局が議会に説明しなければならないことに、苛立っていた。ジョージ・W・ブッシュ政権の際に彼らは職務を刷新し、策略を立案する自由（および、それを監視されない自由）を拡大した[44]。9・11テロ以降彼らは政府の秘密を強化し、「テロとの戦い」に勝利するためには、隠れた敵よりも秘密裡に行動することが唯一の道であると主張した[45]。

オバマ政権でも幹部の秘密は拡大し、多大な（さらに時には超現実的な）成果を手に入れた。二〇一〇年時点で、米国の諜報機関がテロ対策のためにどれほど巨額の費用をかけているのか専門家でも計算できなくなっていたし、諜報機関がどれほどの監視を行っているのか、機関自体にも分からなくなっていた[46]。質問に対する彼らのぎこちない応答は、議会や組織のわずかにしか知られていない「ブラック予算」を得て沈黙で自らを守っている機関と比べれば、まだマシだった[47]。戦略的な驚きをマネジメントするために、「大きな政府」と「安全請負人」とが手を組んでいた。

かくして、革新主義時代の改革者の呪文である「開放性」が、ファウスト的（および軽信的）な契約によって鮮やかに逆ねじを食らいつつあった。この文脈では「子守国家」は全く違った含意を持つ。

物事は意図した通りにはいかない。一〇年ほど前、インターネットは新たな透明性の時代を約束しているように見えた。情報へのオープンなアクセスが、素晴らしい自由を実現しそうだった。法学教授のグレン・レイノルドが、「デイヴィッドの軍隊」によって、自足したエリートが追い払われるだろうと予言した[1]。宇宙物理学者のデイヴィッド・ブリンは、「誰が管理者を管理するのか」という古くからの問題に、新たなテクノロジーが最終的な答えを出すと確信していた。しかしビジネスや金融や検索の大物たちは、ブリンが『透明な社会』で予言したような、相互的な監視という「ガラス鉢ビジョン」に屈することはなかった。彼らはその代わりに、自らの力と富とを強固にするため、「秘密」と「分かりにくさ」を武器として使ったのである(48)。彼らの「不透明化のためのテクノロジー」は広がり続け、監視も統制もなされていない。

本書の構成

本書で私は、先導的なネット企業や金融機関がしばしば混沌に満ちた私たちの情報環境に対し、独占的な評判や検索や金融に関するテクノロジーをどのように活用しているのかに焦点を当てて、そのビジネスの実態を追究する。それによって多大な効率化が実現している場合もあれば、経済成長と個人の権利の両方を損ねている場合もある。

個人やビジネス、およびその商品が成功するかどうかは、データや認知を「評判」に変えられるかどうかにかなり依存している。そして評判の形成はかつてないほど、アクセスできないデータを処理する秘密のアルゴリズムによって決定されている。周囲の環境を真に理解している人は少ないし、それがもたらす結果(私たちの生活の多くの側面が「プロフィール」によって制御されている)や、それらが基にしている「データ」にアクセスできる人はさらに少ない。第2章では、評判に関わる新たなテクノロジーがいかに広く社会に浸透しているかについて例を挙げて論じる(49)。

欲しいものを探す時、検索エンジンやSNSに頼ることが増えるほどに、そうしたものの影響力が増してゆく。包摂する力、除外する力、そしてランク付けする力が、ある種の印象は永久に残し、他の印象は消えるにまかせる力となる。(50)アマゾンはどの本を優先しておすすめするか、どのように決めているのだろうか？　偽のレビューや、買収によるレビューを、どのように見つけ出すのだろうか？　フェイスブックやツイッターは、なぜ特定の政治的な話や情報源に、他を犠牲にしてハイライトを当てるのか？(51)　検索界の「巨人」は、検索のアルゴリズムは科学的かつ中立的であると言うが、こうした主張を裏付けるのは難しい。(52)検索は既に重要な経済インフラとなったが、「企業秘密」を盾にその手法や実態を隠し、精査を免れることが可能となっている。(53)第3章では、検索テクノロジーの不透明性が個人に与える影響について追究し、それがビジネスや法律に提起するより大きな問題についても扱う。

評判や検索部門だけでなく、金融産業もまた、より多くの決定をコンピュータ化し、プログラム化した手続きで行うようになった。ビッグデータによって、巨大なデータセットの複雑なパターン分析をすることが可能となった。「判断」を多段階のステップへと還元するアルゴリズム手法は金融を合理化し、金融機関側の利己的あるいは偏った介入を、根拠のある意思決定枠組で置き換えて、非効率性を減らすと考えられた。さらに、信用における「カースト」や、企業の「無責任」といった旧来の疑わしいパターンも、根こそぎ終わりにすると期待されたのである。(54)金融というブラックボックスにおいて、旧来の問題が、技術的な複雑さ、現実の秘密、営業秘密法規によって置き換えられた。『フィナンシャル・タイムズ』紙のジョン・ガッパーは、二〇〇八年の金融危機の原因はそこにあると言う。「不透明さと複雑さとによって、（…）嘘や価格つり上げ、究極的には詐欺が開花してしまった」[55]。さらに悪いことに、私たちの社会にこうした事柄が（必然的なものとして）馴染んでしまったために、際限のない秘密主義があたかも自然なもののような風格さえ帯びてしまった。第４章では、金融市場における不透明なモデルや実践の役割を検証し、そうしたものが市民に、社会に、法律につきつけた挑戦について述べる。

ジョージ・ダイソンは著書『チューリングの大聖堂』において、「フェイスブックが私たちが誰かを定義付け、アマゾンが私たちの欲望を定義付け、グーグルが私たちの考えを定義付ける」と辛辣な評言を述べている[56]。この警句はさらに続けることができる。金融が私たちの（少なくとも物理的な）「所有」を定義付け、評判が私たちの機会をますます定義付ける、というふうに。各部門の主導的な企業は、こうした「定義付け」を無制約に行いたいのであろう。もしそれが成功したならば、私たちの根本的な自由やチャンスは、最高経営者や株主を豊かにする以外の価値観からほとんど出られなくなる。

本書は二本の抵抗の道筋を示す。第５章では、ブラックボックス企業による権利濫用を規制するための法的戦略を複数、推奨する。第６章では、理想的な「知的な社会」（Intelligible society）の理想を基盤として、評判・検索・金融の新たな政治経済学を構築する。ただ関係機関は、ブラックボックス内での行為を既存の法的枠組みの中で「封じ込める」ために、「あらゆる正しい動き」をしなくてはならない。シリコンバレーやウォール街の権力に関心を持つ人は、重大な情報が流れてこないことに不平を言うだけではなく、それ以上のことをしなくてはいけないのである。アルゴリズムの力が、公正さ、自由、合理性を推進する環境でのみ使われるような未来を、私たちは構想することができる。

私たちは、「隠れたスコア」が人々の運命を決めたり、株式市場の人為的操作があたかも「見えざる手」のように神秘のヴェールに包まれている世界に生きる必要はない。個人や、ビジネスや、果ては金融の運命が、隠れたデータベースや、怪しいスコアや、どこぞの賭け事に左右されることを、心配しなくてはならない世の中がおかしいのである。これまでは個人のプライバシーの骨抜きに使われてきたテクノロジーや法律に「革命」を起こし、私たちの自由を（縮小するのでなく）拡張し、社会的世界を理解するために使うことができるはずだ。データマイニングや普遍的監視も、その向ける方向を間違えなければ、ここ一〇年のアメリカ経済を悪化させてきた金融危機や資源配分の間違いを防ぐのに役立つだろう。

ネット企業や金融機関に対して、より規制の強い部門のベスト・プラクティスを引き出し、彼らの公共的な価値を増進させなくてはならない。例えばヘルスケア部門において、詐欺や虐待、不要な治療行為を抑止するために、規制当局はテクノロジーに強い業者と契約している[57]。同種の技術は、銀行や検索エンジン、SNSの業者を正直に保つためにも適用可能であるし、適用すべきなのである。

より透明性が増せば、市場の「不自然な活気」を外部からチェックしたり、今では容易に隠蔽できる企業の悪行を暴露したりするのに助けとなるだろう。不公正競争や差別を明るみに出すだろう。しかし私が規制という手段を提案しているように、特に金融部門においては、透明性だけでは十分ではない。企業が観察・理解されないために複雑性という武器で戦っている場合には、「情報開示」と言っても空虚なポーズだけとなる。規制者を蝕んできた、「情報開示」と「開示を無効にするトリック」という再帰的なゲームには、終止符を打たなくてはならない。外部者に説明できないほど複雑な取引は、複雑過ぎるので存在を許されてはならない[58]。

現在の傾向から予想される、より悪い可能性に直面する必要がある。「自己予防的予言」として知られる古くからのフィクションのジャンルがある。(59) 著者は、おそらくは現在の最も悪い傾向をいくつか外挿し、ディストピアを描き出す。もしそれなりの数の読者が自己満足を揺すぶられ、行動を変えるならば、予言は回避することができる。(60) ギリシャ神話における「カッサンドラの運命」を避けるのである(カッサンドラの警告は皆に無視された)。ジョージ・オーウェルの『一九八四年』や、オルダス・ハクスリーの『素晴らしき新世界』はこのように理解され、彼らの描き出した全体主義的な未来への抵抗へと人々を動員したのだ。(61)

映画にもこのような「自己予防的予言」が存在する。テリー・ギリアムの『未来世紀ブラジル』において、テロ対策部局のプリンターにハエが引っかかったことから、主人公であるサム・ラウリーの人生は暗転してゆく。サムは間違いを正そうとするが、硬直化した官僚組織はサムをテロリストと誤解し、封じ込める。ギリアムは不透明な国家が説明責任を果たさず暴走するさまを描き出している。国家は心ない動きをする「統合失調症」であり、市民を拷問して服従に追い込む。(62)

私たちは、ギリアムが描いた「一九八五年のディストピア」から逃れ出たと信じたい。一九八九年の東欧革命で『一九八四年』の可能性が崩されたように。私たちの生活に関する決定の大部分は、国家の官僚によるものではなく、民間部門でなされている。最新のコンピュータは、シュタージ[2]によるほこりまみれのファイルや、ギリアムが創造した「ループ・ゴールドバーグ仕掛け[3]」とは全くかけ離れている。(63) ウォール街やシリコンバレーを闊歩する幹部たちは、『未来世紀ブラジル』に出てくるへまの多く冷酷な小役人たちよりはるかに洗練されている。資産家たちは一般市民に、テクノロジーが交通渋滞や気まぐれな気候の問題を解決し、現状の生活から抜け出せるよとけしかける。

だがこうした自己満足に裏付けはない。彼らの大企業は毎日、何百万人もの人々に影響を与える意思決定を行っている。小さなミスでも、人生を変えるような「配置変え」を引き起こすかもしれない。そして私たちはこうした意思決定プロセスの重要なところに参加できない。未来の企業戦略家や政府幹部も、マジックミラー〔一方からしか向こう側が見えない鏡〕を維持するために、多くの資源を使うことだろう。ビッグデータ技術が授けてくれる優位性は、戦わずに放棄するには大き過ぎる。しかし「ブラックボックス」は、情報の不均衡が行き過ぎてしまったシグナルだ。私たちは世界の意味付けを行うために、巨大な「評判・検索・金融」に依存するようになっている。こうした巨大な「意味付けする側」をどのように意味付けるのか、政策当局がそれを手助けするべきなのである。

職場でも家庭でも、普通のアメリカ人は、自らの手法を隠している経営者たちによって影響を受けている。「いじめられている」と表現する人もいるかもしれない。ひょっとしたら間違い、偏り、破壊をもたらすかもしれない「自動的な判断」に頼っている。「評判・検索・金融」のブラックボックスは、私たち全員を危険に晒す。手法が隠されてしまっている以上、間違ったデータや妥当性を欠いた推論、欠陥のあるモデルも正すことができない。本書はそれらを明るみに出し、解決策を提案する。

第2章　評判がデジタルで広まるデータ暴走時代

「全てを教えて」というのがビッグデータの口ぐせだ。「シャイにならないで」「たくさん教えてくれるほど、あなたを助けられる」。サンタが休みの時に代わりに子どもたちの様子を見張る「エルフ・オン・ザ・シェルフ」[1]のように、私たちが「良い子」か「いたずらっ子」かを見て報告するのだ。子どもたちに見られていない時には、よく見張るために動き回ることさえできる。子どもがエルフに触ると、魔力は失われる。しかし従順な子どもにとっては、クリスマスプレゼントが待ち遠しいのだ。

子どもは賢くなってくると、エルフを信じるのをやめる。しかし政策担当者たちはまだ、ビッグデータ神話を信じているようだ。多くの消費者もそうである。エリック・シュミットは、グーグルの利用者に、「明日は何をしようか」「どんな仕事につこうか」といったことを尋ねて欲しいと言う。一つの私企業が、生活に関わる「親密な知識」を与えることについても、眉をしかめないでもらいたい。個人に合わせて最適化をしているのだから、ビッグデータが最適の人生を計画してくれるというのだ。しかも無料で！

しかしこれは神話に過ぎない。ビッグデータが「近道」や「割引」を示してくれても、別のところで隠れた費用が発生しており、「野生のガチョウを追跡する」くらい困難なことだ。あなたに関するデータは、他の人々にとって利益になる。しかもコストを負担しているのはあなただ。悪者の手にかかると、あなたのデータであなたが犠牲になるのである。[1]

データ集約型の広告によって、毎年一五〇〇億ドルを超える収益が生み出される。[2] そのおかげで、個人に対応した、ユーザーフレンドリーなインターネットが実現していると支持者は主張する。しかし広告会社やスポンサーは、健康のためにそうしているのではなく、利益を求めてしているのである。

私たちが割引を知らせる広告をクリックする時、私たちの居場所や、パソコンの種類（マックかウィンドウズか）、その他様々な情報を基にして、どれほどまでならお金を出してくれるのかを計算するプログラムが背後で動いている。[3][4]「全情報認知」（TIA）を望んでいるのはNSA〔米国の諜報機関〕だけではない。マーケターも望んでいる。私たちについての完全なプロフィールを構築するため、際限なくデータを欲しがっている。

ゲームの名は「パターン認識」だ。過去のふるまいという「点」をつないで未来を予測する。飛行機や映画のチケットを買う際に、あなたが一円でも安い商品を探す人なのか、それともトラブルを避けるためなら多少多く支払っても良いと思っているのか、企業側は知りたいし、それを知るのは難しくない。どんな売り手も、理想的な顧客をターゲットとして、データで優位に立とうとしている。

そして時にその結果が歴然と、当然のように現れる。あなたのお気に入りの小売業者の広告が、どんなサイトを見てもポップアップで出てくる。しかしこれは、マーケティング全体からすると「氷山の一角」に過ぎない。見えないところに無数の、不道徳な戦略が潜んでいる。あるデータブローカーは、五五歳以上の五〇万人にも及ぶ「ギャンブラー」の名簿を、一人分八・五セントで犯罪集団に売った。彼らはこうした「幸運」を追い求める弱い人間を詐欺の標的にしたのだ。がん患者やアルツハイマー病患者のリストが売られたこともあった。[5]企業側ではこうしたリストをさらに「精査」し、「だまされやすい人」「絶望している人」などを見つけ出すことができる。経済のすきまに寄生して、他人の不幸を飯の種に変えているのは彼らだけではない。グーグルはデジタルマーケティングの主力企業である。なにせ私たちのことをよく知っている。良い子なのか悪童なのか、賢いのか愚かなのか、信用があるのかないのか。[6]利益を求める人々にとって、デジタルマーケティングにおいて驚くほどの

割合が、「疑わしいローン」「医薬品」「夜逃げ」のしるしを探すことなのである。(7)

また経営側は、最も安い、費用対効果の高い労働者を探している。彼らは私たちのオンラインデータを整理し、私たちの労働記録を精査する。優れた実績を上げた人には報い、ダメな人は恥じ入らせる。ただ問題はさほど単純ではない。私たちの大部分はプロファイリングされていることを知らないし、知っていてもそれがどう機能するかは分からない。例えば、フェイスブックで誤ったグループに入るといった表向きは無害な行動が、ひそかにチェックされて仕事探しに不利になるといったことを、私たちは予期していない。

また私たちは、データがある局面から別の局面へと「どのように」移されるのかについても、あまり知らない。連邦取引委員会(FTC)が結論付けたように、「データブローカー産業の仕事は、根本的に透明性を欠いている」のである。(8) そのことはよく知っている。規制当局は例えば、私たちの上司や「ビッグデータ」が私たちを見張る手助けをする可能性がある。憲法修正第四条は、政府が私たちの記録を検索することについては(最低限の)規制をかけているが、これは雇用主には適用されない。ある女性が会社のパソコンで「圧力鍋」と検索している時に、彼女の夫は「バックパック」と検索していた。彼女が退勤した後に雇用主は、彼女が「会社のパソコンで疑わしい行動をした」と地元の警察に訴え出た。(9)[2] その後、六人の捜査官(うち二人は合同テロ対策部隊所属と判明した)が彼女のもとにやってきたのである。

不平不満や調査、リーク等によって、評判というブラックボックスを分析する機会が与えられることがあるが、現れるのは、文脈や統制を失ったビッグデータの「絵柄」である。データブローカーは、公私にわたる様々な情報(結婚、離婚、家の購入、投票、その他もろもろ)を、私たちのプロフィールを推定するために活用できる。政府機関はある種の情報の取得が法律で禁じられているが、データブローカーはそれほどには制約を受けない。また、いったん収集された情報を政府が「買うこと」に歯止めはあまりない。かくして、政府と民間による「データベイランス」〔データ監視〕は結果的に、個人のプライバシーに関わるデータの官民共同での収集に至る(10)。

つぎはぎでできている米国のプライバシー法制は、データ流出によって起こり得る脅威に対して充分な対策とはなっていない。流出データによって人はランク付け・レート付けされたり評価されたりするが、評価はしばしば不公正であり、被害もよく起きる。データの公正な取り扱いのために社会で広く対策をしなければ、デジタル差別は強まるばかりだろう。

データから、データを超えて

そうだとしても、「データへのアクセス」は、広く浸透しつつあるデジタルスコア化に対して公正さを担保するための、小さな最初の一歩に過ぎない。私たちの日常行動が、報酬やペナルティのため、あるいは利益や負担のため、「信号」として処理されている。重大な決定は、データそれ自体を基になされるのではなく、「アルゴリズム」で分析されたデータを基になされる。言い換えると、コンピュータソフトウェアでコード化された計算によってなされるのである。そこで使われているアルゴリズムを明確に理解することなしには、および不公正なアルゴリズムに対して異議を申し立てる権利なしには、ただデータだけが公開されても、悪しき評判を正すためにほとんど役に立たない。個人への金融に関わる、「信用スコア」というお馴染みの概念について考えることは、「スコア化」される世界の希望と落とし穴を知るのに役立つだろう。

クレジットの履歴からスコアへ：ブラックボックスの原点。信用機関はまさに、ブラックボックス技術の先駆者と言える。個人の運命を変えるような判断を行うが、データ収集や分析の手法については隠しているのだ。一九六〇年代、未熟な「調査屋」が提起した訴訟の中に「註釈文書」（innuendo）が差し挟まれていたが、その文書は乱雑で分かりにくく、また「柔弱」でもあった[11]。監視はどこにでも忍び寄るし、不公正でもある。およそどのような人でも、信用を失う（あるいは、もっと悪い）根拠とされかねない習慣を多少は持っているものだ。当時多くの人が持っていた偏見と、報告文書のいい加減さとが結びつくと、こうしたシステムの欠陥は明らかと思える。

一九七〇年代には既に、信用機関についての報道は警告を発していた。公正信用報告法（ＦＣＲＡ）が議会を通過したが、この法律では、信用機関の報告書は正確かつ妥当でなくてはならないと規定している[12]。信用機関のファイルは精査の対象となり、消費者は自分の書類を調べて訂正させる権利を持つ[13]。書類の妥当性に関する限り、「日光が消毒剤」となった。人々が自分のプロフィールにアクセス可能となると、性的指向や家庭に関する問題の多い記述は、報告書から姿を消した。

しかしながら、信用機関の書類に異議を申し立てる権利があるからといって、書類の正しさが保証されるわけではない。ジャーナリストのスティーヴ・クロフトは番組『60ミニッツ』で、大規模信用機関の「異議申し立て」に対応する部署を取材しているが、取材対象者は、信用機関は概ね「貸し手が正しい」という態度を取っていることを認めた[14]。一日に九〇ケース見直しするが、一件あたりにかける時間は六分以下である。真相を知る機会があっても、消費者側に立って問題解決するだけの力はない。したがって、クロフトによるリポートが、この産業の問題点を多数指摘するものとなったことは驚くにあたらない。

信用業界は『60ミニッツ』が不公正だとの声を上げたが、彼らの持っているデータは正確さからほど遠いものだった。番組では、信用機関が、説明責任について最低限の注意しか払わずに生き残ってきたと報じた。[15] 例えば前述の連邦法では、無料でクレジットの履歴を"AnnualCreditReport.com"というサイトを通じて年一回消費者に提供しなくてはならないと定めたが、業界はなんと別のサイト"FreeCreditReport.com"を立ち上げて、高価なサービスを購入するように誘導している。[16] こんな「おとりサイト」が存続しているのだ。[17] 本家の"AnnualCreditReport.com"がなるべく目立たなくなるように、信用機関は「プライバシー権クリアリングハウス」「消費者ユニオン」といった評価の高い消費者向けサイトへの、メインのニュースサイトからのリンクをブロックするようなことまでしている。[18] 公正取引委員会の執行官が二〇〇五年に介入したが、課された罰金(この詐欺行為によって発生した収益のごく一部)では大した抑止効果を上げられなかった。[19]

米国が信用報告書を透明化することに比較的真剣になり、クレジットスコアがより重要となったが、そのほとんどがブラックボックスであることを考えると、落胆を禁じ得ない。銀行およびクレジットカード発行会社は、借り手がデフォルト〔返済不能〕になる確率を予測するため、スコアを利用する。[20] スコアが悪いと金利が高くなることを意味する。しかし、スコアは不透明、恣意的、差別的との批判も受けている。スコアはこうした懸念にほとんど応えていない。[21]

信用スコアが金融という文脈を抜け出して、他の分野(例えば自動車保険)でも一般的な価値を持つような世界は不快と言わざるを得ない。[22] 信用履歴があまり良くない失業者は、それが必ずしも彼自身の過失でなくても、借金を返すための仕事を見つけるのがより難しくなってしまうだろう。[23] 失業が長引けば信用履歴はさらに悪化し、利子率はさらに上がり、悪循環が続いていく。信用スコアは人の成功失敗を決める強力な数値となっているので、その仕組みを秘密にしておくことは許されない。(24)

二〇一〇年、サブプライムローンの崩壊が起きた後だが、多くの住宅所有者が自宅の抵当権の実際の所有者が誰であるかを知ろうとした。(25) "Where's the Note"という名前のウェブサイトが、業者向けに、住宅ローンを支払わせる法的権利をいかに証明するかを教示していた。(26) 危機の間、「抵当流れ詐欺」や「ぞんざいな書類」や「考えずに署名した（robo-signed）宣誓供述書」が空前のレベルで発生し、財政状態を確認しなくてはならない側にとって、信用スコアシステムを作ることが理に適っていると考えても無理はない。(27) しかしオンラインフォーラムでは逆の懸念がなされていた。(28) "Where's the Note"の指示に従った住宅所有者が、問い合わせたのち、彼の信用スコアに四〇件の確認があったと言う。(29) 信用スコアの「ハイゼンベルクとカフカの出会い」[3]的な世界では、スコアに関してプラスに働く要素を探し出そうとしても、ムダかもしれない。

スコアの数字は一見したところ、公正なゲームにも見える。しかし、その規則を知っているのがインサイダーだけという点で不透明だ。フェアアイザック社（ＦＩＣＯ）などの信用機関はシステムを公正なものだと印象付けようとしているが、実際には一般論で正当化しているだけである。(30) 彼らはブロマイドを行商し、あなたの借財を分割で支払い、あなたのクレジットの上限は上げず、しかしクレジットを完全にやめるわけでもない。あなたの信用履歴をスコアに反映するような記録を積み上げる。(31) この話題について書かれた自助努力本やパンフレットは多い。(32) 「ＦＩＣＯグループ」といったネット・コミュニティも、クレジットカード会社の仕事を議論して、スコア化の手法を解明しようとしている。[33]しかしこうしたミステリーの最も熱心な学び手でも、自分の行動がスコアにどのように反映されるのか、正確には分からない。

エクスペリアン、トランスユニオン、エクイファックスの三社は、何百万人分ものスコア化を日常的に行っている。[34]しかし方法が同じとは限らない。五〇万ファイルを調べたある研究では、「二九％の利用者において、信用スコアが会社によって五〇％以上違っていた」。[35]五〇％の違いは、住宅ローンにおいて生涯の間に何万ドルもの支払金額の違いをもたらす可能性がある。社によってスコアの目的に差異があるとしても、これだけの違いは誤差とは言えまい。"Where's the Note"にまつわる前述の経験は、その種の予測不可能性の悪名高い一例であるが、ルールが明記されていない場合、反応した人がさらに簡単にトラブルに巻き込まれてしまうこともある。利用者がクレジットカードの上限金額を決めておくのは、詐欺や、自分の浪費癖に対して限度を定めておくためだろう。[36]もしその利用者が、限度額に対して負債額の割合の少ない人を信用機関が優遇することを知らなかったら、彼のカードの「負債比率」(debt-to-limit ratio)の増加が結果的に、少ない限度額を定めた彼の慎み深さに報いるどころか、信用スコアを悪化させることに驚くかもしれない。[37]

クレジット評価の表向きの顔は「三ケタの数字」だが、そのシンプルな外観の下には、利用者や利用者を守る義務を負う規制当局によって十分に理解されることも、挑戦を受けることも、監査されることもないプロセスが存在しているのである。ブラックボックスで行われる評価は、必然的に主観的と言えるが、ある専門家は「ただの数字の表向きの単純さの裏に、議論を拒む性質がある」としている。[38]まるで数学のテストのように客観的かつリアルなもののように「感じられる」数字だが、信用スコアは「客観的で信頼のおけるものだ」という信用機関側の主張は、この二〇年間に積み重ねられた多数の告発によって、崩されていった。[39]

スコア社会。 秘密のアルゴリズムで算出される信用スコアが、あらゆる目的で「評判」の評価に使われるようになり、多数の不満の声が上がった。[40] 但し少なくとも、信用スコアに関するデータと、方法の大枠については、規制され公開もされている。広告ネットワークから消費者スコアに至る、他の方法での消費者プロファイリングは、法律で規制されることがほぼない。それらは規制のない信用報告の最悪の側面であり、かつ人の目を逃れている。

信用機関は、私たちの性的指向を悟ることはないし、家事で私たちを順位付けすることもない。しかし、ある人がゲイであるかどうか、家産をどのくらいうまく保っているか、はたまた家産など全くないかを知ることで、発生するお金はある。だからマーケターはこうした情報を求めており、この空白を埋めるのが、私たちが残す痕跡を集めて分析する人々である。具体的には未規制のデータ収集者、業者、センサーネットワーク、アナリストといった面々だ。

二〇〇二年にある男性がデジタル・ビデオ・レコーダー（DVR）で、バイセクシャルの登場人物が出てくる映画を録画したところ、この機械はゲイの出演する番組を進んで録画しようとした。[41] この男性は、プレイボーイチャンネルの番組を録画することで、DVRの「意見」を修正した（機械のソフトウェアに正しい信号を送ったのである）。ビッグデータの擁護者は、機械が「より多くの」情報を得るほど、予測もより正確になると間違いなく主張することだろう。しかしそれ以外の（普通の）人々にとって重要な点は、機械がデータを所有し、それを利用する力を持つというところである。

この力は多数のオンライン文脈へと広がっていった。ＭＩＴ（マサチューセッツ工科大学）で行われたある研究では、男性がゲイであるかどうか「フェイスブックの友人から判断可能」であるとしており[42]、さらにボットが人間関係のつながりから性的指向の手掛かりを得ることがあると言う。同性婚に賛成するコメントをした男性には、虹色の下着の紋章をつけた「カミングアウトをコーチする」という広告が表示された[43]。

米国においてゲイであることは、以前ほどにはスティグマではなくなった。「虹色の下着」を包摂の歓迎サインだとして笑い飛ばす人もいるだろう。しかしこの情報がロシアで流れたと想像してみていただきたい。この種の情報は、いかなる文脈においても、機微に触れるものであり、被害を及ぼす可能性がある。オフィスマックス社〔米国の小売業者〕はかつて、「自動車事故で娘を失ったマイク・シー」を宛先としたメールを送った。シーの娘は確かに、一年足らず前に自動車事故で亡くなっていた[44]。なぜこのようなことが、オフィスマックス社のマーケティング戦略上適切と考えられたのか、様々な推測がされたが、同社は何も語らなかった。また、その情報をどこから得たのかも明らかにされなかった。データ業者は情報源を明らかにしないという契約を結ぶことができる[45]。データマイニング産業という影の主人が、「企業秘密」というヴェールの影で、個人のプライバシーを骨抜きにする。こうした動きについては後でも繰り返し触れる。人間のプライバシーについての契約の中で企業秘密が拡大して行くのだ。

「流出したデータ」は気味が悪いだけでなく、現実のコストとなって跳ね返る。スコア化は信用分野から他の関係分野へと急速に広がっている[46]。健康スコアも既に存在し、いずれ「身体スコア」が「信用スコア」よりも重要となるだろう。モバイル機器のメディカル・アプリやSNSは、支援を求めたりコミュニティを作ったり、健康問題に気付いたりするための強力な機会を提供してくれるが、同時に、〔医師、病院、保険業者に焦点を当てている〕伝統的なプライバシー法規ではほとんど管理されていない健康データの空前の監視をもたらしている。[47] さらにそうしたデータがより恐ろしい利用のされ方をする扉が開かれる。データをスコア化したり取引したりする仲介業者に始まり、企業、雇用者、政府機関などがデータを利用するのである。[48]

規制された健康データも、予期せぬ方法で飛び出すことがある。その一例が、ルイジアナに住むウォルターとポーラのシェルトン夫妻である。彼らは健康保険を求めていた。[49] ケンタッキー州に本社を置く大手保険会社のフマナ社は、ポーラの処方箋の履歴から、保険加入を拒否した。彼女は、眠れない時に抗鬱剤を、足首の腫れを緩和するために血圧を下げる薬〔降圧薬〕を、時々使っていた。その他のこともあり、シェルトン夫妻は保険に加入できなかった。数枚の処方箋のせいで保険難民になってしまうことを彼らは想像できたろうか？ もしも知っていたら、彼らおよび彼らのかかりつけ医はどうすべきだったのだろうか？ シェルトン夫人が処方箋を得た時夫妻を排除するというモデルは、起業家の側から見ると希望の光なのである。以後、処方箋はビッグビジネスに組み込まれた。顧客にとっては「五倍、一〇倍、いや二〇倍」もの見返りを得られるものだと主張する人もいる。[50]

二〇〇八年にシェルトン夫妻を初めて取材したジャーナリストのチャド・ターヒュンは、処方箋データが個人の保険市場で様々に用いられていると報告した。薬局から何百万もの記録が業者に流れている。[51] 高い医療費がかかりそうな人を避けて業界内の競争に勝ちたい保険会社は、そうしたデータを熱心に求めるのだ。一％の人が二割を超える医療費を使い、五％の人が約半分の医療費を使うという中で、保険会社は相対的に健康な人を拾い上げ、病気の人を排除する方が、全員を受け入れるよりもはるかに利益が上がる。(52) 処方箋データは、現在の状況をもとに一部の人を排除し、一部の人からはより高い保険料を徴収するという方針に従わざるを得ない保険会社に、情報として与えられる。皮肉なことだが、こうしたデータは元来、緊急事態において彼らの医療記録に確実にアクセスするために、集められていたものである。しかしこの計画が失敗した後、集められていた医療情報はひそかに、病気の人を差別する目的で使われるようになった。素早くビジネス戦略を変えるというのは、ウォール街がお気に入りの行動である。

医療記録から「医療での評判」へ。アフォーダブル・ケア法（Affordable Care Act）（通称オバマケア）の条文からすると、多数の薬を処方してもらった人も、医療保険に加入するのに心配は要らないように見える。保険業者は、保険加入者のそれまでの状態で差別をしてはならないとしているからだ。(53) だが別の方法で締め出されてしまう。また同法では、「ウェルネス・プログラム」に参加することによって、保険料の割引がなされることを推進している。このプログラムには瞑想からランニングまで様々な活動があるが、これに参加することは、身体の監視や自己の「数値化」を拡大することにつながるだろう。

「医療での評判」は、私たちが管理できないだけでなく、ほとんど理解さえできないようなプロセスを通じて創り出される。(54) ビッグデータの時代に企業は、私たちが健康状態に従って適切に行動するよう促すのに、医師の持つ記録に「相談」する必要さえない。オンラインでいくつか診断し、（表向きは無関係な）フォームに書き込みをすれば、あなたがその病気と関係があることが商業データベースの中に記録される。

（健康な）友人がなぜか「多発硬化症」の集会への招待を受けたことから、洞察力のある記者がこのプロセスを報告していた。おそらくその友人は、何らかの登録フォームに書き込み、そのデータがマーケティング会社に売られたのであろう。(55) その友人は何が自分に起こったのかを正確には知らないし、自分の情報が二次利用されることへの注意書きがあったかどうかも覚えていないだろう（あなたも、オンラインで何らかのサービスを受ける時に、注意書きを読まずにクリックするのではないか?）。マーケターは彼女のデータを、MSライフラインズに売った。MSライフラインズは、製薬会社二社が所有するサポートネットワークである。彼女は「MSイベント」からプロモーションのメッセージを受け取るまで、同社と何ら関わりはなかった。全く見ず知らずのところからミステリアスな連絡を受けるという経験を、一体私たちのうちどのくらいの人がしているのだろう?(56)

こうしたデータのやりとりが表に出ることはあまりなく、多くの場合には隠されている。しかし記者たちは、消費者のプロファイリングに関するブラックボックスをこじあけようとしている。チャールズ・ドゥヒッグ[4]は米国で二番目に大きいディスカウント小売業者である「ターゲット社」を二〇一二年に取材した。(57) ターゲット社は顧客の妊娠時期も見抜けると豪語している。小売業者もこれほど大規模になると、パターン認識は容易である。同社の統計家はまず、赤ちゃん（が生まれること）を登録した人のデータを使って「妊娠が判明している人」のデータベースを作っている。その人たちの購買データを、全体の購買データと比較するのである（ターゲット社で買い物をする人は、クレジットカードやメールアドレスといった身元を特定するアイテムと結びついた「顧客ID番号」を付与されている）。妊婦と一般データとの違いを分析することで、妊娠に関係した購買の兆候を見抜くことができる。

妊娠前期の二〇週においては、カルシウム、マグネシウム、亜鉛といったサプリが手掛かりとなる。妊娠後期になると、無香料の石鹸や木綿の大型バッグなどがよく買われる。こうした分析から同社の統計家たちは、妊娠の予兆となる二五の製品をリスト化し、時期を予測するのである。もしアトランタ州で二三歳の女性が、「ココアバターのローション、おむつ袋になる大きな折り畳みバッグ、亜鉛とマグネシウムのサプリメント、鮮やかな青のひざ掛け」を三月に買ったとしたら、ターゲット社は彼女が妊娠していて八月末までに出産する確率を八七％と見積もる。驚くことではないが、顧客の中には、妊娠関係の広告が届き始めることを気持ち悪く思う人もいる。ターゲット社はなぜ妊娠と判断したのかを説明するのではなく、妊娠に関係しない広告を増やすという形で反応する。

ターゲット社が妊婦以外のカテゴリー分けをどのような形で行っているのかは分からない。ドゥヒッグにはこれ以上語られないので、その方法（およびカテゴリー）を、同社はおそらく貴重な企業秘密と考えているのだろう。しかしその約二年後、ターゲット社はデータ漏洩に見舞われた。小売業の歴史の上で、最大規模のデータ漏洩の一つとなり、一億一〇〇〇万人分にのぼると推定される。ハッカーが「メールやメールアドレス、電話番号、氏名、その他オンラインショッピングで通常顧客から収集される種類のデータ」を盗んだのだ[58]。小売業者が日常的に多くの情報を集めていることについて、多数の顧客が気味悪く思い、さらに恐怖も感じた。顧客の包括的なプロフィールを得て、データブローカーが何をするか想像していただきたい[59]。

データ漏洩の危険性が高まることは、「顧客ターゲティング」の名のもとにデータ収集を正当化することを難しくする。洗練された大企業でさえもハッキングされる可能性があり[60]、サイバー犯罪者による情報売買が目立つトピックとなったことも当然であろう。米国の定評あるデータブローカーが、

「数百万人分にも及ぶ米国人の社会保障番号、運転免許証番号、さらにはクレジットカードのデータまで」ＩＤ窃盗犯に販売していた事例が、少なくとも一件あるのだ。(61) データ会社が、自社の所有するデータの出所および行き先について明らかにするまで、私たちは「データ濫用」による被害の大きさを見積もることもできない。

ビッグデータは大きな危険を生む可能性がある。ビッグデータによって得られる現在の利益は、長期的なコストに見合うだろうか？　自分向けに発行されたクーポンに接してわくわくする妊婦もいるかもしれないが、父親にさえ妊娠を告げていない一〇代の女性はそうではないだろう。(62)「病気」「ストレス」「泣いている」といった言葉を検索エンジンやオンラインサポートフォーラムで入力した人が、まさにその不安や嘆きを基にお金儲けをしようとしている賢いマーケターに標的として捕捉されていることを知ったら、やはり良い気持ちはしないだろう。(63) マーケターは、女性が自分の魅力に自信をなくした時を狙って、美容商品を売りつけようとする。(64) 私たちの中にある弱さに関するデジタル書類が蓄積されていくのを止める方法はほぼない。(65) オンライン・マーケティングという「鏡の部屋」の中で、差別がイノベーションの仮面をかぶって現れる。

こうした手法は粗雑で単純に見えるが、デジタル・マーケターは気に入っている。安くて早くて、失うものもほとんどない。データがいったん手に入れば、組み合わせは無限にあり、その情報を欲しがる人もいる。オンラインで服を買う「子どものいない男性」は、ケーブルテレビにお金を費やし、所有車はミニバン、(66) そしてデータブローカーがそのような人物を「平均より体重が重い」と仮定することも分かっている。(67) 肥満対策薬品を試す人を求めている業者は、こうした分析を評価し、喜んでお金を支払うだろう。しかしほとんどの場合私たちは、データブローカーが自分について何と言っているのか知らない。データは広く世界に流れ出す可能性がある。もし私たち自身がデータを得るのであれば良いことだろうが……。

プロフィールの暴走

こうしたデータはみな、どこから来るのだろうか？　どこからでも。「流感の兆候」「コンドーム」といった言葉を検索したことがあるだろうか？　こうした「クリック」がどこかに流れ、あなたの名前（もしあなたがサインインしていれば）や、コンピュータのIPアドレスや、ハードウェアの何らかのユニークな特定情報と、結びつく可能性がある。(68) 慢性的にダイエットをしている人や、花粉症にかかっている人のリストを作るのは、企業にとって容易である。「クレジットカードの履歴や、運転しているアメリカの車や、その他ライフスタイル情報に基づいて、私たちの探している病気にあなたがかかっているのかどうか、ピンポイントで情報が得られる」と語るのは、ある健康関連企業の副社長である。(69)

うつ病や癌の患者の投薬情報やメールアドレスを売っている企業もある。伝えられるところによるとある企業は、信用スコアと疾患との関係を結びつけて、報告書を作成している。(70) FTCはこうした行為を告発しようとしているが、何百万ものデジタルファイルがボタン一つで暗号化され流出する時代において、その目標は達成が難しい。(71) 私たちは時にこうしたデータが「売られている」のを目撃するが、それがブローカー間の相対(あいたい)取引で行われている場合どうすればいいのか？　USBメモリ一つに何百万もの記録を収められる。米国内の実店舗型ビジネスをモニターするのでさえ当局には難しい。データ企業の増殖はそこに重税を課してきた。(72) 個人についての情報がどこから収集され得るか、その元をいくつか、表にまとめたので参照していただきたい。

表2－1は、情報収集源を部門ごとに分けている。といっても「主たる」活動ごとに分けたもので、データが蓄積される意味の全てを網羅したものではない。例えば既に触れたように、クレジットカード会社の中には、マリッジカウンセラーに会うといった特定のメンタルヘルスに関する出来事に注目しているものがある。[73]カウンセリングを受けた夫婦が、そうでない夫婦よりも離婚しやすいと統計で出ていれば、「カウンセリング」が経済的な破綻の可能性をはらむ「シグナル」として機能する。[74]これは実質的に、「マリッジカウンセリングへのペナルティ」となるので、政策担当者にとってはジレンマである。明らかにならなければ、「信用性」の重要な側面を闇の中に放置することになり、開示されれば、夫婦関係を改善するためにカウンセリングを受けようとしているカップルの心を挫くことにつながる。

カウンセリングと支払い遅延との間に何らかの因果関係があるという証拠が全くなくても、相関関係があるだけで行動を起こすには十分なのである。したがって妊娠のような、客観的に確かめ得る状態の場合には、ぞっとすることになりかねない。「怠惰」「信用できない」「奮闘中」、あるいはさらに悪くカテゴライズされた人々は、ひどい目に遭う場合がある。「デジタル錬金術」が新たな現実を作り出すにつれ、暴走するデータが「さらなる不幸」を引き起こすかもしれない。ひとたびあるソフトウェアが、ある人について、「クレジットのリスクが高い」「怠けがちな労働者」「もうからない消費者」などと推定したら、経済全体の中で、他のシステムにおいても意思決定に影響があるかもしれないのだ。現行の法制度のもとでは、企業があなたのプロフィールを売ることにほとんど制約がない。[75]

「悪い推論」は「悪いデータ」よりも問題が大きい。というのも、企業はそれらを事実というより

	健康	金融	小売
第一当事者	ケータイ上での痩身やエクササイズアプリ	家庭用ファイナンスアプリ	買い物の自己モニタリング
第二当事者（直接に交流する）	ダイエット本を買ったというアマゾンのログ	ターボタックスオンラインでの購買	企業データベースにおけるターゲットやアマゾンでの購買ログ
第三者（間に入ってデータを記録する）	糖尿病・ガンその他の病気を調べた検索エンジンやプロバイダのログ	第一当事者（あなた）と第二当時者（販売者）の取引を分析するクレジットカード会社	広告やＳＮＳから得られたクッキーがおそらく、閲覧されたアイテムの記録を保存している
第四者（上記三者のいずれかからデータを買ったブローカー）	データブローカーは、ここで言及したすべての情報源からの情報を統合してプロフィールを作り上げようとしている。主導的な第二者もしくは第三者の企業が、データを統合したいという必要性を感じている時、競争上の優位を築く手助けをする		

表2-1　データ追跡環境の概要

「意見」として提示できるからである。「意見」を偽と証明するのは、嘘を証明するよりも難しい。米国憲法修正第一条項のもと、論駁するのが至難なのである。[76]例えば企業はあるデータ主体について、診断や処方箋データに基づき、「アレルギー被害者」ではなく「オンライン検索偏愛」と判断するかもしれない。[77]「糖尿病関係家族」についても同様の分類がなされ得る。私自身が糖尿病でないことを証明するのは簡単であっても、「糖尿病関係家族」でないことはどうやって証明したら良いであろうか？　データの買い手が私と糖尿病とを何としても結びつけるとしたら、私にとってその記録に反論することに何の得があるだろうか？

　プロファイリングは情報の最初の収集者から始まっているが、各種のデータブローカー、例えばクレジット会社、分析機関、カタログ協力者、ダイレクト・マーケター、アフィリエイトなどによって、より精巧になってゆく。[78]ブローカーたちはデータを結合、交換、再結合して新たなプロフィールを作り、それを元の会社や別の会社に販売する。構図は複雑で、ニューエコノミーの中でデータが正確にはどのように動いているのかを追跡するのは、専門家にとっても骨が折れる仕事である。

千の眼。私たちのほとんどにとって、三大クレジット会社のクレジット履歴に注意を払い続けるのは難儀なことだ。その上インターネットは、データ交換とプロファイリングの世界にさらに圧力をかけた。もはやエクスペリアン、トランスユニオン、エクイファックスの三社は、オンラインでの評判を作るメインの企業とは言えなくなった。もしも注目し続けなければならない企業が数十社や数百社にまで増えたら、一体何が起きるのだろうか？

私たちは見つけた。彼らは既にここにいる。ほとんど知られていないが、私たちの生活のあらゆる側面を記録したデータベースを持っているのだ。メディア学者のジョセフ・トゥロウが言うように、私たちが「ターゲット」なのか、それとも「クズ」なのかを決めるために、彼らは私たちにスコアをつける。[79]私たちの職業や業務、給与、家の価値、さらには過去にどのような贅沢品を買ったかまで記録されている。[80]かなり良いヘッドフォンを買って見せびらかすと、その後にスニーカーをオンラインで検索した際に値段が上がると、誰が知っているだろうか？　今では何百もの信用スコアが、何千もの「消費者スコア」が売られている。そのテーマも、短所や、信頼度、詐欺を働く可能性など多岐にわたる。そして、スコアの由来となるデータの出所は、スコアそのものよりはるかに数が多い。[81]

「チェクスシステムズ」や「テレチェック」は不渡り小切手を追跡している。「アリアント・コーポラティブ・データソリューションズ」はスポーツジムの月会費滞納をまとめている。借金踏倒しは「テレトラック」に報告が行く。「データロジクス」はダイエットする人のリストを持っている。「ナショナル・コンシューマー・テレコム」と「ユーティリティーズ・エクスチェンジ」は複数の大企業からのデータを使い、ケーブルや電気・ガス・水道などの供給業者に、デポジットをどのくらい取るべきか推奨するが、どこの企業が集めたデータなのかは公表しない。こうした報告を行う業者は、私たちの公共料金の支払いや、家賃の支払い、医療費による借金などを観察している。私たちが与り知らぬ間違いがあったならば、その一つでも私たちの生活を変えてしまう可能性がある。

あるデータブローカー（チョイスポイント）が、誤って、「アーカンソー州のキャサリン・テイラーがメタアンフェタミンを製造し売ろうとしたかどで有罪となった」というデータを報告した。この間違いのために彼女は就職できなくなり、食洗器をクレジットで買うこともできなくなった。チョイスポイントが間違いに気づいて訂正したが、チョイスポイントからテイラーのファイルを買った他の企業は、必ずしも同じように訂正しなかった。ただちに訂正した企業もあったが、それ以外の企業に対してテイラーは繰り返し訴えかけなくてはならなかったし、最後には訴訟を起こした[82]。

テイラーは、間違いを訂正させるために必要な労力は甚大だったとする。「常に見張ってなどいられません」と、『ワシントンポスト』の記者に語っている。間違いが訂正されてから職を得るのに何と四年間もかかった。さらに、未だにアパートを借りることができない。仕方なく彼女は姉妹の部屋に同居している。引き起こされたストレスのために心臓病が悪化したとも彼女は主張する。

名誉を傷つけるデータが出回っていることに気付いている人ばかりではない。おそらく、デジタル書類に「誹文字」が書かれていることに気付いていない人が何千人もいるはずである[5]。だから調査しようとも思わないだろう。しかし「嘘の情報」が否定されることなく、信用のレートを下げたり、職探しの困難をもたらしたりする。無から悪影響が生じるのである。(83)

ビッグデータが働く

ビッグデータはビッグな職場も支配している。従業員になろうとアプローチした最初の日から、職場を去る最後の日まで。何万人もの求職者がいる企業では、志願者に個別で対応したくはないのだ。まずプログラムを動かして、何百人かの価値ある人材に絞るのが簡単であるし、時間も早く済む。面接の評価を色で示してくれるオンラインシステムが既に存在している。赤はダメ、黄色はまあまあ、緑は有力な採用候補だ。(84)志願者のオンラインでの行動も見られている。(85)SNSや検索の結果をエビデンスとして創造性、リーダーシップ、気質などを測るのである。(86)信用スコアと同じように、この「社会的スコアの新世界」でも、「コーチング」が必要となっている。(フェイスブックにコメントを書く時、感嘆符(!)を三つ続けて使うのは考え直した方が良い。しかし、フェイスブックで何もしていないと、今度は「隠者」のように見られる(87))。評価の道具は、表に出ているあからさまなものから、隠れた微妙なものまで、多岐にわたっている。ある企業では、四〇〇〇人以上の経営者のために調査を行ったが、その顧客からも、調査された側からも、不満はほとんど出なかったという。(88)

グーグルやCIAから資金提供を受けている「レコーデッド・ヒューチャー社」(89)のような所は、従業員から不満を持たれないような、より洗練されたデータ分析を提案している。『ジ・アトランティック』誌に掲載された「彼らは仕事中のあなたを見張っている」には、モニタリングが各所に浸透している例が挙げられている。(あるカジノでは、ディーラーやウェイターがどのくらいの頻度で微笑むのか測っている）。アナリストは私たちのEメールを、「生産性についての洞察、共同作業者との関係、同僚を助け協力する意欲、書く文章のパターンおよびこうしたパターンから得られる知性や社会的スキル、ふるまいといったもの」を探り当てるための材料としている(90)。

会社に入る時点でどのような特権を持っていたとしても、ひとたびドアの中に入れば、もはやスタンダードになった「人的資源」フォームに記入をして、その特権を手放す書類にサインをすることになる(91)。労働者は日課のように、監視に抗する権利を失う。あるいは監視について何も知らされないこともある(92)。ある人事関係の弁護士は、実際のところ「同意することが普遍的な解決策である」と私に語った。テクノロジーのおかげで企業側は、容易に労働者の打鍵や電話を記録できる。会話を文書化するのも簡単だ。したがってアナリストは、働き者と怠け者とを識別できると主張する。コールセンターはこうした「一望監視的職場（パノプティコン）」の究極的な形態だ。そこでは労働者は常に監視されている。ソフトウェアが仕事ぶりをリアルタイムで分析し、感情を解析するアルゴリズムとのマッチングを行う。あなたの声が怒りを帯びているように聞こえたならば、「アンガーマネジメント」のトレーニングへと送られるかもしれない。あるいは、怒りを鎮めるためにひたすら働かせる会社や、すぐさま問題として解雇する会社もあるかもしれない。いずれにせよ、求められる人と求められない人との間には、はっきりと線が引かれる。

「データドリブン」経営は、超効率的な職場を約束する。最も観察されている仕事はまた、最も自動化しやすい仕事でもある。労働者のなしたあらゆることが文書化されれば、ロボットがその職に取って代わることもできるだろう(93)。もしも経営側のプロトコルがどのように作動するのか、幸運にも労働者側に分かっていれば、労働者がシステムで優位に立つことができる。もし絵文字の入った三三文字のEメールが最も高い評価を受けると分かっていれば、労働者は常にそのようなメールを書くだろう。かくしてあらたな緊張も発生する。労働者は新たな職場で成功するためのルールを知る必要があり、知りたいと思うが、経営側は、もしそのようなルールが知られてしまうと、自分たちの特権が失われてしまうと心配するのだ。

公正、不正、不快。自動化されたシステムは、全ての個人を同じやり方で、差別抜きに評価すると主張する。一部の上司が直観や印象に基づいて、雇用や解雇を決めることはないと保証するのだ。[94] しかしスコアリングシステムがマイニングするデータセットを構築しているのは、ソフトウェアエンジニアたちだ。データマイニング分析のパラメータ（変数）は、彼らが決めている。彼らがクラスター（まとまり）や、リンクや、決定木[6]を作っている。そのモデルには先入見がひそんでいる。人間の持つ偏向（バイアス）や価値観が各ステップに埋め込まれている。コンピュータ化は人間の持つ差別意識を単に掬い上げているに過ぎない。

その上、アルゴリズムが問題解決をする分野においても、別の問題が生み出されている。ウォートンビジネススクール（ペンシルベニア大学）教授のピーター・カペリは、企業が何千人もの就職志願者を篩い分ける際に、ソフトウェアに頼り過ぎであると警告する。「こうしたプログラムが探している言葉、まさにそのものずばりの単語が書類に含まれていないと、有能な志願者でも落されてしまうことになる」[95]。「マッチアンドソートプログラム」に魅了された企業は、ますます人材資源論の用語で言う「紫のリス」、すなわち、その職にぴったりとあてはまる人材を採用しようという傾向を強めている。例えば、健康分野の弁護士で、ゾーン・プログラム・インテグリティ・コントラクター（ZPI

C）〔メディケア関係の詐欺等を告発する団体〕にも関わる人でも、出した履歴書にまさにこの言葉（ZPIC）が含まれていないと、ソフトウェアによって書類審査ではじかれてしまい、面接にも進めなくなるだろう。この言葉が入っていなかったという小さな理由で落とされたということを、志願者はおそらく気づかないだろう。自動化された履歴書分類ソフトウェアのために、良い仕事を求める優秀な人材でも障壁を超えられない場合があると、カペリは考えている[96]。

小売業者が「性格検査」を行う場合も増えている。高失業率の時代となり、小売店でのレジ打ちや在庫管理といった仕事でも求人倍率が高まっている[97]。企業側はテストを使って、誰がその職にふさわしいのか決めようとしている。ライターのバーバラ・エーレンライヒは、ウォルマートでの職に応募した際、こうした検査の一つを受けさせられた。そして彼女は、次の文章に、「完全に同意」ではなく「強く同意」したために、ペナルティを課された。「あらゆるルールに対して常に、文字通りに、従わなくてはならない[98]」。以下に、近年の「雇用前検査」で出たいくつかの文言を例示する。「強く同意」「同意」「不同意」「強く不同意」という四つの選択肢の中から回答を選ぶという形式だ。

・あなたは静かで予測可能な仕事を望んでいる。
・他の人々の感情は彼らの問題で、私には関係ない。
・実際のところ、あなたのプロジェクトのうちいくつかは決して終わらない。
・要望に応えることができないとイライラする。
・予期しない出来事に邪魔されると悩ましい。
・学校では最良の生徒の一人だった。

・自由な時間があると、家にじっとしているより出歩く方だ。(99)

あなたならこうした質問にどう答えるだろうか？　事務員やマネージャーやバリスタの志願者にとってどのような意味があるのだろうか？　一見したところ、よく分からない。にもかかわらずこうした検査は職探しにとって大きな意味を持っている。「緑のスコア」を獲得すると、面接でも有利になるが、「赤」や「黄色」ではおそらく職を得ることはできないだろう。

二〇〇九年時点でこうした「ブラックボックス」的な性格検査が、小売業の一六％で使われていた。ただこれによって選ばれるのは「魂のない追従者」だとする、エーレンライヒの考え方に同意している経営者も中にはいる。「緑の評価を得た人は、システムをどうやって騙すのかを心得ているか、それともただのイエスマンか、どちらかだ。有能だということにはならない」と彼女は語った。

それに対し、こうした「プロファイリング」を支持する人は、「ある特定の質問に対する答えとパフォーマンスとが「どのように」結びついているのか、その理由を説明する必要はない、「実際にそれが関連している」のは分かっている」とする。(100)彼らは仕事上での能力や競争力を実際に測定しようとはしない。この検査は数段階にわたる採用プロセスの一部なのであり、志願者がうまくやれるかどうかを予測するためのものだとする。(101)例えばある企業で、前述の文言に「強く同意」と回答した志願者が模範的な社員となり、「強く不同意」と回答した志願者が一、二カ月で辞めたり解雇させられたりしたら、同社の人事部は、なぜそうなるかは分からなくても、「強く同意」と回答した志願者だけを雇用しようとするだろう。

しかしながら、採用側にとっていかに役立つものであっても、ブラックボックス的な性格検査は志願者にとっては気持ち悪いものである。正確さを脇に置き、一体どんな根拠があって雇用者は「要望に応えることができないとイライラする」かといった質問をするのか？ もし労働者がそうした感情を完全に抑えることができるのなら、内心で苛立っていても問題ないのではないか？ 私たちはそのように取り扱われる理由を（たとえ簡潔なものであっても）知りたいのである。[102] 人々の運命を決めるような、意思決定に関わる質問の背後には、果たして「理由付け」は存在しているのだろうか？

従業員を選抜し評価する「秘密の統計手法」は、競争力強化を約束しているように見える。こうした手法でうまくいくのかどうか、本当は分からないのだが、多くの労働者に不気味さを感じさせていることは間違いない。労働者にとっては、神秘的で、説明もしてくれないようなプログラムに、人生の重大な局面が委ねられてしまっているのだから。[103] テクノロジーに投資している経営者側は、こうした労働者側からの異論を、感情の問題とか、仕事の世界が要求するタフさが欠けている等とみなし、一笑に付している。しかし、気持ち悪いという感情は、真実を暴露している。感情的な反応が、「真の危機」の可能性を警戒させるのである。[104] 雇用者側とデータアナリストは、労働者側の人生に重大な帰結をもたらすような「現実」を見つけ出したとしているが、労働者側は、そのような現実がどのように「構築」されたのか知るすべもないし、そこに何が含まれているのか、それで何がなされるのかも知らない。まさに「警告」こそが必要なのである。[105]

人種偏見の亡霊

どんな人でもデータベース内において、「信用できない」「医療費が高い」「収入が減っている」といった悪名をレッテル貼りされる可能性がある。「評判システム」（Reputation systems）は、不公正や過ちのせいで、新たな（それも大部分見えない形で）マイノリティを作り出しつつある。アルゴリズムは差別という根源的な問題を免れていない。そこではネガティブな、あるいは根拠のない前提が、偏見を作り出す。ソフトウェアは畢竟、人間が作ったものだが、作った人の価値観がソフトに埋め込まれてしまうのだ。[106] したがって、あまりにも人間的な偏見が、しばしばデータにまとわりつく。

「評判社会」を擁護する人の中にも、あらゆるデータが「採掘」されることに微妙な気味悪さを認めている人もいる。それでも、選択肢の中では「よりマシ」と思われているようだ。旧来の採用や昇進の方法、つまり面接や肉筆履歴書に基づいた方法は、機械が決める採用や昇進よりも、よりバイアスがかかっていると主張するのである。[107] シカゴ大学法学教授のリオール・ストラヒレヴィッツは、「評判を追跡するツールによって（…）個人に関する詳細な情報が利用できるようになり、所属集団を基にしたステレオタイプに依存した意思決定を行うという誘惑を減らすことができる」[108] とする。彼は採用の際に、前科も考慮すべきだという意見だ。しかし彼はこうしたデータ自体が偏っているという可能性を適切に認識していない。例えば警察が、マイノリティの検挙に注力していたら、マイノリティの犯罪率が高くなくてもマイノリティの人々には前科がつく可能性が高くなる。[109] オンラインによる情報源も問題含みであることは、様々な研究で明らかにされている。ビッグデータに関するホワイトハウスの報告書でも、「ビッグデータによる分析は、いかに個人情報が住宅建設、クレジット、雇用、健康、教育、市場で使われるかに関して、長期的に市民権保護を掘り崩す可能性がある」と指摘している。[110] 既に不利な場所に置かれている集団が、とりわけ大きな被害を受けるだろう。[111]

例えば、あるコンピュータ科学者が行った、デジタルでの名前検索について考えていただきたい。二〇一二年、ハーバード大学データプライバシーラボのディレクターだったラターニャ・スウィーニー（現在は公正取引委員会の上級技術者）は、オンラインサービスでアフリカ系の人々が不利に扱われているのではないかとの疑いを持った。彼女が自分の名前で検索してみると、「ラターニャ・スウィーニー　逮捕？」という広告が表示された。ちなみに「ターニャ・スミス」でググってみると、「位置：ターニャ・スミス」という広告が表示された。[112] この違いから彼女は、名前によって表示される広告がどのように影響を受けるのか、研究を始めた。彼女の仮説は、「黒人を連想させる名前には「逮捕」を示唆する広告が表示されやすく、白人を連想させる名前は中立か、全くそうしたものが表示されない。その広告主がその名前に結びつく逮捕者を名簿に持っていようといまいと」というものである。そして彼女はこう結論付けた。「グーグル検索では、典型的なアフリカ系の名前に対しては、バックグラウンドにある「インスタント・チェックメイト・コム」という会社がネガティブな広告を表示してくる。コーカサス系の名前に対しては中立的な広告が表示されるが[113]」。

スウィーニーがこの結果を公表すると、それを説明する仮説がいくつか提案された。一つは、黒人を連想させる名前には「逮捕」と出るように誰かがプログラムした、というものだ。この場合、差別は意図的ということになるが、グーグルもインスタント・チェックメイトも、これを強く否定している。もう一つは、黒人を連想させる名前が「逮捕」を伴っている時、そうではない中立的な言葉を伴っている時よりも、インスタント・チェックメイト社の広告をよりクリックしたから（理由は分からないが）というものだ。この場合、広告マッチングエンジンのプログラマーは、クリックを最大化するためにそうしただけ、と言える。そして人々がなぜクリックするのかは不可知（アグノスティック）である。[114] 認識を作っているのではなく、ただ認識を反映する「文化の上での投票機械」として機能している。[115]

アルゴリズムは秘密にされているため何が起こっているのか正確には知ることができない。おそらくある企業が広告ターゲティングを人種面で屈折させたのだろう。スウィーニーが得た結果は、データにおける他の連想から生じた。しかし、コーディングやデータにアクセスすることができない以上、議論をこれ以上深めることは不可能である。

もしシリコンバレー自体がこれほど多様性に乏しい状態でなければ、テック企業がこの疑惑を「活用する」ことももっと容易であったろう。グーグル等は社員の人口統計学的な構成を明らかにすることを企業秘密として長年拒んできた。グーグルがやっとその数字を明らかにした時、批判者たちは瞠目した。約四万六〇〇〇人の社員のうち、アフリカ系はわずか二%だったのである（米国全体の労働力では、アフリカ系が一二%を占めている）(116)。社内でのマイノリティの少なさが、こうした尊大な態度を説明することに寄与するだろうか？

同様の議論はグーグルのGメールに関しても起きているが、こちらもまた喜ばしいものではない。Gメールは利用者にターゲット広告を提示する。研究者のネイサン・ニューマンはGメールアカウントに関して多数のテストを行った。彼が様々な名前を使って、自動車のショッピングについてのメールを送ったところ、「白人系の三つの名前の場合には全て、GMやトヨタなどの、自動車の広告が提示されたが（…）アフリカ系三つの名前の場合には、悪いクレジットカードローンなど、新車の購買とは関係のない広告が入ってきた」とする(117)。

グーグルの広報部は、ニューマンの実験は方法が間違っており、「結論は的外れ」と主張する。「グーグルは、名前から推測される民族のようなセンシティブな情報に基づいて広告を選ぶことは決してない」というのがグーグル側の主張である(118)。この問題についても、「評判アルゴリズム」はブラックボックスなので、決定的な結論を得ることはできない。ある企業を監査して、意図的な差別はないとの確証を得たとしても、アルゴリズムによる「過失」（negligence）は現実の問題として残る。[119] アルゴリズムが「ラターニャ」と「ターニャ」を区別して扱うことは、民族による推論ではなく、過去のこれらの名前から機械的に外挿した推論でも起こり得ることだ。背後にあるデータやコードにアクセスすることなしには、どのようなトラッキングが起きているのか、現実世界では長らく報じられてきた差別問題が今ではいかにサイバースペースにまで入り込んでいるのか、知ることはできない。[120] エディス・ラミレスＦＴＣ委員長（在任二〇一三－二〇一七年）は、「ビッグデータのアルゴリズム（企業）が、社会が法や倫理を基に使わないと決めたカテゴリー、例えば人種、民族的背景、ジェンダー、性的指向といったものを、利用しているのは偶然ではない」ということを、私たちは確認しなくてはいけないと主張する。[121]

巻き添え（コラテラル）：犯罪司法制度において、「巻き添え」が起きるという問題はよく知られている。ある人が有罪判決を受けると（もしくは刑事告発されると）、たとえ「罪を償った」あとでも、この「スティグマ」は様々な機会（就職、住居探し、公的扶助など）にその人を「除外」することになる。[122] ファイナンスにおいても同様のことが起きる。「プライム」「サブプライム」ローンという施しを受けると、もし個人が意識的に行ったら違法となるような人種間の差別が、自動的に、ひそかに行われることになる。[123]

「データドリブン」貸付は、マイノリティ集団を直撃する。「近隣経済発展支援プロジェクト」（現在はニューエコノミープロジェクト）において、ある法律家は、たとえ長期的に住宅を所有できるとしても、サブプライム貸付は、マイノリティを標的としたシステム的な「エクイティ・ストリッピング」[7]だ、としている。[124]微妙だが執拗な人種差別が、暗黙的な偏見やその他の要因から引き起こされ、過去のクレジット期間に影響を与えたかもしれない。当然のことだが、年利五％のローンと比べて、年利一五％のローンを返済していくのは容易なことではない。[125]返済の遅れといった情報が、信用度を「中立、客観、人種と無関係」に測定するとされる既存の信用スコアに算入されるだろう。[126]信用スコアは個人を肌の色によって判断されることから解放し、性格によって判断するというが、実態はそこから程遠い。信用スコアは、過去に起きた差別を、精査されないブラックボックス化したスコアに反映させるのである。[127]

自然科学の手法を間違った形で社会科学へも適用するという長期的な不安を反映し、ブラックボックス化したスコア付けには不穏さがつきまとう。[128]土木工学者は、一〇〇〇の橋から得られたデータを使って、次にどの橋が落ちるのかを推定するかもしれない。今では金融工学者が、何百万もの取引を精査して、次に起きる消費者のデフォルトを予測する。しかし、土木工学者の研究は橋そのものに影響を与えないが、信用スコアというシステムは、いったんある人に「リスクがある」というラベルを貼って利率を上げると、その人が債務不履行に陥る可能性を実際に増やすことになる。「秘密のスコア付け」は「科学」の重要な原則、すなわち、広く公開されて多数の人が検証を行うという安全装置を採用していない。[129]解析手法が秘密である限り、それは単なる不透明で問題の多い「社会的振り分け装置」にとどまる。

一見すると「客観的」なデータを基にしていても、自己強化するシステムの中にバイアスが埋め込まれている可能性はある。例えばかつての警察は、ある地域を重点的に見回っていただろう。そうした地域で、犯罪率が高く記録されることは驚くにはあたらない。というのも、もし犯罪率がどの地域でも同じであっても、警察が頻繁に見回る地域ほど、犯罪の記録は多くなるからだ。こうした「客観的な」データが、「犯罪率が高い」地域を特に重点的に見回ることを正当化すると、その地域での逮捕者は増えるだろう。実際に犯罪が多いという理由もあるかもしれないが、おそらくは、逮捕の割当てとか、当局と住民との間の敵対関係などが作用して増えるのだ。[130] 逮捕人数のようなデータでは、理由が重要なのである。

治安のような分野では、社会的文脈や観察者のバイアスを完全に免れた客観的な測定は存在し得ない。[131] 司法当局が集めたデータは、治安維持活動にインパクトを加えることはあっても、客観的な犯罪率の判定にはならない。[132] 麻薬や銃の所持率は、白人でもマイノリティと同じくらい高いだろうが、警官に呼び止められて職務質問されるのは圧倒的にマイノリティが多い。[133] その結果として、非白人が白人より麻薬や銃の所持率が高いと記録に残るのだ。一〇州および五一都市で、就労希望者に前科を尋ねることが禁止されている理由の一つはこれである。[134] しかし、一体いくつの疑わしい「データポイント」が、自動的な意思決定に、ひそかに作用しているのだろうか？

監視国家の誕生

国家がこうした「評判ゲーム」に参入すると、「賭け金」は急速に高くなる。民間企業が、逮捕記録のような、国家の所有するデータを意思決定に使うというだけではない。警察や諜報機関も、自分が所有するデータベースだけでなく民間の記録も使って、社会の中の自分たちの役割を刷新しようとしている。[135] ＮＳＡの時代、「隠すべき事柄がないのなら心配する必要はない」という暗い格言が言われたが、もしあなたの政治活動や関心がわずかでも主流から外れていたら、あなたは心配しなくては

いけない。(136)

二〇〇七年、法学徒兼ジャーナリストのケン・クラエスクが、コネティカット州のパレードの様子を写真に撮っていたところ、逮捕された。州知事による始球式への抗議をブログで呼びかけていたこと、「緑の党」の選挙キャンペーンのマネージャーを務めていたこと、反戦デモでの不品行で一度の逮捕歴があること、これらが「潜在的な脅威」とみなされたのである。彼は検察が起訴を取り下げるまで一三時間も拘置所に勾留された。(137)

メリーランド州では、尼僧二人および民主党の地方政府候補者を含む五三名の反戦活動家が、テロリスト「ウオッチリスト」に載せられていた。(138) この誤って分類された名簿を、連邦の麻薬取締当局やテロリストデータベース、そしてNSAが利用していた。(139) データ業者に誤ったタグを付けられた人々と同じように、こうした「被害者」も、名前を消してもらうためには大変な労力が要る。そのハードルは人を挫けさせるのに十分である。9・11テロ以降の「情報共有環境」(ISE、政府による言い方)では、容疑者を載せるデータベースの数が多く、どこから始めたらよいのかも分からない。

二〇一〇年、アメリカ自由人権協会は、「表現の自由を取り締まる」と呼ばれる報告書を出した。その中で、警察が米国人をスパイしたり、組織に入り込んだりした事例を挙げている。スパイした理由は、「組織的行動やデモ行進、抗議行動などを計画していたり、普通とは違った考え方を信奉していたり、あるいは公共の場でメモを取ったり写真を撮ったり」といった程度のことである。スパイされた中には、クエーカー教徒、ヴィーガン、動物保護運動家、イスラム教徒、FBIに批判的なパンフレットを書いた個人までが含まれていた。(140)

政府が一般市民に対する諜報活動を行いたがっていたことを、私たちは今では知っている。(141) NSA

による行き過ぎた行為や、情報の簒奪に対しては、世界規模で怒りが巻き起こった。私がそれに付け加えることはない。私自身は、問題をより限定している。政府による諜報活動が、公益よりも私益や私権拡張に関心を持つ人々との間で、実利的で強力な、しかも大部分秘密の「パートナーシップ」を結んでいることが、私の関心事である。

その最も分かりやすく、議論にもなった例が、マンハッタンにおける、国土安全保障省とニューヨーク市警、そして大銀行数行との間の協力関係である。[142] 二〇〇九年、ロウアー・マンハッタン・セキュリティ・コーディネーション・センター（LMSCC）は、ニューヨーク市警や、ウォール街の企業から、数千台もの監視カメラの映像を提供されていた。ある情報源によれば、ゴールドマン・サックス、シティグループ、連邦準備銀行、ニューヨーク証券取引所はこのセンターに参加していた。正確にどこが参加しているかは秘密にされているが、他にも多数のウォール街企業が代表者を出していそうである。[143]

抽象的に言えば、9・11以降のこうしたパートナーシップは、資源の効率的な活用に見える。しかし、「オキュパイ・ウォール・ストリート」（ウォール街を占拠せよ）といった抗議行動を標的にしているのではないかと心配する批判も出た。こうした抗議行動は連邦政府による他の異例の措置の対象ともなっていた。[144] 国土安全保障省は、二〇一一年秋に頻発した「オキュパイ運動」に関して、地方警察にアドバイスしたことだろう。[145]「市民正義のためのパートナーシップ」[8] が入手した資料によると、「国内安全保障同盟理事会」（Domestic Security Alliance Council）は、オキュパイ運動を精査するために、「FBI、国土安全保障省、民間部門との間で交わされた戦略的パートナーシップである」とされている。さらに、教育機関の関係者も、オキュパイ運動に同調的なメンバーをスパイするために、FB

Iによって任命されている。オールバニにあるFBIと、「シラキュース合同テロ対策部隊」は、ニューヨーク州立大学オスウィゴ校キャンパスの警察に情報を送り、大学内の学生および教員の動きを追跡していた(146)。

こうしたスパイ行為は行う価値があったろうか？　オキュパイ・ヴィレッジで実際に何が起きたであろうか？　金の仔牛[9]が一頭、持ち込まれた（これは後に、カトリック・ユナイテッドという団体によってワシントンへと運ばれたが、この団体は、ジョン・ベイナー下院議長に対して、金融取引への課税を請願している）。そして、不平等が悪化した一〇年間を巻き戻すために、徳政令[10]が提案された。活動家たちは、銀行の犯罪および、その桁外れのボーナスを非難した。いくつかの「衝突」はあったもの（その多くは警察側が先に手を出している）、オキュパイ運動は基本的には平和的な抗議行動であり、合衆国憲法修正第一条によって保護されるべき行為である(147)。

であれば私たちは、連邦政府がこの活動に対して諜報行為を行うべきだったのかを、問題にしなくてはいけない。論点はいくつもある。まず当局は、法律的・倫理的に正当性が疑わしい行為によって、二〇〇八年の金融危機の間何百万ドルも儲けた銀行家たちと、パートナーシップを組むべきであったろうか？(148)　オキュパイ運動では、法務省とFBIが銀行を告発できなかったことを非難しているが、FBIデンバー支局の銀行詐欺対策部会は「二〇一一年一一月、オキュパイ・ウォール・ストリートの代表と会って請願を受けた(149)」。LMSCCの資金は、オキュパイ運動が反対している、企業と州政府との「共謀」によって用意されている。「一億五〇〇〇万ドルもの税金が、連続して腐敗で告発されているウォール街企業がニューヨーク市警と共に法を守っている市民をスパイするようなロウアー・マンハッタンの組織に流れている」ことを怒っている人に対して、一体私たちはきちんと説明ができるだろうか？[150]

「情報共有環境」。こうしたドラマがなかったならば、「オキュパイ運動」は大きな構図の中の小さな一角に過ぎなかっただろう。９・11テロ以降、政府は足早にその監視能力を増大させ、「情報共有環境」（ＩＳＥ）と呼ばれるものを構築してきた。こうした努力の中から二つの「協力プログラム」が出現した。今からそれを論じていくが、一つは「ヴァーチャルＵＳＡ」と呼ばれるもので、「国土安全保障省の下で行われる先駆的な情報共有環境（…）連邦、州、地方の司法機関でテクノロジー、情報、データを共有することで、被害への対応を容易にする」[151]。もう一つは「ヒュージョン・センター」の設立で、国土安全保障省の説明では、「犯罪やテロ行為の解明、予防、捜査、対処を行う能力の最大化を目標に、（…）二つ以上の機関が協力するもの」[152]とされている。「脅威」に関わる情報を、政府と「民間」とで収集し、共有する地域の結節点である。既に七〇以上整備され、潤沢な連邦の予算、もっともらしい会議、企業による後援を備え、公と民間とが一緒になって個人の生活を統一的な「デジタル書類」へと収めてゆく[153]。また、『ニューヨークタイムズ』が報じているように、自らに敵対するものを追跡する。「ヒュージョン・センターに関わる人々は、オキュパイ活動の運動家や支援者の情報を共有し、警察がオキュパイ運動のキャンプを力で撤収させようとした時にヒュージョン・センターが関与していたのではないかとの書き込みをＳＮＳでしていた人々を、追跡していた[154]」。ヒュージョン・センターの行動原理は、「情報が多ければ多いほど望ましい」である[155]。どこで情報を獲得するのか？　交通の切符、財産記録、なりすましに関する情報、運転免許証、移民記録、課税情報、公衆衛生データ、裁判記録、レンタカー、信用報告、郵便や宅配サービス、公共料金支払記録、ゲーム、保険に関わる請求、データブローカーの書類など、公私双方の様々なデータベースにアクセスする。[156]さらに、非営利の貢献や、政治的ブログや、ホームビデオなどもモニタリングする。[157]司法や交通、企業の防犯カメラの映像も掘り起こす。[158]ネバダ南部では、ホテルやカジノでの写真やビデオもチェックしている。[159]

要は「情報共有」の名の下にヒュージョン・センターを使うことで、政府は、「立法で規制された」情報収集活動を、民間の「ゆるい規制の」情報収集で補うことが可能になっているのだ。その見返りに政府は、より大きな権限や範囲を与えることで、地方政府の限られた司法能力を増強し、時には民間企業にさえ力を与えるのだ。

データマイニングと法執行。 市民の自由を重んじる人々でも、ヒュージョン・センターの職務がテロ対策の諜報のみに限られていれば、それに反対はしないだろう。しかしそうはなっていない。「調査報告センター」(The Center for Investigative Report) は「多くの州でテロリストに襲撃される可能性は低いので、ヒュージョン・センターはその諜報活動をテロ以外のあらゆる犯罪行為や、政治的な問題にまで拡大している。彼らの活動が、税金を投入するに値する仕事だと地方議会に納得させるため、という理由もあるだろう」[160]としている。ポークバレル政治〔連邦議会議員が選挙区の利益のために補助金の獲得を目指す政治〕が保安政策の切り札となってしまっている。

国土安全保障省のアラバマ支部は、「ヴァーチャル・アラバマ」データベースの作成で、グーグルアースと提携している。州警察はあまり力にはならない。[161]監視研究者のトリン・モナハンは次のように述べる。「国土安全保障省が地理情報システム(GIS)を使って、州内のすべての性犯罪者を登録し、彼らがどこにいるのかを正確に指し示すことができれば問題は解決する」[162]。国家の安全保障として始まったものが、州の司法へと拡大している。テロ対策から範囲を拡大したために、テロの脅威を感じていなかった州政府や地方政府も、ヒュージョン・センターに参加するようになった[163]。こうして多数のヒュージョン・センターが設立されたのである[164]。

本質的に規制のゆるいデータ収集産業と、地方の法執行部局のきめ細かな監視能力、さらに連邦政府の大きな権力とが結びついて、ほぼ制約なく互いに利用し合っている。ヒュージョン・センターは、あらゆるデータが司法当局の精査を受けるための扉であり、おそらくは秘密裡に犯罪捜査のためのもっともらしい理由を作り出していることだろう[165]。

軍と警察とを隔てる線も消えつつある。ロイターが二〇一三年に報じた、オーウェル的な次の事例について考えてみていただきたい。NSAが(フェイスブックやグーグルなどあらゆるところから得た情報の入った)「チップ」を、麻薬取締局(Drug Enforcement Administration)の特殊作戦部(Special Operations Division)に与え、それがさらに内国歳入庁へと伝えられていた。こうした情報共有は法的に、よく言ってせいぜい「グレー」である。国家の安全に関わるデータは司法に使われることを想定されていない。しかし特殊作戦部はこうした微妙な点を回避し、ターゲットを捜査するために遡及して犯罪捜査の理由を捏造している[166]。

これはもはや、優雅どころでなくぞっとするような、ブラックボックス的差配と言える。分離した複数の「現実」が、構築され、報告されている。一つは、ターゲットがいかに選び出されたのかという秘密の記録であり、もう一つは、法廷で使われるために特別に作られた文書である。麻薬取締局の退職者二人は、こうした計画を正当化し、合法であると主張するが、自分の名前も、議論の根拠も明かさない。麻薬取締局とＦＢＩのトップを務めたことのあるマイケル・ヘイデンも、このような行為を擁護するが、その立場を支える法的な理論付けなどは行わない[167]。二〇一三年夏、五人の上院議員が法務省に、二つの「現実」が作られることの合法性について質問したが、未だに回答はない[168]。

「諜報」と「捜査」は峻別するのが伝統だった。かつて諜報活動は主として海外で行われ、それを担っていたのはＣＩＡのような機関だった。国の安全を脅かすような「外」敵に関して、有用な情報を集める行動であった。それに対して「捜査」は、警察が「犯罪の証拠」を集めるためのものだった。しかし今では、諜報と捜査との境界は曖昧になっている。

ここにもう一つのブラックボックスがある。９・11テロ以前、州と連邦の法執行機関が、情報あるいは諜報を共有することはまれであった[169]。しかし９・11テロ以降、議会は五億ドルを超える予算を分配し、州と連邦との協力関係を推進するためヒュージョン・センターの設立を推進した[170]。こうした権力拡大を喜ばない警察があろうか？　従来の、事後的に行われる捜査より、予防的な「諜報が導く警察活動」は確かに魅力的だろう[171]。

しかしながら、９・11以降の、全域的な監視と情報収集の技術は、テロ攻撃や自然災害といったスケールの大きな事象には確かに適合しているが、通常の犯罪や抗議活動には適していない。活動家であるとか、怪しい集団に属しているという理由で、データが主導する「地引き網」では数千人もの人々が捕えられてしまう[172]。諜報機関にとっては、犯罪と抗議活動を注意深く見分けることなど関心の埒外なのであろう。「つながり」を見つけるのは簡単だ。戦争に反対する抗議活動集団があれば、それは国際テロリズムと言える。戦争に対する抗議は既にテロ行為である」と、ある州警察幹部はコメントしている[173]。この発言を異常だと言えれば良いのだが、二〇〇二年、ＦＢＩ長官のロバート・ミュラーが既にこうしたことを正当化し、「反対を表明する人々と、テロ行為を行う人とは地続きである」と警告しているのだ。(174)「脅威の母体」の恐るべき拡張である。

もし間違いがほとんどないならば、それほど心配することもないのかもしれない。しかし、市民の自由に関する懸念は増大している。ヴァージニア州のヒュージョン・センターが二〇〇九年に出した「ヴァージニアにおけるテロの脅威に関する評価報告」の中で、学生の集団は、「あらゆるタイプの過激な集団の急進的ノードである」ので観察すべきであるとしている。(175)「ミズーリ州情報分析センター」(Missouri Information Analysis Center)[11]が二〇〇九年に高速道路の部局向けに出した報告書では、「暴力的な過激主義者」が、ロン・ポールやボブ・バー[12]といった第三党(民主党・共和党以外の政党)の候補者と典型的に結びついている、「潜在的な脅威」には反移民や反課税といった主張も含まれている、と示唆した。(176)車のバンパーにリバタリアンを支持するステッカーが貼ってあれば、暴力的な過激主義者であることが分かる、ともしている。(177)

「国家」と「市場」の融合

私企業が収集した山のようなデータは、彼らを「情報共有」の貴重なパートナーとしている。国家と企業の双方にとって交渉の余地は多分にある。政府は合法的に収集できないデータを欲しているし、データブローカーは持っているデータを売ろうとしている。(178)他業種の企業も取引の材料を持つことができる。(179)

例えばダニエル・ソロヴは、9・11以降の情報交換は、「企業」と「国家」という伝統的な区別を崩してしまったとする。「ジェットブルー・エアライン社は自社のプライバシーポリシーを破って、一〇〇万人分の顧客データをトーチ・コンセプト社と共有した。トーチ社は、飛行機の乗客の安全リスクを評定するアラバマの企業で、防衛省とも取引をしている。トーチ社はジェットブルー社から得たデータを、データベース・マーケティングを行うアクシオム社から得た雇用情報やその他の情報、社会保障番号（ＳＳＮ）などと結びつけている[180]」。実際のテロを起こさせないためにこのようなデータ収集が有益であったとしても、彼らはそのデータをハッキング等から守る安全策を講じていただろうか？「国土の安全」という口実のもと、秘密のヴェールに覆われているために、私たちには分からない。

競争で優位を保つために諜報活動を支持する企業もあるだろう。例えばワシントンでボーイング社は「ワシントン合同分析センター（ＷＪＡＣ）」に参加したおかげで、ヒュージョン・センターの情報にリアルタイムでアクセスすることができた[181]。ボーイング社幹部によると、同社は「重要なインフラを所有する民間企業が、いかにして犯罪やテロ対策に関わる諜報に参与して情報を受け取ることができるか、その実例となりたい」と考えていたそうである。スターバックスやアマゾン、アラスカ・エアラインといった企業も、ＷＪＡＣにアナリストを派遣することに関心を示している[182]。

フェデックス社のＣＥＯが政府との協力を表明して以降、同社は政府から様々な特典を受けるようになった。例えば、国家公安データベースへの特別なアクセス、ＦＢＩの地域テロ対策部会への出席（民間企業で参加を許されているのは同社のみである）、テネシー州での警察の力を強めるための例外的なライセンスの獲得、などだ[183]。ロウアー・マンハッタンで集まった銀行群と同じように、フェデックス社は州政府と特権や免責を共有する一方、説明責任は果たさなくて済むのである。

グーグルもＮＳＡとの取引に参入したと報じられた。しかし、電子プライバシー情報センター（Ｅ

PIC）がそれが本当かどうか調べようとしたところ、連邦の判断で押しつぶされた。[184] NSAは、諜報活動のためにグーグルと協力したのかどうか、二〇一三年のエドワード・スノーデンによる暴露の後でさえも、肯定も否定もせず回答を拒否している。

軍やスパイは常に、「ステルス」に依存している。結局のところ、「口が軽いと船が沈む」のである。しかし秘密は利害対立も生む。国土安全保障省やNSAの側に立ってインターネットアクセスをモニタリングしていれば、グーグルは反トラスト法違反を心配する必要がないだろう。[185]「大き過ぎて潰せない」銀行群と同じように、グーグルは政府にとって「重要過ぎて監視できない」存在となり、排除できないのだ。実際二〇一三年に、NSA（もしくはその英国側パートナー）が、グーグルがEUの競争法に違反しているかどうかを調査している役人を、監視対象としていたことがリークされた。[186] 増えつつある資料が示すように、「民営化」（privatization）は、政府と企業との取引にとどまらず、結婚、それも「秘密の結婚」となり得る。こっそりと好意の経済が交換されるのである。[187]

いわゆる「回転ドア」[188] 問題も考える余地が大きい。政府高官が退職後に、自らが規制してきた業界での職を求めるのである。[188] 安全保障関係でも多くの幹部が、退職後すぐに、利益中心の民間企業へと転職する。[189]「公安と産業との複合体」が人々の不安感を操作することによって、予算が増えるだけでなく企業の利益も増えるのである。

全脅威、全危険、全情報？

ジェームズ・バムフォードやティム・ショロックといった批評家が、諜報分野を長らく慎重に取材してきたが、政府による独立した情報収集活動の全貌を人々が意識したのは二〇一三年、NSAによる国内での強力な監視活動をそこで働いていたエドワード・スノーデンが暴露した時である。「スノーデン・ファイル」によれば、ＮＳＡが巨大通信企業やインターネット企業と協力して（もしくはハッキングして）通信の蓄積や傍受を行っていたこと、インターネットに接続したことのないコンピュータについても把握し侵入できること、安全と見られていた様々な種類の暗号についても解読能力があること、などが示唆される。(190)

この容赦ない情報収集活動の大部分は、特定の個人や計画に関する疑惑によってなされたものではない。日常的に監視が行われ、いつの日にか「針」を見つけ出すために、大量の「干し草の山」が情報として蓄えられていた。(191)通信企業だけでなく巨大ネット企業もＮＳＡのターゲットとなっており、協力する場合もあれば、いくらか抵抗される場合もある。スノーデンのスライドの中に、グーグル、フェイスブック、マイクロソフトの三社は頻出した。この三社によるデータ蓄積は、「監視国家」にとって豊かな情報源となった。政府は、市民に関するある種の情報を収集することを法律で禁じられているが、「データブローカー」はさほどの制約を受けない。誰かがその種の情報を取得すると、政府がそれを買ったり、要求したり、果てはハッキングすることは、難しくないのである。

私たちの、オンラインおよびオフラインでの行動は、何百もの民間データベースに記録されている。プライバシーの専門家であるクリス・フフナーゲルは、こうした民間の活動を、「ビッグブラザーを手助けするリトルヘルパー」と適切に呼んだ。これは私たちの監視社会の「バグ」ではなく、むしろ「特徴」である。(192)ヒュージョン・センターは定義上、民間から積極的に情報を受け取ることになっている。データの「規制緩和派」も、企業におけるデータ収集が、政府による監視と全く違って安全だ、とは言えないだろう。情報収集活動は、もはやあと戻りできないほど、官民で絡み合っている。

スノーデン（およびチェルシー・マニング、ジュリアン・アサンジ）によるリークにもかかわらず、国家の監視組織は依然として、多くのレベルで不透明なままである。[193] 現実的および法律的な秘密を享受している。安全なネットワークの中に隠され、分厚い法律に守られている。秘密が破られたとしても、多大な「複雑性」が残る。諜報機関は、SNSを含む情報源からのデータをモニタリングする特別なソフトウェアを開発するため、SAIC（Science Applications International Corporation）、ノースロップ・グラマン、ブーズ・アレン、パランティアといった民間の防衛組織と契約している。[194] 彼らのアルゴリズムはそれ自体が複雑なものであるだけでなく、契約者は彼らの企業秘密を守らなくてはならない。純粋に政府の活動だけを（原則的に）監視するような組織でさえも、民間部門におけるスパイ活動の方法論（メソドロジー）の価値を維持するためにデザインされた、商業的な秘密の層に縛られている。もし小うるさい調査委員会（あるいはまさかジャーナリスト）がその内部を査察できるならば、企業はいかにしてその知的財産の経済的価値を完全に利用し尽くすことができるだろうか?

説明責任を持たない監視国家は、自由にとって、いかなる種類のテロ脅威よりも大きな脅威となる可能性がある。[195] 派手な危険ではないが、自由の範囲が侵食される危機だ。[196] 秘密を明るみに出そうとする人を、「国家の敵」と分類するだけの権力を、「観察者たち」はひそかに持ってしまっている。精査されることが必要なのは彼ら自身の方であるにもかかわらず。監視が有害なのはまさにこうした点にあると私には思える。批判を沈黙へと追い込むことで、非効率な（悪質な）政治と経済との癒着体制ができあがる。大量監視は、破壊活動を防ぐよりも、許容されている思想や行動の範囲をゆっくりと狭めてゆくことになるだろう。

出口なし

国家公安による監視と、企業によるスパイ活動は、表面的にはさほど似ていない。目に見える目的も、技術も、範囲も、大きく異なっている。「賭け金」も、少なくとも理論上は、違っている。利益を減らす規制に対して私企業は反対するだろう。しかし国家は、私たち全員が破壊的な攻撃を受けるリスクがあるとして、「全情報認知」を要求することができる。国の安全に関わる問題に対しては、たとえ非合法であっても、政府の要求を止めることは極めて困難である。したがって監視国家は監視企業よりも、規制をかけることが難しい。

とはいうものの、その「ブラックボックス」構造において、国家と企業は似ているし、協力関係にもある。両者とも強力なトップがボスとして君臨し、マネージャー、アナリスト、プログラマーといった人々が中層におり、大量のアウトサイダーを監視している。数年間テック企業で働いた後に、政府機関に転職し、その後再びビジネス界に戻る人もいる。こうした行動は究極的に、いくつかの疑問を生む。一つは情報の流れに関するものだ。私たちは情報収集の拡大を止めることができるのだろうか？　私は、これに対する答えは「ノー」だと思う。そして第二の疑問は、「では私たちは何をするのか？」である。

自助不能。デジタルに関しては、自分で自分を守れという言説があふれている。ありふれたものから奇抜なものまで、明らかなものから難解なものまで、広い範囲にわたっている。個人のセキュリティを守る技術には、例えば「強い」パスワードを設定する、プライバシー設定を「高」にする、使い捨てケータイにする、オンラインでの行動に気を付ける、などが挙げられる。学校でも、デジタル上の自分を守るための一種の予防的ケアである「サイバー衛生」の基礎を教え始めた。[197] 不十分だろうか？　電子フロンティア財団（ＥＦＦ）はより強力な暗号を推進している。ＥＰＩＣは、ブラウザにデフォルトで「追跡するな」（Do Not Track）機能を求めている。ニューヨーク大学のヘレン・ニッセンバウム教授が目を向けるのは、わざと混乱を生み出すことである。彼女の開発したTrackMeNot（私を追跡するな、の意）は、ランダムな検索をブラウザで行うことで、グーグルを始めとする検索企業が、あなたの正確な心理的・マーケティング的プロフィールを描けないようにするというものだ。[198] 同様の技術は、Ｇメールでダミーのアドレスへ多数のフェイクメールを出すという応用もできる。私たちの背後を観察し、私たちのデータを誰が、いかにシェアしているのか、正確に教えてくれるアプリもある。[199] 私たちが個人情報を安全に保管し、アクセスしたいと言ってきた人に対して一件ずつ販売できる「個人情報収蔵室」も存在する。[200]

しかし自助で可能なのはここまでである。「プライバシーを強化するテクノロジー」（ＰＥＴ）があれば、概ねそれに対して「プライバシーを骨抜きにするテクノロジー」が立ち上がるものである。デジタルの導師（グル）が毎週のように推奨するＰＥＴが、対抗手段によって次々と時代遅れになってゆく。世界最高のパーソナルセキュリティも、直接アクセスできるようなハッカーに対しては何ほどのこともない。[201] ユーザー名、クレジットカード番号、社会保障番号の巨大データベースが既に存在しており、「filetype: xls site:ru login」といった単純な形で検索すると、何百万ものパスワードが表示される。[202]（但しそれを試す前に、検索エンジンの方であなたのＩＰアドレスを認識しており、あなたを詐欺師予備軍とタグ付けするかもしれないことに注意）。ターゲット社の大量の「機微な消費者データ」がハッカーの手にわたった話は既に触れた。ヘルスケア部門では、何百ものデータ侵害をリスト化した「羞恥の壁」を作っている[203]。

とりわけＳＮＳについては、「サイバー衛生」の訓練も無駄に終わる可能性がある。ＳＮＳはデフォルトのプライバシー設定を何の警告もなく変えることで知られており、「プライベート」なコミュニケーションが全体に知られたりする。多くの州で許容されているが、あなたの就職応募先がフェイスブックのパスワードを要求してきたらどうだろうか？　もし教えてしまえばあなたは丸裸だ。そして断れば、就職する機会を失うかもしれない[204]。おそらくあなたはオンライン上での悪口を削除するだろう。米国においてグーグルは、誰かがあなたの名前を検索した時に出てくるサイトを（たとえそれが間違っていても）削除はしない。グーグルではなくそのサイト自体が言及していることだからである[205]。裁判でそれが間違っていると証明するか、あるいは「評判マネージャー」を雇ってそうしたサイトのグーグルでの順位を下げない限り、あなたは悩まされ続けるだろう。

その上、知られているプライバシーの脆弱性や、評判への脅威に対して打ち負かそうという試みが、新たな問題を呼び起こすことさえある。ブラウザのプライバシー設定を「高」にすることで、ネットでのふるまいを秘密にできると考えるかもしれないが、プロバイダや、訪れたサイトや、広告ネットワークはおそらく、訪れた私たちのコンピュータにつけられたＩＰアドレスを追跡している。技術に強いジャーナリストは、身元を隠すためにTorのような匿名化ツールを薦めるが、それも完全かどうかは定かではない上、こうしたツールを使っていること自体が疑惑を呼び、より綿密な監視を起こさせることさえある。暗号化プログラムが一般化するとすぐに、これは「密壺」（罠）ではないかとの噂が飛んだ。プライバシーを保障するという甘言で、人々に秘密を告白させ、実はそれが強力に監視されているのではないか、というのである。[206]

これは終わりのないサイクルである。「デバイスの指紋」でコンピュータやケータイが特定される時代となると、ジャーナリストたちはデータの跡を隠すことを勧める。しかし、監視を専門とする学者ですら、新たな脅威の全てに対処するのは難しい。『ウォールストリートジャーナル』紙の「彼らは何を知っているか」というシリーズでは、二〇一〇年以降に開発されたプライバシーを無効化する技術を紹介した。[207]一つ確かなことは、「自助」は実際には、最も技術力の高い（もしくは最も裕福な）ネット利用者にとってさえ、現実的ではないということである。道徳的にも間違っている。技術の進歩は、大部分の利用者を容易にすぐ追い越していく。

初期の「法的な解決」は、侵襲的な監視に対して、防ぐというよりは遅らせるだけのものだった。例えば、少なくとも一四の州で、従業員や就職志願者にSNSのパスワードを要求することは禁止された。[208]しかし就職のライバルが自発的にそれを行ったら？　法的に正当な権利があっても、プライバシーへの配慮は後回しにする人も出るだろう。情報の経済学ではこのプロセスを「アンラベリング」と呼び、慎重に設計されたプライバシー保護法制でも出し抜かれてしまう。[209]今ではアプリでパスワードを試すのは、群衆から抜け出す「絶望的な努力」のようにも見える。しかしSNSでの書き込みを（友だちのみではなく）広く公開する多くの人々は、パスワードがなくては見られないような情報の多くを提供してしまっている。「競争優位」と「皆がしていること」の分岐点はどこにあるのか？　機微情報の使用が禁じられ（そして監査され）る時が来るまで、「十分に公開される」未来が運命付けられている。[210]

１％の解決策。民間企業にとって、評判マネジメントを代理させる契約を結ぶことは、出現しつつあるデータ流通に対する「市場を通した解決（マーケットソリューション）」と言える。私たちの「素晴らしきデジタル新世界」は、サービスをレビューする弁護士、情報システムの暗号化を行うプログラマー、オンラインのプロフィールに貢献する「評判マネージャー」の三者を雇えるほど時間と資金を持っている人にとっては、非常に安全な場所となるだろう。そしてこうしたサービスを提供する側は大儲けできるだろう。クライアントのオンラインでのイメージを向上させるために、グーグルによる検索順位の謎につけこむ企業も既に存在している。そうした企業がサービスを拡張し、データ収集者への印象を最善にしようとしている個人にまで対象を広げるのは、時間の問題であろう。

しかしこれが私たちの、侵襲的なデータ収集の問題を操作するやり方なのだろうか？　金融上のプライバシーの世界では、これはうまくいかなかった[211]。弁護士や会計士の手助けを得た財産家は、資産を税務署の目から隠すことができた。しかし、自分のイメージを養成するためにそんなことができるのは、本当にごく一握りの資産家だけであろう。グローバル経済の中でその値段は極めて高い。「タックスジャスティスネットワーク」のジェームズ・ヘンリーは、税務署の目を逃れている資金を総額で、二一兆ドルから三二兆ドル程度と見積もっている[212]。

「売られる秘密――オフショア資金の迷路」という表題の報告書では、多数の不快な事例の詳細が書かれている[213]。投資で儲けている人が「評判」の問題にも手を広げようとして、資産防衛産業に「評判防衛」（Reputation Defense）という部門を設けた。しかしこのような「スイス銀行モデル」は、持てる者と持たざる者との格差を広げるだけの結果に終わるだろう。プライバシーの保護にも階層化がもたらされる。侵襲的データ収集や、不公正なデータ利用という現実の問題に対する解決にはならない。

「十分な開示（フル・ディスクロージャー）」の未来

安い暗号ツールが普及すれば、「秘密を守る」ことが多少は民主化されるとしても、これは私たちが本当に望んでいることだろうか？　ＮＳＡが現実のテロ計画に対して盲目であることは、私は望んでいない。誰かが毒を積んだドローンを開発したら、当局にはそれを知ってもらいたいと思う。いわゆる「暗号通貨」がこれまで以上に税務署の目を逃れ、公的資金が不足することは避けたい[214]。バイオ監視は、当局が、新たな伝染病を見つけ出すのに役立つだろう。モニタリングによって、交通、エネルギー、食糧、医薬などの流れがより理解しやすくなるのは間違いない[215]。

したがって、「隠れること」は、監視への対策として表面的には魅力があるが、しかし良い「賭け金」ではない。「隠れる能力」および「隠れたものを見つけ出す能力」は複雑に商品化されているため、資産やコネを多く持つ人しかこのゲームで勝てない。情報収集が助けになるか害悪をなすかは、情報それ自体ではなくその使用法にかかっている。私たちが行う意思決定は私たちの「優先順位」について多くを語る。

今日のデジタルエコノミーは生産性よりマーケティングを優先している。良い「ねずみとり」を製造する人よりも、人々が買いたくなるようなファンドを立ち上げる人の方が、収入が高い。もはや重要なのは、罠でも、ネズミでさえもなく、データである。予測や管理を行なうアルゴリズムに「エサ」を与える、情報の流れである。プロファイリングも、そうした経済の中で、ビッグビジネスとなっている。電脳自由主義（サイバーリバタリアン）たちは、インターネットは「検閲をダメージと読み、そこを回避する」と誇らしげに語ったものだが、「検閲」を「プライバシー」に置き換えてもこの言明は同じように真実だろう。[216]

「スコア化する世界」について書かれた文章の多くは、いかに「エレベーターを出し抜くか」、言い換えると、いかに八〇〇点のクレジットスコアを獲得するか、いかに就職の性格テストで完璧な点を取るかに焦点を当てており、それを批判したり、まして反抗する可能性など無視している。データの経済モデルはさらに悪くなる可能性があり、個人化を単なる「マッチング問題」（例えば、最もリスクの高い借り手はローンの金利も最高となる）として粛々と取り扱う。法律の観点からすると全く違った事柄が見えてくる。デュープロセス（適正な手続き）の見せかけさえなしに、多数のペナルティが課されるのである。

もしデータの流れを止めることが不可能であるならば、その流れの背後に何があり、いかにしてデータ利用をコントロールできるのかについて、私たちは知る必要がある。政府や企業が私たちをオープンにしているのだから、私たちの方でも企業や政府に対しては同じ基準でオープンであることを要求しなくてはいけない。彼らによる「精査」に対して、新たな形の説明責任を課さなくてはならない。情報利用の「公正」「不公正」を定義する法制度を強化する必要もある。現在では弱い人ばかりが監視されるという不平等な監視をなるたけ平等化しなくてはいけないし、重要な意思決定は公正かつ無差別なやり方で行われなくてはいけない。一つ二つの間違いが「自己成就的予言」として失敗を運命付けるような、容赦ない判断のカスケードには介入する必要がある。一つのブラックボックスを開けると、ただちに新たな様式の不透明性が不可避的に立ち上がってくるような構造は、私たちの手で作り直す計画を立てなくてはいけない。

トマス・ジェファーソンはかつて、「私からアイディアを得た者は、私の何かを減らすことなしに自身を向上させたことになる。それはちょうど、私がロウソクの炎を分け与えても、私の炎は暗くならないのと同じである」(217)と述べた。これは私たちの多くにとって励みになる考え方だろう。しかし米国の防衛、警察、企業組織が熱望している「全情報支配」は、これとは正反対の態度である。情報が有用なのはそれが排他的、つまり秘密であるからというのが、ブラックボックス社会に命を吹き込む信念と言える。テロリストは危険だから闇に閉じ込めなければならない。病人は費用がかかるから闇に閉じ込めなければならない。そして「顔のないアルゴリズム」にとっては、私たちはテロリストかもしれないし、病人かもしれない。だから私たちも闇に閉じ込められる。

今こそ「推定無罪」「光による安全」への権利を主張する時である。情報収集を止めることはできないかもしれないが、使われ方を規制することはできる。ただ、「言うは易く行うは難し」だ。データ収集は暴走しており、不正確な「評判システム」や不公正なデータポイントを「清める」のには、時間も労力もかかるだろう。しかしそうしなければ、未来はより暗い。プライバシーに関して最も知られているブログの一つは、「ポゴは正しかった」というタイトルのものである[13]。これは「私たちは敵に会った、それは私たちだった」という、かつてのコミック本のタグに敬意を表したもので、警句の意味は明らかだ。テクノロジーがいかに人々を評価し、恣意的、差別的かつ不公正なアルゴリズムで人々を支配し始めるのかについて、見過ごしてはならない、ということである。この目的を達成するための行動を第5章でいくつか提案する。しかしいかにそれが作動しているのか、いかに求められているのかを十分に理解するために、私たちは目を、「私たちがいかに知覚されるか」にますます介入している「評判のテクノロジー」から、「私たちがいかに知覚するか」に介入している「検索のテクノロジー」へと向ける必要がある。検索が次章のトピックスである。

第３章　検索の隠れた論理

経済社会学者のデイヴィッド・スタークの目からすると、検索とは「情報時代の合言葉（ウォッチワード）」である。(1) 検索空間というとほとんどの人はグーグルを連想するだろうが、検索それ自体ははるかに一般的な概念である。情報や娯楽、製品や友人などを探す時、私たちは今では、動かない情報源よりも、動的な検索に頼るようになった。検索は、インターネット観に影響を与えただけでなく、「実生活」にも徐々に影響を与えている。(2)

検索エンジンは毎日、何十億ものクエリ（問い合わせ）を扱い、多数の「回答」を返す。他のサイトへ飛ぶ必要がないほどである。検索エンジンは、私たちの友人関係（リアルでもヴァーチャルでも）を追跡している。私たちの娯楽についても知っている。検索エンジンは、映画から病院、ホテルまで、私たちのためにありとあらゆることをランク付けしてくれる。(3) 検索エンジンは一般的にもなり、専門的にもなり、社会的にもなる。大きくも小さくもなる。公的でもあり暗号化もされている。回答として提示される内容が増えるにつれ、より多様になり、重要性も増している。(4)

新たな「メディアの主人」となった検索だが、ただ便利なだけではない。その競争力、そして私たちの「惰性」のために、検索はしばしば私たちの意識が向く範囲を決定付けてしまう。(5) 検索はガイドであり、私たちが何をするか、何を考えるか、何を買うか（そして何をしないか）についての決定に時には非常に深く、影響を与える。検索は革命である。アップルおよびアマゾンのポータルは、商売のあり方を決定的に変えた。(6) 検索は代理人（エージェント）である。フェイスブックで友人になったり、ツイッターでフォローする人を探したり、常時コンテンツを流すプラットフォームを選んだりする手助けとなる。

検索は「平等化」という機能も持っている。私たち「精査される側の人間」がテーブルを回し、精査する側になることができる。私たちが否応もなく参加させられている、「評判に関するデータ」のプールへと入る入場券なのである。上司や銀行その他が私たちの運命を決める時、しばしば私たち自身の代わりとなる「デジタルな自己」を見張っているのが検索である。

検索によって、かつては資金や余暇時間がふんだんにあるごく少数の人しか到達できなかったような情報資源に、コンピュータを使えば（自宅にパソコンがなくても公共図書館に行くなどして）アクセスできるようになった。検索は、他の人が見る世界とは違って、私たち自身の個人的な興味や選好に彩られた、完璧な「小さな世界」を与えてくれる。

しかし、デジタル時代の他の事物と同様、検索には陰の一面もある。これは「信頼」と関わっている。プラットフォーム業者はいかにして、第三党からの市長選立候補者に関する記事について決めるのだろうか？　オバマの面白みのないディベートやロムニーの「四七％スピーチ」[1]をどのくらい流すのか？　ニューメディアの巨人たちは、私たち個人の選好に合わせて記事を絞ることで、情報過剰を抑えることができる。(7)　しかし、「ごちゃごちゃの世界」を小綺麗かつコンパクトに提示することで何が起きるだろうか？　このストーリーは、ニュース機関が統計的に選んだものか、それとも私たちの好みに合わせてアルゴリズムがピックアップしたものなのか？　もし統計に基づいて選ばれたものならば、「どのような」統計（ストーリーが言及された数なのか、ニュース機関の権威なのか、あるいはまったく別の何か？）に基づいているのか？

大企業も中小企業もこうした問題に毎日悩んでいる。ホテルはグーグルマップや旅行サービスで「いい位置につける」ために、多少なりとも多めに払う用意があるだろう。(8)　報道や政治キャンペーンが、例えば読者やボランティアをグーグルプラスに誘導してグーグル検索での位置を上げるといったような微妙な操作を行っているのかどうか、どうしたら知ることができるだろうか？　旧来の紙の新聞の場合には、皆が読んでいる紙面は同じであり、気に入らない記事には編集者に連絡を取ることができる。しかし、グーグルプレックスの行う決定は「閉められたドア」の向こう側、あるいはこれから見ていくように「ブラックボックスの中」で行われている。それを作っている人々をどのくらい信用できるだろうか？

包摂、除外、ランク付けを行う権力は、人々の印象のうちどれを永続させどれをすぐに消滅させるかを確実にする権力でもある。(9) だからこそ検索サービスは、ソーシャルなものであろうがなかろうが、利用者にとってだけではなく広告業者にとっても、必須の存在なのである。だからこそ、かつてテレビ・ラジオ・新聞といったメディアが牛耳っていた文化的・経済的・政治的な影響力の分野へと侵入してきた。その支配があまりに完全であり、そのテクノロジーがあまりに複雑であるために、伝統的なメディアが負っていたような公衆への応答責任もなく、透明性や説明責任の圧力を免れている。

私たちは自身の生活に関しこれらのサービスにあまりにも多くを引き渡してしまっているが、それについて多くのことを知らない。(10) 彼らは自分たちが中立で客観的であると主張するが、実際にはしばしば、価値観にかかわる、論争を生むような意思決定をしている。私たちに「見せる」ためと称する世界を作ることを、彼らは手助けする。私は巨大検索企業のふるまいが提起する「信頼の問題」について、四つの領域を探求しようと思う。透明性、競争、保障、管理の四つである。

検索と透明性

大手ネット企業が、彼らのほぼ全てのふるまいに関して、その理由として挙げるのが「より良いユーザー経験」である。しかし彼らの利害は時として私たちの利害と対立することが厳然としてある。

するとどうだろうか？(11)　バイアスや権力濫用についての議論は、注意深く「中立性」というオーラをまとってきた主要なネット・プラットフォームを論争に巻き込んできた。ケンカがいつ起こるのか、それがどのように操作されるのかといった問いに明確な答えがあれば安心につながるだろう。しかし巨大企業は意味のある情報開示に抵抗し、テクノロジーや契約の決まり文句の背後で、重要な意思決定を隠している。何が起きているのか、真実は私たちの視界の外にある。(12)

アップルストアにおける性と政治。アップルは、シンプルなインターフェイスをデザインし、オンライン音楽の世界を作り替えた。著作権をめぐる対立という「ゴルディアスの結び目」[2]を裁ち、楽曲にすぐアクセスできるようにした。(13)iTunes、iPodそしてiPadは、音楽の選択や支払いについて全く新しい生態系を作り上げた。(14)このような、よく維持された人気のプラットフォームが持つ力は甚大である。(15)人々がスタンダードを共有して、シェアし、協力し、プレイする。タフツ大学フレッチャー法律外交学院のアマル・ビデ教授（金融論）は、「現代の繁栄を維持するイノベーションは（…）プレイヤー、レベル、期間のいずれにおいても多層な大量のゲームを通じて発展し、使用される」としている。(16)

しかし、「アップルのゲーム」はかなり曖昧になり得る。アップル社のビジネスはその秘密主義で悪名高い。ジョナサン・ジットレインやティム・ウーといった法学教授が、行き過ぎた中央集権はアプリ開発者の創造性に制約を与えると心配するほどである。(17)私の関心に引き付けて言うと、利用者は「見えないコントロール」に制約されていることを感じ心配する時があるのではないだろうか。例えばアップルが、それなりに人気のあるアプリをアップルストアから排除したり、その製品が継続するのを拒んだり、といった場合である。心を乱す例を三つ挙げよう。

ユーカリ。二〇一二年、デベロッパーがアップルに提案するアプリの数は、毎週約一万種にも上った。その中のかなり多くが、性的な事柄を重視していた。アップル側の反応は実務的かつ効率的なものだった。アップルの「反ポルノ」政策は、利用者の需要を反映し、また、スパムを避けるものだったというのである。[18] この方針は新たなアプリの洪水を効率的に処理するのにも役立った。

アップル社の「問題のある（objectionable）コンテンツ」のガイドラインは広まっていたが、それがどのように適用されるかについては隠蔽されていた。パブリック・ドメインに入っている文書をフォーマットし、ダウンロードするアプリ「ユーカリ」の事例を取り上げる。アップルがこのアプリを拒否したのは、それが「ビクトリア朝時代の文書版『カーマ・スートラ』にアクセスできるから」、という理由だった。[19] しかしアップルは以前に、それと同じことができるアプリを許容していた。アップル版サファリではイラスト入り（しかもそこには完全なポルノも含まれる）の『カーマ・スートラ』にアクセス可能なのである。アルス・テクニカ〔テクノロジーを中心としたニュースサイト〕のコラムでクリス・フォアマンがこの矛盾にコラムで焦点を当てるまで、ユーカリを作った人々は「ミステリアスなブラックボックス」を無為にノックし続けるばかりだった。記事によってアップルも行動を起こし、ユーカリの運命も好転した。[20]

この事例では記事が適切な場所に掲載されたために、アップル社の正しい行動を引き出し、謝罪も素早く行われた。しかし、ジャーナリストの注目を惹くことのできるアプリが一体いくつあるだろうか？　私たちには分からない。アプリについての統計調査はなく、アップルも口を開こうとはしない。

ドローンズプラス。ユーカリは、無能で恣意的な意思決定の犠牲になったようだが[21]、もっと悪質と見える「拒否」もある。ニューヨーク大学大学院生のジョン・ベグリーは、米国のドローン戦争が拡大している時期に「ドローンズプラス」を開発した。ドローン攻撃の標的に関するニュースを集約して地図上に表し、新たな攻撃があるとポップアップで示すアプリである。リアルタイムで警告を出すことで、報じられている軍事行動を利用者が追跡することを手助けもした[22]。

アップルは二度にわたってこのアプリを拒否した。一度目は「有用性がない」という理由をつけた[23]（しかしながらアップルは、スクリーンにフレームを描くだけのアプリも承認しているのである）。二度目の理由は、アップルストアのレビュー・ガイドラインに違反しており、「問題があり、粗削りだ」というものだった。しかしベグリーのアプリはニュース記事を引用して地図上に表すものである[24]。アップルはニュースで報じられた破壊を描く多数のアプリを承認しており、この理由は納得のいくものではない[25]。この決定を批判する声明が出ても、アップルは二年間、何もしなかった[26]。五回の拒絶のあと、ベグリーは二〇一四年、アプリの名称から「ドローン」を取り除いて「メタデータプラス」と改名し、アップルストアに承認された[27]。ドローン攻撃の追跡に関心のある人が、「ドローン」という名前を使っていないこのアプリを見つけることができるのかどうか、大方の推測通りである。

パーマネント・セイブ・ステイトにて。アーティストのベンジャミン・ポインターは、「パーマネント・セイブ・ステイトにて」（In a Permanent Save State）という名前のアプリを「説得力のあるゲーム」としてアップルに提出した。このアプリは娯楽であり、挑発的であり、さらに教育的でもあった[28]。

アップルの製品を作っているフォックスコン[3]の工場で起きた労働者の自殺に触発されたもので、対話的物語を提供する。フォックスコンはその前年、アップルから巨額のPR料を受け取っていた(29)。ポインターは「パーマネント・セイブ・ステイトにて」の中で、「アップルによる夢の機械」と、「それを作っている悪夢のような状況」とを対比させている。

このアプリを素早く削除した理由を、アップルは語らなかった。ガイドライン16・1の「問題があるコンテンツ」か、15・3の「現実の政府や企業その他の描写を禁じる」という条項に、ひっかかったのかもしれない。もしくはアップル社の有名な、「現実歪曲空間[4]」を脅したのかもしれない(30)。政治的発言は、米国憲法修正第一条でとりわけ強く守られている権利だが、アップル社はこの「権利章典」に拘束されない(31)。

ジットレインは二〇〇八年の著書『インターネットが死ぬ日』の中で、こうした機会主義的なふるまいを既に予想していた。ジットレインの著作は、テック企業が「どのアプリを残すのか」を決定する際の、人々の価値観を反映させようという複雑かつ微妙な「要求書」だと言える。工学者のロブ・フリーデンはさらに進んで、アプリを「承認」する必要性があるのかを問いかける。デスクトップのコンピュータを買った時、プログラムを走らせるためにわざわざ製造工場に電話して許可を求める必要はない(32)。なぜアップルはコントロールに固執するのか？　アプリへのアクセスは自由にした方が良いのではないか？(33)

アップルの側に立って言えば、スマホの作動をスムーズにするために、何らかのコントロールは必要だろう。バグのあるアプリ、遅いアプリ、スパムを呼ぶアプリは顧客を傷つける。では「ドローンズプラス」は？　このアプリは確かに人々が求める情報を提供している。どうしてアップルが口を出す必要があるだろうか？　少なくとも、どのようなアプリが拒否されるのか、そしてその理由は何なのか、この事例は利用者に伝えている。(34)

「普遍的」なインデックスとしてのグーグル。ブラックボックス文化がいかに発展し、それがなぜ重大な問題なのか、最も雄弁に語るのがグーグルの事例であろう。グーグル以前、消費者にとってのウェブナビゲーションはしばしば、「取っ散らかったポータル」「けばけばしい広告」「スパムだらけ」を意味した。グーグルはすっきりとした検索結果を秒で返し、この分野を席捲していった。シリコンバレーへの懐疑派でさえ、グーグルは混沌に秩序をもたらすものだと認めた。熟達した検索者にとっては、グーグルは「神の使い」であり、デジタル時代のアレキサンドリア図書館だった。だが経済的に成功したことで、グーグルにはオンラインだけでなく、それを超えた計り知れない力が与えられたのだ。(35)

グーグルはそのランク付け方法の詳細を公開していない。大まかなアウトラインは説明しており、その方法は真っ当に見える。どれだけ「参照」されているか、どれだけ「重要」かに重きを置いている、というのである。あるサイトに向けてリンクが多く貼られているほど、グーグルはそのページを重視する（プロモーションを望まないサイト作成者に対しては、「rel: notfollow」というタグを貼れば、グーグルはリンクをカウントしないと約束している）。この「投票」には重みづけがなされている。すなわち、より多くのリンクを集めているページほど、そのリンク先には権威が与えられるのである。グーグルの成功の背後にある特許「ページランク」の核心部分がこれである。(36)「平等主義」（誰でもリンクを貼れる）と、「エリート主義」（あるリンクは他のリンクよりも重視される）のハイブリッドであるページランクは、ウェブコンテンツを秩序付ける強力な様式を反映しているだけでなく、それを生じさせてもいるのだ。[37]

それは新たな問題を作り出してもいる。グーグルがそのランク付けアルゴリズムを明らかにするほど、それを〔他者が利用して〕操作することも可能になってしまうのである。[38]こうして「検索エンジン最適化」（SEO）という名のいたちごっこが始まり、検索の手法については秘密にして急激に「ブラックボックス化」しようという方向へと向かったのだ。もともとの「ページランク」特許は誰でもアクセスできたが、「リンクファーム」（グーグルの順位を上げるために作られたリンクだけのサイト）、「スプログ」（別名スパムグログで、より動的なウェブログのフォーマットでリンクを貼る）、「コンテント・ファーム」（検索エンジンの結果のトップに現れるよう、トレンド入りした検索のコンテンツを素早く集めて作られたサイト、つまりSERPs）といった「悪者」と戦うために、秘密の修正を繰り返した。すっきりとしたインターフェイスと、きれいに並べられた検索結果の裏側では、検索エンジンとスパム業者の間で「ゲリラ戦」が勃発していたのである。[39]

合法的なコンテンツプロバイダーとの間でも、戦争は（冷戦だが）起きていた。SEO業者は、かつてクレムリン観察者がソ連のコミュニケを分析したやり方でグーグルからの声明を解析し、「グーグル八分」を受けずに検索結果のランクを上げる方法を探した。政府が戦時において、計画を人々の目から隠すことを正当化（理由付け）したのと同じように、議論のあるランク付け方法の説明を拒むことを、スパムや結果操作者との戦いを理由に正当化したのである。[40]

グーグルは野心的な企業である。文化理論家のシヴァ・ヴァイディヤナサンが著書[41]『グーグル化の見えざる代償』で語ったように、グーグルの目標は「世界中の情報の組織化」である。しかし、株主から利益を上げ続けることを要求され、新たな成長の源泉に目を向けている。(42) アマゾンやイーベイのライバルとなる「グーグルブックス」や「グーグルショッピング」である。ユーチューブは娯楽産業の新たなハブとなった。旅行業界を揺さぶるために、有名なレストラン批評サイトのザガットや、主導的な交通アプリのウェイズも買収した。(43) 二〇一三年時点において、少なくとも一ヵ月に一社のペースで買収しており、核である検索事業に近づいている。(44)

多くの人はこの事業拡大を歓迎しているところに、ユーザーフレンドリーなデザインと規模とをもたらしてくれる。例えばGメールやグーグルマップがそうであったように。しかし、グーグルの巨大さは懸念の材料ともなる。検索する者としての私たちにとってだけでなく、より広い経済にとっても。

例えばグーグルは、ウェブ・オーガナイザーかつアーキビストであって、「諸刃の剣」となっている。(45) グーグルのインデックス機能は他を圧倒している。だからこそ、「最後の手段」として頼ることはもはやできない。これほどのサイズの「干し草」になると、どのような「針」も消えてしまう。[5] グーグルにとって、コンテンツを隠して見せないようにすることは、あまりにも簡単である。さらに、検索での支配力を他所での権力の伸長に使っているのではないかという疑問も浮上している。ただその答えは、官僚的、技術的、および契約による「霧」の中に隠されている。

私たちはグーグルによるサービスにお金を払わないが、「誰か」がグーグルの技術者たちにお金を払っている。その誰かとは広告主である。グーグルの収入の大半は、グーグルが豊富に提供する、ターゲットとなる顧客にアクセスしたいマーケターから来ている。私たちが支払うのは、マーケティングの原料となる「注目」や「データ」である（アル・フランケン上院議員がかつてネットの利用者について「あなたは商品である」と警告したように、あなたはグーグルの顧客ではない(46)。時に私たちは、グーグルの提供するサービスに時間と労力を費やして（グーグル・リーダーでブログフィードを編成するなど）、突然、十分利益が上がらないといった理由でサービス停止という憂き目に遭うことがある(47)。グーグルがどのように作動し、私たちをどのようにウェブを通して導き、私たちの活動についてのデータをどのように利用しているのかについて、私たちは無知であることのツケを払っているのだ。

情報を組織化する秘密のアルゴリズムや、それらを打ち破ろうとする人々との戦いは、グーグルだけではなくフェイスブックやツイッターでも存在する。アップルやアマゾンは、なぜ特定の場所・時間において、あるアプリやストーリーや本が提示されるのか、その技術を利用者の目からは隠している。秘密が存在することはビジネス上の戦略として理解できるが、シリコンバレーが作り出している社会的世界を理解するのを、秘密が妨げている(48)。技術的な不透明さの背後には、機会主義、搾取、もしくは単なる不注意による、隠し事が存在する余地が大いにあるのだ。

検索、透明性、公正さ。私たちは検索エンジンが間違ったことはしないと信頼している。存在するものを見せてくれるし、何千ものページをクリックしないで済むように、最善の検索結果はトップに表示してくれるものと思っている。しかし本当にそうだろうか？

「ファウンデム」社は、英国に本社を置く、価格比較のための「垂直的検索」に特化した企業である。エンジニアの夫婦が経営しており、高いコンバージョン率と技術革新を誇っている。英国の消費者組織やテクノロジー組織は、ファウンデム社を、比較サイトの中でとりわけ高く評価している。

しかしファウンデムはこの高い評価を、一般の人々からの利用へとつなげることはできなかった。

それはグーグルのせいである。ファウンデムが創業して半年も経たないうちに、グーグルは、価格比較サイトを利用者が「自然に」（無料の）検索した場合のトップページから、ファウンデムを追い出した。[49]その理由をグーグルは、ファウンデムのサイトは他へのリンクが多い、質の低いサイトであるからだとしている。グーグルのアルゴリズムは、利用者をスパムやリンクファームから守るという理由でサイトのランクを下げることがある。

しかし、リンクを貼ることに正当な理由がある場合もある。まさにグーグルのような検索エンジンがしていることもそれである。それはグーグルも認めている。だから、「検索者が求めているもの」についての推測が劣っているようなサイトを識別し、ランクを下げるのだとグーグルは言う。そして、検索者にとって「素晴らしい」ツールであればトップにもするのである、と。[50]

しかし、ファウンデムが信用するのは別の説明である。もしグーグルがこの領域に何の関心もないのであれば、検索のランクは動かさなかっただろう。そこに参入する（あるいは、参入の計画がある）からこそ、邪魔になりそうな企業のランクを下げるのだ（現在市場を支配している企業は、利用者の反乱でもない限り、その位置を脅かされることはない。だから常に最上のアクセスを確保できる）。

マイナーな検索エンジンが脅威になると考えると、グーグルは人々がそこへ行かないように画策する。独立していたいという思いを挫く。ファラオが幼いモーセを殺そうとしたように、ライバルが成長するチャンスさえ認めない。[51]買収しようとする企業が、標的となっている企業への顧客のアクセスを牛耳っている時、買収の交渉はもはや拒み得ない。[52]

ファウンデムのランクが下がり、グーグルの無料検索からはほとんど不可視となった。ファウンデムが広告料を支払って顧客にアクセスしようとしたが、グーグルはその選択肢も排除した。グーグルの「広告オークション」に、ファウンデムは五ペンス払って参加していたが、グーグルは一ビッド当たり最低五ポンドを要求してきた。ファウンデム側からすると、この「禁止的広告料」によって、一年以上、グーグルで「価格比較サイト」を検索しても実質的に見られない状態に置かれた(53)。

二〇〇七年九月、グーグル側が「折れて」、有料検索ではファウンデムを「ホワイトリスト」[6]に入れ、罰を許した。しかし「通常の」検索からの排除は、技術誌で報じられるまで続いた。同年一二月にグーグルは、「手作業で」ファウンデムをホワイトリストに入れ、同サイトを「役立たずあるいはスパム的なリンクだらけ」として罰して排除したアルゴリズムはもはや機能していないと、ファウンデム側に伝えた(54)。

グーグルはファウンデム問題について、「システムはうまくいった」と主張している。しばらくの間アルゴリズムは、ファウンデムを低評価のサイトとして傷つけたが、人間の介入で問題を解決した、というわけだ(55)。グーグルのエンジニアがよく言うように、「検索は難しい」。評価およびランク付けを行うプロトコルは何についても議論を起こす可能性があるし、議論が起きたら即時に解決というわけにはいかない。

しかしファウンデムおよびその支持者にとって、話はより深刻だと技術誌の記事は伝えている。グーグルはウォール街の期待に応えなくてはならないし、厳しい株主も多い。グーグルはEメール(Gメール)、動画(ユーチューブ)、SNS(オーカット、グーグルプラス)、ブログ(ブロガー)などを抱え、「画像検索」「グーグルニュース」といった特化した検索も行っている。さらにショッピング、旅行、アドバイス、レビュー、価格比較といった分野にも乗り出そうとしている(56)。グーグルのシステムを次に動かすのは誰なのか? 「メタフィルター」の時のように[7]、グーグルを通したトラフィックが急減すると、有名な、好評のサイトでさえ、壊滅的な打撃を受ける(57)。

グーグルは、収入が減った他の会社を助ける義務はないとする。その反トラスト対策弁護士たちは、外側から「自己奉仕バイアス」[8]のように見えるものは単なる「カスタマーサービスへの継続的なコミットメントに過ぎない」と主張する。「グーグルプロダクトサーチ」が機能することを知っているエンジニアたちが、その試験されていないオルタナティヴのためになぜ時間や労力を使う義務を負わなくてはならないのか？　ユーチューブは、スパムやポルノ、その他好ましからざるコンテンツを根絶するために、専任スタッフと利用者コミュニティを抱えている。スタートアップの動画サービスは、グーグルと同じように上手く運営されるだろうか？　グーグルは文書の検索から画像、動画の検索へと歩を進め、次に何を検索するのかは誰にも分からない。米国の法廷が、著作権に関する不平についても、グーグルを許してきた理由の一つがこれである。グーグルはウェブ上の情報に対して秩序を与える「慈悲深い力」であるのだ(58)。

（この状況は、経済分析の限界にも光を当てている。競争法の権威が、汎用検索エンジン大手から専門的サービスを保護しようと決めたら、彼らは効果的に「特化した市場」を描く(59)。彼らの決定は、市場の力の「反映」ではなく、市場を形成しているエンジンの反映である(60)。同じことは検索エンジン自体にも言える。それらに任せていると、自分が参加しているオンライン市場を自分で作っていく(61)。「中立的な場所」はここにはない。国家にしても、スタートアップ企業を保護するか、巨大プラットフォームが呑み込むのを許すか、二つに一つである。銀行業界と同様に巨大化が許されるのであれば、巨大銀行が金融への支配力で商業を効率的に支配できるように、検索への支配力で巨大プラットフォーム企業はインターネットを支配できるだろう）。

グーグルによる支配力は欧州でも認識されているが、その認識のされ方は少し違う。ＥＵの反トラストの権威の考えでは、グーグルは多くの市場で既に競争しておらず、ハブとなっており、他の企業が競争を行う場を設定するキングメーカーとなっている。ファウンデムなどが提起した、長期にわたる反トラスト調査問題を解決するために、グーグルは二〇一三年半ば、検索の際少なくとも三社のライバル・サービスが結果に表示されるという案を提示した。(62) これは米国の反トラストの権威の「ミニマリスト」的アプローチとは、鋭い対照をなしている。(63)

グーグルがファウンデムを排除したことは、本当に検索する人を「スパム的サイト」から保護しようとしたこととの副作用なのだろうか？　それとも競争相手になりそうな企業を潰そうとしたのだろうか？　どちらの解釈も成り立ちそうだが、グーグルの「質を評価するアルゴリズム」はブラックボックスとなっているので、私たちはいずれが正解なのか確かめることができない。グーグルと競争について、もう少し述べよう。

検索、透明性、「マーケティング」(murketing)。「ステルス・マーケティング」も検索と信頼性とが衝突するもう一つの領域と言える。検索エンジンは民間放送と同じように、広告（有料の検索結果）を売って無料のコンテンツ（この場合ではそのままの検索結果）を提供している。(64) 検索エンジンは発展するにつれて、トップページや結果の横に広告を載せるようになったが、ランキングの中心については広告の影響力が及ばない。

米国の法制度では長らく、記事と広告との分離を要求してきた。(65) 当初グーグルはこのことを、文言のみならず精神においても体現していた。多くの検索エンジンがシェアを求めて争う中で、これは良きコンプライアンスであるだけでなく、ビジネス面でも有利に働いた。高質の検索結果を提供し、広告の透明性を保つことで、グーグルは信頼を獲得した[66]。広告を擬装して利用者を不適切なリンクに飛ばすという誘惑に屈した初期の検索の覇者たちは、グーグルに利用者を奪われていった。グーグルは成長するにつれ学習し、検索結果を調整することも上手になった[67]。ターゲティング能力が向上するほど、収入も増えていった。「邪悪になるな」の凱旋は、いまだにシリコンバレーの成功物語として言祝がれている。注意深くデータを収集することで、グーグルは広告主、コンテンツ供給者、受け手の間に特権的な地位を確保した[68]。

しかし二〇一二年、グーグルは多目的の検索からショッピングのような専門化された検索に参入し、広告と記事との峻別をないがしろにし始めた[69]。連邦取引委員会（FTC）は、広告コンテンツについては明示するようにと検索エンジン側に強く要請しており[70]、不公正な行為を行った検索エンジンを提訴する権利を有していた。ただ実際に訴訟にまで至った例はない。こうしたFTCの消極性のために、弱小ネット業者や、今ではグーグル自体もであるが、広告料をもらったコンテンツとそれ以外とをきちんと分けて表示していない[71]。そのため検索結果のページに表示された、例えばホテルや花屋が、品質が良いから表示されたのか、それとも広告費を払ったために表示されたのか、見分けることは難しくなっている[72]。グーグルはランク付けの方法を秘密にしているので、それを知る手助けにならない。それまでグーグルを多くの批判から擁護してきた、シリコンバレーのジャーナリストのダニー・サリヴァンでさえも、グーグルのこの変節には失望を隠していない。

ここ二年くらいの間にグーグルは、検索に関してかつて約束していたことを反故にしてしまった（…）以前であれば、グーグルは利用者の信頼を失わないために、方針の変更について説明していただろう。しかし今では、利用者の多大な信頼を既に得ているからもはや説明は不要だと前提しているようである。あるいは、誰も検索エンジンに責任を持たない「ファジーな管理体制」のために、説明責任を果たさなくてよいとしているのかもしれない。(73)

「監視者」たちを刺激しているのはグーグルだけではない。五〇万種以上もあるアップルストアのアプリの中で目立つにはどうしたら良いか考えているブログは多い。(74)フェイスブック経由で注目を得たい人にも、「有料コンテンツ」問題はつきまとっている。フェイスブックは利用者のニュースフィードを魅力的にするために、流れてくる「リンクや画像、友人からの情報」を選んで並べ替えているが、どのように並べるかを操る「エッジランク」の仕組みを開示していない。(75)しかし二〇一二年、利用者が特定の書き込みを有料でプロモートできる仕組みが導入された。利用者からは即座に混乱や怒りの反応が巻き起こった。無料利用者の中には自分の書き込みが他者にあまり表示されなくなったことに気づき、フェイスブックが自分たちに金を払わせようとしていると解釈する人もいた。エッジランクの仕組みが正確には知らされない状況で、こうした「懸念」がどのくらい正鵠を射ているのか、評価するのは非常に難しい。(76)しかしフェイスブック上でそれなりに多数の「友人」を持っている人にとって、ニュースフィードはひどく扱いにくい代物になってしまった。「トップストーリー」ではなく「最新の書き込み」を見ることに決めていたとしても、友人の書き込みを全部見ているとの確証を得るのは、なんと難しいことか。フェイスブックは次第に、「デジタルコンテンツ・プロバイダー」のキングメーカーになりつつある。しかしフェイスブックが、どのサイトをプロモートし、どのサイトを見捨てるのか、選択する仕組みがまったく不透明なのだ。

この種の「混乱」は、グーグルやフェイスブックにとってはひょっとしたら有利に働くのかもしれないが、私たちにとって全くそうはならない。有料コンテンツと編集コンテンツとが混じり合って、混乱した「マーケティング（murketing）」世界、曖昧な（=murky）マーケティング戦術が、現出している。[77] グーグル創設者のセルゲイ・ブリンとラリー・ペイジは、「広告主から資金を得ている検索エンジンは本性上、消費者のニーズを離れて広告主のニーズへと偏向して行くだろう」と、一九九八年に認めている。[78]

この状況はコミュニケーションの文脈において十分に確認されており、長期的なソリューションもある。「コンテンツのプロバイダーと通信のプロバイダーの両方」に対して、資金源となっている人々のプロフィールを作成しているかどうか、答えを要求することである。[79] 秘密裡にどこかから支払いがなされているとしたら、消費者も、ライバルも、被害を受ける。「人々の心にいかに入り込むか」という戦いにおいて、〔検索エンジンにお金を払うことが〕巨大な優位を築くことにつながる。検索エンジンでの「優位」がお金で買われたものであるならば、公正さの点から、少なくともその事実は開示されなくてはならない。[80] 今や問題は、規制当局がデジタル時代において旧来の規則を採用・強化するのか、それとも古い規則は廃止するのか、である。

検索、透明性、判断。 シリコンバレーの巨大企業グーグルが、検索で心を乱すような結果を表示した時、より複雑な信頼問題が出現した。

例えば二〇一二年、ドイツの有名な女性ベッティナ・ウルフ[81]に関する問題で、グーグルは批判を受けた。この女性の名前を検索すると、オートコンプリートで「ベッティナ・ウルフ　娼婦」「ベッティナ・ウルフ　エスコート」といった言葉が現れるのだ。こうしたフレーズは根拠のない噂を反映したもので、ウルフは彼女が過去にこうした経歴を持つと書いたジャーナリストやブロガーに対して、ドイツ国内での三〇以上の訴訟で「停止命令」を勝ち取らなくてはならなかった。グーグルが、利用者の便利のためと称して行っている「オートコンプリート」(自動的な補完機能)を、検索の利用者は、彼女を誹謗中傷する者たちへの長い(結果として勝訴した)裁判によって作られたものと受け取るよりむしろ、彼女の人格への判断として解釈するのではないかと、ウルフはおそれた(82)。

グーグルの「ヘルプ」ページはオートコンプリート機能について、アルゴリズムが決定したものであり、通常「利用者による検索行動や、グーグルがインデックスをつけたウェブページの内容」を反映したものだ、としている(83)。したがって、ベッティナ・ウルフの名前と「間違った言葉」が関連付けられる責任は当社にはない、というのがグーグルの見解である。自分たちが目にする言葉をどう評価するかは利用者の責任である、というわけだ。しかしグーグルのふるまいはこうした立場を裏切っている。一般的にグーグルは、利用者がどう考えるかに対して無関心ではない。グーグルは常に、より多くのコンテクストの中で、私たちを教え導こうとし、私たちの意図を見抜こうとし、私たちに「正しい答え」を与えようとしている。「lock ness monster」で検索すると、「loch ness monster」(ネス湖の怪獣)の検索結果が表示され、元の検索キーワード「lock ness monster」はその下に小さく、代替的な選択肢として表示されるだけだ。グーグルは利用者が探しているものについて、少なくとも何らかの「暫定的な判断」を行っている。綴りの間違いについて積極的に関与してくるところからすると、グーグルは、オンラインで中傷されている人を助けるのか、それとも中傷する側の偏った情報を拡散しているのか、しばし考えてしまうだろう(84)。

「オートサジェスチョン」（検索で自動的に表示される示唆）だけでなく、検索結果そのものも、不適切であったり不公正であったりする。政治家リック・サントラムが、活動家ダン・サヴェージを怒らせた時に何が起きたのか、という事例を取り上げよう。サントラムはゲイの結婚を「獣欲」（bestiality）とたとえ、サヴェージはそれに対してブロガーのネットワークで報復した。彼らは、サントラムとアナルセックスを結びつけるサイトに熱心にリンクを貼ったため、サントラムを検索するとまず最初にそうしたサイトが表示されるようになった。超保守派の政治家が報復されたことは、多くの人を喜ばせた。サントラム支持者はグーグルに抗議したが無駄だった。サントラムが二〇一二年初頭の共和党予備選挙において、三つの州で驚くほど強い支持を得た後でようやく、アナルセックス関連のサイトは検索結果のトップから消えた[85]。

この「論争」に関する公的なステートメントで、グーグルは自らを概ね、「時代精神（ツァイトガイスト）」の反映であると特徴付けている。グーグルの擁護者たちは、もしも「サントラム・フィーヴァー」において検索アルゴリズムを特別に制御したならば、政治的なロビイングの洪水が押し寄せてくるだろう、と心配する。グーグル自身も、自動検索プロセスにおいては、効率とスピードが重要だと指摘する。もし人手が介入するとなれば、応答に時間がかかるだろう（それが果たしてグーグルの利益を損ねるかを考慮することは、部外者の立場からは免除させてもらおう）。検索結果の人手による修正は、会社の文化と矛盾するとグーグルは言う。グーグルという会社は、「数学・規則・事実」に基づいて情報を組織化・提示してきたのであって、「意見・価値観・判断」に基づいてきたのではない[86]。

しかし時としてグーグルも、その「客観的」な立場を捨てさせられることがある[87]。二〇〇四年、「Jew」（ユダヤ人）で検索すると、ホロコーストを否定する「Jewswatch」というサイトが検索結果の上位一〇位までに出現し、反ユダヤの人々がそれを誇った[88]。(皮肉なことだが、このサイトに恐怖を感じた人の一部が、批判するためにこのサイトにリンクを貼ったりすることが、このサイトが上位に来る手助けをした。サイトの重要性を決定するページランクはそのリンク自体のみを見ていて、リンクした理由は問わないからである)[89]。「名誉毀損防止同盟」が声を上げ、グーグルはトップページに「私たちの検索結果について」と題する声明を発表した[90]。攻撃的なサイトが上位に来るのは、そのサイトへのリンクが多いからであると、検索結果から距離を置く声明だった[91]。ユーチューブで同様の例を考えてみると、連邦準備制度についての昔のスピーチ映像を見ていたら、反ユダヤ的な「金融に関する陰謀」の動画をおすすめされる、といった奇妙な経験と言える。

グーグルのような巨大ネット企業が、他方では差別の拡大を阻止する介入を行いながらも、サントラムの検索結果を放置しておくことには一貫した根拠がある。私たちが知る必要があるのは、社内の決定がどのようになされたのかである。ただ巨大ネット企業が持つ権力を考えると、これは難しい。ある心理学者の実験では、「支配的な検索エンジンは、直近の選挙における候補者への認識さえ変える可能性がある」ことが示唆された[92]。ジョナサン・ジットレインは、支配的社会ネットワークにおいて知られたテクノロジーが、いかに狡猾な影響をもたらすことがあるのか、説明している。

将来の選挙において、議論になりそうな仮説を考えてみる。マーク・ザッカーバーグが、あなたの嫌いな候補者に、個人的に肩入れしていると考えよう。彼は何千万人ものフェイスブック利用者のニュースフィードで、投票を促そうとする(…)。政治についての考えを公言している人でなくても、フェイスブックでどんな記事に「いいね」を押すかで、その人の政治への見方や、政党への好みが予測できるという事実を、ザッカーバーグは利用する。私たちの仮説では、ザッカーバーグと考えが違う人たちに対しては、彼は投票を促そうとはしないだろう(93)。

フェイスブックが二〇一〇年に投票を促進しようとすると、それによって〇・三九%の人が投票し、二〇〇〇年の大統領選挙よりも高い投票率となった。現行法ではフェイスブックに投票を促す義務はなく、そうした「干渉」を行うと公表していないことに注意する必要があるだろう。

巨大テック企業の政治的な偏向は、何らかの陰謀を思わせるほど歪んでいるのだろうか？ 多くの共和党員は、グーグルの検索結果は右派を嘲り、周縁化するものであると不平を言っている(95)。コラムニストのミシェル・マルキンは、グーグルのニュース検索に、彼女のサイトに類するものが登場しないことを告発した(96)。のちにバラク・オバマとジョージ・W・ブッシュが二人とも、「グーグル爆弾(97)」の被害を受け、彼らの名前を検索すると「悲惨な失敗」という言葉がサジェストされた。フォックスニュースによると、オバマの場合はほどなく解決したが、ブッシュの場合は解決まで約四年間かかったという(98)。こうした様々な事例から見て、何か明確なポリシーがあるというわけではない。

グーグルは、ブッシュとオバマへの「グーグル爆弾」を、速さの違いはあれ両方とも「解除」した。ではなぜサントラムについてはそうしなかったのか？ グーグルはブッシュの事例から学んで、オバマの際には対応が速かったのか(99)？ その違いは数年間の経験を反映しているのか？ それとも新たな方針？ 新たな見方？ 私たちには分からない。検索エンジンが政治的アジェンダに基づいているのかどうか、結果の「操作」がどの程度まかり通っているのか、確かめる術がないのに検索エンジンを信頼するのはおかしなことなのである。

「回答する権利」が限られていることは、デジタル・プラットフォーム側に情報を与える一つの方法を構成している。例えば、ある種の表現、誹謗等に対しては、「注釈（アノテーション）」をつけることが許されるだろう。[100] グーグルは現在でも、アルゴリズムの自律性を損ねるような人間の介入には反対の立場を貫いている。しかし綴りの間違いを示唆することも、人間の判断に基づいている。実際、スペルミスについては、ただアルゴリズムを開発しているだけではなく、コンピュータ科学者と、様々な結果の組み合わせについて報告する人間のテスト者との間の対話によって改善されているのだ。[101] 確かにテストが終わった後では一般に、代わりのスペルの方針を自動でサジェストすることができるだろうが、ウルフやサントラムの事例に関しては人間が改めて判断することが必要である。グーグルが恐れているのは、担当者がリクエストに参ってしまうことだろうが、不必要に人を傷つける「オートコンプリート」をオフにすることは検索エンジンにとって実際それほど困ることなのだろうか？

　こうした「改革への提案」をグーグルが繰り返し拒否することは、グーグルの幹部が、自分たちの「ウェブ整理法」が最善であって外からの雑音など不要だと考えていることを示唆する。これはかつて、検索結果を「一〇の青いリンク」とした批判を（公正取引委員会を反トラスト調査という文脈で）ナイーブで、時代遅れで、過度に硬直的な考え方だと批判した企業にとっては、皮肉な立場と言える。[102] その当時グーグルは、「柔軟性という特権」は、企業が素早く劇的に「製品」を変えるために起きるものであると主張し、説得に成功していた。こうした「特権」にも責任は伴わないのだろうか？[103]

　残念なことだが、テック企業は概ね、説明責任を拒否する傾向がある。例えば米国のマイクロブログのプラットフォームであるツイッター社は、アルゴリズムにまつわる懸念について説明しようとしない。ツイッターは利用者の短いつぶやき（ツイート）を表示する。ツイートされるメッセージは、日常的なもの（@KimKardashian）から深遠なもの（@SorenKQuotes）まで、ネットワーク系のものから皮肉で難解なもの（@KimKierkegaard）まで、多種多様である。各利用者の好みに応じて、放送にもなればナローキャストにもなる。ニュースや会話を検索する、クラウドソース型の民主的検索エンジンともなった。ある言葉の前にハッシュタグ（＃）をつければ、それに関するリアルタイムのコミュニティが自動的に生成され、それに言葉に関してなされた過去数秒、数時間、数日のツイートが見つけ出せる。(104)

ハッシュタグはトレンドの形成にも役立てられている。トレンドとは、「フォロワー」に対してのみならず、「一般的に」関心の対象として推薦されるものだ。(105)「トレンド」は、ツイッターのホームや「発見」「検索」ページでリスト化される。利用者はそれを、流行のもの、面白いもの、関心の対象として認識する傾向がある。「活動家」はトレンドのトピックスのリストを、自分たちの活動が広く大衆に伝わったかどうかを評価する道具として利用する。(106)

二〇一一年九月末、「オキュパイ・ウォールストリート運動」（ウォール街を占拠せよ）が、メディアの注目を集め始めていた。ツイッターでは #OWS や #occupy がトレンドのトピックよりも多くなったが、トレンド入りはしなかった。この運動の組織者やシンパは、ツイッター社がこの運動を抑圧し、政治的論議を呼んでいる運動を「検閲」していると告発を始めた。(107) @TheNewDeal（ツイッター名）は一〇月一日に次のように宣言した。「@witter は公的に、#OccupyWallStreet を検閲している。ツイッターはもはやアメリカのトレンドトピックスでは決してない」。(108)

ツイッター社の反応は素早かった。同社は「検閲はしていない」と応じた。同社の広報部長であるショーン・ギャレットは @TheNewDeal に対して、「ツイッターは #OccupyWallStreet をトレンドから除外していません。トレンドは人気ではなく速度（velocity）に基づいています」とした。二〇一〇年にも同様の事例があったことをツイッター社は指摘した。当時人々は、#wikileaksがトレンド入りしなかったことに不満を持っていたのだ。その時ツイッター社は次のような声明を出した。

> ツイッターのトレンドはアルゴリズムによって自動的に生成されています（…）単に人気で選んでいるのではなく、最もホットな、出現しつつあるトピックスをとらえています。言い換えると、人気よりも「新奇性」に重きを置いています（…）
>
> あるトピックスに関するツイートがある瞬間に急増すると、トレンド入りするというわけです（…）。時に、人気のあるトピックスがトレンド入りしないことがありますが、それはもともとの平均的な水準から増える速度が十分に速くない、ということです。#wikileaksがトレンド入りしなかったのはこれが理由です。(109)

ツイッター社がこの説明をした後、ウィキリークスおよびオキュパイ運動についての議論は急速に収束に向かった。しかし、「Thunderclap（サンダークラップ）」というサイトがトレンドに入り続けようとして、フォロワーのツイートのインパクトが最大になるようにタイミングを図り始めると、ツイッターは同サイトのＡＰＩ[9]へのアクセスを中断した。(110)

メディア研究者のタールトン・ギレスピーは広くシェアされたブログ「アルゴリズムは誤ることができるか」の中でツイッター社の立場を分析している。ギレスピーは、「私たちのオンラインでの公的発言がますます私的なコンテンツのプラットフォームやネットワークでなされるようになるにつれて、これらのプロバイダーは大量の発言をマネジメントし、キュレートし、組織化するような複雑なアルゴリズムに目を向けるようになった。こうしたアルゴリズムについては、私たちが期待する姿と現状との間に乖離が現れている」と観察する。[111] ギレスピーは、プラットフォーム側より、メディアリテラシーがより問題であると捉えている。人々は「トレンド」を誤解しているというわけだ。[112]

アルゴリズムが行うことについて、そして、その結果がいかに利用されるかについて、プラットフォーム側はどこから責任を取らなくてはいけないだろうか？　これらの新たなテクノロジーは、「私たちがどのように理解されるか」だけではなく、「私たちがどのように理解するか」にも影響を与える。これらのアルゴリズムが私たちのためになる時とならない時について、隠れた動機に基づいた見えない利害について、知っておくべきではないだろうか。

ネット上のプラットフォーム企業は、古典的な法的責任を避け、規制の「さや取り」業者へと、めまいがするような変質を遂げている。[113] 著作権や名誉毀損に関する訴訟に直面すると、彼らは自分たちは「メディア企業」ではなく単なる「導管」（コンテンツを伝えるパイプライン）に過ぎないと主張する。[114]「導管」は、憲法修正第一条の強固な保護を受けることはないが、名誉毀損訴訟で責任を問われることはない。[115]（例えば、電話を売る会社は、修正第一条項に基づき、私がその電話で発言することを拒否する権利はないが、私がその電話で誰かの名誉を傷つけても訴えられることはない）。かくしてグーグルは、「オートコンプリート」を訴えることは誰かが電話を使って嘘を拡散したから電話の会社を訴えるのと同じくらい、無意味なことだと主張することができるのである。

しかし別のケースでは、グーグルは自社のサービスが修正第一条項の保護を受けるコンテンツであると主張しており、「表現の自由」のみならず強制的に意見を言わされない権利も主張している。[116] 修正第一条項の解釈が広がったために、グーグルのほぼトンデモな主張が可能となっている。幸運なことに、機会主義的な民間のリバタリアニズムを制限すべきとの法学説にも事欠かない。(117)

検索、透明性、パーソナル化。検索エンジンの秘密の働き方は、私たちの世界観に大いに影響を与えている。この真実は多くの人にとって衝撃的だろう。「自分の名前をググると、(同姓同名の別人のことではなく)私自身のことがトップで出てくる」という言葉を聞いたことがあるが、もし私が(この人の)名前で検索しても同じ結果になるだろうか? その答えはグーグルだけが知っている。おそらく同じ結果にはなるまい。グーグルを介して見える世界が人によってどれくらい違っているのか、私たちは推測することしかできない。

サインインしてグーグルのサービス(例えばGメール)を使っている時の行動が、検索結果に反映されているということは分かっている。そうなってからもう久しい。グーグルは二〇〇七年には既に、カスタム化する技術に多大な投資をしていた。(118)二〇〇九年の暮れ、グーグルはアルゴリズムを変えて、全利用者について検索結果の「パーソナル化」に踏み切った。私たちの位置や、検索履歴や、コンピュータなど様々な事柄が、検索結果に影響を与え、ひいては世界の見方にも影響を及ぼす。(119)

利用者が経時的にフィードをスクロールする形のフェイスブックやツイッターにおいて、同様のプロセスが働いているというのはより分かりやすい。とはいえ、突然一つのソースからのコンテンツが溢れかえったり、批判を招きそうなコンテンツが表示されなくなったりと、何らかの判断がなされている。

パーソナル化によって、フェイスブックのフィードから鬱陶しい親族が消えたり、お気に入りのマイクロブロガーがリスト化されたり、重要なRSSフィードが更新されたりする。これは、グーグルニュースにおいても、私たち自身が確立した評判に従って、野球や、音楽や、左派政治など、人によって別のところに重点が置かれることを示す。グーグルの検索結果も、グーグルの所有するダブルクリック社が集めたクリックや、その他グーグルに関係するアカウントで行った行動を通じ、それまでにその人が行った検索によって検索結果が秩序付けられることを意味するのだ。

パーソナル化は「デジタル・マジック」ももたらす。例えばあなたがお気に入りのイヤリングを失くして、新品を買おうと思っているとしよう。そのイヤリングを買ったのはもう数年前で、あなたはその写真を撮り、妹にメールで送っていた。あなたがグーグル画像検索でイヤリングを探すと、まさにそのイヤリングがトップに表示された。あなたは、鍵となったデータが、あなたの送ったGメールから得られたものであることを知らない。メールで写真を送ったことを思い出す必要さえないのだ。メールアカウントをグーグルに紐づけていると、グーグルのような積極的にデータを集積している企業の場合、検索でこうしたことが起きる。人々が何年もメールや検索を使っていれば、経験は増幅する。人工知能が実質的に私たちのあらゆる行動を手助けするようになり、支配的なプラットフォームは非常に強力となった[120]。データに依存した利用者の利害を先回りする、大変な能力を獲得してしまった。

しかしパーソナル化によって何が本当か分からなくなる場合がある。グーグルの検索結果があまりにも独特となり、あるテーマや議題について、実際に見ていることの程度を評価することが難しくなったのである。私たちに見えているのは、「私たちがグーグルを訓練して私たちに見せるようにしたこと」であり、「グーグルが私たちの期待に応えて調整したこと」なのである。起業家のイーライ・パリサーはこの現象を「フィルターバブル」と呼び、偏見を強めて人を偏狭にするといった副作用を心配している[121]。パーソナル化の程度は激しく、例えば二〇一〇年夏にブリティッシュ・ペトロリウム（ＢＰ）が原油流出事故を起こしてケーブルニュースを「席捲」したことがあったが、当時グーグルでＢＰと検索すると、ある人の検索結果では環境破壊を非難する記事が現れ、別の人の検索結果では「ＢＰへの投資の好機」といった記事が現れた[122]。グーグルプレックスの検索エンジニアだけが、誰が何をどんな目的で見ているのか、追跡することができる。彼らは契約によって、それを公表することはできない[123]。

パーソナル化には、力だけでなく、脆弱さもつきまとう。あなたの交友関係からあなたが「ポーカー愛好者」であることが分かったら、グーグルはカジノに関する検索結果を優先するかもしれない。さらに、カジノを広告する業者は、あなたを「カモのリスト」（ギャンブル狂いのリスト）に入れるかもしれない[124]。腐敗した権力者を追放しようと集結した「アラブの春」での抗議者（プロテスター）たちが集ったプラットフォームは、そのまま独裁者が諜報活動に使った[125]。ある瞬間には利用者のために使われたデータが、次の瞬間には利用者に不利益をもたらす可能性がある。現代の米国の政策論議では、こうした懸念は「プライバシーの問題」と枠づけられる場合が多い。しかしこれは同じくらい「検索の問題」でもある。カーテンの影にいるのは誰だろうか？　そして彼らのブラックボックスはどのように世界を並べ替え、描き出すだろうか？

世界を形作ってもいる。パーソナル化は売買にも重要であり、そのためにデジタルエコノミーにおいて「評判」と「検索」とは手を携えてきた。私たちがウェブサイトにどう見られているかが、翻って彼らが私たちに提示する選択に影響を与える。企業側が私たちの行う検索を正確に知りたがるのは、彼らが私たちの市場観を形成できるようにである。もちろん私たちの側も、最も安い値段や最も幅広い範囲を探すという形で、市場を形成している。上手に的を絞った検索は利用者を惹き付け、上手にターゲットを絞った利用者は広告主を惹き付ける。そして最も儲かる広告は、検索結果ページの「ナロウキャスト」である。何が欲しいかを自発的に公表している「ニッチな利用者」に到達できるからだ。[126] 例えば花屋だったら、ランダムに広告を表示するより、「バラ」と検索した人々に対する広告により多くのお金を払うだろう。[127] どのくらいの頻度で「バラ」と検索したかだけでなく、検索の後にどのサイトに飛んだのかまでグーグルが教えてくれるなら、なおのこと良い。同様のことはツイッターやフェイスブック等でもあてはまるようになっている。

いつものように、これには危険もある。「ピンポイント広告」のために広告主は、伝統的なメディア（およびさほど伝統的とは言えないメディアも含めて）を捨ててインターネット・プラットフォームの方へと軸足を移すだろう。なぜか？　データの個別性や包括性という点でネット企業にかなうものはないからだ。この結果は革命的で、出版業を営む余裕を持つ人はいなくなり、メディアがごく少数の企業へと集約されていく「警報」が鳴っている。

検索、信頼、競争

新古典派の経済学者たちは、インターネットにおいてプライバシーと競争との間に、直接的かつプラスの関係が成り立つと見ている。市場重視の学者は、もしも巨大なオンライン企業がその地位を濫用しても、経済の力でその問題は解決できると考えるのだ。[128] グーグルで探せないものがある？　それならビングだ。iTunesの新たなバージョンが気に入らない？　ならラプソディに加入すれば良い。

グーグルのプライバシーが不十分？　ならダックダックゴーを使おう。[129] 自動車を買う人が燃費で選ぶのと同じように、利用者は好みのレベルのプライバシーを選択することができる。[130] もしプライバシーが守られないようなサービスを利用者が選んだならば、それがその人におけるプライバシーの位置付けなのである。[131]

もしも市場の力によって実際に最適なプライバシーの水準が定まるものならば素晴らしいことだろう。反トラスト法が機能し多様な企業が競争に参入するのであれば申し分ない。[132] しかしこうした前提は崩れている。競争を通じて生き残るのはプライバシーの保護でなくその蹂躙かもしれない。[133] ビッグデータが利潤最大化のカギとなる時代においては、あらゆるビジネスが「詮索好き」になる誘因を持っている。[134] 検索産業が利用者のための「競争」や「同意」と呼ぶものは、むしろ「独占」や「強制」に見えて来ている。

シリコンバレーはもはや参入する機会が広く与えられる場所ではない。今日の「スタートアップ企業」ができることは、アイディアを既存の大企業に売ることかもしれないのだ。それでお金は入るかもしれないが、彼ら自身が巨大企業になることはない。シリコンバレーは常に「破壊」という神話を煽っている。創造的なカオスが渦巻き、今トップにいる企業も危険に晒されていると喧伝する。しかし実際のところ、巨大ネット企業はもはや、AT&Tやベライゾン、コムキャストのように寡占的に支配している。

二〇〇八年に私は、グーグルの市場支配力について、議会の委員会で証言した。私に質問した委員たちは当時、二〇人くらい集まれば、オルタナティヴを創れるのではないかと前提していた。彼らはインターネットに詳しくなかった。彼らが知っていたのは、セルゲイ・ブリンとラリー・ペイジという二人の大学院生が、古いサーバーと才能とを使って億万長者に成り上がったということである。彼らの想像の中では、二人は成り上がったのだからいずれ没落もあるだろう、というわけだった。[135]もっと知識を持っていてしかるべき法学教授でさえこの「神話」にはまっていた。「五年経てば誰もグーグルのことは気にしていないだろう」と、一人は熱く語っていた。それが六年前のことである。デジタルエコノミーは本質的にオープンで、競争的で、新陳代謝するものだと、あまりにも多くの人が信じ込んでおり、他の分野にもそれを伝道している。[136]

しかしこれは本当だろうか？　グーグルのデータセンターの電力消費は、ソルトレイクシティ全体のそれに匹敵する。[137]技術史家兼ジャーナリストのランドール・ストロースは、二〇〇八年時点でグーグルは、検索と位置特定のために一〇〇万台近いコンピュータを使っていると推計している。[138]これだけの数（本当の台数は企業秘密として厳しく管理されている）がある中では、どこかのガレージでそれに代わるベンチャーが出てくるとは考えにくい。数百万ドルをファンドとして集めたとしても、アマゾンからクラウドのスペースを買ったとしても、スタートアップ企業が新たな検索テクノロジーを生み出してグーグルに取って代わる可能性より、グーグル自体が新たなテクノロジーを生み出す可能性の方がはるかに高いだろう。[139]

他の巨大企業がグーグルを買収する可能性は？　マイクロソフトはビングで二六億ドル失っている。[140]政府は？　ヨーロッパではグーグルに対抗してクエロというプロジェクトを発足させたが失敗に終わった。四億五〇〇〇万ドルという予算では、毎年一〇〇〇億ドルの収入があるグーグルには太刀打ちできなかった。いずれにせよ、もし本当にグーグルを圧迫するような「巨人」が現れたとしても、その巨人はやはり、硬い甲羅のように秘密を厳しく守る「ブラックボックス」を持っているに違いない。[141]

一般的な検索エンジンへの新規参入を阻んでいるのは、「禁止的」とも言えるような高いインフラのコストだけではない。検索におけるイノベーションは、アルゴリズムの反応の質をトレーニングする、ユーザーベースへのアクセスに依存しているのだが、ユーザーベースはグーグルに属している。[142]分析におけるイノベーションは、データの巨大さに依存しているが、大規模データを持っているのもグーグルであり、グーグルはそれをシェアしようとはしない。グーグルが検索データを秘密にしている限り、グーグル外でのイノベーションは「水死」するほかない。こうしたプロセスをロバート・マートンは「マタイの法則」と呼んだ。既に多く持っている者に、ますます与えられるという法則である。[143]

巨大企業に抗してオルタナティヴを立ち上げようとした人に一体何が起きただろうか？　彼らは、自分が取って代わりたいと考えている企業を通して市場にアクセスしなければならなかった。グーグル、アップル、アマゾン、フェイスブックが、本気で利用者に「何か（ライバル、オルタナティヴ等）を見せない」ようにしようとすれば、完全にそうすることができるのだ。

サービスの制限もライバルを妨げる。[144]グーグル検索をする者は、いかなる理由があっても、グーグルのサービスの「複製、改変、配信、販売、リース」をしないことに合意させられる。リバースエンジニアリングも禁じられている。[145]広告主側にもまた別の禁止事項がある。[146]

最後に、ブラックボックスそれ自体がある。グーグルが秘密主義を守っているのは、スパム業者に検索結果を左右されないためだけではなく、ライバルにその手法を盗まれないため、学ばれないためもある。時間が経てば開示される特許と違い、企業秘密は開示されることがない。ましてやパブリック・ドメインに入って自由に使っていい、といったことにはならない。

これらのことはみな、頑健な競争を損なう結果をもたらす。シリコンバレーは猛然と、未来のイノベーションの材料として匿名化し開かれたライセンスにした方が良いような情報へのアクセスをコントロールしてお金儲けに走っている。不利を跳ね返すのに十分な「量子のゆらぎ」は起こりそうにない。今では検索は、情報の更新や組織化の原則に関わるだけでなく、個人化されたサービスと関係が深い(147)。二〇〇〇年代初頭、グーグルが検索という分野を征服した時と比べて、はるかに多数の人が検索を使っており、その大部分がグーグルである。現時点での優位がそのまま強化される(148)。単発で利用者によるボイコットが起きた時もあったが、グーグルの市場支配力は圧倒的であるため、例えばサントラムのコアな支持者が抜けたとしても、グーグルは痛くも痒くもない。真剣な不平不満が表明されることはまれであって、一般の検索利用者には届かず、したがって賛同されることもない。「それなりにましな」検索結果が得られている限り、利用者は「操作」を批判するインセンティブもなければ、そのような能力もない。

私たちは手詰まりである。再び疑問が持ち上がってくる。それは「誰と?」である。かつては「遊び相手(プレイメイト)」のようにさえ感じられていた、過激で興奮させるインターネット・プラットフォーム企業が、今では、私たちが憎むのに慣れている、航空会社やケーブル会社のように感じられる。「邪悪になるな」はもはや過去のことだ。ブラックボックスとの間に信頼関係は築けない。グーグル側は、同社が蓄えている情報やクエリのデータベースが利用者の意図を明らかにし、検索サービスの質を「ぽっと出のライバル」よりもはるかに高めている、と主張する。しかしそうだとしても、かつて規制当局を退けるのに使っていた「魔法の言葉」はもはや帳消しである。その言葉とは「競争はワンクリックで」だ。巨大企業の不公正で、誤解を招きやすいビジネスのやり方が批判されると、シリコンバレーの弁護士たちは、この言葉を謳い上げる。[149] これは間違っている。支配的企業にますますデータが集まり、集まれば集まるほど、さらに優位性は拡大し、ライバルとの差が開いてゆく。

検索と競争

二〇一三年にニューヨーク大学で行われた「アルゴリズム統治（Governing Algorithms）」会議において、あるデータサイエンティストが、いかにクライアントからの広告収入を最大化したかという、目もくらむようなプレゼンテーションを行っていた。彼女はネットワーク、広告主、メディア、その他ネット宇宙の「星」の間で行われる情報交換を正確に描き、彼女のような熟練したプログラマーによって、コンピュータにクリック行為における「予期せざる相関関係」をいかに教えこませるかを強調した。このアルゴリズムはある程度、人の管理から離れた自律的なものと言える。「おかげで乗馬に時間が割けます」と彼女はジョークを飛ばした。[150]

機械学習という考え方に触発された一人の聴衆が、「アルゴリズムはどこから「あなたの」仕事をするのですか?」と尋ねた。別の言い方をすると、コンピューティングのプロセスの洗練度が「第三段階」に入り、過去の計量（メトリクス）を応用して何が最適かを自ら判断し、さらなる試験のための反復を推薦するようになるのはいつなのか、[151] ということだ。プレゼンターはこの質問を無視した。機械学習によって、何百万人分もの職が不要になったとしても、彼女は自分を「必要不可欠」と語ることだろう。[152]

おそらく彼女は正しい。とはいえそれを知るためには、彼女の企業内における人間と機械とのインタラクションについて専門家が調べなくてはならないが、そのような専門家を私たちは知らない。したがって私たちには、なぜこうした企業のトップのCEOや経営者、投資家たちが、ビッグデータ経済から法外とも言える報酬を受け取れるのか、疑問のままなのである。報酬の問題も、競争の問題と同じくらい、法的および倫理的な問題を提起する。そこに接近する最初のステップは、気付くことである。ネットインフラはこれまで上手くブラックボックス化された側面があり、その経済的な分配について人々の目から隠されてきた[153]。

ここには絡まり合う二つの問題がある。一つは幹部、仲介者、投資家などの適切な報酬はどのくらいか、という問題である。もっともこれらは、検索の企業だけではなく、他の分野にもあてはまる。例えばアフォーダブル・ケア法〔オバマケア〕をめぐる闘争の中心でもあった。同法規は、保険プレミアムが、現業のヘルスケア職員ではなく、保険会社の利益や幹部の報酬として吸い上げられてしまうことを阻もうとするものである。次章で取り上げるウォール街でも、同様の問題が出現する。情報世界の他の場所にも取りついている。例えばケーブル会社や電話会社は、シリコンバレーの企業と同じように、検索にまつわるトラフィックの増加によって利益を上げている。こうした会社もまた、収入を不当なほど得ているとして告発されている。これは新しい問題ではないのだが、私たちの新しい文脈において検討すべき問題であるだろう。

第二の問題は、検索企業やそれへの投資者ではなく、検索を可能にしたインターネットへの無数の貢献に対して、適切な補償が必要ではないか、というものである。まずこの第二の問題から考え、その後に第一の問題に戻ろう。

もしネット上に何もなければ、誰も探そうとはしないだろう。リュー・ダリーとガー・アルペロウィッツは著書『不公正な砂漠』の中で、今日の技術進歩を可能にした過去の努力について報告している。ウェブ2・0や3・0のフロントランナーが豊かであるのは、才能を磨いてサービスを向上し広告主を惹き付けた多数の人々のおかげである。多数の創造的な人々がいなければ、ウェブにはコンテンツが集まらなかっただろう。古いテクノロジーも、新しいテクノロジーに貢献している。例えば一九世紀、二〇世紀の通信技術、計算技術がなければ、検索そのものが存在していなかった。しかしオンラインで発生する収入のますます多くの部分が検索インフラの企業に行き、そうしたインフラを可能にし、意味あるものとした文化を支えるところには少ない部分しか行かないようになった。[154]

小売業を支配するようになったウォルマートの事例が教訓になる。ウォルマートは消費者を惹き付け、供給業者を締め付けることで、米国で最大の小売業者となった。顧客の数が増えるほどに、ウォルマートは供給業者に払うマージンを薄くしていった。消費者はシャンプーや靴下、ドッグフードの生産者に対して忠誠心をほとんど持っていなかったから、ウォルマートで「何でも見つかる」と喜んだ。[155]

グーグルやアップルは、情報経済におけるウォルマートと言える。[156]彼らは労働者の給与を厳しく抑えている。[157]また、彼らはコンテンツの生産者からも搾り取り（巨大プラットフォーム上でコンテンツを作る人にとってはそれが全てかもしれない）、利用者を、コンテンツ生産者よりもプラットフォームのサービスの方が価値が高いのだと手なずける。例えば作家、音楽家、映画製作者、美術家、歴史家、学者、写真家、プログラマー、ジャーナリスト、活動家、料理人、航海士、生産者、ヨガ教師、編物の教師、自動車の整備士、犬の訓練士、金融アドバイザー、レゴ建築者、スキャンダル暴露者などは、コンテンツをメジャーなプラットフォーム上で見てもらいたいと思っているだろうが、ひょっとしたらネットで発生した収入の分け前を全くもらえないかもしれないのだ。[158]彼らがより多い分配を求めて団結する機会を奪っているのが、プラットフォーム企業の「賢い」ところである。[159]

進歩的な人でさえも、インターネット利用者の仕事や活動の価値を矮小化している場合がある。ある人がグーグルを、誰かが作った価値を吸い取る寄生者だと批判したところ、法学教授かつ活動家であるローレンス・レッシグは、「あなたの言い方では、モナリザの価値は絵具に由来するものであり、レオナルド・ダ・ヴィンチは絵具の生産者に「寄生している」、とも言えます。つまり、絵具がなければモナリザはなかった、という意味では真理です。しかし、ダ・ヴィンチがモナリザという大きな価値を生み出していないという意味ならば、間違いです」と応じた。[160]

ここで使われているメタファーは挑発的で物議をかもすものだ。レッシグは本気で、グーグルがクエリを使ってウェブを組織化するやり方が、ダ・ヴィンチが絵具を使って行ったことに等しいと言っているのだろうか？　ウェブに意味を与えるのはコンテンツではなく「インデックス」なのか？　結局「ニューエコノミー」は、「情報」がもう一つの商品であると主張する。グーグルの視点からすると、コンテンツもデータも情報も基本的には1と0の集まりであって、広告がお金を生み出す。しかし私たちの大部分にとっては、ウェブの価値は「意味」にあるのであり、「目立つこと」にあるのではない。プラットフォームが毎日行っている、「目立つこと」を求める闘争の中で、現実のキャリア、現実の収入、現実の業績が勝ち取られたり、取られなかったりする。

さて先ほど触れた「女曲馬師」のようなプレゼンターの話、クラウド支配者の話、そして、本章のテーマである問題に戻ろう。私たちの生活に力を振るう人々・企業は誰なのか？　私たちは彼らに何を負っているのか？　彼らはデジタル世界のガンダルフとして、私欲抜きでデジタルの藪の中を導いてくれているのだろうか？　それとも情報経済におけるテクノロジー、労働、価値についての既存の見方を再考すべき時だろうか？[161]

シリコンバレーの企業幹部は、良い教育を受け、優れた技術を身に付けているが、「立派な聖人」ではない。彼らは企業の仕事の中に深く隠れており、彼らの本当の貢献を評価することは難しい。したがって、彼らの持つデータを、もし他の企業だったら、他の個人だったらもっと有益に利用できたのではないかと、考えないでいることは難しいのだ。そうでないとしたら、なぜすべてを秘密にしているのか？　彼らは確かに、素晴らしい（彼らにとっての）好循環の受益者である。創業者の才能および運によって、彼らはオーディエンスを獲得した。これによって広告主に、データを基にしたターゲティングを提供でき、広告主からの鷹揚な支払いで、より広くオーディエンスを惹き付けるためのコンテンツ、アプリ、その他の娯楽（「他の」人々の才能の果実）を買うことができた。最初の利用者を惹きつけるための、よく考えられたテクノロジー的ビジョンが、後から報酬をもたらすのだ。とはいえ、現在の企業幹部が、過去の成功を長く未来の支配の梃子にすることを保証するわけではない。トマ・ピケティは、無限の資本蓄積が、制約を逃れたテック大企業にもあてはまるとしている。「過去は未来を食い殺す[162]」。

「シリコンバレーの巨人」が、データに関して優位を確保したのは、企業努力に劣らずタイミングのおかげである。社会理論家のデイヴィッド・グレヴォルは、「世界共通語（リンガ・フランカ）」となった英語の「ネットワーク・パワー」の理由を、次のように説明している。「英語は優れた言語でもなく、学びやすいわけでもなく、表現力が高いわけでもない。たまたま、重要なグローバル化の時期の帝国の言語であり、一九四五年以降の経済で世界を支配した言語であっただけである」。かくして英語は、エリートたちのコミュニケーションに使われる言語となった。インターネットの離陸期に卓越した位置を奪うことも、同じような幸運に恵まれただけである。グーグルやフェイスブックはまさに「良い時に良い位置にいた」のだ。彼らのオンライン・データサイエンスが他の企業より優れていたのかどうか、および、彼らの優位が永遠に続く「デフォルト」になったのかどうか、実際には分からない。

「データサイエンス」と書いたが、そこで大事なのは「サイエンス」なのかそれともデータ自体なのかも考える必要がある。グーグルやフェイスブックのような「仲介企業」は、個人化された情報の巨大データベースを梃子にしてターゲット広告を行っているが、いったい彼らはどのくらいの価値を付加しているのだろうか？　これは議論すべき問題である。よく見かけることだが、旧来の「広告の天才」は、新しい商品を優れた視点で、それまでその商品に馴染みがなかった人々に紹介している。グーグルやフェイスブックが行っていることはそうではない。ジョセフ・トゥロウの『デイリー・ユー』が描いているような広告マッチングへの熱狂は、創造的才能の凱歌ではないのだ。[163] その大部分が個人情報、人口統計学的情報の集積に依存している。例えば「二五歳から三五歳までの独身白人女性」「準郊外在住で銃を所有している富裕世帯」の、最良のリストを持っているのは誰か、ということだ。こうした「マッチングゲーム」は単純な相関関係に依存している。ある現象（例えば、母の日にバラの広告を出す）をもたらすと、ある集団（例えば、父親であるとか、三〇歳以下であるとか）が何をするかについての、最も巨大な過去のデータを誰が保有しているのか。ある特定のＩＰアドレスの、ネットサーフィンの傾向を推定するのにはアルゴリズムの専門家が要請されるかもしれないが、「ニューメディアの巨人」が行っていることは、どれほど魅力をまとっていても結局、メッセージの送り手と受け手とをつなぐ「栄誉ある電話帳」である。イエローページに「人々」を載せて、オーディエンスへと組織化するのだ。

こうした理由で、「ブラックボックス」化した検索文化は、懐疑に晒されるべき時である。技術系メディアによる追従や弁護ではなく、検索の巨人とコンテンツ生産者の貢献についてより現実的な相対評価を行い、収入についてより公正な分配を行うことが、オンライン空間の改善に必要な最初のステップである。しかしこれはあくまで最初のステップに過ぎない。あまりにも大きな権力と金銭が、ごく少数の手に集中していることには別の理由もある。経済だけの問題ではない(164)。メディアの多様性や、独立したゲートキーパー、「コミュニケーションの力と機会を私的アクターの間で分配する」といった重大問題を含んでいる(165)。通信インフラに関しては、基盤となるルールが、二〇世紀の間に一連の法規によって整備されたが、新たな情報環境は新たな課題を、その時期ごとに突き付けてくる。

グーグルが数百万冊の書籍(多くはまだ著作権が切れていない)をスキャンして検索可能にしようという空前の事業を熱望している事実を考えてみよう。この「グーグルブックサーチ」は嵐のような議論と民事訴訟を呼び起こした(166)。公正な補償および、透明な組織に関する疑問が提起された。最も議論になったのは、スキャンしインデックスをつけたいとしている本についての、グーグルが持つ所有権と著者が持つ著作権との対立であるが(167)、重要なのはそれだけではない。

ニュース記事の多くが、「ブックサーチ」プロジェクトを、知識への私心なきパブリックアクセスの先駆として描き出した。グーグルは世界の、主導的な図書館のいくつかと提携を結んだ。二〇一三年の「フェアユース」に関する裁判で勝利したことも、(原則として)ライバルとなる他のブックサーチに道を開いた。しかしここでも、競争などは幻想であろう。合理的な人(あるいは投資家や公共の熱意)が、何百万巻もの(それらの多くは壊れやすい)、グーグルとは別のスキャン行為を行うとは思えない。ここでもグーグルは、デフォルトで勝者である。むしろ問題は、その支配が良性なものであるかどうかである。

グーグルはブックサーチを、人々が広くアクセスするものと考えているのだろうか、それとも上手に層で分かたれて一部の人たちがアクセスする、不透明なものとするだろうか？[168] 図書館情報学や情報検索の専門家が、検索結果の順序を理解および批判できるような、オープンアクセスを保証するプラットフォームとなるだろうか？[169] この巨大なプロジェクトから上がる利益はどこに行くのだろうか？ 貢献した人々の間で公正に分配されるのだろうか、それとも、デジタル化の確立したダイナミクスの中で、コンテンツを集約した組織が不当に多い部分を持っていくのだろうか？ インターネットが栄えるためには、価値の源泉というべきコンテンツを提供した人々すべてが、現在は主としてメガファームが占めているようなシェアを分配されるべきである。[170] もしグーグルやアマゾンその他が、書籍のインデックスへのアクセスを制限したならば、それが自己弁護のためにいかに大衆の味方であるかのようなスローガンを掲げていたとしても、疑わしい存在と言える。[171]

哲学者アイリス・マードックはかつてこう述べた。「人間とは、自画像を描くと、それに似ていくような生き物である。道徳哲学はその過程を描写し、分析しなくてはならない[172]」。巨大インターネット企業は私たちの像および世界の像を描きだし、私たちや世界それに似せようとしてくる。しかし彼らは、自分たちの仕事の道徳的、法的な側面は軽視している。次節で私は、こうしたプロセスの中でまだ規則が生きていた昔の時代を振り返ろう。

検索とコントロール

とある電力会社がワールプール社〔米国の家電メーカー〕を買収し、しかる後に、それ以外の家電メーカーの冷蔵庫や洗濯機の電気代を二倍にしたとしよう。[173] もしそんなことをしたら大規模な抗議行動が発生し、多数の訴訟も提起されるだろう。奇妙な話に聞こえるかもしれないが、これが「泥棒男爵」の夢である。デジタルの分野では独占的なケーブル会社が同様のことをしている。つまり、ケーブル会社と契約すればネット接続が安く使えるが、そうでなければ高くなるのだ。同様にグーグルやアマゾンも、「両側から収入を得る」という絶好の立場にいる。私たちのデータや購買履歴を売りながら、同時に私たちに彼ら（もしくはより大きなプラットフォームと利益を分け合うその「パートナー」企業）の商品やサービスを買わせるようにプロモートするのだ。

これが、アメリカ最初の「金ぴか時代」の中で「ポピュリスト」や「進歩主義者」が活気付いた法的な原則を、振り返る必要がある理由の一つである。重要なサービスについて独占に近い支配力を達成し、その力を利益や影響力に変えることができた私企業は、現在のネット巨大企業（およびそれを可能とした物理的ネットワーク）が最初ではない。[174] 一九世紀の鉄道と電信でも起きている。[175] 今日の検索やケーブルの会社のように、出現しつつある経済秩序で重要な結節点を、鉄道会社と電信会社がコントロールしていた。私企業であるにもかかわらず、枢要な資源を管理し、公権力にも似た支配力を有していたのである。

この「力」の行使をめぐっては社会的、政治的、法的な対立が発生し、抑制的に使うことが要請された。こうした企業に寄せられた最も一般的な、そして重要な苦情は「差別」にまつわるものだった。個人を不平等・不公正に扱い、利用を拒否することさえあった。[176]

訴訟関係者はまず、橋や旅館などを管轄する旧来のコモンローを使って、企業産業主義（corporate industrialism）が作り出した新たな存在に応用しようとした。[177] 次に、裁判をベースにした管理だけでは不十分だと判明すると、新たな法的枠組みが徐々に整備された。これが現代における規制の基となり、何世代も経て、枢要なユーティリティが権限を行使する際の、よく試験されたガイドラインとなっている。[178]

例えば電話会社は、サービスを遮断すると脅して値上げをすることは許されない。電話料金（「関税」）はオープンな形で定められなくてはならず、しばしば規制もされている。公的サービスを業務とする企業には「ユニバーサルサービス」が義務付けられており、差別は許されない。例えば、儲かる都市部だけサービスを提供し、他の地域は無視する、といったことはできないのだ。こうした複雑な規制が米国の通信市場を形作ってきた。通信は「必需」のサービスであるので「排除」や「搾取」があってはならず、電話会社が顧客側のニーズにかかわらず利潤を追求するのでなく、料金は公正かつ公平でなくてはならない。[179]「ネットワークは誰も排除してはならない」という要求は、米国の各地で市場の基盤となった。こうした基幹企業が、その特権的地位を自らの利益のために行使することに関しては、厳しい制限がかけられている。[180]

新しいインフラが次々に重要となるのが現代だが、その中で規制当局は、公益と私益を最もよく均衡させる公正なバランスを追求してきた。検索やネットの大手企業も、この俎上に載せるべき時である。他のユーティリティの規制枠組みに関しては、「由緒正しい」原則が存在している。

もちろん問題は複雑である。もし「連邦検索委員会」が存在したとしても、「連邦通信委員会」（FCC）のルールをそのままあてはめるわけにはいかないだろう。[181]通信キャリア企業に関してあるような、説明責任に関する確立した規則は、検索テクノロジーについてはまだ存在していない。とはいえ通信キャリアに関する規則も、ゼウスの頭からアテナが生まれたように、完成した姿で現れ出たのではない。数十年をかけて形作られてきたものであり、私たちは検索について同様のプロジェクトに着手するべきなのである。

通信規則に関して最も永続的な原則の一つが「透明性」である。これが現在最も必要とされていることだ。アプリや検索エンジンといった「即時性」「流動性」の世界では、舞台裏で実際に何が起きているのかを知ることはたいへん難しい。スイッチを切ってネットワークへのアクセスを遮断するといった単純な差別は、それが起きていることが、誰にでも時間と場所も含めて分かった。しかしプロバイダーや検索エンジンは、通信速度を遅くしたり、あるサイトのランキングを下げたりといったことを、ほぼ追跡されない方法で可能である。[182] そのうえ現在では、ネットへアクセスする端末は、デスクトップ・コンピュータからモバイルまで様々である。[183] 何か疑わしいことが起きても責任を他に押し付けることは容易だ。

通信の専門家の多くもこの複雑性にはお手上げで、市場の圧力やメディアの批判記事が悪行を改めさせることを期待している。しかしこれまで見てきたように、ビッグデータの巨人たちは、その支配力をますます隠すようにしている。[184] ワシントンや州都で力を振るい、自分たちに有利になるように規制に影響を及ぼす。だからといって何もしないというのは悪手だ。規制を諦めるのではなく、規制を復活させる必要がある。当面の間、インターネット・プロバイダーやプラットフォーマーは、私たちのインターネット環境において主要な部分を成していくだろう。それが権力に対して持つ独特の位置づけは、規制への懸念を呼び起こす。適切に設計した規制へのアプローチで、この状況を明らかにし、封じ込めることができるのではなかろうか。それなしでは状況は悪化するだろう。

コンテンツ、通信、検索——「コーペティション」の出現

かつて私たちは、小さなネット企業群（その中にグーグルも含まれた）が、レコード会社やケーブル会社などの寡占体制を、私たちのために打ち破ってくれていると想像したものだ。シリコンバレーの企業が「ネットの中立性」のために戦い、コンテンツへの扉を開いてくれると考えたのである。ビジネスのアナリストたちも、グーグルが「ダークファイバー」を国全体に押し広げ、瀕死のインターネットサービス市場を活性化すると期待していた。しかしグーグルが地位を確立した今、「旧来の巨人」と対抗するというよりはむしろ、共同戦線を張っている。[185] 幻想は破られた。競争は収まり、協力は加速し、インターネットのダイナミズムへの期待は、「競争」と「協力」をくっつけた静的な「コーペティション」[11]へと収まっていった。[186]

奇妙な同衾者。ユーチューブのたどった経緯は比較的分かりやすい例だろう。二人の若い起業家が設立したユーチューブは、二〇〇〇年代半ばには、無許可動画の宝庫となっていた。何十年も行方不明となっていた古い映画。不明瞭なミュージカルの動画。初期のアニメーション。政治的発言。そして「猫」も。利用者は、合計すると何百万時間分にもなる自身のコンテンツをアップロードし、コミュニティのメンバーがその組織化に協力し、「フォークソノミー」[12]というタグ付けを開発して、検索する人が多義的なコンテンツでも見つけられるようにした。[187]

二〇〇六年、グーグルが一〇億ドル以上でユーチューブを買収したことは、テック企業の成功物語として概ね好意的に受け止められた。しかしユーチューブに批判的な人々もいた。主要な著作権所有

者にとってユーチューブは頑固な権利侵害者なのだった。

一九九八年に制定されたデジタル・ミレニアム著作権法(DMCA)では、ネット上の著作権侵害の罰則を強化する一方で、利用者が投稿した著作物についてプロバイダーの直接の責任は免責する部分があった。言うなれば、電話の利用者が著作物を演奏しても電話会社が著作権侵害を問われないのと同様だとユーチューブは主張した。その代わりにDMCAでは、海賊版コンテンツを探し出すのに「動画検索」が一定の責任を負うとも示唆している。例えば、「位置情報サービス」が、明らかな違法行為を見逃していたらば、それが直接ではないまでも「二次的な」著作権侵害の責任を負う可能性がある。[188] かくして戦闘に加わることとなった。

「密輸ムービー公開!」などと銘打っているアカウントが、「赤信号」なのは明らかだろう。しかし、買う可能性のある人も利用できないミュージックビデオはどうだろうか? 二時間の映画から三分だけ抜き出したクリップは? これらは法的な議論になる問題であり、著作物の「フェアユース」を両者とも主張するだろう。

主要なコンテンツの所有者は、法的に疑わしい利用に対しても寛容な態度を取ってはいるが、許可なくダウンロード、アップロードをしている人に対しては断固たる措置を取ろうとする。[189] この休戦の困難が、ビジネスチャンスをもたらしている。動画や音楽の検索が広い大衆の心をつかんでいるが、違法コンテンツのアップロードはわずかである。ユーチューブは、何百万人の海賊版コンテンツ利用者を背景に成長したが、ひとたび動画サイトとして地位を築くと、こうした行為を是正し始めたのだ。[190] メジャーレーベルや独立系アーティストに交渉を持ち掛け、視聴者・聴取者をどれほど引き付けたかに応じて、広告収入を分けることとした。収入をどのくらい分けているかについては、「一部」としか分からない。グーグルはそうした契約の内容を秘密厳守にしている。[191] ただ基本的な構造は明らかである。利用者とコンテンツ制作者の間に入るケーブル会社のように、グーグルはユーチューブを仲介者にして、コンテンツから上がる広告収入を吸い上げたいのである。[192] その野望は検索結果に反映されている。

レコード会社は音楽共有サイトを長年目の敵にしてきた。[193] 海賊版業者は、バレると新しいアドレスへと引っ越した。デジタル版のもぐらたたきだった。コンテンツ所有者は、著作権侵害に対するグーグル（とりわけユーチューブ買収後）の役割に不平を言った。それに対してグーグル側は、「われわれの問題ではない」という、いつもの態度を取った。著作権所有者は、海賊版サイトそのものは裁判に訴えることができたが、グーグルはＤＭＣＡに引っかからない限り蚊帳の外だった。著作権所有者はこれに不満を抱き、グーグルを「最悪の著作権法違反者」として罰することを求めた。[194]

グーグルは二〇一二年、創造的なやり方で、彼らの要求に応じた。包括的な検索エンジンは著作権を侵害したコンテンツを容易に見つけることができる（検索エンジン自体がそれを隠そうとしない限りは）。グーグルはアルゴリズムを修正し、著作権を侵害していると不満が出ているようなサイトについては、体系的に検索結果の順位を下げた。頑固さで有名なグーグルのエンジニアがハリウッドの要求に応じたのだ。[195] ユーチューブは著作権処理済みのコンテンツから相当の利益を得られるようになり、視聴を保証する点でも影響力を持った。[196] ユーチューブはブランドとなり（あるウォール街のアナリストによると、一〇〇億ドル単位の価値があるという）、守るべきビジネスモデルを獲得したのだ。著作権所有者がユーチューブに広告料収入をもたらし、グーグルはそのお返しに、海賊版サイトを検索結果から外したり、著作権侵害とみられるサイトの評価を下げたりした。[197]

グーグルは公的ステートメントで、著作権侵害を理由に検索結果の引き下げを行ったことが既存のポリシーからの重大な逸脱とは言えない、としている。他の事例でもそうだったように、グーグルは「検索結果をより良くするための方法を取った」と位置付けるのだ。[198] これは検索の利用者にとって重大な変化であり、なおかつ、多くの利用者にとっては「改良」ではないだろう。そのうえグーグルの判断は、素早く、秘密裡に、恣意的に行われる。法的手続きは行わない。著作権所有者からの不平が一定の水準まで高まると、そのサイトは検索結果で「沈められる」のだ。[199] 検索結果から完全に外すことはしないが、何千もの検索結果がある中でリストの九九ページに押しやられてしまえば、ないも同然である。そして、引き下げられたサイトの関係者は、そのことを知らないかもしれない。自分のIPアドレスから見るとまだトップ近くに位置しているかもしれないのだが、その個人にとってはまだ目立つところにいても、場所によっては大きく引き下げられているのだ。

グーグルの著作権違反に対する厳しい態度は、巻き添え攻撃ももたらしている。意図せずにたまたま海賊版コンテンツを使ってしまい、その理由で「埋もれさせられ」たらどうだろうか。[200]

著作権所有者の権利強化に貢献しようというグーグルの決定は、秘密の「グーグル化」法則に関して巻き起こる多数の質問に答えていない。しかし過去のふるまいが手掛かりになるのであれば、閉じたドアの向こう側のことも多少は分かる。普通の人々はそこで提起された問題や、金銭的利害や、どのような集団を贔屓しているかなどに、通じてはいないだろう。私たちそれぞれに個人化された検索というレンズで見ている限り、こうした決定がなされたことさえ知ることはほぼ不可能なのである。ましてやその理由や影響は分からない。[201]

出版できるのは誰か？　旧来のメディアの力が衰え、伝統的なジャーナリズムは危機に陥っている。(202)調査報道は慈善事業としてしか存続できなくなるだろうと予言する人もいる。(203)テレビ局はまだ金銭的な破綻こそないが、その政治的・文化的な影響力は縮小し、利益も脅かされている。(204)ラジオ放送も、若い世代がオンラインで音楽を聴取することが増えるにつれ、文化的な意義を失いつつある。(205)

こうした現象は、オンラインでのビデオ、文書、音楽の利用を伴うニューメディアの発展と同時に進行しており、一部はそれが原因ともなっているだろう。利用者は、新たに「検索」という手段を得て、古い「情報源」を捨てたのだ。その結果膨大なネット利用者群が誕生し、コンテンツの供給者も広告主も、グーグル（もしくはフェイスブックやアップル）のトップページを狙うようになった。(206)グーグルの米国での広告収入が、今では全新聞を合わせた広告収入より多いのは、偶然ではない。(207)この傾向が続くのであれば、ほどなく全新聞に全雑誌を合わせた広告収入よりも多くなるだろう。フェイスブックの現在価値を考えると、こちらもほどなく全世界の広告収入の一〇％に達すると考えられる。

ウェブベースの「出版社」の中には、アナログの世界ではできなかったことが検索エンジンやSNSで可能になったことで、力を得たと感じるところもある。(208)しかしそれ以外の社は、検索が仲介することで事態が悪化したと感じている。それまではサイトに直接入っていた収入の中から、グーグルのような「マイクロターゲティング広告企業」に取られる部分が増えたからだ。政治的な意見を表明するサイトとグーグルとの緊張関係は、こうした傾向を表している。「グーグルは第四身分を壊したのか」[13]と題する記事で、卓越した進歩派ブロガーであるジェイン・ハムシャーは、彼女のブログのようなサイトは、グーグルが広告市場で成長してきたために、見通しが暗いとしている。『ワシントンポスト』紙の記事では、二〇一二年の大統領選挙の際、グーグルとＡＯＬは、政治キャンペーン広告の収入割当てに関し各サイトに対して強気に出て、それが数年にわたりハムシャーの「ファイアドッグレイク」などを直撃した。広告を買う側からすると、重要なのは紙のスペースやウェブサイト上のピクセルではなく、「オーディエンス」である。オーディエンスを買おうとしているのだ。別の言い方をすると、広告の置かれた文脈は、ただの背景に過ぎない。誰がそのコンテンツを見ているのかが重要なのであり、そうしたデータを一番持っているのがグーグルである。グーグルは広告主に正確な人口統計データを提供でき、ビッグデータを基にしたキャンペーンでは、秘密の、かつ専有の情報が、政治キャンペーンの生命線であった(209)。

　メディアの苦境はキャンペーン業者自体にとっても他人事ではない。データを所有していることの価値がさらに高まり、態度未決定の有権者を探し出す鍵となったら、「広告のムダを削る」ことからさらに、キャンペーン自体の大規模コストダウンへとつながるだろう。「シティズンズ・ユナイテッド判決」[14]は、オーディエンスを獲得するという市場へテック企業を「招待する」ものとなった。大金持ちが喜んでその勘定を払うだろう。

　『すべてがグーグル化する』という、ヴァイディヤナサンの著書のタイトルを思い起こして欲しい[15]。ビッグデータ礼賛者にとって「グーグル化」は希望の星である。何かを決定する際にデータから最大の効果を体系的に絞り出すことを可能にする。研究の意味を探ることができる。投資からリスクを適正化した最大の収益を上げることができる。ジェフ・ジャーヴィスの言い方を借りれば、今日のビジネスは、「グーグルはどうするのか?」を考えるべきなのだ。しかしこの問いへの答えは明白である(210)。グーグルは所有しているデータを使ってライバルを出し抜き、顧客から最大の利益を引き出すのだ。

「グーグル化」にはすべての産業がグーグルに呑み込まれるという恐ろしい意味もある。(211) ウォルマートはグーグルを最大のライバルと考えていると語ったことがある。あのウォルマートがである！ アップルはかつて、iOSからグーグルマップを外して自社の地図アプリに入れ替えたことがあるが、これはグーグルが収集している位置情報の分野で競争しようとしたもので、結果的には失敗だった。(212) 伝統的な出版社、書店、教育者にとって、「グーグル化」とはどのような意味になるだろうか？ 彼らが個人に対して、その人の過去の好みや、その人が広言している能力や、支払い意欲といった情報に基づいて「最適な」ソースを提供するという、グーグルが行うようなことはできない。シリコンバレーのエンジニアや経営者が、彼らの将来を握っている。

メディア業界に殴り込みをかけている「男爵」はもちろんグーグルだけではない。「アマゾン化」「フェイスブック化」「ツイッター化」といった兆しも見えている。かつて崇められていた既存メディアの中身を刳り貫く人がいる。ベンチャー資本家のマーク・アンドリーセンが推薦するように、メディアに投資をする人もいる。アマゾンのジェフ・ベゾスがワシントンポスト紙を買収した時には、業界人は恐れたものだが今のところ、倉庫でピッキングする人や「メカニカルターク」[16]のようには記者の数を減らしてはいない。(213) しかし、かつてはジャーナリストに入っていた収入の多くの部分をテック企業が吸い上げるとなると、私たちは「メディアの独立性」について懸念せざるを得ない。アマゾンが六億ドルでＣＩＡとクラウドコンピューティングの契約を結んだ後、三万人もの人々が『ワシントンポスト』紙に、「読者はＣＩＡに関する報道の完全な開示を求める」という請願を行った。(214) ワシントンとシリコンバレーとが今後、情報支配に関してより連携を深めると、こうした「質問状」は今後さらに増えるだろう。

大企業（および政府）がこうした連携を秘密にしたがる理由は理解できる。人々はこれについて「誰かに」きちんと調べてもらいたい。グーグルがコンテンツ産業の大企業（略奪者）の側に加わったことは利用者の多くを失望させた。(215) かつて利用者はグーグルを「自分たちの」代理人とみなしていた。グーグルはインターネットを中立の立場で秩序付けることで、コンテンツで儲けようとする一般企業の利害と対立し、利用者の権利を推進してくれると思い込んでいたのだ。しかしグーグルが検索空間の支配を強めるにつれ、そして、投資家の要求が厳しくなるにつれて、グーグルはビジネスの中心を、「より多くの利用者を惹きつける」ことから、「視聴者が見るものでお金を稼ぐ」ことへと、シフトさせたのだ。グーグルは、より注目を集めるコンテンツが必要となった。それも価格がついてお金を稼げるコンテンツのみである。(216)

これは信頼の問題である。哲学者ラングドン・ウィナーが「技術的夢遊病」(217) と呼んだ古典的な例では、私たちは研究部門に、「私たちが見るもの、私たちが使う場所、私たちの認識方法」を決める、ほとんど想像もできないような力を与えている。一流の法学者たちが仮想世界とクラウドコンピューティングの持つ権力関係を、中世の封建制に譬えている。(218) テクノロジーの進歩が政治経済的な退歩と手を携えている。

デジタル・ニューディールに向けて

一九九〇年代後半、技術愛好家たちは検索エンジンが、インターネットにとてつもない民主化をもたらすと見ていた。世界中のコンテンツクリエイターが幅広い聴衆を獲得できるだろう、とした。ウェブ2・0は、ヴァーチャルコミュニティ内での自己組織化を可能にすることで、さらなる「民主化」をもたらすとされた。しかし近年のビジネスの歴史を見ると、どうやら話は逆だったようだ。混沌としたオンライン世界に「明快さと協力」をもたらした力は同時に、マーケティングや、不公正な競争や、現実の（万華鏡的な）歪みも生み出したのだ。(219)

改良への最初のステップは、問題の範囲を明らかにすることである。傑出したサイバー法学者で、ネットワーク中立性のアーキテクトでもあるティム・ウーは、今日のインターネットに関する議論をより長い文脈の中に位置づけている。ウーの二〇一〇年の著書『マスタースイッチ』では、通信にまつわる「産業戦争」に、ビジネス戦略の公正さや不適切性の観点から道徳的な判断を行っている。同書は力作だが足りない点がある。アップルやグーグルといった民間企業の持つ強制力には限界があるというのはその通りだろう。「コアとなっている事業を超えて情報のレイヤーを支配しようとする意図や権利を求める企業はまれである」とウーは著述する。しかしこの記述は今では時代遅れと言える。グーグルはＳＮＳや軍事ロボットにまで手を出している。フェイスブックは単なるソーシャルネットワーク企業ではなく、オンラインメディアのキングメーカーとなった。アマゾンは産業の垣根を壊している。しかしウーは、情報時代の巨人たちの文化的・政治的なインパクトにより目を向けていて、急速な規模拡大をもたらすこうした「貪欲な経済学」にはあまり焦点を合わせていない。(220)

巨大プラットフォームの複雑な資金の流れよりも、シリコンバレーの個性的な人間に対して、人々が興味を持つのは分からないでもない。しかし、核心部分におけるインセンティブを根本的に変えることなしには、情報経済の改革は望めない。ウーの言う「脱物質主義」は、ネット企業の利益が経済の多くの部分を引き上げるように見えた「活気の九〇年代」にはよくあてはまっていた。しかし二〇〇八年の経済危機が米国を席捲した後は、ビル・クリントンの時代よりフランクリン・ルーズベルトの時代との共通点が多くなった。新たなネット技術で生み出された富は、ごく少数の幸運な人、才能ある人、無慈悲な人が大部分を持ち去ってしまった。他者が作ってオープンにしていたコンテンツから生み出される巨大な収入から利益を上げる方法を、彼らは自分たちで「専有」した。[221] ニューディールが育てようとした大企業やそのCEOたちと同じように、テック企業の幹部は、自分たちが裕福になることと、公共の利益とを、すぐさま同一視するようになった。

ニューディール時代の実質やスタイルを、テクノロジーの進歩的な政治経済へと取り戻すべき時代が来た。二〇世紀の前半、米国の法律家兼エコノミスト、さらに教育者でもあったロバート・リー・ヘイルは、影響力を持っていた当時の支配的企業について研究した。個人の自由は、企業の責任ある行為に依存しているというのが、ヘイルの主張である。[222] 一九三〇年代の経済恐慌の際、ヘイルの理論は連邦準備銀行〔連銀〕のアドバイザーの中でも影響力が大きかった。ヘイルもウーも、民間の大企業が持つ「強制的な力」を分析しているが、ヘイルの『法を通した自由』とウーの『マスタースイッチ』は、過去六〇年間の米国の政治情勢を語っているという共通点があるものの、大きな違いも存在する。

ヘイルの著作は、専横的・搾取的なビジネスが、徐々に民主的なものに取って代わられるという「年代記」である。ヘイルは「国富の分配を決める原則」を論じ、二〇世紀半ばを通じた「料率決定」や「課税」に関する個別法を丁寧に論じる。さらにヘイルは、技術変化の時代において政府が、中立を装って惰眠をむさぼっていると、「横取りする勝者」の出現が避けられないことを明らかにする。そこで失敗すれば、例えば金融業のような別の力が、より直接に産業の領域に踏み込んでくる。その結果は私たちの知る通りで、かつては敬意を持たれていた産業分野に、独占や不正操作が入ることになるのだ。

検索において利益追求が進んだのは、投資家の要請に応えるためである。検索会社は人々を格付け（rank and rate）する組織の格付けをするかもしれないが、検索会社自体、ウォール街にどのように評価されるかを心配している。投資家が検索会社の独占状態に賭けなければ、ライバル企業の買収を続けることはできない。金融の持つ不透明な側面が、主要なネット企業を活性化していることは、ネット企業の神秘的なランク付けメカニズムが人々を警戒させ自分の立場を失うことを心配させるのと同じくらい確かである。ここで、新たな政治経済において最も力を持っている最終的な側面である「金融」に、私たちも注目してみよう。

第４章　金融のアルゴリズム――皇帝の新しいコード

二〇〇四年、「カトー研究所」は、ペルーの経済学者エルナンド・デ・ソトに、賞金五〇万ドルの「自由を推進するミルトン・フリードマン賞」を授与した。共産主義者から二度の暗殺未遂があったにもかかわらず、デ・ソトはペルーの貧困問題に対して「市場での解決」を説いてきた。米国の指導者たちはデ・ソトのメッセージが気に入っていた。彼が「強固な金融市場」と「私有財産の保護」を、米国が繁栄した要因としてお墨付きを与えたからである。[1]

二〇一一年、デ・ソトは米国の経済システムを厳しく非難した。金融危機は米国において、「誰が所有し誰が借りているのか」に関する驚くほどの知識不足を露わにした、とデ・ソトは語った。米国がペルーのような国々に輸出してきた「公的な記録システム」（登記、証書、バランスシート、陳述書など）が、本国で全く信用できないものとなっていた。財産記録に機能不全や違法行為が溢れていた。一〇億ドル単位の取引で、期間や条件が隠されていた。米国金融業の「ガラスの塔」やコンピュータ・ネットワークの背後には無節操な組織があり、法の支配が揺らいでいた。[2]

デ・ソトはここにいたる過程を明らかにした。内部者（インサイダー）たちが、自分たちには巨額の給与やボーナスを確保しながら、リスクはぼんやりした投資家や納税者に押し付けていた。リスクを見えなくするやり方には、いい加減な会計書類から独自の方式まで多数ある。抵当証券（モーゲージ）の仲介者からＣＥＯまで、金融業界の者は「不透明な複雑さ」を利用して利益を上げていた。この「不透明さ」の多くは自然なものでもなければ不可避なものでもない。顧客や規制当局、リスクマネージャーなどを出し抜いて、金融業の内部者が有利になるように、多数の重要な取引で使われているのである。[3]

ここ数十年間、金融部門ではコンピュータ化が推進されてきた。[4] ＩＴで金融はより不透明になるどころか「透明化する」と考える人もいるかもしれない。アルゴリズムは意思決定から本能やバイアスを追放し、金融を合理的にすると思われた。例えば信用スコアは、地方の抵当証券担当者の偏見や気まぐれを、「専門的、中立かつ首尾一貫した信用割り当て」で置き換えると見られた。しかし実際には、一回支払いが遅れただけで家族に数万ドルの損が発生するような恣意的な評価が行われた。(5) 不動産担保証券（ＭＢＳ）は、マクロレベルでリスクを調整できると言われた。しかし周知のように、二〇〇七年から二〇〇八年にかけて抵当証券市場は危機に見舞われた。「サイボーグ金融」は複雑な取引をかつてなく高速で行うことを可能にしたが、良い位置にいる集団に不当な優位性をもたらしただけだった。(6)

私が挙げた例の多くは金融危機の際のものから取られているが、アルゴリズムの悪用はこの時期に限ったことではない。ここ数十年間、米国の金融システムにおいて、バブルや悪い取引は頻度を増している。小さな詐欺や隠された手数料は通常、争いにもならず、表にも出ない。しかし、二〇〇七年から二〇〇九年にかけて起きたように、大事な投資家が巨額の資金を失うことがあると、訴訟は頻発し、新事実が次々に明るみに出、私たちは金融業のブラックボックスのより隠れた側面を垣間見ることになる。

当時の金融危機の詳細については既に各所に書類が残っているのでここでは取り上げない。(7) 私が論じたいのは、それを引き起こした法律とテクノロジーについてである。私の説明は完全なものではないが、金融市場に潜むより大きな、問題含みの傾向について実証するものである。本章を読み終えた時には読者の方々も、金融システムでは「あってはならないこと」が起きていたということに同意してもらえるだろう。必要最小限の金融システムであれば不可能であった、グロテスクな資源の浪費である。医療分野であれば、「あってはならないこと」は明白である。悪くない方の足を間違って切断するとか、手術の際に体内にスポンジを置き忘れる、といった事柄だ。しかし医療部門と違って金融部門では、「あってはならないこと」が重大事として受け取られないのである。

複雑な技術、秘密、さらに内部告発しようとする者を有罪にする可能性のある「経済スパイ法規」という三つの層で守られている秘密のアルゴリズムのために、一般人は主要な金融機関の中で実際には何が起きているのか、未だに理解できない。アルゴリズムを用いた金融取引は、古典的な自己取引をさらに強力にした。いわゆる「リスクマネジメント技術」が、企業の内部者、外部者両方の目をくらませた。金融をより科学的にすると謳ったソフトウェアコードが、最終的には投機、もしくはもっと悪いものを隠すだけのものとなった。ドッド・フランクウォール街改革消費者保護法〔ドッド・フランク法〕などの、良い意図をもった改革にもかかわらず、同様のブラックボックスは今でも存続している。[8]

本章では金融というブラックボックスの、二つのレベルを見ていくことにする。一つは違法なサービスにおける不明瞭性であり、もう一つは複雑さに起因する不透明性である。金融業の内部者にとっては両方とも利己的あるいは向こう見ずな行為を可能にするものである。現代の多くの証券は複雑である。企業はその価値（例えば労働者の生産性や、ウェブサイトの適切さ）を、複雑かつ秘密の計算に基づいてモデル化するだろう。[9]もしこうしたモデルが誤ったデータ、不完全なデータ、詐欺的なデータを入力していれば、結果として不安定性や対立をもたらすことになる。

初期の警告サイン

銀行は預金者から資金を借り、それを効率的に他者へと貸し出す。この単純な関係にもリスクは潜んでいる。あなたの銀行預金はその銀行への貸付である。あなたの受け取る利子はおそらくごくわずかだが、その代わりいつでも預金を引き出すことができる。銀行は、あなたがいつ預金を引き出すつもりなのか正確には知らないが、いつ引き出しそうか予測することはできる。あなたの銀行預金の利子が年三％だとしよう。もしあなたが当面預金を引き出さないことが「確実」ならば、銀行はその預金を一年間、六％の利率で誰かに貸すことができる。銀行があなたの預金を払い戻してくれることは確実であり、あなたはノーリスクで三％の利息を受け取ることができるのだ。銀行は「三－六－三ビジネス」だという昔からの言い方がある。三％で借り、六％で貸し、三時にはゴルフをしている、という意味だ。

しかし「確実」とは言っても、現実にはそうならないこともある。もしそれなりに多くの預金者が即座に預金を引き出そうとすれば、賢明でない貸出をしている銀行は破綻する。一九三〇年代初頭には実際に何千もの銀行でこれが起きた。米国史上最大の経済危機の反映でもあり、またこの事態が経済危機を悪化させた。適切な規制を受けていない銀行は不安定なものである。

大恐慌のあと規制当局は、慎重な投資が求められる預金銀行と自由な投資を行う投資銀行との間に規制の壁（ファイアウォール）を設けた。一般の預金者の預金を保護するために連邦預金保険公社（ＦＤＩＣ）が設立された[10]。投資銀行の顧客はさほど保護されていないが、もし投資銀行が失敗すると、オーナー（パートナー）の資産も危機に晒されるというこの組織の構造は、多少のなぐさめにはなるだろう。主導的な投資銀行も規模は比較的小さく、バランスシートも規制当局が理解しやすい。

大恐慌後の銀行システムは恐慌前と比べると安定したが、最終的には自分たちの成功を犠牲にした。航空やトラック、その他の業界が規制緩和され、「自由放任（レッセ・フェール）」を求める声が、なぜ銀行業は規制が強いのかと疑問を投げかけたのだ。投資銀行も合名会社から株式会社となった。この組織変更によって投資銀行幹部は、銀行がどれだけ損失を出そうとも、自分の資産は守れるようになった。[11] 株式が公開されると、会計書類のある側面については確かによりオープンになる。しかし同時に、着実に成長していると外観を装うプレッシャーも作り出すだろう。[12]

ビジネスのサイクルや、需要と供給の本質的な不安定性からすると、コンスタントに成長し続けるというのは捉えどころのない目標と言える。金融機関は、例えば「利子率上昇」や「エネルギー価格の不安定」といったリスクを均す創意に富んだ方法を約束する。リスクを「スワップ」する規制の少ない世界として、先物取引が拡大してきた。一九九〇年代、デリバティブと呼ばれる取引が急成長を見た。[13] 例えば保険会社のＡＩＧは、企業向けに「利子率のリスクをカバーする」商品を扱うファイナンシャル・プロダクト（ＦＰ）部門を設立した。手数料と引き換えにＡＩＧＦＰが、利子率の上昇や低下に伴う損失をカバーしてくれるのである。こうしたリスクの「スワップ」は、既に三〇年以上行われている。ＡＩＧＦＰはそのリスクを隠していたため、親会社ＡＩＧのＣＥＯはそれを懸念し、[14]「監査人やデリバティブのエキスパートなどの専門家」を雇って、この秘密部門に潜入させた。[15] あるコンサルティング企業によると、この「賭け」でＡＩＧの損失は九〇〇〇万ドルにのぼる（ＡＩＧは二〇〇八年にも危険な賭けでさらに損失を広げ、金融危機を拡大した）。

こうした契約はリスクヘッジのために行われるものだが、巨額の損失を生み出す可能性がある。例えば一九九四年、カリフォルニア州オレンジ郡では、七四億ドルが投資されたデリバティブが一七億ドルもの損失を出し、米国史上で最も巨額の「破産」となった。[16]（問題はまだ続いており、今も「悪い」デリバティブ取引で損失を出している）。元トレーダーのフランク・パートノイの著書『大失敗』では、信じやすい顧客から「ぼったくり」を行って嘲笑する銀行員の姿が活写されている。一九九〇年代前半、繰り返される危機に業を煮やして、上院のリベラルな民主党議員たちがこうした「商品」の調査を始めたが、法案の成立は即座に阻まれてしまった。(17)

米商品先物取引委員会(CFTC)委員長のブルックスリー・ボーンは、一九九七年、やはりこうした取引への規制を要求した。彼女は議会に対して、こうした取引の急拡大は、連邦政府が気付かないうちに、わが国の経済を危険に晒す可能性があると警告した。(18) 市場で行われていることを研究する必要性を説いた「コンセプトリリース」を出したのである。この時点で彼女は法規制を主張していたわけではなく、ウォール街で拡大している事象について関係機関に注意を喚起しただけなのだが、当時財務副長官だったローレンス・サマーズはすぐさま彼女をやりこめた。「私のオフィスには一三人の銀行員がいるが、もしこの問題をさらに追及すると、戦後最大の経済危機の原因となるだろうと全員が言っている」(19)。ボーンは引き下がらざるを得なかった。

金融の規制緩和には多数の要因がある。権力とイデオロギーという要素も大きい。銀行業界はロビー活動に多額の資金を費やしている。レーガン時代のラリった政治家は、政府を「市場の保護者」というより、政府自体が厄介な問題だと見ていた。内部者(インサイダー)がワシントンとウォール街の間を往来していた。ITが進歩するともはや規制は要らなくなるといった魅惑的な話をロビイストたちが語った。(20) 洗練された投資家は投資の中身を吟味することができ、コンピュータ・モデルでリスクを特定、軽減できるというのだ。しかしオートメーションで規制を代替するという話は、空飛ぶ自動車や、宇宙植民地といった話と同じくらい空想的なものだと判明した。

不動産担保証券（MBS=Mortgage Backed Securities）が引き起こした住宅危機において、コンピュータ・モデルが果たした役割を考えてみよう。投資家は、個々の抵当権設定者の資金の流れに関心を持たないだろうが、それを多数集めると、個別の住宅ローンよりはるかに安定した資金源（または保証）として販売することが可能となる。例えばある小さな町での支払いの流れを考えてみる。ある一つの家庭に住宅ローンを貸すことにはリスクがある。世帯主が病気になるかもしれないし、破産するかもしれないし、宝くじに当たって明日にも繰り上げ返済するかもしれない（これも長期の安定収入を求める投資家にとっては好ましくない）。ある家族に何が起きるか、予測することは極めて難しい。しかし例えば一〇〇〇の家族を集めれば、統計モデルによってデフォルトの確率は予測しやすくなる。一〇〇〇のうちデフォルトに陥るのは三〇あまりの家族だといった具合に、データから予測できる。ソフトウェアに組み込まれた統計分析が、モーゲージ市場への大量投資に「青信号」を出したのだ。[21]

単純な話に聞こえるかもしれないが、金融オートメーションが離陸すると、こうした取引はさらに「再貸付」「デフォルト」に関してリスクヘッジをしようとする。不動産担保証券がさらに別の、多様な金融商品と組み合わされるのだ。[22]

中身をさらに複雑化した金融商品は、単一の証券よりもさらに安定的な収入（または保証）を確保するものとして販売することができる。こうした分析が、モーゲージ市場への大量投資の「青信号」となった。こうした商品は専用のプログラムで作られたブラックボックスであり、その中身の細部はクオンツとコンピュータにしか分からない。

例えば、年間の契約料が一四〇万ドルを超える「インテックスカルク[23]」といった「価格付けツール」は、現在の資産プールのパラメータや、二万を超える取引のキャッシュフローの規則を集めた、コンピュータ化されたライブラリである[24]。インテックスカルクでは、利子率や前払金、デフォルト、滞納、ローンの組み換え、トリガー、取引に関係する変数などをコントロールしてシナリオを分析される。経済社会学者のドナルド・マッケンジーは、こうしたシステムのために、異常に複雑な取引でももっともらしく感じると記している。

親し気な銀行員が私に「インテックス」を見せた。彼はMBSを一つ選ぶと、価格、それぞれの前払いの速さ、デフォルト率、損失深刻度を入力した。三〇秒も経たないうちに、利回りだけでなく、毎月の利払い、元金返済、資金不足、さらに不足や損失がいつ起こるかといったことまで表示された。

「この心理的効果はすごい」とマッケンジーは続ける。「初めてMBSが理解できた。もちろん、私の見つけた信頼など疑わしいものだ。インテックスの出力が信頼できるかどうかは、利用者の前提の妥当性に、完全に依存している[25]」。しかし、この三〇秒のコンピュータ出力の代わりにあるのは、「何百ページにわたる読み通せない法的文書」であり、おそらくは大量の計算である。ブラックボックスの持つ魅力は、理解しやすい。機械が動かしソフトウェアで可能になったシステムを人間の判断より優れたものと思う「自動化バイアス」を引き起こしている。賭け金が大きい時、自動化バイアスによって、過度に楽観的になったり悲観的になったりする可能性がある。モデルを利用してビジネスが行われる。[26]

議論のために言うと、注意深くプログラムされ責任をもって運用される理想的なブラックボックスは、想定された通り、多大な時間や労力や間違いを節約してくれるだろう。しかしグーグルが熟知しているように、それを利用しようという人間が現れる。何が起きるだろうか?

サブプライムアート部門

住宅バブルの絶頂期、サブプライムの最大の貸し手であったアメリクエスト社は、「アメリカンドリームの誇りを持ったスポンサー」というスローガンのテレビ広告を頻繁に流した。しかし、ローンに埋め込まれた隠れた費用については、表に出ることは少なかった。サブプライムの「ボイラー室」(営業マンたちが修正液やエグザクトナイフやスコッチテープでローンのアプリケーションを操作できる)は広告では取り上げられない。もしローン希望者が低収入だったら、ブローカーは給与明細書や納税証明書にゼロを書き加える。営業マンたちはこうした作業が行われる部屋を「アート部門」と呼んだ。アメリクエストのマネージャーが出したメールに彼らの態度は現れている。「われわれがここにいるのはなるたけ多く稼ぐためだ。それが大事で他のことはどうでもいい[27]」。

企業幹部は、最前線の社員が、手近にあった別人の源泉徴収票からコピペをしているのではないかと疑っているが、詐欺でないと言い張れば済むくらい統制はゆるい。[28] 証券ブローカーの間では、「こうであればいいな」という思考が規範意識に取って代わり、銀行員もそうなった。住宅価格が常に上昇を続けると仮定するならば、無職、無収入、無資産の人への貸し出し(忍者ローン)さえも正当化できた。たとえ借り手が「踏み倒し屋」だと判明しても、理論的には、抵当権でローンの総額を賄えるはずだった。[29]

どこでも詐欺まがいの販売が行われていた。ローンを払えなくなったオーナーの抵当が流れていく話が、引きも切らずに裁判官や弁護士、新聞社などに伝わっていった。ブローカーは、ローンが続く本当の期間を言わない。彼らが書類上でアピールするより、実際の利子率は高い。「固定金利」と呼ばれているが実際には変動し、支払額は購入から二、三年後に増える。本当の費用は隠されているか、うまく過少に言われている。そして、MBSを買おうとする人向けの、証券の質の評価は、現実に起きていることを隠すモデルに基づいて算出されるのである。[30]

統計の正統性——格付け機関の失敗

金融機関が、MBSのような「仕組債」の売買を、機会を捉えて熱心に勧めるのは不思議ではない（MBSの組み合わせはしばしば「債務担保証券」（CDOs）と呼ばれる）。売った証券がどうなろうとも金融機関にはお金が入る。しかし買い手はなぜ買ったのだろうか？　なぜ政府は注意を喚起しなかったのか？　MBSは目新しく、実績もなく、複雑であるので、普通なら投資家は不安を感じるだろう。[31]しかし格付け機関がお墨付きを与えているのだ。彼らのおかげで、より赤字の多いモデルにさえも。

米国の投資という世界において、政府と市場とは微妙なバランスを保ってきた。米国証券取引委員会（SEC、大恐慌時代に設立された）[32]は、投資家が、買おうとする商品にどの程度のリスクがあるのかを理解していることを望んでいるが、政府自体は投資の格付けに乗り出そうとはしなかった。[33]SECは、民間「営利」団体である信用格付け機関を「公認格付け機関（NRSROs）」に認定してお墨付きを与えた。[34]その代表格が、ムーディーズや、フィッチ、スタンダード&プアーズである。[35]彼らは投資

をＡＡＡ（トリプルＡ）からより投機的なジャンクボンドまで格付けする。(36)

格付け機関が誠実さと能力とを保っている限り、この種の「アウトソーシング」は政府の資金や「頭痛のタネ」を節約するのに役立つ。(37)しかし誠実さも能力も時とともに薄れ、彼等が格付けしている組織のビジネスで競争力を保つために、この傾向は加速した。(38)ＭＢＳを作っている銀行が、最も「言うことをきく」格付け業者を求め出したら、客観的な統計分析が揺らぎ始めるだろう。(39)二〇〇五年以前、ＡＡＡ評価には権威があり、その中でデフォルトになったものは約一％だけだった。(40)しかし二〇一一年の上院報告書では、「二〇〇六年および二〇〇七年にＡＡＡ評価を得たサブプライムのＭＢＳのうち、九〇％が後に信用格付け機関によってジャンク債へと格下げされた(41)」。

住宅バブルの時期、格付け機関は猛然と、新たに発行された証券についての格付けを競って行った。するると格付けにインフレが起こってただの「Ａ」評価が安っぽいものとなり、ついにＡＡＡの格付けの（価値でないとしたら）意味も崩れた。その理由付けは手軽に見つけることができた。「米国経済は非常に強い」「人口の増加で住宅価格は上昇するだろう」「コンピュータが生産性を上げるのですべての人の収入が上がる」などである。(42)格付け機関は弛み、底辺への競争となった。社会学者のウィル・デイヴィーズが観察しているように、「資本主義活動を「提示、測定、評価する」仕事の者が、まさにその資本主義活動「から利益を得ようとしている」」のである。現在、資本主義の評価を高潔に行うことは、利益にはほぼつながらないのだ。(43)

様々な「呆れた」文書が流出して、彼らの未熟さがメディアの注目を浴びることも時にはあった。「この危ない仕組みが壊れる前にみんなでリッチになって退職しようぜ」という社内メール。(44)「牛が組み合わせた商品だって格付けするよ」という、誰かをあてこするショートメッセージ。こうした発言は可笑しいし、格付け機関の社員を栄光で包むようなものではない。しかし問題を、「跳ねっかえりの腐ったミカン」とか「懲りないペテン師」と捉えるのは間違いだ。不注意な個人ではなく、金融に関わるはるかにスケールの大きな問題がある。統計的妥当性や、数学的モデリングがその一例と言える。そしてここにブラックボックスがひそんでいる。

例えばスタンダード&プアーズ〔以下では「S&P」と略す〕は、MBSの格付けに、頭文字を取ってLEVELSと呼ばれる「ローンを査定し損失を見積もるシステム」を使っている。モデルの背後の基本的な考え方は単純である。一九九九年に、一六万六〇〇〇件の固定金利型プライム担保ローンのデータベースを使って、どのようなローンがデフォルトになるかという確率を見積もったのである。グーグルが過去のクリックデータを使って、どのような広告が機能し、どのような広告が無効かを予測するのと同じように、S&Pは、提案された証券と、過去のデータベースでの数字を比べて、それが返済不能になる確率を算出した。

過去のデータからどのくらい未来を予測できるのかという疑問が、このデータベースをめぐって浮かび上がってくるだろう。グーグルの場合には、検索ランキングや広告がどのくらいクリックを誘うのか、その時ごとのリアルタイムデータを使うことができる。しかしS&Pは数年にわたるパフォーマンスを予測しようとしていた。グローバル・サーベイランス／サービサー・グループが、格付けした証券のパフォーマンスを評価していたが、ネット・プラットフォーム企業と比べてデータの即時性や粒状性でははるかに劣っていた。貸し手がよりリスクの高いローンを開始すると、LEVELSに基づいたその見通しがどれほど頑健であるのか、アナリストの中にも疑問に思う人が出てきた。こうした懸念に応える形で、S&Pはより大規模で、代表性の高いデータを獲得した。その中には六四万二〇〇〇件のＭＢＳも含まれていた。このデータは二〇〇二年に利用可能となった。

だが二〇〇四年になってもＳ＆Ｐは依然として、一六万六〇〇〇件のデータしか含まれていない元のLEVELSを使っていた。米司法省によると、Ｓ＆ＰはＭＢＳの高い利回りを維持するために、LEVELSにより良いデータセットを統合するのを遅らせていた。司法省はＳ＆Ｐが、自らのビジネスを脅かさない限りで市場の状態についてもっともらしく判断しており、限定的なやり方でLEVELSを更新したことにも不満を表明した。このケースの結論は出なかったが、その結果はまさに金融危機の核心部で行われていたことに光を当てた。

詐欺とみられる行為には二つのブラックボックスが関わっていた。Ｓ＆Ｐはモデルを更新したと公言していたが、実際には改良は遅らせており、投資家を「闇の中」に置いていた。しかしＳ＆Ｐの闇の中にいたのは誰か？　同社は、社内において「良い格付け」に関する意見の違いもあり、モデルの変化には慎重であったと言い訳をしている(45)。会社の利益のために格付けを変えるということに関しても意見の違いはあったのだろうか？　実際に起きていることを知っていた人は何人いるのか？　そして何人がそれを知りたいと望んだ（あるいは望まなかった）のだろうか？

社内で異論を黙らせる

モデルについての問題の他に、モデルに与えるデータについての問題もあり得る。よく機能している組織であれば、そうした心配を異論として述べる人も社内にいるだろう。しかし、危機後の内部告発者の失敗談が示すように、マネージャーの多くが内部の批判者に対して取った態度は、９・11テロ後に諜報機関の違法行為を告発した人たちに対して政府が取った態度と似たようなものだった。

サブプライムローンの貸し手である「カントリーワイド社」で、懸念を示した労働者たちのたどった運命を見てみよう。住宅バブルの際、同社ＣＥＯのアンジェロ・モジロは繁栄を謳歌していた。サブプライム崩壊後、彼は最も重い罰を受けた経営者の一人となったが、それでも刑務所への収監は免れ、何億ドルもの資産を持ったままだった。なぜこんなに甘いのか？　一つの理由として同社では、トップが下の社員の行動を正確に知ることが難しい形の組織になっていた、ということがある。より正確な言い方をすると、当局は、現場の社員が行っていた権利濫用のために、当該企業のトップを詐欺罪で刑事告訴しても、法廷でその主張が認められないのではないかと考えたのだ。米国はエンロン以降、この問題を解決したと考えられてきた。エンロンのスキャンダルでは、ＣＥＯのケネス・レイが、大規模な粉飾決算の指揮を執っていた。しかし彼についた弁護士たちは、部下が何十億ドルもの負債を隠していたそのやり方を、レイは全く知らなかったと主張した。エンロン時代の会計スキャンダルは、人々の市場への信頼を裏切ったため、その対処として議会は「サーベンス・オクスリー法」（ＳＯＸ）を可決した。この法律は経営者に、財務文書の真実性や、「内部管理」、文書の正確さを保証する他のセーフガードなどの責任を負わせるものである[46]。しかしこの法律で刑事告発されることはまれで、罰金もあまり抑止力とならなかった[47]。ちょっと信じ難いモデルと従順な監査人のおかげで、企業幹部はＣＥＯが、企業の未来についての誤解を招きやすい絵を描いて自分に責任はないと主張することを、助けたのだ。

住宅バブルの時期、企業トップが自社社員のしていたことにどの程度無知だったのか、私たちは正確に知ることができない。しかし挑戦的な戦略が現れてきている。カントリーワイド社でリスクマネジメント担当の副社長を務めたこともあるアイリーン・フォスターは、同社の詐欺は「体系的」「意図的」であったと確信している。彼女が同社の労務部に不満を漏らしたところ、労務部は彼女を「プロにふさわしくない行為」をしたとして調査を始めた。[48] 同社がバンク・オブ・アメリカ〔バンカメ〕に買収されると、事態はさらに悪化した。フォスターは次のように語る。

二〇〇七年、私は各層の幹部が、詐欺行為の発覚から逃れようと奔走し、好成績のローン担当社員の書類を改竄しているのを見ました（…）以降私は、カントリーワイド社、そして〔合併した〕バンカメの内部にも、内部告発者がいるのを見つけたのです。私を含めて内部告発者の信用を落とすために、でっちあげ調査が広く使われました。両社のトップ層は愚連隊のようでした。弁護士を含むスタッフが、ブラックリスト、口止め料、秘密協定といった「武器」を使って、従業員を黙らせようとしていました。バンカメの幹部は一〇万ドル以上の口止め料を払うと言ってきましたが、私は拒否しました。[49]

フォスターは労働安全衛生局（OSHA）に相談し、内密にこの件を解決した。しかし彼女は自らのケースを、システムがうまく機能したものとは考えていない。

連邦政府は（…）内部告発者を守るためにほとんど何もしていません。この一〇年間、労働省はSOX法の下で行われた一二〇〇件を超える内部告発のうち、二%以下しか真価を認めていないのです。大半は犯罪の可能性を調査することもなく、法律の問題としては無視されました。[50]

二〇一三年、今度はバンカメの別の六人の社員が、バブル期以降の詐欺行為を証言した。[51] シティグループのリチャード・ボーエンも内部告発を行おうとしたが、リスクについての懸念を表明すると、二二〇人の部下のいるポストから、部下二人のポストに左遷された。リーマンではリスクマネージャーが斥けられた。[52] シティグループのマネージャーをしていたシェリー・ハンターは、彼女の銀行が「書き換えられた税務書類や、偽の評価書、読めない署名などを利用している論外のローン業者から証券を買っている」と報告したところ、冷や飯を食わされる結果になった。[53] 彼女は他の人とは違って躊躇せず、内部告発として認められるための複雑な要求に応じ、彼女の情報に基づいて政府がシティグループを告訴した際には数百万ドルを勝ち取った。とはいえこうした訴訟への障壁は高い。いったいどれほど多くの、彼女ほど筋を通すことのできない弱い社員が、幹部社員の不正行為を受け入れるようにという圧力に負けて手なずけられてしまったのか、私たちには数えるすべがない。[54]

リスクと規制

ここまで金融業界の暗い側面について描いてきた。言質を取らせないCEOを忖度した機会主義的なトレーダーが、操作的なモデルに疑わしいデータを突っ込む。一九八〇年代後半の貯蓄貸付組合（S&L）の犯罪から、二〇〇〇年代初めの会計スキャンダルまで、何度も危機が繰り返されたのだから、二〇〇八年にはさすがに金融業界もクリーンになっていたのではないかとあなたは考えるかもしれない。しかし金融幹部のしたことは、十分に理解できない（ましてやコントロールできない）社内の内部プロセスを改善するより、悪い結果に対して「保険をかける」ことだった。金融工学者たちが、リスクを「スワップ」する方法[55]を案出し、クオンツ（および規制者）に、かつてなく正確な見積もりに挑戦する誘因を与えた。[56] 例えばクレジット・デフォルト・スワップ（CDS）は、債権者（第一者）に債務者（第二者）がローンを払わないという場合の不払いリスクを第三者に移すものである。[57] このイノベーションは、「価格の発見」の里程標として称揚された。デフォルトに陥る可能性を日ごとに（果ては秒ごとに）正確に見積もるというものである。[58]

信用スコアと同じように、ここで使われているリスクのモデル化は、とても誤りやすく、本質的に社会科学的なものである金融に、自然科学の方法論を誤って導入した例の一つと言える。「ヴァリュー・アット・リスク」モデルは、市場価格が変動した際に企業がどのくらい損失を出すのか、少なくとも九五％の確実性で予測する、としている。しかしこのモデルは、人間の行動の安定性を前提としているのだが、このモデル自体の幅広い導入によっても人間の行動は変わるのだ。さらに、多くのモデルでは、米国の全土にわたって住宅価格が下落する可能性を、ほとんど考慮に入れていない。不当に高い信用スコアの数字によって、消費者が返せないようなローンを組むことができ、過度に寛大なモデルによって銀行は、価値の疑わしいプロジェクトのファンドから資本を稼ぐことができた。MBSは、保険の粗悪な代用品となり、投資家に誤った安心感を与えた。

MBSを住人にとっての住宅保険にたとえる人もいた。しかしこの分かりやすいたとえには、多数の疑問がつきまとう。ほとんどの人は、保険を掛けているからといって、家に突然危険物を持ち込むようなことはしない。しかし銀行はそれをしたのだ。銀行は保険を使って、よりリスクの高い賭けを行った。[59] 金融に関する規制は複雑だが、その単純な原則の一つは、「ポートフォリオの価値の下落に備えて、銀行は手元に十分な安全資産を用意しておかなければいけない」というものだ。契約で支払い義務のある住宅ローン以上に安全な資産などあるだろうか（しかも不動産担保証券でデフォルトに対

して保険が掛けられている）というのが、ウォール街の現在の「聖杯」である。返済が保証されているというわけだ。(60)

問題は、この「実験」が始まると、主要保険業者は「確実な事態」が起きているとして同じことをさらに繰り返すということだ。一九九〇年代、AIGが一億ドル足らずをスワップ取引で失ったことが大きなニュースになったことを思い起こして欲しい。二〇〇八年にAIGは、一〇〇億ドルものCDSを集め、価格の変動を緩和したい企業から嬉々としてプレミアムを取っていた。(61)これほどの巨額の資金はどこにもなかった。(62)AIGで保険を掛けた企業はバランスシート〔貸借対照表〕に、あらゆる損失はAIGのCDSによって補償されると密かに書き込んだ。(63)AIGのような民間企業が、FDICのような本質的に公的な機能を、大規模な金融危機の後でも果たすことができると考えるのは、まったくの夢物語（ファンタジー）に過ぎない。

一つの企業があまりにも巨大なポジションを取ることに対して、投資家は普通、「これは大きなリスクではないか？」と考えるだろう。しかしAIGはポジションを小さく見せることでリスクを隠した。「重大な支払い」が起きる可能性など「二〇〇万年に一度」、あるいはそれ以下であると嬉々としてモデル化するようなクオンツが多数いたのだ。主導したマネージャーの中にはCDSを「金（gold）」「自由資金」と表現する者もいた。二〇〇七年、彼は投資家に、「私たちにとっては、いかなる理性の領域内でも、どんな取引でも一ドルも失わないとするようなシナリオはよほど敏捷にならなければ理解が難しい(64)」と断言した。この企業は最終的に、救済するために一八二〇億ドルが必要となった。

AIGの財務危機はゆっくりと現れてきた。二〇〇七年の後半を通してAIGの会計士たちは、こうした取引に伴う真のリスクを何度も評価しようとしたが、彼らでさえブラックボックスに阻まれた。AIGのマネージャーたちは、彼らのなしたコミットメントの価値を、積極的に低く見積もろうとした。二〇〇八年二月一一日、同社は「情報開示」を行ったが、あるコメンテンターはこの文書を「その不透明性と、専門用語(ジャーゴン)だらけの記述で伝説となるだろう」と評したほどだった。[65]CDSに関する追加の要求を回避した挙句、数か月後にAIGは「重大な欠陥(material weakness)」が源泉であると開示した。

AIGが約束した支払いをすることができないと知って、市場関係者はパニックに陥った。[66]取引相手の中には担保を要求する権利を持つ者もいた(CDOsの価値は下がっていたが)。モーゲージのデフォルトが始まると、それに裏付けられていたCDOsは急落した。AIGは再び担保を差し入れなければならなかった。AIGファイナンシャル・プロダクツがデフォルトに抗してCDOsを保証する一方、AIGグループの他の企業はCDOs自体に投資しており、価格下落のインパクトを拡大させた。AIGはサブプライムの暴落によって直接の損失を被っただけでなく、他の企業のスワップ引き受けによる間接的な損失に晒された。

二〇〇八年夏、AIGをめぐって噂が駆け巡っていた。九月に市場が暴落すると、財務省がAIGを救済するというのだ。CDOsには何ら政府保証が「ない」にもかかわらず、一〇〇〇億ドルを超える資金をAIGに入れて、ゴールドマンのような企業には一〇〇%の支払いをするというのである。驚くことに、政府はAIGの取引相手を罰するべき危機の際に、レバレッジを使わなかった。「モラルハザード」の他の状況であれば、財務省や連銀の幹部は「ギャンブルをした者」に対して、「オーバーレバレッジ」のレッスンをするより、彼ら自身にそのツケを支払わせていただろう。本当にレッスンを施すのであれば財務省は、市民に最大の利益を保証するように（銀行救済の税金は市民が負担しているのだから）、例えば銀行に多数の条件を課すこともできたはずである。しかし実際には財務省は、銀行家が危機の只中でも自分は金を儲け、さらにその後もリスクの多い戦略を追求することを許しているのだ。

財務省は当時の行動について、問題は極めて大きく「世界的な危機に陥る寸前だった」と正当化しているが、神経過敏となった市場に自信を取り戻させるために、ＡＩＧの取引相手にどのくらいの資金注入が必要なのか、正確に測るための時間がなかったのだ。その第一人者たちも同意しなかったのだ。緊急事態だったとすることで財務省と連銀の幹部は、より公正な結果をもたらし得たかもしれない調査や熟考を省いたのだ。つまり、大暴落を別の官僚制というブラックボックスへと押し込んだのである。

連邦政府は、この企業の七九・九％の株式を買い取ることに同意した。ＡＩＧの悲惨な財務状況をその独自のバランスシートと調和させることができる、最大限の所有割合である。[67]再交渉の末、さらにＡＩＧに有利な条件となった。もともとの、より厳しい返済期日は、攻撃の矛先を政府やＡＩＧから逸らすのに役立ち、後のより緩い返済期限は、マスコミの注目が薄れてから実施された。

政府はこの新分野について学ばなくてはいけないことがたくさんあった。特に、表向きＡＩＧの規制を担当することになっている部署は、危機のきっかけを引き起こした潜在的な責任について、手掛かりをつかめないでいた。貯蓄機関監督局（ＯＴＳ）の元局長は、二〇〇八年九月になって、「ＡＩＧのＣＤＳの責任がどこにあるのか分からないし、手掛かりもない」と発言している。[68]同局の他の高官も、主たる関心は「ＦＤＩＣが保証したＡＩＧ子会社の安全性および確実性」であったと述べている。[69] ということなので彼は、AIGファイナンシャル・プロダクツが取ったポジションに疑問を持つこともなかった。悲惨な結果となったCDS取引契約の大部分を結んだのはこの子会社であるが、裏には親会社のAIGがいた。この「子会社」という立場では債権者の要求を保留にできないだろう。債権者の要求は会社全体を倒産させる可能性がある。しかし、規制当局の要求から逃げるには十分なのである。

なぜこれほど向こう見ずになったのか？　九〇年代末、ブルックスリー・ボーンが、CDSのようなものに変身するデリバティブの種類を調べようとして、黙らされたという事例を思い起こして欲しい。ビル・クリントン政権の金融政策のトップが、ウォール街に屈したのである。ジョージ・W・ブッシュ政権の高官はもっとへつらっていた。二〇〇三年、貯蓄機関監督局（OTS）の局長は、金融業界の大物と一緒に「テープカット」の写真に納まった。最後はチェーンソーで生垣を切った。[70] ブッシュ時代の規制当局は、次から次へと銀行に対する連邦の規制を緩めただけでなく、各州による規制を出し抜くように動いた。[71] 国際的な規制を骨抜きにすることさえあった。[72]

二〇〇八年には、金融関係法規は抜け道や、例外や、限界で穴だらけになっており、同時にAIGを規制するのは貯蓄機関監督局が中心になり、監察官たちは最もありそうな破綻のシナリオにさえ責任を負わなくなっていた。そして明らかに最も危険な金融商品でさえ、もはや満身創痍の規制者の注意から逃れていただろう。

戦略的なずさんさ

たとえ規制当局がAIGの全ての書類を綿密に精査したとしても、責任の所在やエクスポージャー

〔損失の危険度〕の程度について、正確に知ることはできなかっただろう。AIGを最終的に「沈める」ことになる負債は、市場でオープンに売られたものではなく、現実の市場では価格の付かないものだった。「時価会計」ではなく「マーク・トゥー・モデル」、すなわち、資産を現在の市場価格に基づいて計算するというより、モデルに基づいて「正常な」状態に「こうであるべき」評価を複雑な計算で算出するというものだった。

しかし「正常な」とはどのような意味だろうか？　現実の商品では、市場価格は狭い範囲に収まっている。しかし複雑な金融商品には無数のモデルがある。「マーク・トゥー・モデル」会計では、企業の真の財務状況を、それを表に出している程度によって曖昧にすることができる。[73] 資産の価値が市場のコンセンサスによって決まるのではなく、外部者には解読できないアルゴリズムのやりとりや入り組んだ法的分類によって決まるのである。ここでの価格付けは、コンピュータや自動車の市場価格よりも、むしろメディケアの統制価格の方に近い。しかしメディケアの場合には少なくとも、医療分野における数十年間にわたる価格の推移が反映されているだろう。新たな金融商品のモデル化には（簡単に操作できる）数学が使われているだけである。

金融分野で自らの立場を創造的と称した企業はAIGだけではない。例えば巨大投資銀行は、帳簿内あるいは帳簿外で、各種の目的でいわゆる特別目的事業体（SPVs）を設立することが認められており、これが「二重の現実」（dual reality）を作っている。こうした業務を理解するためには、金融の世界の特異性に立ち戻り、企業形態の複雑性について振り返る必要があるのだ。

例えば「シティグループ」と言った場合、私たちの頭の中には、「一つの企業」というイメージが思い浮かぶだろう。しかし従業員二五万人を超えるこの大企業は、実際には何百もの事業体から構成されており、中央の統制がどのくらい効くのかもそれぞれで違っている。[74] 株を所有することでコントロールしている子会社については、最大株主が投票によって支配するのと同様の方法でコントロールすることができる。しかし、企業をコントロールする方法は株の所有だけではない。契約によってある企業の幹部が別の企業の幹部を従わせたり、「親会社」が子会社の利益を吸い上げたりといった方法もある。米国の会計制度で「変動持分事業体」（ＶＩＥｓ）は、株主の投票によってコントロールする子会社とは違う。[75] 特定の取引のために案出される特別目的事業体（ＳＰＶｓ）もＶＩＥｓの一種と言える。

法学者たちはこうした企業体を「契約によるつながり」（nexus of contracts）と言った呼び方をする。あるレベルではこれは理解しやすい。事務所がビジネスのために契約で従業員を雇うといったこともこれに入るからだ。しかし、一つの企業が、それが力を及ぼす全ての存在に対して持つかもしれない多種多様な利害について、すべて頭に入れておくのは難しい。哲学者グレアム・ハーマンは、「ブラックボックスは、その内部を構成している大量のつながりのネットワークを、それがスムーズに機能している限り、私たちに忘れさせてくれる。（…）数が多いのでレギオン[1]と呼ぼう」と私たちに思い出させる。[76] メガバンクがどれほど複雑な存在になってしまったのかに対して注意を向けるだけで、金融市場は大規模な機能不全に陥ってしまう。

金融危機の前段階において、投資銀行は多数のＭＢＳを、本質的に空虚な外枠である変動金利商品を通じてＣＤＯｓにまとめていた。リアルな事業というよりは、資産や負債の寄せ集めに過ぎない。[77] ＣＤＯｓの買い手予備軍は、単なる枠となっている会社以上のものを欲していることに、投資銀行側も気が付いた。買い手側は、投資銀行自体が特別目的事業体を支えるために乗り出してくれると、信じさせられた。しかしこうした保証は、それが幅広く広言されると、とても費用がかかる。債権に投資する人は高い利息を求め、株主は高い配当を求めるだろう。彼らは、「情報が行き渡った市場」(informed market)の場合よりも安い価格で、資本および負債を与えられる。[78]

外枠となっている会社は、もう一つの疑わしい目的にも奉仕している。金融危機が起きて疑わしい文書が溢れ出た際、MBSの「作り手」と「売り手」とを分離することを助けるのだ。[79] 投資銀行は、MBSの買い手に対して、彼ら(もしくはその代理人)はモーゲージの所有権を移転するのに必要な多数の段階を既に取っているということを念押しする。担保の差し押さえが起きるごと、そして、州ごとに、私たちは適切な文書がファイルされていないという事態に遭遇する。

銀行側の弁護士はそれでも手続きを進め、しばしば成功する。しかし督促状に見慣れない銀行の名前を発見した債務者の中には、差し押さえに対抗する度胸を持つ者もいる。これがほぼ有効でない州もある。例えばフロリダ州では、何千もの事例に対してゴム印を押すために退職した判事が雇われている。[80] しかし法的な手続きが厳格な州もある。マサチューセッツ州やニューヨーク州では、書類の大規模な偽造が明るみに出たことがある。死者の名前で(偽造された)署名を繰り返すとか、同じ名前の署名を多数並べるといった乱暴な手口だった。担保差し押さえに必要な書類の「再構築」を専門に一四九ドルで請け負う業者まで現れた。この仕事を正確に行うために要する努力に慣れた人の手を煩わせる値段である。[81]

金融スキャンダルのために州レベルで一連の調査が行われた。元の書類のいい加減さを隠すための偽造や、財産法の根本原則に反したやっつけ仕事ぶりが露わになった。クリストファー・ピーターソン教授は、「この国の歴史において初めて、土地の所有者が誰かという、権威を持った公的な書類がもはやなくなった」と述べる。[82]二〇〇七年、土地所有に関する書類の三分の二は「不動産電子登録システム」（ＭＥＲＳ）に収められていた。ＭＥＲＳはクラウドコンピューティング技術を使い、集権化されたデータベースの中で、所有権を秒で移すことができた。[83]ＭＥＲＳは土地登記の責任を、州から、所有権紛争に利害を持つ民間（不動産業者が所有）へと、移そうとしていた。法学者の中にはＭＥＲＳを、財産を記録する上でバイアスのある民営化だと批判する人もいた。[84]

紙での記録を残すことは、不動産証券化というハイウェイに置く「ロードバンプ」〔障害物〕のようなものかもしれない。しかしこのハイウェイが実際に成し遂げたことは何だろう？　金融業界のインサイダーたちによる高速の投機だけではないか？　情報時代の「達人」は、「原始的な」紙の登記書類を長くバカにしてきたが、少なくとも紙の書類には「誰が何を所有しているのか」を証明する権威があった。金融危機で一兆ドルもの損失が出たことからすると、不動産証券化のために紙の書類を残すことにかかる費用はごく小さいものではないか。[85]

銀行の違法行為に対しては司法当局も関心を持っていた。が、その対応は遅く、不十分だった。結局は「抵当流れ詐欺案件」とされたが、関係者にとっては軽い罰に終わった。二五〇億ドルの課徴金が課されたが、銀行がそれを「支払う」方法は多数あり（その中には決して返済しなくても良い『プリンシパル・フォアギブネス』という名のローンも含まれている）、専門家によれば銀行が支払うコストはそれよりはるかに小さい。多くの州ではこの「解決金」を、不公正な抵当流れで被害を受けた家族の救済ではなく予算の穴埋めに使っており、いわば傷に塩を塗り込んでいる。

嘘とリボー〔ロンドン銀行間取引金利〕

金融危機によって大銀行が多数の隠し事をしていることが分かった。悪いデータ。悪いモデル。複雑怪奇な組織構造。「代理保険」(ersatz insurance)。危機の時代に起きた様々な対立は、金融業の評判を評定する財団に、空前の裂け目を露わにした。例えば、銀行の健全性を測る一つの方法に、英国銀行協会(BBA)からの資金の借り入れコスト(期間は一晩、一か月、その他)についての日誌を使うものがある。BBAは各レートを一時間ごとに発表している。クレジットカードの利息が高いことがその消費者の窮状を示しているように、借入コストが高いことはその銀行が財務上の健全さを損なっていることを示す。BBAは高値や低値、残りの平均値を発表することで、ロンドン銀行間取引金利(リボー)のような基準を示している。この利子率が、何百兆ドルにものぼる金融商品や金融取引の基準となっているのだ。[86]

各銀行は「一時間システム」に基づいて利率の見込みを発表するが、これは彼らが信じている「借り入れコスト」である。[87]こうした行為は、抜け目のないトレーダーにとっては、自分のポジションで利益を上げるためにリボーを上げ下げするためのチャンスを作る。トレーダーの利益はしばしばサブミッターが提出する利子率に依存しているので、彼らは恥知らずな操作を行う。例えば、CFTCはあるトレーダーが、「明日は重要な値決め(fixing)があるから、リボーがなるべく高くなるように市場が動いてくれると期待している」とサブミッターに語ったとされる。CFTCが報告しているように、サブミッターは多くの場合、それに応ずる。

トレーダーの要求はしばしば、バークレーのサブミッターたちに受け入れられた。メールでの彼らの答えは「いつでも助けるよ」「何でもする」「分かった（…）君のために」など。そして偽りの「提出」が行われる（…）トレーダーとサブミッターは、円やスターリングボンドのリボーに関する数少ない機会において、同じような行為に参画していた。[88]

もっと露骨な記事もある。銀行員がどのようなやり方で義務を果たしているのか、意図せずに陽気な図柄で描いている。

スイスフランのトレーダー：スイスの六か月もののリボーをちょっと低めにしてくれない？（…）
主サブミッター：どういうこと？
スイスフランのトレーダー：昨日から「スシ巻」を仕込んでいてね。（…）
主サブミッター：分かった。六か月ものだな？
スイスフランのトレーダー：うひょー。（…）これはスゴイぞ。[89]

ＣＦＴＣの議長だったバート・チルトンが言うように、「リボーに関して見てきたことからすると、他の基準が考慮に値しないと考えるのは馬鹿げたことだ[90]」。懸念は金や銀、ジェット燃料、ディーゼル、電力、石炭、市債の市場にまで広がっている。英国の金融当局は、バークレーがリボーの吊り上げで四億五〇〇〇万ドルの罰金を課された日の翌日、金価格の操縦を許してしまったことを明らかにしている。後者の課徴金は四四〇〇万ドルで、これはバランスシート上の重大な傷になどならず、せいぜいが「ビジネスのコスト」である。自治体スワップ取引（ISDAfixとして知られている）の多くで問題になっている利子率についても捜査中である。[91]少なくとも二つの銀行が、市債オークションでの価格釣り上げで、数億ドル単位の罰金を払っている。

ＭＩＴの金融の教授であるアンドリュー・ローは、リボー・スキャンダルが「市場の歴史上でのあらゆる金融詐欺の規模を小さく見せている」と語った。[92]ＢＢＣのロバート・ペストンも、「銀行の行為としてこれほど衝撃を与えたものは他に考えにくい」としている。リボー・スキャンダルは、巨大銀行の「タバコの時間」（タバコ産業のように訴訟に苦しんだ時期）であり、見聞の広いコメンテーターは銀行業の略奪的な性質について、黙っていることも、逃げることもできない。ジャーナリストのジェフ・アイシンガーと法学教授のフランク・パートノイは、「リボーの問題は、銀行間でお金を貸す時にどのくらい手数料を取るのかを映し出している。お互いの信用を測っているのだ。今や利子率は、操作や共謀の同義語となった。別の言い方をすると、金融システムの中にどれだけの信頼があるかを見せるために行われた測定など、それ自体信用できないものなのだ」[93]と指摘する。エネルギーや通貨の価格基準もまた、捜査の対象となった。[94]少数の内輪の投資家を除いたほとんどの投資家は、真の価値と注意深く作られた偽の価値とを区別できず、途方に暮れる。[95]

金融システム自体の利益でさえ、不注意によってトラブルに見舞われる。以下に紹介する、ゴールドマン・サックスの二〇歳そこそこのトレーダーであったファブリス・ツールのメールについて考えてほしい。ＭＢＳを巻き込んだ取引スキャンダルについて、もっともなことを書いている。[96]

もし僕たちが、無目的で、完全に概念的で、高度に理論的で、その価格付け方法を誰も知らないような「もの」を創造したらどうだろうか？（…）いずれにしても、これに対して過度に罪悪感を持つ必要はない。僕の仕事の真の目的は、資本市場を効率化し、究極的には米国の消費者に、より効率的にレバレッジをかけ自分自身をファイナンスする方法を提供することにある。だから僕の仕事はつまらないものだけど、高貴で倫理的な理由がある:)（…）僕は驚くくらい自分自身に確信を持ってるよ!!![97]

ウォール街で働く者のブラックボックスは時に、あまりにも効率的で、それを作った者さえ「バカにする」時がある。さらに悪いことに、冷笑的な態度が広がっていて、「公正さ」とか「プロフェッショナリズム」といった考え方を古臭い遺物と捉え、利益の邪魔になればあっさりと捨て去ってしまうのだ。[98]

スキャンダルの多発は、金融のプロの間で「コンプライアンス」の考えを変えてしまうかもしれない。とはいえ彼らは、自分の行動の足跡や、今起きている事態を隠すことには努力を惜しまない。カントリークラブでの会話や、場末のバーでの飲み会など、古典的な「秘密の交流」で、インサイダー情報をやりとりする手法は多数ある。二〇一三年に賢いトレーダーたちは、スナップチャット（メッセージが自動で消去される映像アプリ）を使って悪事を隠していたと噂されたものだ。[99]チャットは記録が残るが、「スナップチャット」は写真にせよメッセージにせよ消されてしまい、銀行や格付け機関の悪事は表に出ることがない。決定的な証拠はすぐに消えてしまう（デジタルの）1と0である。しかし二〇一四年にはスナップチャット自体が、通信内容をどのくらい保存していたかについて偽証していたとして、公正取引委員会と衝突した。「サンドボックス」は多数のビデオチャットを保存しており、他のアプリも画像を保持していた。私たちにとってはもしかすると、こうしたネット企業の不正直さが、金融におけるインチキをチェックするために役立つのかもしれない。

さらにまじめな話をすると、リボー・スキャンダルは私たちに、なぜＮＳＡ監視スキャンダルで推進された「全体に行き渡る暗号テクノロジー」に警戒しなくてはいけないかを教えてくれた。普通の市民にとってネット上にコンテンツが残らないことは大事である。若い頃の過ちがいつまでも付きまとうようではいけない。しかし特定の、犯罪の多い領域や重要な領域では、テクノロジーによる「不可視化」を許してはならない。これは悪事への開かれた招待状となってしまう。

自分の（そして他人の）妄想を説明する

会計規則はゼロサムゲームで両者が共に勝ちを想定するのを許すことで、困難を調整している。例えば、ある企業は利子率が上がる方に賭け、別の企業は利子率が下がる方に賭け、両社とも、支払いが発生する確率を評価するそれぞれ独自のモデルを作ることができる[100]。確率の変化を正確に記録する責任は各企業にある。LEVELS（ローンを査定し損失を見積もるシステム）の場合のように、モデルのアップデートを怠ることは、企業の健全性を過大に見積もることにつながる（ひとたび物事がうまく回らなくなり始めると）。

大きな賭けとは何かとあなたは尋ねるだろう。ギャンブラーは常時バイアスに悩まされている。しかし、大企業の行う「賭け」の範囲と規模は、私たちが通常「カジノ」と呼ぶものをはるかに超えている。ある金融ライターは、「情報時代のツールによって、リーマン・ブラザースはその破綻の時に、九三万ものデリバティブを含んだポートフォリオを集め、運用することができた」と書いている[101]。

リーマンは二〇〇七年の会計処理で、七三八〇億ドルのデリバティブ取引を帳簿外にしていた[102]。多くのデリバティブ取引では、賭けと同じように、両側で別々の期待を持っている。そしてどちらもある程度、願望を込めた計算をしているのだ。

ゼロサムと考えられる取引において、両者とも利益を得られると考えていること、これはブラックボックス金融が提起するリスクを理解する上でとても重要である。クレジット・デフォルト・スワップ（CDS）によって可能となった「うまい話」が増幅され、「保険をかける側」も「保険を引き受ける側」も、都合よくリスクを除去して考えるようになったのだ。保険業者は「私たちがお金を払うことはない」と自分たちにも債権者にも言い、保険をかけた側は「私たちは常に支払われる方だ」と自分たちにも債権者にも言っていた。ファニーマック（連邦住宅抵当公庫）とフレディマック（連邦住宅金融抵当公庫）による暗黙の保証は、同様の「二重の現実（ダブル・リアリティ）」を奨励していた。政府は救済のための予算を必要とせず、政府支援機関（GSEs）が保証した債権の所有者は、常に支払いを受けるものと前提していた[103]。

機会主義的なモデル作りおよび会計は、なぜしばしば取引が、経済的・投資的理由でなく自己目的的に複雑化してしまうのか、その理由を説明する。技術者のジャロン・ラニアーはこの問題を厳しく断罪する。「二〇〇八年に起きた金融危機はクラウド・ベースのものだ。デジタルクラウド以前の時代の人々は、今の私たちのようには、自分に嘘をつくような心的能力を持ち合わせていなかった。記憶や計算についての人間の生物学的な能力の限界が、自己妄想の複雑さに箍をはめていたのさ[104]」。信用と負債の網目が、（個人的にも集合的にも）脆弱とされる組織の煙幕となり、その中にいる特権的な人々は潜在的な儲けにレバレッジを掛けることができるようになった。損失は組織が吸収してくれる

（最悪のケースでは、組織は倒産し、中の個人は脱出する）。そして一握りの幹部やトレーダーが、儲けの大半を持っていく。あいまいな会計が「てこ」を大きくし、誤ったところに資本を蓄積させる。

このダイナミクスはなかなかしつこい。例えばJPモルガンチェースの「ロンドンの鯨」取引で、同行は一〇億ドル単位の損失を被った。二〇一二年、同行CIO（投資担当重役）は約三五〇〇億ドルの余剰資金を持ち、その一部をリスクの高い「合成信用ポートフォリオ」（SCP）に投資した。このCIOは「投資活動のリスクを測りコントロールする、五つの主要な基準と限界値がある」と断言していたが、これらの基準のいくつかが許容できない損失を示し、マネージャーは基準を変えることに決めた。[105]「ロンドンの鯨」に関して議会報告では、この行為がいかに疑わしかったかを「カプセルに包む」ことで、むしろ助け船を出している。[2]

このCIOのロンドン事務所の長は、（…）「合成信用ポートフォリオ」の巨大さ、複雑さ、可動性を、「飛行機での飛行」にたとえた。米通貨監督庁（OCC）のJPモルガンチェース担当審査官は、もしも「合成信用ポートフォリオ」が飛行機なら、リスクの基準は航空機器だ、と語った。二〇一二年の第一四半期に「航行機器」が赤く点灯し、警告音を出し始めた。しかしJPモルガンチェースは進路を変えず、警告を軽視し、機器が正確かどうか疑った。こうした行為は、同銀行内のリスクマネジメントが不足していることを明るみに出しただけではなく、他の金融機関もリスクの数値を軽視し、人工的にリスクや資本の要求を低くするようなモデルを作っているのではないかとの疑いを起こさせるものだった。[106]

この抜粋部分は、ウォール街の「規制緩和」を求める議論を、混乱に陥れた。「飛行機」という比喩は、当初はCIOの仕事の複雑さを示すものであったが、うるさい規制当局が十分理解できない技術的なことに干渉するなという警告の意味をまとった。しかし、機器を無視するパイロットを誰が信頼するだろうか? 規制当局は、JPモルガンチェースのような「巨獣」に対しては、技術的な優位性などないし、ましてや相手に清廉さなど期待できない。

「ロンドンの鯨」の取引は、JPモルガンチェースに大きなリスクを負わせ、損害を与えただけでなく、危険な連鎖反応を引き起こした。米国の資産は一ダースあまりの銀行に集中しているが、中でもJPモルガンチェースは最大のバランスシートを持つ銀行の一つで、その総資産は五四〇〇の地方銀行の総計を超えている。[107] 金融当局は「システム的に重要な金融機関」(SIFI)と捉えているが、この銀行が責任ある行動をとることは期待できない。何かあればこの銀行はゴールポスト自体を動かすことができるのだ。

リスクと忠誠

金融部門はそもそも何のためにあるのか? よく言われるのは「価格の発見」である。例えばある会社の株式について、売り手も買い手もごく少数であれば正しい価格をつけるのは極めて難しいだろう。売り手と買い手との間で「値切り」[108]が発するのは、実際の価値の均衡よりも、両者の交渉能力や、ランダムな交渉状況の反映である。大規模な市場では属人的な性格は薄まり、交易の場が多数にわたっているという問題、多様な買い手と売り手がいるという問題も、克服されると見られている。時には買い手や売り手がヤケをおこすこともあるだろうが、多数が集まればこうした「ノイズ」は打ち消され、明確な価格という信号が現れる。

クレジット・デフォルト・スワップ（CDS）の発明者たちは、このデリバティブが、株式市場で株取引が（理論的に）果たしている役割を債権市場で果たすものと期待していた。[109]その究極の目標は広い範囲の金融リスクの正確な価格を定めるというものである。金融工学者はこれを人間理性の偉大な勝利、社会的な計画・投資能力を大きく拡張する「リスク飼い慣らし」テクノロジーだと見ている。不動産バブルに酔った時代、CDOsとCDSの両方を買った投資家は、未来がどちらに転んでも利益を得られ、「ミダス」[3]のように感じたろう。

しかし周知のように「価格発見機能」は悲惨な失敗を遂げた。複雑さ、違法行為、時として全くの詐欺行為は、クオンツが約束した「精緻に調整された金融の未来」をまがいものとした。金融危機は巨大な価格変動をもたらし、各個人は家や退職ポートフォリオの価値が分からなくなった。

危機の後数カ月くらいは、「価格発見システム」の失敗によって、金融への規制は厳しくなると見られた。危機後の一九九〇年初め、スウェーデンは一時的に銀行を国有化した。しかし米国はその道を通らなかった。銀行の仕事のやり方を、米国議会は根本的には変えなかった。「ドッド・フランク法」がこれほど長く面倒なものになったのは、ロビイストたちを宥めるための抜け穴や仕掛けを入れるために「ルーブ・ゴールドバーグ・マシン」状にする必要があったからだ。[110]それがバラバラに各役所で施行されるとさらに複雑になる。

金融の「卸」部門への民主化はほとんど望みがない。金融の詳細は退屈だが、それが約束するものは華やかだ。[111]中流のアメリカ人は、（収入が乏しくても）安定収入を得るために、リバースモーゲージ、401k、その他の投資など、金融に依存するようになっている。[112]たとえ平均的な投票者が民間の金融機関で直接投資をしていないとしても、彼らは金融業全体を、活気ある未来の可能性として見ていることは間違いない。

金融業のブラックボックスは、旧来の政府による再分配よりも、お金をより愉快かつ興奮させるようなやり方で配ってくれると約束する。「鳴り物入りの技術」「不思議な妙薬」を連想させる金融部門は、ほとんど無制約に儲けを得られる可能性を匂わせ、米国の社会保障に埋め込まれた生活費調整を小さく見せるのだ。金融仲介業者は、短時間での投資家には、ビジネスモデルや投資の将来見込みなどを実際に理解するという面倒を省略してくれる。正しい情報を求めても、「この中身が多少ブラックボックスだとしても心配する必要はありません」とブローカーは言うだろう。「詳細を理解するのは私どもの仕事ですから」と。

悲しいことだが、熱心に４０１ｋに貢献した多数の労働者は、債権アービトラージ（さや取り）、アルゴリズム取引、（心が麻痺するような）デリバティブ取引の輝きのない現実を、光り輝くベンチャーキャピタルのジャックポット（大当たり）と間違えている。投資家は自分の出した資金が、野心的なイノベーターや起業家を支えていると考えがちである。しかし、その資金が最終的にどこに行くのか、一体何人が本当に知っているだろうか？　ダグ・ヘンウッドが示したように、現在の株式市場におけるほぼすべての取引は、既存の持ち分の単なる移転に過ぎない[113]。既存の企業の、将来の生産性に対する持ち分要求を再配分しているだけなのだ。短期での取引は、長期の、リスキーだが潜在的には生産性を上げる可能性を持つ「グリーンエネルギー」や「ナノテクノロジー」といった分野から資金を引き剥がす。金融の短期利益に偏った見方は私たちの将来展望を押しのける[114]。

米国の「金融階級」（moneyed interests）への配慮はあるとしても、金融の議論は極端に内部者（インサイダー）向けに偏っており、それ以外の人々へ実際にどんな有用なサービスを提供できるのかという広い社会的関心から逸れている。自己言及へと向かう傾向は、ブラックボックス金融の前衛形態において「背理」というべき「高速アルゴリズム取引」へと行き着く。

高頻度取引の社会的価値の低さ

現代の株式市場は非常に複雑である。[115] 例えば投資家がログインして、証券会社に注文を出す（現在では一秒もかからない）と何が起こるのか、考えてみてほしい。証券会社は時に、「卸売」へと注文を出すだろう。二〇一二年においてこうした「卸売業者」が取引の約五分の一を「内製化」し、企業内でマッチングを行っていた。残りの取引は二種類の取引所へ送られた。一つは公的な交換、もう一つはダークプール（証券会社のシステム内で売買注文を付け合わせて取引を行う手法）である。

公的取引所では価格をオープンにしなければならず、他にも顧客に対して義務がある。二〇〇七年初頭時点で七社が、一三の公的取引所を運営している。それに対してダークプールは数も多く不透明である。ダークプールが扱うのは全体の一二％ほどだが、自分の取引を他のトレーダーに（すぐには）知られたくないトレーダーに好まれている。[116]

なぜ秘密であることが大事なのか？　ある会社の株をかなり大量に、午前一〇時から午後三時まで一時間おきに買おうとしているトレーダーを例に考えよう。もしライバルたちがこの戦略を知ったら、その時間帯に需要が発生して価格が上がるわけなので、取引直前にその会社の株を買おうとするだろう。事後に売り抜けることでライバルたちは手早く利益を上げることができる。彼は買った「後に」株が上がるのを見るのではなく、買う前に株価が上がっているのを見ることになるのだ。値上がりの理由は主として彼がその株を買うことだが、利益は彼に先回りして株を買った人々の方に行ってしまう。しかし、彼がこうした戦略で株を連続で買っていることが知られるのが翌日であった場合を考えてほしい。市場はこの「買い」を、当該企業の強さのサインだと解釈するだろう。後者のシナリオであれば、株の配分における彼自身の「信用投票」からの利益を確保することができる。

現在、コンピュータプログラムによる株の売買が、毎日の取引のかなりの部分を占めている。[117]売買の時間単位は短くなり、隠れた優位性を素早く得る機会も広がった。『ウォールストリートジャーナル』紙は、重要な記事の「のぞき」行為について解説した。アルゴリズムは、オンラインでニュースが出ると直ちに単語に分解し（例えば同じパラグラフの中に、「ファイザー製薬」という単語が、「法廷」もしくは「画期的な薬」のいずれの単語と一緒に現れるか）、即座に「買い」か「売り」かの取引を行う。記事は容易に市場を動かす。データに早く接するためにお金を払うトレーダーは、時にはわずか二秒の違いでも、全員が同じ土俵で戦っていると前提したライバルを打ち破る。[118]

お金を払ってデータに早く接するというのは、ある面ではもちろん自殺行為だ。その情報が表に出るやいなや、賢いトレーダーはそのデータを取引のきっかけにすることをやめる。あるいは「賭け金」をつりあげて、初期のデータの買い手たちを出し抜こうとするかもしれない。これはどのように機能するだろうか？　鍵となるのは、株式市場の断片化であり、非常に高速な通信技術である。あるトレーダーのボットが、「ファイザー製薬」と「画期的な薬」が入った記事を九時五四分五八秒、このニュースが公表される二秒前に分析してファイザー製薬を五〇〇〇株、一〇〇ドルで買い注文を出したとしよう。この注文自体が、他のトレーダーにとっては、それが端末に届く限りにおいて、ニュースである。もし誰か他のトレーダーのボットが最初のトレーダーよりも前に取引を処理できたなら、最初のトレーダーを打ちのめすことができる。最初のトレーダーが他のトレーダーより先に記事を読むためにお金を払うように、「フラッシュ・トレーダー」は注文があると「即座に」それを見つけるために最初のトレーダーの取引にお金を払うのだ。

高頻度取引（HFT）では一秒間に多数の取引が行われる。[119] 上記の例では、あるトレーダーは九時五四分五八秒四〇〇ミリ秒（ミリ秒は一〇〇〇分の一秒）で株を買うかもしれない。HFTは、かつてないほど短期間での売買に支配された取引環境に、完璧に適合している。株式市場は実態経済（どの企業が最も効率的に走る自動車を作るか、とか、消費者が買いたくなる自動車を作るのはどの会社か、といった事柄）とかつてないほど乖離して、むしろ突然の「さや取り」のチャンス（例えば、いかにして巨大年金ファンドがフォード株の値段を上げる直前に何千株か買い、上がったらすぐさま売り抜けるか）に近づいた。後者の戦略は全く、情報の優位性に基づいている。つまり何かを、他の人が知る前に知ること（あるいは、何らかのシグナルをアルゴリズムで解読すること）である。[120]

情報での武装には資金を要することがある。トレーダーの心配は潜んでいる誰かに利益をもぎ取られることである。HFTが盛んになると「先頭走者」になるのを避けるために、他の企業も自分の取引を隠すための投資をしなければならない（「先頭走者」の売買動向がニュースとして伝わるとそれが市場を動かし、結果として取引が高価なものとなってしまうから）。HFTの熟練者は、効果的に他の市場参加者から税を徴収しているようなものだ。[121]

401kの「運用経費」その他ミステリアスな料金が一体どこに行くのか、不思議に思ったことはないだろうか。それは「あなたの」ファンドマネージャーが、HFTのさや取り戦略を予期し、回避するためにも使われている。HFT（および本章で述べているようなそれ以外の仕掛けや罠）に立ち向かうには、高価な能力やソフトウェアが要る。シンクタンク「デモス」の見積もりによると、中位の共働き家庭で、退職後の口座手数料は一五万五〇〇〇ドル近いとのことである。[122] 投資家のジョン・ボグルは、生涯の五〇年にわたって二%の手数料を払うと、平均的な口座の価値が六三%目減りすると書いている。[123] 金融部門は全体として、こうしたムダな活動を止める理由がないことに注目して欲しい。「コンピュータ化された市場という素晴らしき新世界」で危険な目に遭うアウトサイダーが増えるほど、ピラニアから守ってもらうために知識を持ったインサイダーに支払われる料金も増えるのである。

価値が伝達されるシグナルについても注目する必要がある。HFTをする人たちは、単に他の市場参加者の動きを予期し、それを真似ているだけで、株が取引されている当該企業の「価値」を探るようなことはしない。この剥き出しのシグナリングは、クレジット格付けやCDSで浮かび上がったブラックボックス問題の新バージョンである。AAAという格付けや、AIGの保険が、多くの投資家に偽りの安心感を与えた。ここで売買のシグナルが独自の生命を帯び、取引のうねりが発生する。[124]

アルゴリズム取引では、一秒以下を単位とする取引戦略が予測できない形で交錯すると、異常な不安定性や、市場の「凍結」を引き起こす可能性がある。[125] 例えば二〇一〇年五月六日の突然の暴落を思い起こして欲しい。数分のうちに株価が数百ポイントも下落した。[126] CFTCと証券取引委員会（SEC）は、「流動性が完全に失われ、一ペニーのような安値や、一〇万ドルといった高値で、不合理な取引がなされた」と報告している。[127] トレーダーたちは競争に勝つためにコンマ秒以下のアルゴリズム戦略をプログラムするのだが、すぐに自分たちが、自分が開発したテクノロジーをコントロールできない「魔法使いの弟子」であることに気がつくのだ。[128] その日のうちに株価は正常に戻ったが、将来もそれほど幸運であるという保証はない。

高頻度取引は、金融における究極の自己言及である。価値の知覚はすべて、取引端末でコード化されたシグナルに由来する。遂には光ファイバーケーブルの速度が、高速取引の制限要因となった。企業は金融センター間の高速ケーブルに投資した。[129] スプレッド・ネットワークス社は、二億ドル以上かけて、シカゴとニューヨークの取引所を結ぶケーブルを敷設した。この二つの都市間の価格差（一秒も続かない）のさや取りをすることで、年に二〇〇億ドル稼げると見積もっている。[130] モデラーズ社は、遅延という問題に対して、より過激な解決策を編み出した。その「最適スキーム」とは、取引会社が、市場のちょうど中心点に新たなコンピュータを設置することである。たとえそれが海のど真ん中だとしても。[131]

こうした細かな速度の優位性はどのくらい助けになるのだろうか？「クォート・スタッフィング」という戦略がある。これはトレーダーが市場に大量の注文を出し、すぐにキャンセルする（それも文字通り一秒よりはるかに短い間で）というものだ。[132] あまり賢くないライバルたちが、売買の新情報に振り回されている間、トレーダーは取引の戦略を隠すことができる。[133] この戦略への反応がパターン化していて、トレーダーがその反応を予想できるのであれば、そうした反応を帳消しにできるだろう。[134]

同じように「スプーフィング」（「レイヤリング」と呼ばれることもある）も、トレーダーが後でキャンセルする目的で大量の買い注文を出す戦略である。[135] この注文の目的は、買いに関心があるという印象を与えて株価を吊り上げることだ。[136] 株価が上昇したら元の注文を取り消し、買い注文を出した他のトレーダーに高い価格で買わせる。[137] このすべてのプロセスもみな、一秒以内に行われるのである。

注文とキャンセルを高速で行うことで、他のトレーダーを騙して利益を得る行為には他にも、「ストロービング」[138]、「スモーキング」[139]、「最後の瞬間での撤退」[140]などがある。アルゴリズム戦略が「暴走」してユーモラスな結果をもたらすこともある。機械がニュースを読むと、女優のアン・ハサウェイがニュースで言及されるたびごとに、バークシャー・ハサウェイの株価が上がるかもしれない[141]。しかし技術理論家のエドワード・テナーは、取引自体と、取引についての文章とが絡まり合うことで、危険なフィードバック・ループが起きると警告する[142]。このダイナミクスはビデオゲームと似ているが、実世界への影響をもたらすのだ[143]。

マーチンゲールの警告

金融の世界には自己取引や浪費があふれている。資本を惹きつけるためには完璧である必要はなく、ライバルを上回っていればよい。公的な精神においては政府への敬意があるだろうが、個人化され、民間化され、金融化された夢は、たとえ危機の後でも、回復することである。政府の負債は広く知られており、金融界はそれを非難し、破綻が迫っていると警告するが[144]、金融機関はこれまで述べてきたようなテクニックを使って、自らの負債や、脆弱性や、危険な賭けを隠している。政府の財務ファンドに中傷を浴びせつつ、ギャンブルに失敗した時には、連銀に頼ることができるのだ[145]。

フランクリン・ルーズベルト大統領の時代、政府は金融界に対抗し、私企業が富を蓄えるよりも公共性が大事だと強調した。しかしブッシュ政権やオバマ政権は全く違う道筋を通っている。彼らは、銀行への資金注入や、記録的な水準まで株価を上げるための量的金融緩和政策（要は何十億ドルも使って株を買い支える）を支持したのである。彼らの根本的な関心は、株式や債券の市場への大衆の信頼を取り戻し、金融の安全性についての信頼できる保護者を回復させることだった。他方において社会保障は「改革」の対象とされたのである。

ヒュージョン・センターにおけるビジネスと司法当局との連携と同じように、大企業と大きな政府の指導者との協力関係も、私たちを安心させようとしてのものである。実業界と政界のトップが協力しビジョンを共有する。しかし、ピーター・ブーンとサイモン・ジョンソンが示したように、この両者の連結は信用を崩すこともあり得るのだ。ブーンとジョンソンは、金融機関が大き過ぎて潰せなくなり、さらに大きなリスクを取って、実質的に彼らを支えている政府により大きな圧迫を加えるという「運命のループ」を予見している(146)。政府には、大き過ぎて潰せない銀行と、福祉に頼るほかない数千万人の人々の、両方を支えられるのかという心配が湧き上がる。他方、国債の利回りが低く抑えられているため、投資家は通常より高い利益を求めて金融市場へと資金を逃避させる。金融のブラックボックスは、「押しボタンで利子が増える一〇年もの米短期国債（トレジャリー・ビル）」くらい魅力があるのだ(147)。

その最終結果は、「マーチンゲール戦略」（損をするごとにその二倍の額を賭ける戦略）を採るほど向こう見ずな金融部門を、傷ついた国家が助けるということになる。『フィナンシャル・タイムズ』紙のコラムニストであるジョン・ケイは、「もしあなたが当初、無限の資産を持っているなら、賭けに勝つ確率が〇より大きい限り、マーチンゲール戦略で確かに勝者になれる」とする(148)。しかし無限の資産というのは、連銀が数時間で何十億ドルもデジタルに「創造」できる時代においても、夢物語である。

ブラックスワンか、ブラックボックスか？

「誰も金融危機を予見できなかった」と述べた知識人もいたが、規制の仕方によっては危機を防げたという声も根強くある。(149) ＦＢＩは二〇〇三年に、住宅ローン詐欺の急増に気付いており、これが続くと重大な結果をもたらすと警告もしていた。(150) 法学教授のリン・スタウトは、「ギャンブラーとデリバティブ・トレーダーが、自分たちの賭けの結果をコントロールしようとしている」ところから、市場の崩壊を予言していた。急進的な規制緩和の自然な結果として、失敗の連鎖が起きると予見していたのだ。(151) ブルックスリー・ボーン（前述したように、一三人の銀行員に沈黙させられたＣＦＴＣ元委員長）と同じように、彼女も結局「カッサンドラ」〔4〕で終わった。ワシントンの役人は彼女の提言を無視し、金融の「専門家」および金融界を支えるシンクタンク等に、この問題を任せた。

もちろん、規制が乏しかったことだけを危機の原因として非難するのでは、話を単純化し過ぎている。銀行員たちはリスクを取っていることを、「最後の拘束」とも言うべき市場から隠すような、複雑に構成した金融を行っていた。(152) ある目的の債務はバランスシートに記載されるが、他の目的のものは記載されない。込み入った合意書は、「信用事由」が引き金となって大規模な支払いが発生した時に、誰が支払い義務を負う（ババをつかむ）のかを曖昧にする。(153) デリバティブ取引は多数の規制の網の目をくぐりぬけた。(154)

聖像破壊的な投資家であるナッシム・タレブは金融危機を「ブラックスワン」と呼んで有名になった。ブラックスワンとは予測できない突飛な出来事のことである。しかしより多くのことが分かってくると、「予見できない出来事の予測できない結果」というよりは、ブラックボックス化した金融システムの自然な帰結であることが明らかとなってきた。[155] 用心深い買い手でも「毒薬資産」（toxic assets）の実相を見抜けなかった。これは多くが、少なくとも部分的には紛れもなく曖昧な説明に由来した。売る側は自分たちの作り出した金融商品の実体を隠そうと努力していたのだ。

立法者、裁判官、規制者たちが、巨大金融機関が自らの汚い面をきれいに見せることに協力してきたのは、驚くにはあたらない。テクノロジーが進展した結果、取引を報告することはかつてなく容易になった。かつては何百万枚もの紙や、数千のコンピュータに記録されていたものが、今では光速でネットワークを伝わる。デジタル化したシステムは、デフォルトでおよそなんでも起きたことを記録でき、ストレージも安くなった。しかし、数十億ドルがかかっているとなると、危機に襲われた金融機関は重要な情報をなくしたり隠したり（もしくは単に開示を拒否したり）するのである。

ウォール街批判の歴史は長く、物語性もある。今から約一〇〇年前、ルイス・ブランダイス[5]の『他の人々の金銭、および、銀行家はそれをどう使うか』は、当時のペテン師たちの心を切り裂いた。数年前には、ゴールドマン・サックスの行員だったノミ・プリンスが、それとほとんど同名の書で、不平を繰り返した（その続編が『略奪（*It Takes a Pillage*）』である）。[156] フレッド・シュエッドの、皮肉たっぷりだが読みやすい『顧客のヨットはどこ?』から、怒りが光るマット・タイビの『ギフトピア』まで、このジャンルは各時代の作法や習俗を反映してきた。ジャーナリストや法学者たちは、金融のブラックボックス内を覗き込む手助けをしてきた。不透明さから利益を得る少数の人々にしばしば支配されている規制プロセスの中で、彼らにはより大きな声が必要なのである。

確かにウォール街にも良心的な労働者はいた。しかし彼らが上司に縛られている限り、彼らの声や価値観は力を持たない。住宅危機の後、反倫理的で巨大なコストのかかる取引が明るみに出た。大企業、とりわけ「大き過ぎて潰せない」立場を享受している企業に対して、疑惑の眼が向けられるきっかけとなった。

ブラックボックス金融は、乱暴なものから巧妙なものまで、犯罪から単に複雑なものまで、さまざまである。住宅危機に関する多数の分析や報告は、銀行員や、証券ブローカー、規制当局、保険屋は「証券と産業の結合」が「カードの家」〔脆いもののたとえ〕であることを知っていたのか、知っているべきだったのか、明らかにしようとしている。住宅危機は詐欺の結果なのか、それとも無能のせいなのか？ 結論がいずれにせよ、両者ともより深い真実については同意するであろう。それは、現代の金融が、情報隠しを前提としているということである。誰の眼から隠しているのか？ 貸し手であり、借り手であり、顧客であり、規制当局であり、公共からである。

貨幣、情報、権力

貨幣は未来の生産物への請求権であって、それ自体はモノではない。先進金融技術が打ち立てた、聳え立つ「信用の建物」は、現実の生産性からは徐々に切り離されており[157]、むしろ「繁栄の幻想」を作っている。リスクと報酬の網目状になったスワップの背後で、二〇〇八年の崩壊は「空前のボーナスや手数料稼ぎの取引を生み出すために、隠されていたレバレッジ（てこ）」という、お馴染みの話が煮詰まっていたのだ[158]。ウォール街のある銀行は二〇〇六年に、ボーナスとして五〇億ドルを超える額を支給したが、二〇〇九年にはその三倍の額を失った[159]。ボーナスとして支給された額が、個人から返還されることは、実質的にない。今日に至るまで、政府による救済金に対して、各種金融機関がどれほどそれを返還したのかについては、呆れるくらい少額であることを税や会計操作が示している[160]。

アルゴリズムを使うという手法は、現代の金融取引でトラブルを巻き起こす二つの側面である「集中化」「自己言及」を推進している。[161] 経済学者のアマル・ビデが論じているように、クレジット申込者をランク付けする「最良の方法」は、考え方もバラバラなローン担当者が別々に判断するのではなく、国家レベルでの信用スコア、それも「共同体」ではなく「個人」を単位とするスコアを導入することだろう。[162] モノカルチャー農法技術が予期せぬ害虫に対して脆弱なように、マクロ経済の状況が変化すれば信用評価を統合する手法も派手な失敗を遂げるだろう。モデルには、釣り合いや確かな見積もりという幻想があるので、手軽に収益を上げられそうなものに投資家は群がり、結局はバブルと崩壊のダイナミクスが悪化する。

金融においてアルゴリズム・メソッド（与えられた判断やプロセスを一連のステップに縮減する）は、「競技場」を均し、リスクを減らす方法として長らく宣伝されてきた。不動産ローンの窓口の担当者から「専門」トレーダーまで、様々な仲介業者にはバイアスや利己性があるので、それに取って代わるものとして想定されていた。しかし、この新しい「仲介者」もまた、前任者に劣らず取引から利益を抜く方法を見つけているのだった。

ウォール街には長らく利害対立が取りついていたので、「秘密のアルゴリズム」がアメリカの金融を腐敗させたとかハイジャックしたと主張するのは愚かなことだろう。[163] とはいえ金融テクノロジーに関わる疑問をスルーするのも間違いである。というのも、モデル化手法やオートメーションは、リスクマネジメントや詐欺告発の担当者を威嚇する能力を大幅に拡大させたからだ。元トレーダーのサヤジット・ダスは、過去を思い出して次のように言っている。「一年強で一〇〇万ドル以上稼ぐトレーダーは誰も、年収五万ドルの監査人の質問など受け付けない。特にトレーダーが、自分の持つポジションの賢明さを証明する無数のモデルを持っている場合は[164]」。

私の出した例が全てではないということは分かっている。行け行けの投機が盛んだった時代に偏していて、必ずしも一般的ではないのではないかと疑問を持つ人もいるだろう。とはいえ政治学者のダニエル・カーペンターが「ある単一のプロセスを研究することに価値があるのは、それが多くにあてはまるからではなく、それが多数に影響を与えるからである[165]」としていることを思い起こしていただきたい。投機ブームの中、金融界で多くの人がお金持ちになり、失敗者も無傷だったのを見ていたトレーダーや銀行員の中に、それを戒めにしようと思った人はほとんどいないだろう。「ロンドンの鯨」のような取引が存在したことは、危機の後の時期においてもバブル時代と同じように、危険なモデルが操作可能で規制当局は役立たずであったことを示している。金融に対する調査は一般的にバブル時代と同様にいつものことであり、事態が変わったと考える理由はほとんどない。それどころか悪くなった可能性すらある。

さらに、現代の金融のような不透明な分野では、代表制への要求を信頼することが難しい。金融においては、違法行為がどのくらい起きているのか、数えるのが困難である。議論の余地なく合法的な行為だとされる主流の行為の基礎を把握することさえ難しいのだ。ブラックボックスの要諦は、何が起きているかについての重要な事実を「隠す」ことである。企業の投資、会計、あるいは文書作成についての正確な実態を、自信を持って断言することができなくなるのだ。

ジャーナリスト兼人類学者のギリアン・テットは、奇妙なデリバティブ取引にかかわる不可解な「社会的沈黙」について、あっさりこう書いている[166]。「ひとたび何かが「退屈」とレッテルを貼られると、それを普通に隠すことは極めて容易になる」。極度に複雑なものは、一般人の感覚を麻痺させるだけでなく、クオンツやトレーダーやマネージャーが、かつてゲートキーパーとして機能していた格付け機関や会計士や規制当局を押し退けることにもつながるのだ(167)。金融危機へと至る多くの状況においては、常にアルゴリズム上の「言葉の余地」があり、クオンツが数字をささやく方法があった。

フランスの社会学者ブルーノ・ラトゥールが観察しているように、「世界とは、強固な事実の大陸の中にわずかな不確実の湖が点在するのではなく、不確実の大洋の中にわずかに計測された安定的な形の島があるのである」(168)。情報の非対称性の上に打ち立てられた金融の世界は「不確実の大洋」となった。しかし少なくとも、ニューディールと「卸売の規制緩和」の間の時期には、格付け機関と保険会社と投資銀行（そのオーナーたちは自らの資金でリスクを取っていた）とが「計測された安定的な形」のような何らかの秩序を保っていた。現在では光速取引とさらに複雑になったデリバティブが均衡を維持すると想定されている。どんなものにもヘッジをかけることができ、さらに再保険をかけることでヘッジにヘッジをかけることができる。しかし危機の起こる頻度や、危機の深刻さはむしろ増しているように見える。

テックとテレコム（情報通信）が流行した九〇年代後半から、二〇〇二年から二〇〇六年の住宅価格上昇の時期まで起きた資産バブルは、ブラックボックス金融の予想された結果だった。メカニズムを見抜いていた内部者（インサイダー）は高値で売り抜け、巨額の利益を労せずして手に入れた(169)。しかし彼らの利益は、「決して生産されたこともなく、その予定もない、将来の富への請求」だった。ＣＤＯｓやＣＤＳといった証券に対して莫大な価値の幻想を作り出すことで、ブラックボックス金融は自らが徴収する手数料（一％といったわずかなものから、あるヘッジファンドの二〇％超まで）を相対的に小さく見せた。しかしニューエコノミーの荒涼蜃気楼が消え去ってみると、生産ゼロという砂漠が明らかとなった。しかしニューエコノミーの荒涼たる現実では、投機家たちが「稼いだ」資金がさらに一層購買力を持ち、バブルを利用できなかった人々の低収入とは対照をなした[170]。

現代金融の大きなパラドクスはここにある。その幹部たちは、彼らの「生産品」（価格の発見）へのニーズと需要を作り出すことを得意としている（実際にそれを提供する人たちよりも）。その結果は闇であり、変動であり、疑惑である。マット・タイビはゴールドマン・サックスを「吸血イカ」と呼んだ。墨をまき散らす闇のタコと呼んでも良いだろう[171]。

金融の力を理論的に正当化する場合、経済の根本的な知識を生成する「自由市場」に焦点が当てられる。偉大なるブローカーや、「銀行持株会社」がなければ、私たちはいかにして債権や証券の価格をつけたり、デリバティブ取引のリスクを測ったりできるのか、というわけだ[172]。しかし金融化の進行によって、会社や住宅、果てはかつて強固なものと思われていた政府まで（多額の緊急援助によって）その価値が不明確になってしまった。本章の冒頭で紹介した、エルナンド・デ・ソトによる観察を思い出してほしい。「所有する」「所有者」の基本が議論に巻き込まれている時、リアルな市場を操作するのは難しい。物事が根本から不確実になってしまった環境の中で、金融が生き延びている。投資家（あるいは彼らのあまりモニタリングされない代理人である方が可能性が高いかもしれない）が投機へと駆り立てられ、あるいは、さらに不透明な未来に対してヘッジをかける際に、金融業者は現金で手数料を持っていくのだ。

会社の顔のない職務評価アルゴリズムの中で出世を望む従業員のように、あるいは、検索エンジン最適化を求める企業のように、現在の会社は金融機関を、「賭博」と「ヘッジ」の最適なミックスを提供するものとして使おうとしている。このプロセスを支配しているのはアルゴリズムの権威である。

管理者を利するために、便利に微調整が行われる。政策立案者は、必要なセーフガードをまだ作れていない。次の章では、現在の規制モデルの下で、彼らがいかにうまくやれるかを説明する。しかし結論の章では、ブラックボックス金融の手綱を握るためには、全く新しいパラダイムが必要になるだろうと警告する。

第5章　観察者を観察する（そして改良する）

私はこの一〇年間、いかに法律で私たちのブラックボックス社会をより透明にできるのか、それなりに考えてきた。データマイナー（データを掘り出し、分析する人）たちが自分について語ることの理解を助けるために、「公正な評判報告」を提案した。検索エンジンが人や会社をどのように格付けしているかをモニタリングするため、「連邦検索コミッショナー」を提案した。金融を透明化する活動をしている人たちと会って、アイディアを提供したこともある。(1)

こうした活動はそれなりに成果を上げた。しかし、私たちの情報やメディア、金融の運命を左右する鍵となる企業を観察するだけでは不十分である。私たちはそうした企業を、そしてそうした企業の仕事のやり方を改善できなくてはならない。さらに、ある領域での成功を、ブラックボックス社会の別の領域のモデルとして打ち立てる必要がある。もし信用スコアを規制できるのなら、デジタル・アドバイザーや雇用主が使っているスコアリングシステムも規制できないことがあるだろうか？　ハイテク企業に対して保険福祉省（ＨＨＳ）と証券取引委員会（ＳＥＣ）は監査証跡を要求できるが、なぜ他の組織はできないのか？　ビッグデータが駆動する意思決定が市場を変える中、規制者は「車輪の再発明」ではなく、政府内のベストプラクティスから学ぶことができたのではないか？(2)

こうした分野において企業行動のブラックボックスが露わになるにつれて、圧力が増し、それが企業を変えていくだろう。現実的な改革とはどのようなものだろうか？　「評判」に関して言うと、前線でのデータ収集を問題にするよりはその「利用」に、言い換えると、企業や政府がデータを実際に、どのように意思決定に使っているかに焦点を当てることである。たとえば「非暴力」という政治的見解を、司法当局による調査では、決して述語にすべきでない。ひそかに集めた健康データに基づいて、雇用者や銀行が重要な決定を行っていないかどうかを私たちは確認する必要がある。彼らの使うアル

ゴリズムは人目に晒されなくてはならない。全員に対してでなくても、少なくとも信頼できる監査人に対しては。(3)

ネット企業の巨大さから鑑みて、競争は起こりにくい。今日のスタートアップ企業の大部分が、グーグルやフェイスブックに取って代わることではなく、それらに「買収される」ことを目標としている。一匹狼にとってファウンデムの物語が教訓となってしまった。情報経済の「燃料」はデータであるので、既にデータを多く所有している企業の方が、そこからお金を稼ぎやすいのだ。決して到来しない「完全競争」を望むよりも、検索やSNSの分野で現在起きている「自然独占」が、経済の他の領域にあまりにも高い代償を払わせることがないようにしなければならない。

「豊かな者がさらに豊かになる」という動きは金融業界をも悩ませている。そこでは最大の企業が「大き過ぎて潰せない」「大き過ぎて逮捕できない」と見られ、さらに多くの資本を惹きつけている。金融業界に競争を回復させるために、「巨大銀行の分割」を主張する改革者もいる。彼らの論拠は、小さい金融機関であれば、失敗の際に経営者が多額の報酬を得て逃げ出すようなことはないだろう、というものだ。しかし私たちは、金融機関が「失敗」する可能性を、およびそれに伴うあらゆる不安定性を、本当に求めているのだろうか？　むしろ、金融機関のいくつかは安定して大衆に奉仕してくれる方が望ましいのではないか？

評判や検索、金融機関を向上させる最初のステップは、彼らの実際の行動をより学ぶことである。しかしこれは改革の始まりに過ぎない。多くの場合、法的手続きや適度なビジネス上の「競技場」への私たちの基本的なコミットメントを維持するために、ビジネス実践それ自体が、変わらなくてはならない。ネット企業や金融機関は、他の分野に与える影響も大きく、さらにビジネスや人々が判断される基準を作っている。彼らに対しては、より高い基準を設定すべき時期が来ている。

誰がいつ、何を、なぜ、非開示にしているのか？

ブラックボックス問題を透明化によって解決するには三つの特有の問題がある。ブラックボックス企業はどの程度、開示しなくてはいけないのか？ 誰に開示するのか？ どのくらいの時間内に行わなくてはいけないのか？ **表5－1**に選択肢の範囲を示した。

ここで示した極端な選択肢は不満足なものだろう。例えば信用スコアが悪い理由を簡潔に説明したとしても上辺だけのことに過ぎない。他方、ハッカーがスコア化するシステムの全体を明るみに出したとしたら巻き添え被害が出る。ハッキングの対象について多くのことが分かる一方で、罪のない人々の秘密が漏れてしまうからだ。「完全に透明な社会」とは、プライバシーが侵害され、覗きや知的財産権侵害が横行する悪夢の世界だ。秩序立った生産的な調査は時に、専門家の小集団を信頼するところから始まる。例えば裁判には、法的議論へと至る出来事に関する深い知識を要する。そこは名高いリーク屋でも同意するだろう。ジュリアン・アサンジも、エドワード・スノーデンも、信頼できる報道機関を通すことで自分の得た情報にフィルターをかけた。これを私は「条件付きの透明化」と呼ぶ。その情報に関わる利害を考慮した上で開示に制限をつけるのである。

時間が経つにつれて開示に伴う負のインパクトは衰えていく。「出訴期限法」が働く。力は他の手に移る。かつて最新だったテクノロジーも時代遅れになる。少なくとも企業という文脈では、私たちが今感知していることよりも、はるかに多くのことが開示されるべきなのである。ブラックボックス化したシステムに対して、もし将来の歴史家が、私たちよりもはるかにアクセスできるようでなければ

	開示の深さ	開示の範囲	開示のタイミング
秘密の維持	浅くてぞんざい	外部の少数の専門家集団に	年、あるいは一〇年単位の遅れ
透明性の提供	深くて徹底的	広く一般人にまで	即座に

表5-1　開示のスペクトラム

ば、自動化の進む現在についての物語を果たして語れるのかどうか……。私たちは開示を先送りし過ぎないように注意すべきである。ウォール街は重大な金融改革法が成立した後でも、二〇〇八年の連銀による緊急援助の詳細について沈黙を保っている。立法側がもしこの近年の事態を理解していたならば、より機動的な改革を受け入れただろう。

「即時の完全な開示」と「部分的な遅れた開示」という極論の間をすり抜けていくために、私たちは、なぜ企業行動を開示する必要があるのかを考えなくてはならない。この勝負は割に合うのだ。例えば米国の規制当局は、綿密なモニタリング体制を作るが、明らかな違反に対して有効な罰金を徴収できないでいる（あるいはそれに失敗している）。こうした規制は結局、コンプライアンス担当者や弁護士の「完全雇用」に役立っているだけである。規制側を擁護しておくと、無力な規制者でも、少なくとも「消費者」の選択（アップルのスマホかサムスンのスマホか、検索エンジンにグーグルを使うかビングを使うか、証券を買うのにシティバンクで買うかウェルズファーゴで買うか）の際には開示された内容を考慮に入れている、と指摘できる。しかし実際のところ、人々は企業の悪事について耳にしたことがあるだろうか？　気にするだろうか？　開示で消費者の行動が変わるだろうか？　そうだとしても、避けた企業の後釜に、より疑わしい企業が入り込むだけでは？　どんな開示体制にもこうした疑問はつきまとう。私たちが見てきたような、ブラックボックスの文脈の中で、とりわけ指摘されているところである。しばしば害があるが、その判定は

少なくとも個人のレベルでは困難であるのだ。(4)

プライバシーという虚構

オンラインでのプライバシーポリシーは世の中に溢れているが、これは失敗した開示体制の代表例となっている。それらは、消費者がプライバシーを売り渡すか、「プライバシーが侵襲され過ぎている」と感じてその取引や労働から「オプトアウト」するか、選ぶ（ことができる）という虚構に基づいている。しかし、例えば就職志願者が採用プロセスの中で、プライバシー問題を考慮に入れることが可能だろうか？ ほとんどの企業は、どのように労働者をモニタリングしているか、公言することはない。職場で観察されないために、上司と交渉してモニタリングされていないコンピュータを求めるよりも、良い方法があるだろうか？

家庭でも職場よりマシとも言えない。ウェブサイトでの「利用規約」は、「プライバシーポリシー」というより、むしろあなたの権利をサービス提供者に差し出すものとなっている。注意深く読むと、企業側は広く保護され、消費者への配慮は薄い。利用規約の合意を求められると、人びとは機械的に「合意する」をクリックしてしまう。(5) 規約の内容を書き換えるチャンスなどないことを知っているからだ。その上、熟読するに値するかどうかも不明である。というのも、企業側による最新のトリックは、後で関係者に知らせることなしに合意を変更できるという「一方的な変更」の条文を忍ばせておくことだからだ。(6) これは市場の形をとった封建的な服従である。こうした「合意」で、誰が支配者なのか、私たちはみな思い知らされるのだ。

こうした企業側の「通告戦略」に抗して、学者の中には、消費者が企業のプライバシーポリシーに合意する前にそれを「本当に理解したか」証明されるべきだ、とする人もいる。[7] しかし、毎日起きている無数の無害なデータ利用のために、わざわざ「輪くぐり」をしたい人がいるだろうか？ もし何か警戒すべき事象が起きたとしても、消費者が実際にその規約について再交渉を行ったのは何時だろうか？[8] フェイスブックやグーグルのような仲介業者に対して利用規約の変更を行わせるのは、ほとんどの利用者にとって思いもよらないことだろう。[9]

物の分かった消費者は、主導的な企業の行う「プライバシー設定」が、意味のあるプライバシー保護だとこれまで思ってもいないし、期待してもいない。[10] フェイスブックにおけるコメントのような単純な例でさえ、データの流れを十分に追跡するには数週間かかり、それによる見返りが得られる可能性はゼロに近い。[11] 企業側は通常、オンライン・プライバシーに関して限界を追求し、行動について嘘を吐いたとして告発され罰金を支払っても、ビジネス上の（わずかな）コストであると居直る。多くの中から一つだけ例を挙げる。フェイスブックが利用者に約束して守らなかった公約のリストである。

・フェイスブックは利用者に対して、データ共有の範囲を「友人のみ」のように制限することができると伝えていた。しかし実際には、「友人のみ」にしたとしても、友人が利用しているサードパーティのアプリケーションがその情報を利用することを妨げなかった。
・フェイスブックは「確認済みアプリ」として安全性を保障するアプリを発表したが、実際には安全ではなかった。
・フェイスブックは、利用者の個人情報を広告主と共有することはないと約束していたが、実際には共有していた。

・フェイスブックは、利用者がアカウントを停止もしくは削除したら写真や動画に他者がアクセスすることはなくなるとしていたが、実際にはアクセスを許していた。
・フェイスブックは、ＥＵと米国との間でのデータ移転を定めた「セーフハーバー協定」に従っていると主張していたが、実際には従っていなかった。[12]

こうした違反に対してフェイスブックが課された罰金はごく少額で、収入の数時間分に過ぎない。この事態による解雇者や、懲戒処分を受けた者がいるかどうかも分からない。他のネット企業も同様である。

プライバシーを守るという公約に対するよく知られたこうした「失敗」からすると、規制当局はまずこれらの企業に、彼らが収集しているデータの規模と内容を消費者に対してきちんと伝えさせることから始めなくてはならない。私たちは、データの利用およびプロファイリングを秘密のうちにコントロールしている、統制されていない「クラウドの領主」を許すわけにはいかない。[13]

より十分な開示――公正なデータ実践に向けて

評判、検索、金融のブラックボックスのうちいくつかは、単にオープンにされる必要がある。例えば、データ取扱業者は正直に、自分たちが収集、交換、販売したデータについて告げなくてはいけない。そして個人には誤ったデータを調査、訂正、反駁する権利が与えられるべきだ。匿名性を守る十分な理由がある場合を除き、データの収集源についても知らされなくてはならない。皮肉なことに、データ取扱業者の中には、守秘義務契約を理由として、データ収集源の公表を拒否する者がいる。[14]こうした鉄面皮な業者は、公正信用報告法（ＦＣＲＡ）が規定する「消費者報告機関」の代わりにはならないし、消費者報告機関はデータ取扱業者の代理ではない。もちろんＦＣＲＡ自体にも問題はある。信用報告において情報に挑戦することは無益な試みだと感じられる。しかし、適度な罰則があり、それが御しがたいデータ取扱業者にまで拡張されれば、データを調べ訂正する権利は、評判において公正さを実現する最初のステップとなるだろう。

データ保護は包括的である必要がある。法律がデータ取扱業者だけを扱うものとなると、大企業はそうした業者を使うのを止めて自社内でデータ分析を行うだろう。情報を調べ訂正する権利は、扱う企業を適切なところまで広げなくてはならない。例えば「ターゲット」で買い物をする人は、同社が自分についてどのようなプロファイリングをしているのか、知ることができなくてはならないだろう。そうでなければ、同社が二〇一三年に起こしたような大規模データ漏洩（他社でもよくある）のリスクを評価することができない。病院・医師が患者に医療記録のコピーをわたさなくてはならないように、私たちのデータの記録は、査察・評価を受けなくてはならないのだ。小さな診療所でもできるのだから、大企業にできないわけがない。主導的な企業が顧客や従業員の健康状態に関心を持つのであれば、健康に関するプライバシー法規の適用を受けることに反対すべきではない(15)。

ハッキングやデジタル侵入といった事件の多発は、データ・セキュリティに関する重大な問題を提起する(16)。私たちの日常生活で大きな影響力を持つデータベースのデータは、果たして合法的に集められているのだろうか？　普通の人や警察官には見つけられない「闇のネット」では、クレジットカードの番号や社会保障番号がまだ売られている。健康データや、検索記録、ソーシャルネットワーキングの漏洩データは、一体どこで姿を現すのだろうか？　不道徳なデータ取扱業者は、そうしたデータを買って「競争力」をつけたいと思うだろうか？ 公正なデータ取扱法制の確実な強化と並び、ハッキングされたデータの「ブラックマーケット」を成立させないために、私たちはデータ取扱い業者に対して（収集、購買、交換などによって）どこからデータを得たのかという情報を記録させるべきである[17]。

データの出所を追跡することは、個人がデータの誤りを訂正させるのにも役立つ。現状では、巨大データベースで一つの間違いがあると、それが数十もの小さなデータベースへ広がっていく可能性があるのだ。それはしばしば、一つずつ修正をリクエストせざるを得ないところまで至る。悪いデータを後から得た人はその出所を知らず、データ主体の存在を信じないかもしれない。もしデータの出所が追跡されていれば訂正のプロセスはより容易になるだろう。

このプロセスは、理想としては、自動化されることが望ましい。誤りの存在を許すのは、データを基にした意思決定の賭け金として高過ぎる。ソフトウェアのアップデートがコンピュータのパフォーマンスの質を向上させ得るように、データのアップデートによって、データベースを後から利用する人へのリンクを通じて、訂正された情報を流すことができる。現在の技術ではこれはおそらくまだ無理だが[18]、規制によって新たなテクノロジーの発達を促すことも可能だろう。データをコントロールする者たちは、データ主体に敬意をもって遇するよりも、単に利益の最大化を目指してシステムを設計してきた。デバイスにプライバシーを保護する性質を組み込むことができるように（録画時に赤いランプがつくビデオカメラのことを考えていただきたい）、ネットワーク化したデータベースにも何らかの基礎的なセーフガードを組み込むことができるだろう。

もしある企業があなたについての書類を作ったら、それを閲覧して訂正する権利をあなたは与えられるべきだ。もし小売業者が妊婦の出産予定日を予測できたり、デジタル・マーケターがあなたを「おそらく双極性障害」「糖尿病予備軍」などとタグ付けできたとしたら、こうした記録は少なくとも、平均的な医師の持つ情報と同じくらいセンシティブであるので、医療関係のプライバシー法規に従うべきだろう。[19]同じように、オンライン広告業者は、あなたに「普通のローン」と「ぼったくりローン」のいずれを勧めるかを決める時、信用機関と類似した機能を行っている。FCRAが標的とする事業と多少違ったビジネスをしているからといって、こうした業者は規制を逃れるべきではない。[20]

ビッグデータ企業側も、ある種のリストが果たして作られるべきなのかを問うところから検討する必要がある。「自動車事故で殺された娘」「レイプ被害者」「騙されやすい老人」といったリストは、残忍で有能なマーケターが利用すれば、金儲けに結び付くだろう。同時にそれは、「明白で差し迫った」危険のある搾取的でコントロールの強いビジネスを誘発する。[21]「プライバシーの未来」会議の思想的リーダーたちは、例えば大学において「人を対象とした研究」の是非を判断するのと同様な「倫理審査委員会」が、センシティブなデータの利用の適切性について判断するのはどうか、としている。こうした委員会が、データ主体の助けになるようなデータ利用は承認し、助けにならず、不必要で、あるいはもっと悪い結果をもたらすデータ利用は遅らせるか拒否するのである。

合法的なデータ利用

ここでは、「完全な透明性」というアジェンダが、評判情報の領域（ここまで見てきたようなデータ業者、信用スコア業者、すべてのアルゴリズムによる評価者や格付け業者など）に入ってきたらどうなるかを考えてみよう。あなたは、自分に関するどんな小さなデータについても、その起源、取引業者、最終利用者（エンドユーザー）を追跡できる。正確ではないと思われるデータについては反論できる。もし望むのであれば、業者の持つ各種の「デジタル版のあなた」の「お手入れ」をして、あなたの興味、関心、業績といったデータを最新に保つことができる。

さてこれで、新たな評判経済にまつわる懸念は真におさまるだろうか？　おそらくそうはならない。まず第一に、データ利用が強化されると、個人の側では（たとえ新たなソフトウェア「や」専門家の手助けを得ても）、自分がどこで、どのような性格付けがされているのかを、正確に追跡することは難しいだろう。第二に、多くの文脈においては、正確なデータ、真実のデータでさえも、不公正あるいは差別的に取り扱われる。

例えば、マリッジカウンセラーへの支払い状況を、デフォルトの兆候として判断するクレジット会社の行為（その結果、利子率が上がる）について考えよう。医療の専門家に手助けを求めることが、信用にかかわる決定に影響を与えるべきではない。「不法行為賠償責任」（tort liability）が逆に効率を損ねる場合があることを、法体系は長らく認めてきた。例えば階段に手すりを付けた人が、以前その階段から落ちた原告から、手すりをつけたという事実を手すりがその当時危なかったという証拠として利用される、といった場合である。「その後の改善策」や、「怪我や損害をなるべく起こらないようにするために行われた改善策」は、怠慢や責任の証拠にはならないとの規定がある[22]。あたかも法律のように、アルゴリズムでスコアを下げるようなシステムは、それが個人を助けたり生産性を上げたりする手段を挫くことがないように設計すべきである。

さらに、病気という不運に見舞われた人に対して利子率を上げるというのは、どう考えても不道徳だろう。私たちは既に、採用に関して遺伝情報を使うことを禁止している。持って生まれた遺伝子を個人で変えることができないからである。ここで想起していただきたいのは、ガンから骨折まで、多くのありふれた病気やケガについて、各個人が一体どのくらい責任があるのか、ということだ。不安や抑鬱は人間関係にも悪影響を与える可能性がある。病気をクレジットの決定に算入してはならない。

また、それがいかにデータ好きの経営者にとって魅力的であっても、上司による評価に加えてはならない。ケース・ウェスタン・リザーブ大学の医療法の専門家であるシャロナ・ホフマンは、電子医療記録に基づいて個人がハイリスク労働者なのか、ハイコスト労働者なのかを決定される複合的なスコア化アルゴリズムが導入される可能性を指摘する。[23] ビッグデータの愛好者はほどなく、一つだけなら無害なデータ（食生活の習慣、ドラッグストアへの訪問、雑誌の購読など）を寄せ集めて、糖尿病を予測するといったことが可能になるだろう（ターゲット社が妊娠を見抜くように）。しかし賢い経営者は、「糖尿病だからクビだ」とは言わない。関わった（社内社外を問わず）専門家も、診断を容易に別のものにごまかすことができる。ブラックボックス化した分析によって、企業側は以下のようなことができるだろう。

a）ある人の、ビッグデータによるプロファイルの数値を分析する（データ販売業者、小売店、雑誌購読、オンラインでのアカウント、その他の情報を使う）
b）その人が糖尿病になりやすいと結論付ける
c）他のデータベースを使い、平均的な人と比べて、糖尿病の人のヘルスケア・コストを見積もる
d）bとcを組み合わせて、当該人物が「ハイコスト労働者」であるかどうかを判断する

関係するデータの適切性を踏まえ、企業がその解雇する（あるいは雇用しない）労働者に伝えるのは、せいぜい最終結果だけ、すなわち企業側にとってのコストが得られるベネフィットを上回っていると見込まれるデータだけだ。多くの場合、企業側はその計算式を提示する義務もない。ビッグデータが説明もしなければ、挑戦されることもない「星室裁判所」（star chamber）となっている。[24]

クレジットの文脈ではこの問題を法律が語り「始めた」。不利益が降りかかった場合、短い説明程度は得られるようになってきたのだ。「リボ口座が多すぎる」とか、「最後の口座開設から時間が短すぎる」といった説明が、理由の「コード」となっている。[25] 何が起きたのかをストレートに語るというよりは、単純に決定の要因を語るものである。私たちはそれが、名前のない他の要因よりも重要であることを知っているが、それがどのくらいの重み付けをされているのかは分からない。

「コード」という言葉は、法律（例えば国内歳入庁＝Internal Revenue Code のように）の意味にも、ソフトウェア（機械が読めるフォーマットにするために「コード化」するなど）の意味にもなるが、それだけでなく、慎重に隠された意味を表すこともある。[26] 捜査を避けるため、第三者が事態を正確に理解することを避けるために、「コード化されたメッセージ」を送る人もいるだろう。アルゴリズムを使った意思決定では、この第三の意味、コードの神秘的な側面がしばしば優位を占めている。例えばクレジットに関する意思決定では、どのような決定でも正当化できるようなあいまいな理由付けが多数行われている。[27] 口座が多すぎるのも、少なすぎるのも、信用スコアの数字が下がったり、申請を拒否したりする理由として使われる可能性がある。

しかし私たちが本当に懸念しているのは、意思決定の核心をなしているデータが「正しいか」どうか、違法・不公正な考察が行われていないかどうか、である。決定に際し、理性のコードより、はるかに先を行くことになるだろう。何が不公正かは文脈によって変わる。例えば現在、半年以上失業状態だった人は雇用しないという企業が多い。当局はこれを違法化する法案を検討中だが、こうした企業はおそらく採用モデルに「失業期間」というデータを入れているのであり、このデータのウェイトが高ければそれが決定的な要因となってしまう。アナログ時代に向けて設計された法律など「ビッグデータ商人」は簡単に出し抜くことができるということを、未来の立法者は考慮に入れなくてはならない。一案として、雇用スコアに「失業期間」を算入する場合、一五%以上のウェイトを置いてはいけない、などとするのである。会計ルールが、他の企業の複雑かつ断片化した利害を考慮に入れなければならなくなったように、クレジットや雇用に関する法律は、意志決定に影響を与えるスコアに算入してはいけないことをより具体的に、どの程度禁止するのか、規定する必要があるのだ。

監査制度も改善を要する。ビッグデータ（及びそれに基づいた決定モデル）の問題を発見する責任を個人に負わせるべきではない。私たちの生活に影響を与える何千ものデータベースを、辿る時間を持つ個人などいないだろう。大企業やデータ業者を調べて、疑わしいデータを見つけたり、データの出所を要求することでそれが信頼できる情報源からのものであるのを確かめるのは、当局の仕事である。医療保険の相互運用性と説明責任に関する法律（ＨＩＰＡＡ）の文脈では、医療機関におけるデータ利用の問題を見つけ出すために、米国政府は既に専門の監査人と契約している。[28] ＨＩＰＡＡのカバーする以外の領域において、ビッグデータ経済（今では少なくとも一五六〇億ドル以上と見積もられている）の一部に、データ利用の監査費用を賄うために課税するのは容易であろう。[29]

こうした規制にはいくつかモデルがある。医療政策が二極化する中で、米国は二〇〇九年、経済的および臨床的健康のための医療情報技術法(HITECH法)を制定し、データを規制する現代的なインフラの構築に重要な一歩を踏み出した。[30] HITECH法の規定によって、患者さんたちは自分のデータが正確で安全に保たれているかを確認したり、自分の記録にアクセスしたり、自分の記録に誰がアクセスしたかを確かめたり、といったことがしやすくなっている。[31]

オンラインデータ業者の「西部開拓時代」は、HITECH法の原則を服用することで耐えられるだろう。例えば健康情報には(Healthの頭文字の)「H」というメタデータを付けることを求められたならば、雇用や保険という文脈において、センシティブな質問への対応としてなされる報告や計算における情報から、健康情報を除くことができる。「Eディスカバリ」(電子証拠開示制度)や重複排除(deduplication)ソフトウェアの発展で、そうしたメタデータなしでも、センシティブなデータは取り除けるようになるかもしれないが。

プライバシー規制当局は、監査人がデータ収集、ラベル付け、フィルタリング基準についての誤りを素早く見つけ出し、阻止するために、データ業者の実際の取引を深いところまで熟知することを求めるべきである。「ビッグデータ貴族」たちは、生活の多くの側面を一つのデータベースにまとめようと腐心しているが、私たちの方ではそれを切り分けることが重要である。健康プライバシーの専門家は既に、医療記録における「プライバシーのためのデータ分割」の陣頭指揮をとっている。例えば、精神科を受診した人のデータと、足専門医を受診した人のデータを分けるといったことだ。ビッグデータを扱う人々は、それをいかに記録するかに細心の注意を払わなければいけない時が来たのだ。ビッグデータの収集、分析、そして利用は、単なる利潤目的ではなく、公共的な価値に従って行われなければならない。

より良い監視が行われるようになれば、民間部門の実質的な規制につながるだろう。ストレージの費用が下がり、クラウドコンピューティングが普及し、意志決定者はソフトウェアを使って、オンラインで志願者を調べる際の「手綱」を記録しないようにすることができる。検索エンジンの「検索履歴」を見たことがある人ならだれでも、そうした記録がいかに細部まで人の性質を暴くものなのか知っているだろう。(32)

「要求」の正確な範囲は行政機関によって定められる必要があるだろうが、私たちは「車輪の再発明」を行う必要はない。政府機関の記録保存要求については長く法整備がなされてきたので、注意深く情報探索のタイプ分けをしてきた。禁じられている一方的な接触をもたらす情報探索と、誰も記録されることを予期していない日常的な調査による情報探索とを、区別しているのである。

私がここまでのべてきた、評判にまつわる規制については、重要な反論もいくつか寄せられている。第一に、行政法の原則では政府機関の決定の根拠を開示することが認められているが、民間の主体がこうした規制によって自分たちが見ているものを開示させられるというのは妥当か、というものである。この反論は、多層的な応答に値する。クレジットや保険の業者は既に、広く規制を受けている。金融危機の際に明らかになったように、こうした業者は「究極のリスクマネージャー」として政府をあてにしている。(33)金融産業の規制緩和の失敗の後、国家と「FIRE（金融、保険、不動産）」産業とのかつてないほどの結びつきが、オバマ政権の特徴となった。(34)意思決定の根拠を「クリーン」に保つ費用は、彼らが現在得ている補助金の額と比べれば小さい。

雇用者や企業は、多くの反差別法規に従っている。これまで論じてきた「公正なデータの取り扱い」は、自立したプライバシー法規よりは、こうした既存の法基盤に組み込まれる方が望ましい。ダニエル・シトロンをはじめとする運動家が提唱する「サイバー市民権」は女性やマイノリティを特に対象としているが、インターネット起源の非差別的な信頼に反するような、市民権に関わる事例が既に発生しているのだ。[35]

第二の反論として、なぜ「口コミ」や「個人的なおすすめ」は同様の監視の対象とならないのか、というものがある。読者が一人もしくは数人の何かを推奨する手紙や、おそらくは聞き手以外には聞く人のいない電話での会話と違って、ネット上の噂や嘘はしばしば長く持続し、検索可能、複製可能で、合法なソフトウェアやデータベースを使っているいかなる意思決定者にもアクセス可能であろう。否定的な言及は、求職者の履歴書に対してだけならただ当人の心が傷つくだけだが、オンライン上の否定的なコメントはその対象者がコントロールできるものではない。そうした表現に影響を及ぼされた人は少なくとも、それが意思決定者によってどのように受け止められたのかを知る機会は与えられるべきだろう。

データ業者はおそらく、「狡猾な消費者がシステムをゲーム化しないようにスコアリングの方法は秘密にしなくてはならない」という、私たちが既に何度も聞かされた言い訳を繰り返すことだろう。例えば、ちょうど四枚のクレジットカード（それ以上でも以下でもなく）を所有している人の返済確率が高いという相関があると知ったならば、狡猾な人は信用スコアを上げるために四枚のカードを保有しようとするかもしれない。レジ係の求人に応募する人は全員、「いつでもお客さまに笑顔で接することが好きです」と答えて、雇用者側の偏見に満ちた「パーソナリティ・テスト」を出し抜くかもしれない。

抽象的には確かにそうした心配があるように響く。しかし実際のところ、何千人もの「踏み倒し屋」が、精緻に構築されたアルゴリズムをダメにするとは想像しがたい。本気でシステムと「ゲーム」がしたい人は既にそれを計画しているだろう。例えばどうしてもカレッジに入りたい学生が、その準備のための会社やカウンセラーにお金を払って頼むように。意思決定の際の「決定的な要因」が何なのか、誰かが漏らしてしまうことも避けられない。それを知った人（あるいは、「リバースエンジニアリング」を行って見抜いた人）が不当に有利になるだろう。データサイエンティストのキャシー・オニールは、容易にゲーム化可能な分類はモデル化の道具として本質的に脆弱であると主張している。[36]モデル化する側は、操作されにくいような「予測シグナル」を追究しなくてはならない。

スコア化を行う企業も、どんなデータを持っていて、それをどのように使っているのか、ライバル企業に知られたくはない。しかし、ビッグデータが駆動する産業においてビジネスで成功するには、おそらくまとまった形で得られたビッグデータの量が基礎になる。つまり、スコアリングに使うデータとして、必ずしも口伝えに漏れたり共有されたりすることがない形でのデータである。ビジネス上の戦略としては「秘密厳守」が賢い方法かもしれないが、行政までもがそれを後押しするのが妥当かどうかは疑わしい。秘密が洩れたためにイノベーションが阻害されたという証拠はほとんどない。そのような懸念が、秘密裡に行われる自動的・普遍的なスコアリングシステムで人間の威厳が損なわれる脅威よりも、不当に重きを置かれている。クレジット、仕事、住宅、その他の重要な機会を損なう可能性がある予測スコアに対して、実質的な意味のある告知や挑戦をするチャンスは、少なくとも得られるべきではないだろうか。

公的部門のスパイ活動にも、より良いデータ実践が必要である。以下に述べる各集団がそれぞれ、多様な要求に従わなくてはいけないことが、現在のプライバシー法制が混乱している一因となっている。

しかし第2章で見たように、こうした組織（およびその他の組織）の間での情報共有は、「ここ一〇年間以上」奨励されてきた国家政策であった。地方警察はヒュージョン・センターで、「あらゆる脅威、あらゆる危険」と戦うために、連邦のスパイに加わる。民間のデータ業者が嬉々として「ビッグブラザーを助けるリトルヘルパー」になる。（きちんと報酬の出る、倫理面を考慮した、技術に長けた）専門家による監督なしに、公的部門と民間部門とがペアを組んで、かつてないほど上手く偏向した問いをかけ、かつてないほど広く監視を行っている。

NSAの内部告発は広く世に知られたが、この世界の多くは未だ秘密になっている。とはいえ、怒りに光が当てられたこともある。アメリカ自由人権協会（ACLU）は、「修正第一条項を平和的に行使することを、ごくわずかでも踏み越えた行動を行う集団や個人に対して、司法当局はアメリカ全土でモニタリングや嫌がらせを行っている」と報告した。[37]自由主義者や平和活動家、オキュパイ運動参加者をモニタリングすることは、市民権を踏みにじり、公的資源を浪費する行為である。

不幸なことに体制側は、こうした権力濫用を意図的に無視してきた。オバマ大統領は二〇一四年の監視に関する演説で、諜報機関による違法な情報収集を、最近の問題としてではなくエドガー・フーヴァー[1]時代の過去の事例として扱った。[38]しかしヒュージョン・センターから、「合同テロ対象部隊」、

国家の安全	国土の安全	警察
連邦法執行機関	州法執行機関	条例執行機関
国内での公安活動	政府請負業者	民間の警備会社

ムスリムをターゲットとした「ニューヨーク人口統計ユニット」まで、威嚇話を無視できない。軍事諜報機関が反戦グループをスパイするアラスカ州から、クェイカー教徒や反グローバル活動家が観察リストに入れられるフロリダ州まで、活動家たちは、市民の重要な憲法上の権利を行使している人というよりは、それ自体が脅威だと見られてきたのだ。政治的不満層をFBIは日常的に監視している。

オバマ政権は米国の市民に対して、NSA（大統領の演説の主たるテーマ）が政治的理由でスパイ活動を行ったことはないと主張するかもしれない。[39] しかしNSAは、一〇〇〇を超える組織、および、二〇〇〇近い民間企業が関わっている米国のより大きな諜報活動の中ではごく一部を占めているに過ぎない。その上、こうした機関の間で、どのくらいの情報やリクエストが飛び交っているのか、正確なところはほとんど分からない。

歴史は注意を促す。一九五六年から七一年まで、FBIの「コインテルプロ」（『対抗諜報プログラム』の頭文字語）は、市民権運動、反戦運動、共産主義運動を行っている集団を崩壊させるために秘密活動を行っていた。ローレンス・ローゼンタールの「ターゲットとされた人々の、保護されているはずの言論に基づいて、権力が濫用される深刻なリスクがあると歴史は示している」という観察に、[2] 当時の政治家も同意していた。[40] 当時の諜報機関の権力濫用を見て、チャーチ委員会は一九七五年から七六年にかけてそれを批判する報告を出し、それがある程度の基礎的な改革につながった。[41] もし新たなチャーチ委員会が招集されたら、同様の事柄をカバーしなくてはならないだろう。さらに、政治化された（もしくは合法に見せかけられた）国内の諜報活動に抗して、現実的な安全策を提案する必要がある。これが現在欠けているのだ。近年の、政治化された諜報活動に政党が関与したケースで、政治家が厳罰を受けた例を私は知らない。また、こうした諜報活動の被害者が、その被害に対して十分な補償を受けたという証拠も、見たことがない。

米国における監視についての議論を進めるため、真実和解委員会[3]のような、9・11後の諜報活動の政治化を振り返り譴責する組織が必要である。非常に多くのプライバシー活動家が、スパイの存在なしには考えられないような執拗な破壊的脅威を被ったことを、不愉快ながら認めている。しかし米国政府は、「権利章典」がまさに防ごうとした種類の行動を政府自らが行っていたことを認めようとせず、現実の直視を避けている。「自由」と「安全」との間の適切なバランスを議論する前に、スパイが確たる目標もなく活動家に取り付いて諜報行為を行っていた多くの事例に、正面から向き合わなくてはならない。

不幸なことに、現代の米国内における諜報機関は広大になってしまったため、その決定について司法が適切に評価することはもはや不可能となっている。NSA、FBI、DHIなどのアルファベット名前の機関、その州レベルの支局や協力する民間企業を、司法がコントロールすることは期待できない。「諜報装置」は自動操縦（オートパイロット）的に、一つの「点」へと集まっていった。食らいついた抵抗勢力に動じることなく、秘密によって可能になる「好意の経済」からは注目を逸らせた[42]。

諜報活動につきまとう「秘密性」と「非公式性」のおかげで、決定が、他から質問を受けるようになる「臨界点」に達することはなかった。頑健な法的枠組みは、「先例」に依存している。過去の様々な事件を細かく区別することで、問題となっている事件を法律的に解釈する裁判官に、権威を与えているのだ。しかし、「国家安全例外主義」〔国家の安全のためなら何でも許される、とする主張〕という考え方は、極端すぎてほとんど法律家の注目を浴びない。その上、臨界点を超えるような事件が起きたとしても、裁判官はしばしば、テロリストに対して政府の手を縛ることをためらってしまうのである。

「透明な市民」vs「不透明な政府／企業装置」

米国には、プライバシーに対する配慮と、政府の開放性とを結びつける伝統があった。[43] 最高裁判事および法学者として、ルイス・ブランダイスの意見は、プライバシー法制に重要な足跡を残した。ブランダイス判事は、法律によって人々の私的空間が「覗き見」から保護され、他方で公的空間は透明性が保証されるような世界を思い描いていた。[44] 私たちは、国内の諜報ネットワークが築いた技術的な構築物に抗して、市民の自由を守るセーフガードを築かなくてはいけない。[45] しかし同様に重要なのは、「諜報機関に所属していない」独立した個人でも、監視プログラムが生成するような大変な量のデータの処理に、何らかの役割を果たしているということだ。

諜報活動のモニタリングにおいて技術標準は重要な役割を果たし得る。[46] 連邦の規制によると、ヒュージョン・センターは情報共有ネットワークの中で行われている行動を記録する監査ログを作成することになっており、[47] そこには「利用者による問い合わせ、情報へのアクセス、システム間の情報の流れ、こうした活動の日付および時間」が含まれる。[48] 監査ログは諜報活動に関わるあらゆる政府機関、請負民間業者が含まれなくてはならない。国家の安全のための活動から、政治的な魔女狩りへと逸脱するような諜報活動者を特定するため、彼らの行う観察活動を誰かが正確に観察する必要がある。

残念ながら監査ログには現在二つの問題がある。一つは技術的な問題、もう一つは実務上の問題である。監査ログは改竄に対して十分に頑健ではなく、跡を残さずに誰かが改竄してしまう可能性がある。このことは、システムの濫用を摘発するという監査ログの目的を、掘り崩してしまう[49]。皮肉なことだが、大問題となったスノーデンによる暴露行為が可能になったのも、NSAがこのタイプの脆弱性を抱えていたからである。NSAには情報へのアクセスを適切にモニターするシステムが欠けており、誰が書類にアクセスしたのか正確には把握できなかったのだ。

変更できない監査ログがこの問題を手助けする。それがあれば個人でネットワークの記録機能を破ることはできない。ネットワーク活動を恒久的に記録することができ、ログの証拠としての価値も高まる。

個々のスパイは、ログによって官僚的な妨害が起きるのではないかと反対するかもしれない。もし彼らがあらゆる行動について手書きでそれを正当化する文書を作らなくてはならないとしたら、その反対も分からなくはない。しかし彼らが既に、誰かの通信を密かに記録する不透明なシステムを操っているとすれば、同じことが自分たちに行われたからといって反対するのは筋が通らない。「一度書けば、多数が読む」(write once, read-many = WORM)ストレージ・ドライブはシステムの全使用を記録可能である。というのも「いったんディスクに書き込まれたことは改変できない設計に」できるからだ。アナログ時代にこのようなシステムを構築するには大量の事務仕事が必要であったろうが、デジタル・ストレージおよびwikiを基盤とした記録のコストが下がり、実装可能となった。技術的問題として、情報ストレージのコストは継続的に下がってきたが、最近はさらに著しく下落している[50]。

監査ログに関する実際的な問題点としては、インテリジェンス・データの濫用を捕まえられるほどきちんと監督がなされないことや、濫用に対して罰が課されることがほとんどないことが挙げられる。その一因は資源の不足である。連邦取引委員会（ＦＴＣ）の、増殖するデジタルの脅威に対処する部署は、人員が足りない。「プライバシーと市民の自由監視委員会」（ＰＣＬＯＢ）など、諜報機関を監視する各種組織も不十分である。インパクトを与えるには予算も人員も不足している。同様に裁判所も機能していない。

諜報機関を監視する組織のためにどの程度の資源が分配される「べき」だろうか？「ヒトゲノム計画」のことを想起してみよう。これは潜在的に良くも悪くも大きな可能性を持つ野心的かつセンシティブな計画で、現在の「人間の安全保障計画」のように、多額の連邦予算が注ぎ込まれた。研究予算の三から五％は、この計画に伴う「倫理的、法的、科学的」な意味の追究に割かれて、私たちが遺伝データの濫用を予想（理想的には予防）し、より良い利用をすることを手助けしている。

ヒトゲノム計画は、その核となる部分では、「私たちを動かしているもの」を発見する努力と言える。いかにして人が成長するのか、その生物学的な設計図を探しているのである。全域的監視、言い換えると、有力な企業や政府機関による巨大なデータベースは、「私たちを動かしているもの」を社会的なレベルで見つけようとする努力だということに、私たちは向かい合わなくてはならない。遺伝子研究によって私たちがいつの日か恐ろしい病気から逃れられるかもしれないように、通信の絶え間ない追跡も、私たちを人生の巨大な損失から守ってくれるのかもしれない。しかし、公安機関が無害な政治団体につきまとい始めたり、嫌った教団や民族集団に不要な注目をしたりするようになったら、遺伝子工学のプロメテウス的な誘惑や、果ては優生学の恐怖さえ感じさせる。ヒトゲノム計画について研究している生命倫理学者は、科学者たちに「自信過剰」を自覚させるのを助け、倫理的に複雑な知識獲得へのより精妙な応答を発展させる[51]。私たちの「安全な国家」が向かっている問題含みの方向性を明らかにし、それを修正させる政策を考え出すような、倫理学者や法律家、科学者により力を与えるべき時である。

もし「ヒュージョン・センター」の不断の監査ログが規則的に観察されるのであれば、不法行為は発見され、実行者は責任を取らされ、同様の濫用は抑止されるだろう[52]。脅威となる指示と、疑わしい行動とを結びつけた報告が取締機関になされるのなら、データの一貫性や参照といった問題の解決にも資するだろう。人びとが証拠なしに、名前を「観察リスト」や「脅威リスト」に載せられることもなくなるだろう。証拠に「透かし」を入れることで、観察の性質や妥当性も確認できる（学術研究において「引用」が結論の妥当性を保証するように）。こうしたセーフガードは、ネットワーク内の誤り訂正に役立つだろう[53]。

プライバシー保護とセキュリティは相互に強化することができる。例えば、ヒュージョン・センターによって無差別に行われるオンラインのデータマイニングは、もし「爆弾」という言葉を書いた人全員を観察するのならば、まさに「広く地引網をかける」ものとなる[54]。こうした種類の混乱は馬鹿げたものに聞こえるかもしれないが、コンピュータによる検索は大事なところで「愚か」（dumb）なものだということは覚えておいた方が良い。哲学者兼プログラマーのデイヴィッド・アウエルバッハは以下のように言っている。

政府は私たちの想定より遅れているようだ。ＦＢＩのロバート・ミュラーは、９・11テロに関するヒアリングで、ＦＢＩのデータベースが一語ずつの検索しかできないことを認めている。「航空」

「学校」は検索できるが、「航空　学校」は検索できないのだ。より最近の話では、ツイッターによると二〇一〇年暮れにウィキリークスが暴露した通信では複数のタグが含まれていた。ＣＢＣの調査では、カナダについての話題に、ＣＡではなくＣＮ（コモロの意味）やＣＡＮ（国の略語としては存在しない）というタグが付けられていたものがあった。こうしたタグはおそらく手作業で付けられているのだろう。

政府の諜報機関の間違いや杜撰さからは、国家の安全を保障しないだけでなく、プライバシーについても熟練していないことが分かる。監視データを処理する時、ご都合主義の中で、どんな抜け道が使われているのか、誰が知っているだろうか？　カナダ人の中で誰がコモロ人に分類されるのか、誰が知っているだろうか？　このような環境の下で、「プロファイリング」について不平を言うのは奇妙な話だろう。何もかも、誰もかれもが、常にプロファイリングされている、しばしば不完全な形でだが(55)。

学者兼エンジニアのヘレン・ニッセンバウムは、プライバシー権には基本的な水準での情報のコントロールが必要であると、説得力のある形で論じている。監視されているデータ主体には、「文脈に応じた整合性」が与えられなくてはいけないという主張である(56)。プライバシー喪失が引き起こす脅威は、新たな監視システムの中で不公正な形でカテゴリー化された個人について、より充分なプロフィールを意思決定者が描き出せるようになれば、緩和される可能性もある。市民から「敵」へとか、法を避ける個人から「容疑者」へといった、特定の越境的な分類の背後には、「点を線でつなぐ」解釈的、物語的な枠組みがあるからだ。

危機の時代に、ある特定の個人を、秩序への既存の脅威につなげることは全くありがちなことである。しかし然るべき時には、告発された人および市民一般も、誤った不公正な話を書き換え始めることが可能となる。常時の監査ログは歴史の追跡および書き換えを可能とするのだ。そのような例として、チャーチ委員会での聞き取り調査や、より最近のものとしては英国におけるイラク戦争に関する調査が挙げられる[57]。国家による監視装置の一環として、こうした機能が含まれなくてはならない。

条件付き透明性

「安全国家」（The security state）は、透明性を達成するという点では、シリコンバレーに「先んじている」。グーグルとヤフーの合弁企業提案を審査するヒアリングにおいて、米下院司法員会委員長であったジョン・コニャーズは、同委員会には提案に対する調査権限が与えられていないことを嘆いた。コニャーズによると同委員会は、グーグルの計画よりも「大統領によるテロリスト監視計画にまつわる書類の方により容易にアクセスできる[58]」。ジャーナリストのジョージ・パッカーも、アマゾンへの調査取材が「国家の公安や諜報への取材より、大して簡単とは言えなかった」とこぼす[59]。外国諜報監視裁判所（FISC）は政府のスパイ活動について（簡単なものではあっても）ある程度の調査をしているが、シリコンバレー企業のデータ収集（および情報処理）を扱う同様の機関はない。こうした企業が、「監視国家」のパートナーや手先になっていることを考えると、監視機関が必要ではないだろうか。

ネット上の大規模な仲介者に依存している企業にも、ある程度の基本的な権利が付与されるべきである。とりわけ古典的な競争法規に関わる部分では。例えば、あなたの所有するA社と、ライバル企業のB社（性悪でしつこい）があったとする。あなたの売っている商品を検索すると、A社の商品は五位以内に表示されるが、ライバルのB社の商品は五ページ目か六ページ目かにしか表示されないとしよう。[60] しかし、もしグーグルがB社を買収したら何が起きるだろうか？　B社が最初のページに表示され、あなたのA社は後の方のページに追いやられるだろうか？　何らかの救済策はあるだろうか？

検索での順位が急降下した場合、その理由がグーグルが潜在的なライバルと見なしていたためというのはありがちな話である。その要因を探る第三者機関を求めるのはやり過ぎだろうか？　ランク付けの方法論の変化は、グーグルのような企業によって、厳しく試験され文書化されている。転落が急に起き得ることを考えると、私たちは変化の無限ともいうべき多様さをすべて評価すべきだとは主張しない。[61] 第三者である監査人に対して全アルゴリズムを開示するとか、関係者に対してアルゴリズムの変化を説明するというわけではない。ましてや、一般人に対して開示はしない。これは高度に条件付きの透明性である。

反トラスト法に関して最も賢い思想家の一人であるマーク・パターソンは、金融危機から発生したスタンダードを、似たような状況にある検索エンジンにもあてはめることができると考えている。信用格付け機関（ムーディーズやS&P）は「格付けの手続きや方法論を実質的に変えている。SECは（…）常に変化が起きていることを認識しなくてはならない」、さらに格付け機関は「変化させた理由を広く開示しなくてはならない」としている。[62] 競争法上の懸念が発生した場合、検索エンジン企業も、同様の開示義務を負うべきというのがパターソンの意見である。順位を下げられたサイトが、何か悪いことをしたためにそうなったのか、それともアルゴリズムの大規模な改変のあおりを食らったのか、はたまたビジネス上のライバルとして標的とされたのか、外部者が判断できるようにするべきだ。ＦＴＣもしくは別の組織に人員と予算をつけ、グーグルやアマゾンなどのネット大企業が不公正な行為をしていないか、評価できるようにするのである。[63]

そのための費用は、シリコンバレーの大企業が積み上げた金銭と比べれば、相対的に小さいものである。プライバシー権から虚偽広告まで様々な文脈で、欧米の規制当局は、疑わしいビジネスを素早く柔軟に見つけ出す必要性を認識してきた。例えば米国の虚偽広告の文脈では、疑わしい九五％が、自己規制によって解決している。[64] これは訴訟を利用して儲けようとしている産業がしばしば提起するような策ではない。ネット大企業はその余剰資金を使って自社より小さい企業の買収に精を出しているが、その一部は、それが競争的に見て公正かどうかを判断するのに使われるべき時ではないか？　そうでなければ恐ろしい結果が待っている。少数の巨大企業は市場を万力のように締め付ける力を持っており、それと競合する企業は成功しなければ生き残ることさえできない。現代の情報経済を理解するのに必要な技術的道具を軽視していたのでは、反トラスト法も的外れとなるだろう。[65]

誰かが、「フードの内側を調べる」能力を備え、ファウンデム、イエルプ、ネクスタグといった企業がグーグル検索で下位に押しやられた時に何が起きていたのかを理解する必要がある（もしあなたがこうした企業の名前を聞いたことがないのなら、それはあなたの検索結果から隠されていたからである）。「開示」も「監査」もそれだけでは解決策にならない。それらが現代のビジネス実践の拡張と見られることさえある。ランク付けする側とされる側とが対話を行えるような、ウェブマスターのいるフォーラムを作ることは、この点において少なくとも、グーグル自体の公正かつ責任あるビジネスではないだろうか。[66]

もしグーグルが、ランク付けをある種の仮想世界（そこでは支配者が絶対的な権力を持ち、参加者はそのサービスを通じて従うことしかできない）の出来事だと考えているのであれば、こうした対話プロセスもほとんど意味を持たない。仮想世界のデジタル封建主義の中では、支配者の一方的な決定に疑問をはさむ権利は誰にも与えられない。「エラー」は、「利益を上げる機会を喪失した」という意味しか持たない（適切な競争が行われなかった、という意味ではなく）。グーグルは、自社を純粋な利益最大化組織ではなく、利用者への信頼できるアドバイザーとして本領を発揮していると見ている。

インターネットで権力を振るっているのはグーグルだけではない。アップルやフェイスブック、ツイッター、アマゾンも、不透明なテクノロジーに頼ることができ、利用者の側では、なぜある特定の時にある特定のアプリや、物語や、本が紹介されるのか、その本当の理由が分からない。莫大な情報を秩序付けしようとする企業は、議論を避けるためとか、真似するライバル企業を失敗させるためだけにでも、自らの方法を秘密に保とうとするものだと思わなくてはならない。こうした「秘密主義」はビジネス戦略として賢いが、シリコンバレーが作り出す社会的世界を私たちが真に理解することを妨げている。「不透明さ」によって、技術的な不可知のヴェールの向こう側にある反競争的、差別的、もしくは単なる不注意による行為が隠されてしまう。「条件付き透明性」は、知的財産権を考慮に入れつつ、これらの行為を明るみに出すことを目指している。

何か面倒なことを明るみに出した時、何が起きるだろうか？ 少なくともヨーロッパでは今、創造的なアプローチが複数、議論されている。反トラスト法の調査に応えてグーグルは、検索の結果のうち、どれが自社の所有物かを主張し始めるだろう。[67] 自社が所有する特定のサイトだけでなく、少なくとも三つのオルタナティブを提示する。具体例で言えば、「Community meowmeowbeenz」という検索語に対して、ユーチューブの動画に加えて、VimeoやHuluなど他の動画サイトも表示するということだ。こうした方策に効果があるかどうかは、時間をかけて検証する必要があるだろう(68)。とはいっても、より中小のプレイヤーがオーディエンスを公正に分け与えられるためには、州の直接的な介入が、おそらく唯一の方法ではないか。同様の実験をアップルのiTunesやアマゾンの店舗で行うことも、規制当局はためらうべきではない。

不幸なことに米国での競争法を取り締まる部局は、ヨーロッパのものほど機動的ではない。FTCは二〇一二年、グーグルが自社サービスを多く見せライバル企業のサービスを目立たなくするために検索結果を操作しているのかどうか、検証しようとした。グーグルが広告の割合をどのくらいに設定しているのかも調べようとしたという(69)。FTCはグーグルに対して訴訟を準備し(70)、その来るべき裁判に備えて外部の法学者やエコノミストまで雇っていた(71)。

しかし、スタッフの考えが漏れてからわずか三カ月後、FTCのコミッショナーたちは調査の幕引きに入った。スタッフが心変わりしたのだろうか？「勧告案」が政治任用のコミッショナーたちによって否決されたのだろうか(72)？そうだとして、その根拠は？こうした決定は密室で行われているので答えが表に出ることはない。調査の終結を告げる声明文では、検索の偏向を論じた部分はおよそ二ページ分だった(73)。

検索の偏向に関する陳述を考える中で、FTCは必然的に、グーグルのアルゴリズム変更の効果や理由について、評価しなければならなかったろう。グーグルはこの変更を、検索結果が利用者にとってより便利になるためとしており、最終的にはFTCもそれに同意したように見える。しかしFTCがこの高度に技術的な問題にいかにしてアプローチしたのか、という基本的な問題には答えられていない。貧弱な公的記録では人は納得しない。『ニューヨークタイムズ』紙が書くように、「FTCはどのように「害」を定義したのか、グーグルが利用者を便利にしたという主張をどのように測定したのか、説明していない」のである。[74]

FTCは、例えば現在消費者が、グーグル所有もしくはグーグル関連のとてもすっきりした検索結果から得ている小さな利得が、より多様な提示をしてもらいたいと思っている消費者に後に害を与えるのかどうか、検討しているようには見えない。この不透明性に対して、ある公益集団は、情報自由法を使って、グーグルとFTCの間のやりとりを開示するよう求めた。この集団は「コンシューマー・ウォッチドッグ」で、より強硬な策を執ろうとしていたスタッフのメモの開示を求めたのである。[75]しかしこの問題は「同意判決」(consent decree) なしで解決されたため、FTCは自らの(不)行動の説明や正当化を行う義務を負わなかった。もし同意判決があれば、パブリックコメントも許され、司法的な承認が要求されたであろう。

当時のFTCの経済部長は『ニューヨークタイムズ』紙で、幅広い範囲から集めて来たデータは、額面通り受け取ることができないという懸念を表明し、「私たちは受け取ったデータについて全て厳しくタイヤを蹴っている〔点検している〕」と語った。[76]しかし四ページものの声明には、FTCが検証した仮説も、法的な理論全体も載っていない。しかしこのコメントから当人が意図せずに明らかになったことがある。FTCのような機関には、グーグル検索やそのデータ処理の核心部にあるアルゴリズムのような、高度に進んだテクノロジーの「フード内を調べる」能力が必要だということである。[77]アルゴリズムが時間とともにどのように変化したのか、および科学的、技術的、中立的と評されるプロセスにトップ幹部がどのように影響を与えているのかを正確に理解するために、コンピュータ科学者、プログラマー、その他の専門家を雇うことも含まれるだろう。[78]「タイヤを蹴る（kick the tire）」という表現は、専門家の分析の隠喩ではない。むしろ懐疑的な消費者が、普通の人にも利用できる情報を何でも使い、自らの能力を超えてできる限りのことをする、といった意味である。ＦＴＣが検索エンジンの偏向をどのように評価したのかより詳しい情報を出さない限り、その調査能力はＦＴＣが守っている消費者の能力とほぼ変わらないだろう。

競争法を専門とする法学者の中には、検索エンジンが公正かどうかといった問題に対して、国家が機敏に対処できるのか、疑問を持っている人もいる。[79] それは結局のところ、資源の問題である。もし反政府活動によって、ＦＴＣや連邦通信委員会（ＦＣＣ）、司法省等に十分な資金が流れなくなったら、こうした組織はデジタル競争の分野の課題について行くことなどできないだろう。[80]

修正第一条というワイルドカード

憲法修正第一条（表現の自由）を研究する学者たちは、より手ごわい批判を繰り出している。もしグーグルが「検索結果」をメディアの「形式」（「見つけたもの」としてよりも）と特徴付けるのであれば、憲法修正第一条で保証された「政府の干渉を受けずに情報を表明する権利」に関わってくる可能性がある、というのである。[81] 既にグーグルはこれを根拠として、州法に違反し不公正に扱われたと告発した原告に対し、何件かの裁判で勝訴している。[82] 例えば二〇〇三年にオクラホマ州で「サーチキング社」が、グーグルで「サーチキング」と検索した時にもっと高頻度で現れなくてはおかしいと訴えたが、判決では同社を斥けている。[83]「ある特定のウェブサイトの相対的な重要性の評価が間違っているとする、誰もが認める方法はない」ので、サーチキング社がグーグルによって不当に扱われたと言うことはできないと、裁判官は結論付けたのだ[84]。

グーグルは二〇一二年にも修正第一条を「振り回して」いる。二人の弁護士を雇い、反トラスト法は検索のランク付けに適用されるべきではないと主張したのである。不運な人が毒キノコを食した原因が不正確な「キノコ百科」だったとする告発が憲法修正第一条によって退けられている判例から、グーグルはどのような理由があろうとも、いかなる検索結果も「表明」する権利はあると主張した。とはいえ米国では、メディア企業に対しても反トラスト法規は適用されてきている。最高裁は、「表現の自由」と「競争法」は互いに強化し合う関係だと述べたこともある。AP vs 合衆国（一九四五）の裁判で、AP通信は競争法のある側面からは免れてしかるべきだと主張している。以下の判例を読んで考えていただきたい。

「政府はアイディアの自由な流れを妨げるべきではない」という命令は、憲法で保障されている自由を非政府組織の連合体が圧迫している場合には、当てはまらない。（…）憲法修正第一条は、ニュースや見解のやりとりをこうした連合体が抑制してもよいとする主張を、わずかなりとも支持するものではない[85]。

その六年後、米最高裁はロレイン・ジャーナル vs 合衆国の判決で、この立場を再確認した[86]。ロレイン・ジャーナル社は、新たに生まれたライバルであるラジオ局に広告を出した企業との取引を拒否した。同新聞社は、広告主を選ぶのは、修正第一条で保障された自由であると主張した。しかし最高裁はその主張に同意しなかった。メディア企業はシャーマン独占禁止法を遵守してメッセージを伝えられる、としたのである。

さて、二〇世紀半ばに出された前例は、今日のインターネットにどのくらいあてはまるのだろうか？　検索結果から巧妙に排除するというやり口は、ロレイン・ジャーナル社による「取引拒否」と似ているところがある。グーグルのライバルになる可能性のある多くの企業にとって、ランクが大きく下がることは「死刑宣告」と言えるからだ。グーグルはそれに対して、ロレイン紙は「編集判断ではなく（文脈にかかわらず）ライバルであるラジオ局に広告を出したという理由だけで広告を拒否した」[87]と反論している。しかし告発されているように、グーグルの決定も編集の論理ではなく経済の論理のみに従って行われているので、ロレイン紙と同様ではないかとの議論もある。例えばファウンデムは、同社が検索結果から排除されたのは、主として「グーグルショッピング」用の「空地」を作るため（そしてそれが唯一の理由であろう）と主張している。[88]グーグルという検索の巨人は、証明が必要なこと、言い換えると、「検索結果の表示が競争に反する行為でない」ということを前提としなければ、ロレイン紙を不適切と呼ぶことはできない。[89]表現という次元を持つビジネスにとって、憲法修正第一条は、刑務所入りを免れるための切り札ではない。ネット上の重大な意思決定について、大衆の理解を制限する方向で修正第一条が使われるのであれば、それはとても皮肉なことだ。[90]

ランク付けや格付けを行っている業者のうち、より前向き志向な業者は、原理的な反対に直面して、修正第一条で自分たちを守ることを諦めていた。医師を検索する小規模なサイトを運営しながら、医師の格付けを行っていた医療保険業者を例に考えてみよう。[91]この保険業者が格付けの根拠を開示できず、多くの医師がこの格付けは不公正かつ欺瞞的であるとして裁判に訴えた。そして保険のコストが低いことを「優秀な」医師だとする根拠にしていることも分かった。ニューヨークの司法長官事務所は、この保険業者が、「新たに実質的な格付けの基盤や、透明なデータベースや、医師が誤った情報を停止する機会」を設けるという譲歩を引き出した。[92] この保険業者は、修正第一条を防衛のために使うこともできたが、より公正なプロセスを作るために、州（およびそれらが格付けしたり、評価したりしている医療に関わるコミュニティ）と共同して働くという道を選んだ。

保険業者にはもちろん、医師について公的に発言する権利がある。しかしここで問題となったのは、顧客に対してアドバイザーという立場を取ること、不適切なデータを「利用」して医師の「差別」を行ったということである。データベースやアルゴリズムに基づいて、ある従業員が「病気」に見えるという理由で解雇をする権利が修正第一条で与えられないように、この条項は、州政府が、仲介業者が顧客や利用者に対して誠実に対応することを保証するための措置を執ることを妨げないのである。

保険業者がより建設的なアプローチをとったのに対してグーグルは、格付け（ＡＡＡ、ＡＡ、Ａなど）を「意見」であるとした債券格付け業者のひそみに倣った。彼らの法的立場は煎じ詰めると「責任逃れ」ということになる。「ＡＡＡをつけた証券が値下がりしたからといって私たちを責めないでいただきたい、意見を言っただけなのだから」。[93] 表現の自由を専門とする先導的法律家のフロイド・アブラムズはこの策を復活させて、サブプライム危機の際にその悪行を告発されたクレジット格付け会社を守る盾として修正第一条を使った。しかし裁判所ではこの鎧に穴を開けた。表現の自由を、詐欺を引き起こすほど増長させることはできないという論理である。意見という言葉が、例えば信用の注意深い確認といった特定の事実を意味するのであれば、その事実が決して実現しないとなるとそれは虚偽ということになる。[94] さらに、格付け機関が格付けを小規模の投資家集団のみに伝えていたならば、それは通常のメディア（より広い大衆に情報を伝えるもの）とは言えない。[95] 医師や弁護士、会計士といった「アドバイザー」にむしろ近い。こうした専門家は、「意見を言っただけ」という言い訳で、顧客への責任を免れること（または訴訟の過誤を避けること）はできない。

こうした判例は、グーグルやアップル、アマゾンが、修正第一条を盾に自分たちを守ることを困難にする可能性がある。こうした企業はいずれも、サイトのランク付けやアプリ、製品において、何らかの「パーソナル化」を行っているか、それを計画している。そうしたアルゴリズム権力は、何が私たちを喜ばせるのか（および喜ばせないのか）についてよりよく知り、私たちの興味をいかに惹きつけるかを知ることで、ビジネスを開拓している。(96) ある点においてこのようなパーソナル化は、企業と顧客との間に相互的な関係を結ぶので、専門的なアドバイザーと同じような規範的義務が発生する。もしも医師が、製薬会社からキックバックをもらって、患者の病気が悪化するような薬を処方したならば、病気の適切な治療法を決める医師の権力が推認され、どのような裁判所でもその悪行を見逃しはしないだろう。同様にネット企業もまた、ネットでの選択の順位付けには何らかの責任を取るべきだろう。(97) 順位付けされる存在に対しての責任まではなくても、少なくとも利用者に対しては責任があるだろう。

「金融のCIA」

複雑なネット企業を実質的に政府機関が監督できるのか、疑う人もいるだろう。しかし政府は既に、より困難な「米国の金融全体の監督」を行う組織を設立している。グーグルのような企業は閉じたシステムであって、組織の規範はトップダウンで伝えられるのに対し、金融では組織間でやりとりが行われているから、困難はより大きいのだ。にもかかわらず、二〇一〇年のドッド・フランク法では、時として「金融のＣＩＡ」と呼ばれる金融調査局（ＯＦＲ）を財務省の中に設立した。この組織は米国の金融市場全体を明るみに出すことで、規制の効力を上げることを目的としている[98]。

危機を見つけ出すために幅広い調査権を持つ諜報機関のように、ＯＦＲは「システミック・リスク」（金融システム全体を崩壊させる恐れのある賭けのパターン）を見つけ出す金融取引の詳細を収集し、分析する。そうした分析は、法律および制度の範囲内で、秘密にしておくことも、規制当局と共有することも、広く大衆に知らせることも、いずれも可能である。

これは微妙なバランスの立法と言える。もしＯＦＲが、集めたデータを必要以上に一般公開しようとすると、影響を受ける企業が、企業秘密をめぐって、長い法廷闘争に持ち込む可能性がある。もし開示が少な過ぎれば、「ウォール街の飼い犬」だとして、不要な組織と思われるかもしれない。だがシステミック・リスクを見つけ出すという成果がどうであれ、少なくとも将来の歴史家に対して、恒久的にアーカイブを残すという役割を果たすことになる。もしこの組織がなければ、合併や乗っ取り、ＩＴシステムの「アップグレード」の大波の中で、記録は失われてしまうだろう。

ＯＦＲのアナリストが焦点を当てているのは、金融リスクや流動性、そして「システム的に重要な金融機関」の失敗がデフォルトの連鎖を生む可能性である。金融市場の最も機微な情報に通じているＯＦＲは、金融当局に対して早期の警告を伝えることができる。金融システム全体としての状況を評価することで、規制当局に対してそれまで闇に包まれていた知識の源泉となるべきなのである。ＯＦＲは職務に真剣であり、金融の記録保持が、システムの安定性を高めるような変革につながると認識している。

データは、モニタリングに必要な形では存在していない。そうした場合、ＯＦＲはデータ要求を定義し、そのデータの入手の困難さやふさわしさを測り、その隙間を埋める最適な方法を特定し、データ収集のための戦略を立てなくてはならない。もしデータが望む形で存在していても、秘密保持、プライバシー、データ共有の制限といった理由で、アクセスできないかもしれない。分析のためにはデータの解像度が低過ぎるとか、的外れなところに焦点を当てている、範囲が限られている、質が低い、といった理由でデータが不適切かもしれない。それに付け加えて、データが基準を欠いていて、比較や集計ができないかもしれない(99)。

最後に触れた点、「データの基準」も、難しい問題である。例えばヘルスケアなど、他の分野の規制当局も悩ませている。オバマ政権が二〇〇九年に、健康情報の収集・交換を推進した時、多くの人が、集計され分析されたデータは公衆衛生が目的ではないだろうと心配した。しかしヘルスケアの規制当局は、電子的な健康記録システムの相互運用性を向上するために、精巧なインセンティブ支払い制度を導入した。

ＯＦＲにはそれとは対照的に、金融企業が統一的な基準を採用することに誘因を与える財源はなかった。できたことと言えば、いくつかの規制担当部局に対して、共通の基準を設けるようにとナッジ[4]をけしかけたことくらいである。ＯＦＲ自身は、「取引主体識別子」（LEI=Legal Entity Identifiers）と呼ばれる基準を作っている。様々な金融取引を行う存在に対して、一貫した名称もしくは番号をつけるというもので、これには疑いなく価値がある。巨大金融機関は何百ものアドホックな子会社や変動持分事業体（ＶＩＥｓ）を持つことができるが、規制者は素早く「誰が何を持っているのか」を見抜けなくてはならない[100]。しかしリスクと報酬とを細分化することが可能な現代のデリバティブ取引は、基本的な金融商品の所有に関する情報を時代遅れのものとする恐れがある。例えば、シティバンクがある中小企業を「所有」しているが、その企業から得られる純利益を利付債（interest bearing bond）と交換した場合、その企業が利益を上げるのに失敗したら実際に損をするのは誰なのか？　これはごく単純な例で、デリバティブ取引はもっと複雑にすることができ、リスクと報酬は見通すことができない出来事に基づいて移動していく。

金融調査局を手助けしようとする規制機関もある[101]。ＣＦＴＣおよびＳＥＣのスタッフは「現在のテクノロジーでは、共通の電子文書を使えば、デリバティブ取引の正確な「ネットエクスポージャー」を計算したり、その契約を縛る法律を提示したりできる」と結論付ける[102]。ＳＥＣは取引の記録を「監査証跡[103]」として記録しているが、これは問題のある取引をリアルタイムでチェックするためだけではなく、最も問題含みの取引戦略に対してレッドカードを突き付けるためにも使われている[104]。

米国の金融規制当局がどれほど野心的に基準を確立しようとしても、その努力は主要企業の「国際化」によって力を殺がれてしまう。企業側は、情報の記録に関する国内での厳しい基準は、海外のビジネスを困難にすると主張するからだ。企業側は規制に関して、国際的な協調を待ちたいとしているが、それが確立するまで数十年かかるかもしれない。もしくは単に、取引を海外に移すという対応を取る可能性もある。

タックス・ヘイブン〔租税回避地〕の存在が示しているように、金融業を誘致するために規制を枉げたり撤廃したりしようとする地域は多数ある[105]。政府が金融の流れを理解するための、小さいながらも希望の持てるステップとなったのが、「外国口座コンプライアンス法」（ＦＡＴＣＡ）が議会を通過したことである。カール・レヴィン上院議員による、租税回避地に関する一連の調査（その調査結果に多くの人は当惑した）も貢献した。この法律は不正な収入をターゲットとしている。[106] だが原則的に、より広い金融の流れを見るために、監査要求を拡大してはいけない理由はほぼないだろう。怪しいデータ業者のデータの出所やその行先（さらにそこから導き出された推論）を知る必要があるように、私たちは資金がどこから来てどこに行くのか（および利益がどこに行くのか）について、より良い認識を得なくてはならない。

「タックス・ジャスティス・ネットワーク[5]」のあるアドバイザーはかつて、海外での資金解明の難しさを夜の闇に譬え、「（天文学上の）ブラックホールの計測の経済版に等しい」と述べた。[107] 脱税戦略として最も基本的なものは「分離」である。「人」と「所有する資金」を分け、「企業」と「その管理者」を分け、「富の実質的な管理者」と「名目上の管理者」とを分けてしまうのだ。FATCAはこれをつなげようとしている。この法律では、外国の金融機関に対して、米国の市民が開設した口座に関する金融情報を求め、開示しない場合には税を徴収する。[108] 議会がこの法律を通したのは国際的な租税回避問題に対処するためである。多数の米国人が租税回避のために外国の口座を利用していることは、金融機関が監査人や規制当局の注意をそらすために「秘密管轄で」、租税回避地で多数のペーパーカンパニーを作っていることを連想させる。[109] FATCAはグローバルな資金の流れの解明を進めるために作られたのだ。[110]

一見すると租税回避地は、グローバル経済の「外れ値」であり、通常のビジネスの外部にある問題と思われるかもしれない。しかし実際には、[111] 多数のビジネス戦略の中心をなしており、「グローバル化の最も強力な道具」の一つとなっている。ペーパーカンパニーのネットワークは、租税回避者たちの使う組織のネットワークと構造的に類似しているだろう。FATCAは外国の金融機関に、個人が直接に所有している口座だけでなく、米国人の利益のために作られたペーパーカンパニーが持つ口座の所有についても問い合わせる。海外のものでも、実質的に米国籍と考えられるものはカバーする。[112] この法律では、報告の責任を負う者を、納税者から金融機関に移している。損害を与えた場所で金融機関を追及し、報告がなければ罰金を課す。[113] これに従った企業は、従わなかった企業の支払い分を控除できる。この条項は従った企業と従わなかった企業との分断が目的である。[114] 従わない企業を孤立させることも、規制当局の主要な目的の一つとなっている。

金融規制が信頼を失う

ここまで、金融規制における法律とテクノロジーとの相互作用に焦点を当ててきた。しかし、法律に違反した企業や「個人に」対して、実効力のある罰を課す気がなければ、技術的に熟練した政府であっても得られることは少ないだろう。政府にこれ以上の信を置く前に、私たちはまずグローバル金融危機の後に得られた教訓を考えてみる必要がある。

この危機のドキュメンタリーを作った代表格がチャールズ・ファーガソンだが、彼は『インサイド・ジョブ』でアカデミー賞〔長編ドキュメンタリー映画賞〕を受賞している。彼は受賞スピーチでこう語った。「すみません、まずこれだけは指摘しなくてはなりません。詐欺に始まる金融危機から三年が経ちましたが、金融機関の幹部で刑務所に入った人はいません。これは間違っています」。ファーガソンは後に著書『強欲の帝国』の中で、主要な金融機関のトップたちが、いかにサーベンス・オクスリー法（上場企業会計改革および投資家保護法）などの法律の基本的な要求に違反していた

か、(115)さらに、それまでの金融当局がそれに対していかに不適切な調査を行っていたかを跡付けた。(116)

ウォール街の法律違反を冷静に査定したのはファーガソンだけではない。(117)ジェド・レイコフ裁判官も、『ニューヨーク・レビュー・オブ・ブックス』誌に掲載した型破りなエッセイで、金融トップを刑事訴追しなかった司法省の言い訳を非難している。(118)例えば、危機の大部分の間、司法省刑事局のトップであったラニー・ブロイアーは、鍵となる取引の双方には「非常に賢い」集団があり、一方が他方を騙したとして訴追するのは難し過ぎると示唆していた。(119)レイコフはそれに対し、「有毒な」証券のリスクを十分に説明するのは売り手側の責任だと論じた。「こうした証券が光速で売買されたことを考えると、賢いからといって、売り込みのあったモーゲージの裏付けのある神秘的かつ複雑なデリバティブの問題を見抜けたかどうか、全く明らかではない」とレイコフは書いている。(120)

政府高官もシステミック・リスクを話題にしていた。エリック・ホルダー司法長官は、「もし刑事訴追をしたら、国の経済全体、あるいはひょっとすると世界経済にも悪影響を及ぼすだろう」と心配したのだ。レイコフ裁判官はこの「大き過ぎて収監できない」という合理化を、米国の司法制度を支えてきた一つの礎石である「法の下での平等」を尊重していないと嘲った。(121)

最後の交絡因子は、メンズ・レア（ラテン語で「犯意」）である。詐欺のような犯罪では、被告が意図的に、あるいは、分かっていて、他者を騙したということが、犯罪の構成要件となる。しかし複雑なデリバティブでは、「おお、こんなひどいことになるとは思ってもみなかった」と、誰でもが事後に言えてしまう。(122)資金が転がっている限り、それがどのように実現するのかを正確に問う理由がほぼない。(123)

ここでもレイコフ裁判官には答えがある。「連邦の検察官が陪審員に意図を推察させる時には、「故意の盲目」が、確立した判断の基礎となっている。ここには会計規則のような、少なくとも金融危機に関与した人々と同じくらい秘教的なものも含まれている」[124]とレイコフは論ずる。こうした「無知」が意図的なものか、それとも願望思考なり自己欺瞞なのかは、密かに暗号のような合意で決められるのではなく、開かれた裁判で決められるべきだ。金融で使われる、複雑かつ秘密のモデル化アルゴリズムの最大の危険の一つは、こうした区別を曖昧にする能力である。あるＣＥＯが、自社で中核的に行われている金融取引について、それが複雑だからという理由で自らは傍観者の位置に上り責任を取ることを放棄したら、責任と受託義務に関する基本的な法原則がいかに耐えられるのか、想像することが難しい。

金融の専門家の中には、取引のモデルがあまりにも複雑になってしまい、腹に一物あるマネージャーは取引の危険性を隠すために、常にクオンツの軍団を出動させることができると論じる人もいる。そのうえ、アルゴリズムによる「コントロール」システムは、リスクモデルの操作を自動的に防ぐと想定されているが、実際には人間の専門家よりも操作しやすい。ＪＰモルガンチェースの『ロンドンの鯨』トレーダーが、リスクのある戦略の買い時のゴールポストをいかに動かしたかを想起していただきたい[125]。しかし取引の正確な細部をきっちりと振り返ることなしには、私たちはこうした問題について一貫性のある議論を行うことは決してできないだろう。

レイコフ裁判官はある一つの事例について、力を振るって実際に再調査を行おうとした。二〇一一年、彼は疑わしい取引を進めたとして告発されていたシティグループとＳＥＣとの間での、シティグループが二億八五〇〇万ドルを支払うという和解案を拒否した。厳しい判決文の中でレイコフ裁判官は、規制する側と規制される側が、「不明な事実を基に、内密の交渉で和解を行うために、裁判所を単なる侍女として使っている」と非難した。とりわけ「金融市場の透明性に触れるような事件では、事実に基づかない司法権力の適用は、愚かさより悪く、本質的に危険だ」と注意を喚起した。「金融市場の回転が、私たちの経済を不況にし、私たちの生活を悪化させているのだから」。レイコフ裁判官は、銀行の不透明性に焦点を当てた法執行過程で、特権的インサイダーにのみ重要な事実が伝えられるという皮肉も鋭く指摘し、さらに、提案された支払額が、銀行の利益と比較してあまりにも少額であることを冷笑した。(126)

SECはこの裁判官の発言を、シティグループからさらなる譲歩を引き出すための梃子として使うことができたはずだ。しかしそうはならず、シティグループおよび規制当局は上訴し、第二巡回区控訴裁判所で勝訴した。法律の問題としては控訴審の方がおそらく正しい。行政機関には、どの件を追及しどの件を解決済みと考えるか、広い裁量権が与えられている。(127)とはいえ「第二巡回区判決」は、SECと、同委員会が取り締まる金融業界とのとりわけ厄介な側面を無視している。金融業界では特に、暗黙のうちに将来の富を求めて甘い判断を下し、取り締まる側の番犬が愛玩犬になるという「回転ドア」が成立しているのだ。SECがどれほどブラックボックスとなり得るかということも上訴審で考慮していない。

例えば二〇一〇年、調査によって集められた証拠を隠滅するという連邦法違反をしたとして、ダーシー・フリンという名の弁護士が、SECを訴えた。フリンは「爆弾告訴」の前に一四年間、SECで働いていた。彼の在任時、同委員会は、「予備調査に関連する事件ファイルも含めて」全ての重要書類を少なくとも二五年間保管するということを、アメリカ国立公文書記録管理局（NARA）と合意した。しかし同委員会は、調査の過程で得られた一万七〇〇〇を超える「調査中の問題」（MUI）

の文書を、破棄するように命じたとフリンは主張している[128]。もしこの組織が法律に従って内部文書を適切に保存していたならば、最も悪辣な金融機関のケースもより容易に立件できただろう[129]。

内部文書が消されてしまうと、金融業を規制する側と、規制に防戦したい企業との間の「おいしい絆」を暴露しようとしても、うまくいかなくなる[130]。「調査中の問題」（ＭＵＩ）の文書は「回転ドア」の実態に光をあてるはずだった。「政府監視プロジェクト」（Project on Government Oversight）は、ＳＥＣの元職員が離職から二年以内に、対象企業の代理人になる意向を示した七八九の事例を暴露している[131]。彼らは現在の雇い主に関する「調査中の問題」の文書はすべて、ブラックホールに投げ込むことを歓迎するだろう[132]。

ジャーナリストたちも、金融を規制する当局の不透明性には、日常的に苛立っている[133]。『ニューヨークタイムズ』紙のウィリアム・コーハン記者が金融危機の直前に、情報自由法を使って何度も、ゴールドマン・サックスとベア・スターンズについて質問をしたが、ＳＥＣはゼロ回答だった。コーハンは、金融危機を大衆が理解するのに資するような、一連の重大な出来事について明らかにした。金融危機の裏側を最も明らかにするような情報はＳＥＣが持っているはずだが、開示されないとコーハンは言う[134]。不開示という決定をコーハンは遺憾に思っている。「もし政府機関が、本来民衆のものであるはずの情報を権力を使って隠していたら、どれほど規制改革をしようともウォール街の腐敗を止めることはできません」と彼は結論付けた。透明性がなければ説明責任は果たせない。私企業は無論、連邦政府も完全な透明にはほど遠い。規制する機関の多くで、予算が足りず、職員は過労、その中には規制対象の業界のおいしい仕事を得ようとする者もいる[135]。

規制機関に対していささか厳しい判断に聞こえたかもしれない。しかしここ六年間の彼らの怠惰な応答を考えると、こう考えざるを得ない。公的な調査では、金融危機調査委員会（FCIC）や、前述の上院調査委員会も含めて、長い報告書が出ている。報告書を読むと、金融産業がいかに規制当局や顧客の眼から実際の活動を隠していたかが分かる。カール・レヴィン上院議員は、「私たちが見つけたのは、強欲、利害対立、悪行あふれる蛇の穴だった」[6]と結論付けている。[136]レイコフ裁判官が苛立つのも無理はない。

八〇年代から九〇年代初めにかけて銀行を規制する仕事をしていた犯罪学者のビル・ブラックは、別の比較の視点を提供してくれる。二〇〇〇年代の住宅バブルと同じように、八〇年代末の「S&L危機」（貯蓄貸付組合危機）は、不動産やモーゲージ・ポートフォリオの価値をシステム的に高く見積もる銀行を巻き込んだ。この危機で規制側は、一万人以上の告訴を準備し、実際に一四〇〇人以上を刑務所に送り込んだ。二〇〇八年の危機は、金額では八〇年代の危機の七〇倍以上だが、ブラックによると、奇妙なことに、マネージャーの行動はS&L危機で告発された幹部のものと似ていた。しかし告訴された人は一〇〇人以下、収監された人はさらに少なく、大企業のトップ近くにいる人は収監や生活水準を落とす心配をすることもなかった。「規制緩和、監督放棄、規制のブラックホール、幹部や専門家への歪んだ補償が組み合わさって、会計詐欺の連鎖を醸成する犯罪環境となり、ハイパーインフレの金融バブルを生み、経済危機へとつながった」とブラックは結論付ける。[137]ブラックは、企業の経営幹部やトレーダーの犯罪を厳しく追及すべきだとする。

しかし実際に起きたのは「示談」だった。多少のお金はかかり、わずかに報道されるかもしれないが、中には世の中に全く知られなかったものもあった。[138]例えば連邦の法規では、連邦預金保険公社（FDIC）が示談を秘密にしておくことを禁じているが、いくつかの銀行との間で、問い合わせがある時以外それを内密にすることに合意していた。こうした合意のおかげで銀行は、悪い記事が出ることで「合意」が他の銀行に与える抑止効果を防ぐことができた[139]。

なぜ委員会では司法機関に、この情報を言わなかったのだろうか？　規制者も検事も、ひょっとしたらまさに捜査対象の企業のポストを狙っているかもしれない。政府の仕事で年収が二〇万ドルを超えることはまれだが、ウォール街を代表するような法律事務所のパートナーになれば年収は一〇〇万ドルを超え、純資産は一〇〇〇万ドルを超えるだろう。米連邦地裁ニューヨーク南地区の検事が、退官後はウォール街で金融機関のために働く[140]。既に多数の人を載せている、豊かな民間部門へと向かっている船をわざわざ揺らすほど志操堅固な（あるいはお金持ちの）法律家は、少ない。

「大き過ぎて潰せない」が「貧し過ぎて規制できない」と出会う

規制側がためらうもう一つの理由に、「お金に乏しい機関や検察」と「非常に豊かな金融業者」との間の資源格差がある。大銀行が金融市場で空前のシェアを占め、格差は広がるばかりである。大銀行であれば法廷闘争（および競技場を自社に有利にするように規則や立法を求めるロビー活動）に何十億ドルもの資金を使える。SECの予算は全体で二〇億ドルに満たず、担当すべき組織やトレーダーは数千に及ぶ。他の規制組織の予算はさらに少ない。二〇一三年、SEC委員長であったメアリ・ジョー・ホワイトは議会で、「現在の予算規模は、現在の投資家に見合いそれに期待されるよう、規制される組織を調査して関係法規に従わせるためには、十分ではありません」と証言している[141]。ただこのような平板な言い方では組織の貧しい現状が伝わらない。職員たちは厳しい顔で朝五時半発のDCバスに乗り、ニューヨークという宇宙の支配者の調査へと向かう。（議会は鉄道に乗るために十分な予算を通してくれない上、マンハッタンでの駐車料金はアムトラックに乗るよりも高い[142]。

金融詐欺の複雑さのために、今後もSECは「後追い」を続けることになるだろう。ブラックボックス金融の、高収入の会計士、弁護士、トレーダー、マネージャーが考えた多数の複雑なスキームの中で、規制者側はどの問題から着手するのか順番を付ける。多くの知識労働者は、三年前のパソコンを「時代遅れ」と感じるが、SECの委員長は、二〇一〇年にSECの「データを集め、市場を監視するテクノロジーがしばしば、規制される業界側と比べて二〇年遅れ」であることを認めている[143]。米国では金融業を規制する側の資源は、規制される側の企業（時には個人）の資産よりも貧弱なのである[144]。

完全に負けている規制者側は、費用のかさむ裁判に持ち込む気が失せている。二〇一三年に開かれた「上院銀行住宅都市委員会」のヒアリングで、マサチューセッツ州選出のエリザベス・ウォーレン上院議員がFDIC、SEC、通貨監督庁（OCC）、商品先物取引委員会（CFTC）、連銀、財務省、消費者金融保護局の代表者に、最も最近ウォール街の銀行と裁判をした時期を尋ねたところ[145]、誰も答えられなかった。「毎日判例を作るために薄弱な根拠で普通の市民を絞り上げて裁判にかけようとしている地方検事や連邦検事がいる。私が心配しているのは、「大き過ぎて潰せない」が「大き過ぎて裁判にかけられない」に変わったのではないかということだ」とウォーレンは記している。「巨大金融機関は、裁判に持ち込まれるのを恐れる規制者たちと交渉して有利な示談に持ち込めると知っているとすれば、法律に従おうとするインセンティブはない」と、ウォーレン上院議員は主張する。

ウォーレンの「嘆き」から数カ月前、強力な立法府集団の一つ「下院金融サービス委員会」が、金融規制に関する予算に大ナタを振るった。そのため関係部局では、多くの事例に対して予備調査を始めることさえ危ぶまれた[146]。もし予算の問題が主たる理由であるならば、下院議員たちは少なくとも、二〇一二年にトレド大学法学教授であるゲオフ・ラップが示唆したように、「政府のために主張を追究する民間主体に力を与える」といったこともできたはずである[147]。しかしそれも行われなかった。より悪い可能性としては、多くの下院議員が単に、金融詐欺の強制執行をあまり見たくなかった、ということもあり得る。

大統領が公的に行動を要求した時でさえ、州政府は時に「わざとゆっくり」仕事をする。バフク・オバマ大統領によって、二〇一一年に開始された大言壮語的な「抵当詐欺タスクフォース」は、二〇一二年五月になっても職員の数はわずかだった。抵当詐欺や、銀行によるその他の違反が無視できなくなり、オバマ政権の幹部は、詐欺を防ぐために大きな資源を割けなかったという失敗の理由をリークし始めた。例えば財務省の職員が、「集中的な調査」を自己破滅的だと表現した。彼らは、金融規制の主たる目標は現在の銀行システムの安全と健全性の確保だと主張した。「前を見よ、振り返るな」というのが呪文だった。あまりにも多数の調査が始まり、外国の主要な投資家たちは、米国の金融システム全体の強さに疑問を抱き始めた。政権は、正義を追求する人々を「近視眼的」「感情的」と形容するようになり、不安を持つ投資家たちを安心させるのに必要な冷静な計算ができなかった。

医療詐欺対策からの教訓

より強力な調査を行っていたら、金融市場が実際に被害を受けたかどうかは分からない。しかし、もしオバマ政権の「金融危機後の捜査によって破壊的なインパクトが与えられるおそれがある」という言葉を文字通り受け取るなら、政府は「金融危機の前に」、監視および法律の施行を行うべきであった。

住宅危機のような資本の激しい毀損が起きる前に、不安定化要因や詐欺につながるふるまいを検出するというのは、現在の金融の複雑性からすると、絶望的なのではないかと思う人がいるのも無理はない。規制する側の力は細分化されており、ドッド・フランク法の適用は遅く、予算カットの圧力もあり、大規模な金融機関をモニタリングしようとするのは「無駄な努力」とさえ見えるかもしれない。

しかし、一九九〇年の医療詐欺についても、同様のことは言われていた。病院は、メディケアのような公的プログラムから過大な金銭を引き出すために洗練されたテクノロジーを使っていた。質の悪い病院は、一五分の診療を三〇分に装うなど、手っ取り早い錬金術を行った(148)。患者には不要で大掛かりな手術を強行する病院もあった。架空のメディケア受給者を偽ＩＤででっち上げ、そこを医師が訪問したことにして、政府から金を引き出すという単純な詐欺の手口も使われた。

メディケアやメディケイドの管理者はこうした詐欺を防ぐための資源を有していなかった。責任ある監督機関には、このシステムを流れる多額の資金を追跡する人員もなかった。強力な立法を、司法省が過大な調査権を持つことになると批判する議会が邪魔をした(149)。しかし、かつてないほど複雑になった医療財務の中でもこの状況にめげず、幹部たちは詐欺や濫用と戦うために、特別な「請負人」を使うという道を選んだ(150)。

詐欺の検出の中には容易なものもある。例えば足医者が、一回の訪問で一五もの足の爪をカットしていたら、コンピュータ・プログラムが赤信号を出すだろう。時を経てプログラムも洗練されてきた。ある請負人が、一人の患者のメディケアの全履歴をチェックすれば、異常な行為は見つけやすい。例えば、糖尿病になったことがない人が、インシュリンの処方を突然受け取るようになったら、これはおそらく医療詐欺の一角であろう。

医療ソフトウェアは、詐欺を撲滅するだけでなく、浪費についても突き止めてくれる。最新の医療についていけていない医者は、低リスクの患者にも無駄に積極的な治療行為を行うかもしれない。臨床方針決定支援ソフトは、同時に使うと危険な薬の組み合わせや、かつては好まれていた治療プランに反対するエビデンスについても示してくれる。ここでの目標は医療の自動化ではなく、医師が最新の、適切な情報にアクセスするよう保証することなのである。

最適な治療を判断することの方が、金融取引の適切な構造を判断するよりも、容易なのではないかと疑う人もいるだろう。医師による疑わしい処方や過剰な治療よりも、金融詐欺の方がさらに複雑だと感じているのだと思う。しかし思い出していただきたいのは、ビッグデータが「公約」しているのは、人間の専門家に依存しない「機械によるパターン認識」であるということだ。ターゲット社のデータサイエンティストが顧客の「出産予定日」を予測するプログラムを開発するために、誰も妊娠診断の専門家になる必要はなかった。司法の自動化には、十分大きなデータと過去の犯罪についての十分な記録があれば、規制者はつぼみのうちに悪事を摘み取れるということが期待されている。

医療分野でこれは既に実現している。例えば、多数のクレームがリジェクトされているとか、ある医師がその州の誰よりも多くの手術をこなしているなど、請求書から「警告サイン」が読み取れる場合、データ分析の請負人は、大規模な捜査や訴追で医療の中断や悪評発生が起きる前に、早い段階で特定し介入することができる[151]。たまには派手な「手入れ」も起きるが、大部分の場合、慎重かつ部分的な介入で十分なのである[152]。アメリクエスト社の「サブプライム・アート部門」が源泉徴収票を偽造したり、ＡＩＧの金融商品部門が明らかに不適切な引当金を用いてクレジット・デフォルト・スワップ（CDS）を積み上げている間に、このようなセーフガードの発動ができたら、と想像していただきたい。おそらく二〇〇八年の危機も、何兆ドルもの国民経済の損失も、避けられたであろう。

　しかし、金融イノベーションについて疑問を持つ人もいるだろう。「過去の」悪行のパターンに基づいたアルゴリズムが、いかにして新奇な投資技法でのトラブルのサインを見つけることができるのか？　ここでも医療政策での戦術が考慮に値する。金融の規制者が、新たな金融商品の許認可権を持つことも可能である。法と経済学の学者二人は、「新薬をふるいにかける食品医薬品局のような政府機関が、金融商品の場合にも許可を出さなければ企業が販売できない」という形の提案をしている[153]。この「金融版の食品医薬品局」は規制当局と連携し、新商品が濫用されることに対して早くに警告を出すことができる。あるいは、基本的な安全要求に関しては、金融機関同士での話し合いを許可する。これは、消費者金融保護局（CFPB）のいわゆる「プレインバニラ」（基本的な）モーゲージの扱いの背後にある考え方の一つで、金融機関にとって、複雑な商品と比べて規制や訴訟のリスクが低くなっている[154]。

　情報産業の先端にいる民間の請負人のチームを作ることで、医療の規制当局は請求行為の適正化を推進し、詐欺の損害を取り戻した[155]。メディケア・メディケイドサービスセンターは、二〇〇八年のヘルスケアへの観察努力で、支出一ドルあたり一七ドルもの回復を実現したのだ[156]。金融が抱えるシステミック・リスクからすると、金融での法執行に対する投資の増額によって、もっと大きな利益を上げることが可能であろう。

　ヘルスケアにおける詐欺、浪費、濫用は、一見すると金融よりも単純に見える。しかしそれは、普通の人が例えばスワップやデリバティブといった金融商品よりも、医療保険を使う経験が身近であるからに過ぎない。両分野とも機械学習にかけることができる。また、医療の複雑さを過小評価すべきでない。違法行為の可能性は、医療提供者、従業者、保険業者、ベンダー、患者の間の複雑な関係の中で「栄える」[157]。しかし政府も、こうしたネットワークを分析する「データ分析テクノロジー」の利用を学び始めた[158]。ドッド・フランク法のもとで設置された金融調査局は、デリバティブ取引や企業間の真の責任（および関係）を跡付ける、はるかに野心的な試みをすることができたはずだ。責任があまりにも錯綜していて安定を崩すという懸念から、規制当局を刺激するのを恐れるべきではなかった。

米国の五〇州は独立してメディケイド・プログラムを走らせているが、詐欺対策プログラムは、バラバラであったデータの出所を統一しているように見える。データマイナーたちも州を超えて、メディケアのプログラムから有益な活動を見つけ、比較できる[159]。こうした種類の機能は、国全体の抵当詐欺の繰り返されるパターンにスポットを当て、住宅危機の前段階では非常に役立ったことだろう。ヒュージョン・センターのネットワークが水平的（各州あるいは各地方組織の間で）もしくは垂直的（下部から国家機関へ）に疑わしい犯罪情報のパターンを伝えるように、州のメディケイド統合プログラムは、高速なデータの流れに力を与えると同時に、逆にそこからも力を得る[160]。メディケア・メディケイド・データマッチプログラムは、各プログラムで行われる監視と分析の間の障壁を打ち崩す[161]。その成功は、データを共有することで効率（および新たな洞察）を追求する、金融安定監視評議会（FSOC）のような組織のモデルとなるべきだ。

古典的な犯罪抑止理論では、詐欺の継続を止めさせるには、捕まった場合の投獄期間を長くする、罰金を増やす、連邦のプログラムから永久に排除するといった厳罰化で対抗することが示される[162]。しかしこの戦略はリスクも費用も高いかもしれない。司法省の担当チームが、債務担保証券の事件での衝撃的な無罪判決で新たに発見したように[163]、高度な技術で「犯罪の意図」を解明しようというのは手強い問題である。それを補うアプローチとしては、監視の範囲を広げることで、さほど強くない介入でも詐欺が「転移」する前に捕まえ、正道から外れた、疑わしい、あるいは杜撰なプレイヤーがより良いふるまいをするようにナッジするというものがある。メディケイド供給者向けの、メディケア整合プログラムその他のプロジェクトは、このアプローチをとっている[164]。おそらく金融機関に対して慎重な規制をかける方が、裁判や立法などで後から困難な努力をするよりも、効率的だろう。私たちの側ではほとんど失うものがない。

もちろん、NSAやヒュージョン・センターの監視に悩まされている人々は、州による調査権のあらゆる拡大を胡散臭く思うだろう。しかしここで私が提案している詐欺防止モデルと、国内で無秩序に広がっている複合的な諜報との間には、重大な違いがある。まず第一に、NSAの「地引網」で細かな個人情報を集められるのとは違い、医療の提供者は詐欺捜査が必要なことを知っており、それをメディケアの患者を受け入れる条件として容認している。必要であれば法廷で争うこともできる。第二に、これまで論じてきた企業の多くは「悪事」のクレームを既に解決している。こうした解決の多くには、進行中のモニタリングが既に組み込まれている。モニタリング技術の高度化は現在の編成をより効率的にするだろう。第三に、観察機関が既に重要な調査権を有していることを企業側も理解している[165]。最後に、金融への監視は、普通の市民がスパイ行為に「晒される」というより、政府が介入する矛先の「方向を変える」ことと考えた方が良い。デジタル監視装置が、一〇年の間に一人のテロリストの攻撃を止めることができたという厳しいデモンストレーションを行っている時、そのエネルギーは別の脅威に向けるべきだろう。

政府にブラックボックス企業を監視する能力があるのか、疑う人もいるだろう。しかしその「賭け金」が十分に高ければ、連邦政府はデータを駆動させて「全能」へと近づくだけの力を持っている。スノーデンによるNSA内部の「暴露祭り」から得られた重要な教訓は、ほとんど「すべてが」記録され得るということだ。ネットにつながっていないコンピュータ、外国の高官の医療記録、ケータイでのビデオゲーム、ひいてはデータを暗号化する装置さえも、諜報機関によって「侵害」される。

こうした監視の効果については議論がある。開くことに州顧問が反対するようなブラックボックスもある。しかし監視の「方向性」については、理性ある話し合いをするべきだ。現在、企業と政府が一体となって市民に焦点を当てている。しかしなぜ政府（およびその請負人）はもっと企業の悪行を探る仕事をしないのだろうか？

グーグル一つとっても、プライバシーや反トラスト法に違反した「前科」がある。[166] 銀行のスキャンダルも、向こう見ずな投機から差別、麻薬マネーのロンダリングまで幅広い。[167] 連邦の監視者たちは、相手がネット企業や金融機関だと圧倒され萎縮するようだが、同胞であるNSA、FBI、DHSの職員は、ヴィーガンや尼僧、図書館員等の追跡に時間を費やしている。金融の規制のために使われている予算は、諜報活動への投資額より極めて小さい。予算のバランスを改める時である。

この一五年のうちに、米国は二度、大きな危機に見舞われた。一つは二〇〇一年九月のニューヨークおよびワシントンへのテロ攻撃であり、もう一つは二〇〇八年九月の金融システム破綻の危機である。9・11テロ以降米国では、テロの脅威についてそれまで「カテゴリー・ミステイク」をしていたと結論付けた。政府はテロリストを探す監視能力を大幅に拡充した。諜報機関は再び、国内秩序への脅威に焦点を当てるようになった。集団や個人の評判への注目に専念する巨大産業が構築された。連邦政府は情報収集で州や地方の司法組織と、さらには重要なインフラを提供する民間企業とも連携し、議会が「情報共有環境」（ＩＳＥ）と呼ぶものを作り上げた。

しかし金融に関しては、同じレベルの監視の再構築や再投資、強化などは見られない。金融市場を突然に不安定化するような、国家的な安全と秩序に対する脅威があるにもかかわらず、米国は金融に関する新たなＩＳＥの構築にはごく暫定的な一歩を踏み出しただけだった(168)。国防省は、もし世界が完全な金融戦争に突入したらどうなるかというシミュレーションをしていた(169)。こうしたシナリオの「戦争ゲーム」にとどまるべきではなく、それより視野の広い市場および資本の流れの監視へと向かうべきである。金融の不安定性に対して、より様々な主体が協力したアプローチをとるべき時である。

国防省は既に、金融を含めた米国のあらゆるビジネスを守り、インターネットによる攻撃を避けるサイバーセキュリティに投資をしている。だが現代の金融の流れが脅威なのは、コンピュータ・ウィルスが取引を妨げたり記録システムを暴露したりするためだけではない。あらゆる構成要素が設計通りに作動している時に、統制を失い不安定化することが増えているのである。幸運なことに、金融体制の危機を早期に警告するシステムを構築することは、巨大なテロ対策装置を作ることに比べれば、難しくも高価でもないだろう。

その基盤は、技術的にも法的にも、既に整備されているとも言える。ＮＳＡの国内監視システムは、「裁判所の許可なしに、アメリカ人のＥメールを日常的に、大量に検査している」(170)。民間の通信会社がこうしたデータを集めて政府にわたしている。世界中で起きている、普通の市民の「上向き」の監視の一部と言える。現在の問題は、いかにしてこの監視を、普通の市民の生活を細かく記録するのではなく、より生産的な目的へと変えていくのかということだ。ブッシュ政権が二〇〇二年に出したNSA報告書の序文は、「テロとの戦いは、いつまで続くのか分からない、グローバルな企てだ[171]」と警告している。「金融詐欺およびシステミック・リスクとの戦い」は、諜報機関にとって、歓迎される新たな方向となるだろう[172]。

資金に関する記録を、インターネットで可能となったコンピュータ・データベースへと移すことは、金融の安定性への脅威および詐欺を防ぐ規制側の能力を、妨げる可能性もあれば強める可能性もある[173]。監視されない、完全に暗号化された資金の流れの世界では、集中した富の購買力が、国家の金融能力を根本的に脅かしかねない[174]。しかしながら、電子データの流れをスマートにモニタリングすることで、国家はそのようなシナリオを避けることができる。平均して毎年何千億ドルも違法な資金が流れ、数百億ドル以上の税収が減っていることに対するささやかな挑戦である[175]。金融の犯罪や不安定化を含めた脅威に対する諜報を支持するのか、それとも現在の規制で社会秩序を脅かす危険を防げると思い込み続けるのか。問題は私たちがそのどちらを選ぶかである。

デジタル時代の「怪しい肉」

ビッグデータ技術および予測分析は、私益だけではなく公共的な価値の増進にも使うことができる。しかし私たちの政府は現在、私益を公益とを混同する傾向があり、金儲けを民衆の「知る権利」よりも優先している。私たちは、民間企業に受動的に屈服しながら評判や検索、金融に関する意思決定を行うことで、それがどのように作動するかはもとより、どのような意思決定を行ったのかを知る能力さえも徐々に失っている。その結果この世界は、過去最も栄光のあった「暴露記者」にさえ、改革できないものとなった。

食の安全といった基本問題を考えてみよう。一九〇四年、精肉工場に覆面捜査官として侵入したアプトン・シンクレアは、凄まじい汚染と搾取を目撃する。シンクレアは小説『ジャングル』で、精肉工場の労働者の苦境を描き、この業界を叩いた。人びとの怒りも高まり、一九〇六年に議会は「食肉検査法」を可決した。

シンクレアの手法で、今日の食品業界の恐ろしい話を告発しようとしても、その人は罰金を課されたり、投獄されたり、果てはテロリスト扱いされる可能性さえある。アイオワ州、ユタ州、ミズーリ州では、覆面捜査は違法である。主たる農業州はほぼすべて、同様の法律を制定している。アメリカ立法交流評議会（ＡＬＥＣ）という政府と民間との協働団体は「動物および生態的テロリズム法」を提案し、その中で、そうした組織や所有者の「名声を傷つける」目的で映像に収めることを禁じており、[176]違反すると「テロリスト」として登録される。

ＡＬＥＣがいかにしてこの法律を提案するに至ったのかについては、正確なところを見つけることができた。この集会に入ろうとした『ワシントンポスト』紙の記者は、「ビジネス・ミーティングは参加者以外は入れない」ことを知った。[177]警察が記者を外に連れ出した。もし抵抗すればおそらく彼もテロリスト認定されただろう。連邦政府もジャーナリストの扱いについては変わらない。「国境なき記者団」が発表した二〇一二年の報道の自由ランキングで米国は四七位と、スリナムやマリ、スロバキアよりも下だった。これは主として、「ウォール街を占拠せよ」運動において、写真や映像を撮影している人に対して警官が嫌がらせを行ったことに因る。[178]

シンクレアの読者と同じように私たちも「毒のある食品」を恐れている。私たちは既に「毒のある資産」や隠れた料金、セキュリティ・ウォッチリスト、偏向した検索エンジンに気を付けることを学んだ。私たちの多くは何らかの、自助の方法を身に着けている。例えばメッセージを暗号化したり、プロフィールを最適化したり、信用スコアを上げる「ヒントとコツ」を探したりしている。ブラックボックスという怪物を出し抜くうまい方法と感じられるかもしれない。しかしゲームは常に変化している。今日の「勝ちパターン」が明日には惨敗をもたらす可能性さえある。暗号化も、はじめはうまくいったとしても、次にはむしろ注意を惹いてしまうかもしれない。銀行やスコア業者や巨大ネット企業について行くことは、彼らの私たちに対する力をただ強めるだけかもしれない。私たちは彼らについて行くのではなく、彼らのルールに挑戦すべきなのだ。

評判、検索、金融の業界は、私たちを闇の中に置くことで利益を得ている。さらに彼らは、すべての産業に影響を与える、大きな「秘密の文化」を作り上げてしまった。シンクレアの時代にやっと勝ち取られた透明性の利益も消えつつある。この一〇年間、食品の安全を脅かす事件が多数起きた。しかし数年前、ロビイスト達が「食品安全近代化法」を骨抜きにしてしまった。この法律は食品会社に、原料がどこから来たのか記録することを義務付けるものであったが、単なる「パイロット・プログラム」へと薄められてしまった[179]。ピュー・ヘルスグループの食料プログラムの長は、このシステムがいかがわしい理由をこう述べる。「もし人々が、あなたが汚染源だということを証明できないのであれば、あなたが責任を認めることはまずないでしょう[180]」。虫のいい理由付けとしてイデオロギーが持ち出される。「大きな政府」は自由な起業を締め付けるといった表向きの理由で、基本的な、常識的とも言える記録保持要求が反対される。グーグルやゴールドマンのような主導的企業が、自社の事業の多くを秘密にしていると、他の企業の経営者たちも秘密保持がビジネス成功のカギだと考えるだろう。

ネット企業と金融機関は、私たちの情報経済の基準を定めている。これまで彼らはその力を、商業世界を詳しく理解することに使ってきた。グーグル設立者の一人であるセルゲイ・ブリンはかつて、「完全な検索エンジンは神の心に近い」と述べた[181]。グーグルが地図、電話ソフト、ひいてはホーム・マネジメントに投資するにつれ、グーグルの見る、聞く、追跡する、感知するといった力は成長する。データ業者も同様のゲームを行っており、私たちについての情報を束ねている。取引パターンを即時に、包括的に知りたいフラッシュ・トレーダーから、戦略的に重要企業のハブに位置する「専門家ネットワーク」まで、ウォール街の「知りたいという欲望」も空前だ。ライバルより多くを知ること、あるいは、ライバルよりただ早く知ることが、巨大な収益を生むカギとなる。

しかしもし、経済上での成功が「情報の優位」よりも、「生来の生産性」に基づいていたとしたらどうであろうか？　何を生産する「べきか」という実質的な判断から離れ、ウォール街やシリコンバレーが財やサービスに対して置く神秘的な価値付けに、私たちは導かれてきた。しかし、中立で客観的とされる彼らのアルゴリズム・メソッドは、富と注目に関するある種のヒエラルキーを強化する方に、予想通り偏っている。結論を示す次章では、こうした偏向に焦点を当てつつ、さらにより「知的な社会」に向けた道筋を探る。

第6章　知的な社会に向けて

私たちにはまだ見えない未来の社会における生活を、小説家は見ることができ、それについての物語を語ってくれる。こうした「先見の明」は既に、ブラックボックスというトレンドを探り当てていた。

コリイ・ドクトロウは小説『スクルーグルド』で、グーグルと国土安全保障省とが緊密に結びついたさまを想像している。ドクトロウが描くグーグルは、情報をコントロールして政治に影響を与える。例えば、スキャンダル情報のメディアでの露出を増やすぞと議員たちを脅すのである。登場人物の一人は言う。「シュタージは人に関するあらゆることをファイルにしまった。グーグル自体はどう思っているのか知らないが、やっていることは同じだ(1)」。

ドクトロウの描く物語は私たちに厳しい問いを突き付ける。これが現実となっても分からないほどグーグルが「企業秘密」を使っても、私たちは許すだろうか？　この小説が二〇〇七年に発表された時、批評家たちは「人騒がせ」として片づけた。しかしその中心にある、グーグルと政府とが密かに連携し権力闘争を行うという発想は、既に現実となっている。グーグルは家庭へ（ネスト）、自動車へ（ウェイズ）、宇宙へ（衛星への投資）、職場へ（グーグル・エンタープライズ）足跡を大きく広げた。数百社からデータを購入することができ、グーグルは「全情報認知」を、「偏執狂的恐怖」というより「退屈なビジネスプラン」にしたのだ(2)。

ゲイリー・シュタインガートは、好意的に『一九八四年』と比較されたディストピア小説『スーパー・サッド・トゥルー・ラヴ・ストーリー』で、秘密めいた大企業の影を描き出している。金融およびセキュリティの巨人に挑戦する登場人物たちは、無力感を感じながらも互いに足を引っ張り合うような社会秩序の中で、居場所を見つけようとする。彼らは「個性」や「セクシーさ」をスマホのアプリで測る。信用スコアは便利なことに、小売の場でも（大っぴらに）公開される。選ばれし者として見られるよう奮闘するカルヴィン派のように、登場人物たちは競って数値を上げようとする。スコアが何を意味するのか、あるいは、それがいかに算出されるかについては大して気にせず、ただスコアの上昇を求めるのだ。ブラックボックスによるランク付けがアイデンティティの源泉であり、不安定性と短すぎる注目が自己のより複雑な源泉を掘り崩している世界で、最後の「客観的」な価値となっているのだ。[3]

アダム・ハスレットのウォール街での「教訓譚」である『ユニオン・アトランティック』では、グローバル化した金融が焦点である。この物語では、向こう見ずなトレーダーが、上司やコンプライアンス部のスキをついて高いレバレッジの賭けを行う。力に酔いしれ、無軌道なギャンブルでハイになったこのトレーダーは自分を「世界の重要なアーティスト」「他の人は受身で被るしかない状況の作り手」と見なすようになる。「被る」というのは正しい表現である。彼の行動は人間の引き起こした破滅の跡を残した。[4]

ドクトロウ、シュタインガート、ハスレットのような先見の明がある作家の作品の中では、個人の性格と社会構造とが相互に影響を与えているさまが明確に描かれている。ブラックボックスの内部者（インサイダー）たちは、あたかも「ギュゲースの指輪〔1〕」を身に付けているかのように守られている。この指輪をしていると、人から見えなくなることができるのだ。しかしプラトンが『国家』で警告しているように、これは悪行へと人を誘ってしまう。[5]

アウトサイダーにとっては、プラトンが使った別の比喩、洞窟の比喩があてはまる。囚人たちが鎖につながれ、正面の石壁に向き合っており、背後の炎が映し出す影が壁に映し出される。彼らにはこの「映像」しか見えず、映像を作った人の思考はもとより行動も理解できない。ブラックボックス技術を、理解せず使用することに満足している人々のように、彼らは魅惑的な結末を見ることができるが、しかし情報操作や搾取から身を守る術もない[6]。

ブラックボックス社会

ブラックボックスはいわゆる情報時代のパラドックスを具現化している。データはそれなりの幅や深さの中を漂っているが、最も重要な情報はしばしば内部者（インサイダー）にしか行かず、私たちにはアクセスできない。小説家たちもこれを前提としている。これで一体どのような社会が作られるのか？

スコアと賭けのルールが作られる。私が論じてきた、評判に関するシステムの中では、信用スコアが最も規制を受けている。しかし規制のおかげで質が向上したとはほぼ言えない。信用報告における誤った情報への罰金は安過ぎ、信用機関は大して気にしていない。スコア化の事実が、それ自体への法律となっている。信用スコアは私たちに、ある特定の基準を内面化させ、失敗を罰する。テレビコマーシャルでは信用スコアが落ちたという「苦悩の物語」を描き、無慈悲に「低いスコアと怠惰、信用できなさとを等値する」[7]。こうした広告のスポンサーは、彼らが広め、強化する不安から、利益を得ている。リスキー過ぎる賭けに失敗しても無傷で自社を去っていく金融機関のトップに、彼らは道徳を説こうとはしない。

公的な扶助が縮小する中で、クレジットにおける「評判」の重要性が高まっている[8]。緊縮経済の中、不安定な「プレカリアート」にとってローンが生命線となってしまった。かつて州奨学金を得た学生たちは、今や政府や民間の貸し手のための利益を生んでいる。私たちの「市場国家」および「所有社会」の中で、「公的資金」よりも「私的なクレジット」の方がチャンスのカギとなっている。住宅を買いたい人、学生、非常に貧しい人などは、住む場所を買うため、キャリアに備えるため、毎日の暮らしに必要なお金を払うために、商業的なクレジットを利用させられる。民間の貸し手は概して、個人や集団への長期的な投資よりも、富を増やすことを望んでいる。ブラックボックス金融というパラドックス世界の中では、「ローンが返済できない」側に賭けることから利益が得られるかもしれない（デフォルトのリスクをスワップすると、借り手の失敗で儲かるのだ）。力を持つ主体が、失敗から利益を得るとなると、将来はそのような事象が増えることが予想できる。

分断された不平等な経済が作られる。普通の市民にとっての評判システムと、金融資産を多く持っている人にとっての評判システムとは、それが同じ経済の中で作動することはないくらい、分断されてしまった。

信用機関は顧客にスコアを付けるが、顧客がどうファイナンスを組み立てれば最良のスコアが得られるのかを信用機関が助言することはないし、顧客の弱みを隠し強みを強調する方法の調整のためにロビー活動することもない。信用機関の関心は、その格付けを利用する企業にあるのであって、格付けされる顧客にではない。しかし、「仕組み証券」（structured securities）の出資者がそれを売るのにAAAの格付けが必要となれば、彼らはそのために二〇万ドル、いやそれ以上支払うだろう。これは重大なロビイングの力である。その上彼らは、逆効果なしにどのくらいリスクを取ることができるか、格付けする側から幅広い助言が受けられる。少なくとも今日まで、金融商品が暴落した時でも、

「トップに位置するもの」（売る側の企業であれ、格付けであれ）が深刻な事態に陥ったことはほとんどない。

彼らの運命を、一生免責されない借金返済に追われる不幸な学生と比べてみよう。こうした学生のローンは年七％かそれ以上の利率であるが、銀行が借りる資金の利率は一％以下である。表面的にはこうした利率の差は妥当に思われるかもしれない。シティグループもゴールドマン・サックスも、平均的な学生より多額の資産を有しているからだ。しかし銀行は負債も多い。銀行が学生よりも「信用度が高い」のは、政府が陰に陽に銀行を支援しているからである。(9) 理論上は、学生の利率を下げ、銀行の利率を上げても良いのである。しかし学生たちは、銀行が豊かに享受しているような「裏のコネ」を欠いている。(10)

もちろん金融機関に対して、連邦政府によるなんらかの援助は必要だろう。大恐慌期の銀行のような一九二〇年代スタイルの自由放任型では私たちの側も被害を受ける。しかし過去において、政府による銀行支援の代償は、銀行の取り得るリスクについての複雑な規制だった。二〇一〇年のドッド・フランク法は、現代の金融機関にこうしたリスク規制をかけようとする意図の法律だったが、その執行は遅過ぎ（かつ不完全過ぎ）、粉飾決算同様に信用できないものだった。(11) 議会が「やってる感」を出しただけで、この法律には抜け穴があり、実態にはほとんど変化がなかった。(12) 現状、銀行と政府の関係は、銀行側が利益を得る状態で固まっている。

見えない力が作られる。アルゴリズムの権力が強まったことで不安が広まっている。一九七二年、哲学者のヒューバート・I・ドレイファスは、『コンピュータには何ができないか』というタイトルの本を書いた[13]。コンピュータ科学の先駆者のひとりであるジョセフ・ワイゼンバウムは、未熟なマネージャーが「英知を必要とするような仕事」をソフトウェアにやらせることを心配していた[14]。マネージャーたちは最初、システムの透明性や客観性を強調することで、懸念を鎮める。アルゴリズムで駆動するコンピュータが、似たケースは似たように扱うなど、冷静に仕事をすると彼らは主張する。前衛的な学者の中には、裁判はしばしば「ブラックボックス」だ（陪審員たちが裏で会っている）として、司法制度をコンピュータ化しようと考える人もいる[15]。アルゴリズムを使えば、結果を疑う人は「フードの内側」を覗いてどのようなシステムが作動しているか自分で確かめることができる、というわけである。特許法では開示要求によって、知的財産権が保護される条件を広く精査可能な説明文書にするという透明化が推進されてきた。

しかしながら、こうした比較的オープンなアプローチは無視されてきた。知識はあるが無節操な人々は、開示されているシステムをどのように出し抜くかを学び、情報の排他性から得られる利益の誘惑は抵抗できないほど強かった。スパム業者やハッカー、詐欺師、改竄者、ライバル、あるいは広く一般の人々にとっても、アルゴリズムについて知られていない方が望ましいことがある。新たな理屈も出現した。透明性が、現実にも法的にも、「鉄壁の秘密」に置き換えられた。正当性の問題は棚上げされた。

「企業秘密の保護」は効果的に、開示を請求されないアルゴリズムの財産権を作り出した。また、アルゴリズムを秘密にする重要性も強化した。というのも、ひとたび開示されたならば、企業秘密は法律で保護されなくなるからである。「国家秘密」に伴うルールも、とりわけ国の安全が脅かされている時は、十分な法的武装を提供する。「透明化を通じた法制化」から、「秘密を通じた保護」へという流れは、ブラックボックス社会が育つ土壌となってしまった。それによって情報時代の多数の社会的な危険が生じている。

ムダの多い軍拡競争と不公正な競争。 私たちの生活においてますます多くの側面で、人間の介入なく意思決定を行うコンピュータが権威付けられている。哲学者のサミル・チョプラと弁護士のローレンス・ホワイトは「自動人工エージェント」（ＡＡＡｓ）と呼んでいる。「自動」とはプログラムした人や作動させた人のチェックなく動かせるという意味であり、「人工」とは有機体や動物でないという意味であり、「エージェント」（代理人）とは誰かのために働くという意味である。(16)

もちろんこれは新しいものではない。食洗器のスイッチをいちいちつけたり消したりしなくて済むようになったことは、大きな進歩である。しかし「自動人工エージェント」は、ただの機械よりもはるかに人間に近い場所、重要な領域に入り込んできた。アマゾンで本の「せり競争」に参加したり、株取引も変えてしまった。あなたがアプリを使ったり、サイトを閲覧したりするたびに、そこから情報を集め、処理する。グーグルの「オートコンプリート」機能が提起した、プライバシーに関する難問を振り返っていただきたい。アルゴリズムが評判への脅威をもたらすのは信用スコアだけではない。(17)

進歩的思想家の中には、「自分のボットを持つ」という回答を提示する人もいる。自分の「自動人工エージェント」を所有して「デジタル軍拡競争」を行うのだ。だがこの「解決策」は、権力と特権という旧来の問題とぶつかる。あなたのボットがどれほど賢くても、最も重要なサイトであなたのためにより良いプライバシーを求めて交渉することはないだろう。彼らの行動は「受け入れるか、それとも去るか」である。こうした、アルゴリズム自体に支配されている情報収集ボットが、その監督されない即時的なオンラインでの相互作用において、「契約」の文言にどれほどこだわるのか、いったい誰が確かめるのだろうか？(18)

コンピュータ同士の関係にまつわる問題は、検索が駆動する金融の分野ではさらに深い。ダビュークにいるデイトレーダーは、マンハッタンにあるアルゴ・トレーディング社の鋭いトレーダーほど、高性能のコンピュータを持てないだろうし、三億ドルかけてプロのトレーダーのために構築されたニューヨーク・シカゴ間のケーブルにもアクセスしないだろう。[2]

法学者たちは、金融における技術的および法的コンプライアンスの絡まり合った失敗について、見識ある文章を発表してきた。現在の規制枠組みを変える素晴らしい考え方を構想したのである。しかし、ウォール街の今日の取引は非常にねじくれていて、「開示2・0」ではそれをカットできない。金融機関が「金融ネットワークの中にいるすべての株式保有者の利害やシステミック・リスクを考慮することなしに、証券で最大の利益およびリターンを追求している」ことは、疑いなく将来の不況および危機への道である。(19)その上、根本的に価値のない取引の終わらない行列を、よりよく記録することも、価値のある目的とは言えないだろう。

なされたことがなぜ少ないのか？

影の権力、恋人商法、ムダな「軍拡競争」はいずれも、非常に魅力的なものとは言えない。しかしそれらはブラックボックスの核心にあり、時とともに加速しているように見える。これらについてなされた対策がなぜ少ないのか？　この問題に答えるために私たちはまず、アルゴリズム的な権威がなぜ多くの人を惹きつけるのかを理解する必要がある。ブラックボックスの魅力については本書を通じてヒントを述べてきたが、その魅惑と限界についてここで表に出して取り上げるべきだろう。

ロケット科学の魅力　米国の経済に活気があると熱心に売り込もうとする政治家たちはは、テック企業が成し遂げたことを吹聴する。しかし、新たなビッグデータ経済の闇の側面は、トップCEOや経営者や投資家が得ている法外な利益について再考させるだろう。彼らが市場で優位を得ているのは才能や技術のおかげなのか？　それとも、ビッグデータでの優位性が彼らの利益を、コンピュータ科学者やビジネスの専門家といった賢い集団によって潜在的に収集された、ほとんど不可避的なものにするのだろうか？　主流のメディアは「スーパースター」といった形容が好きだ。収入の不平等は、「技能をベースとした技術変化」の結果であるといった広く行き渡った前提を反映している。しかし、空前の大データを抱えるプラットフォームの一員であることは、正確には「技能」ではない。むしろ、初期の電話や電信の支配を思い起こさせる。現代社会の中で機能を果たすために誰もがアクセスしなくてはいけないユーティリティにおける独占的な力である[20]。

これらユーティリティに対しては法的に様々なアプローチが取られてきた。電話会社はシェアが増えてサービスのための費用が上がりそれが賄えなくなっても、ビジネスの放棄はできない。料金の値上げ分は生産的な投資に充てられなくてはならなかった（さもなければコストの上昇を招く）。サービスは無差別に行われなければならず、通信へのアクセスに関する特権をビジネス上での優位性に転換するには限界が設けられていた[21]。これまでの章での私の提案は、こうしたかつての電話企業に対する規制と同様の考え方を、今日の「評判や検索に関する企業」にも適用するというものである。

スピードへの嗜癖　ハイテク企業は常に言い訳を用意している。そして政府は、「私たちの」世界における変化の速さについていけていない[22]。ブラックボックス産業のために働くロビイストたちは、グーグルやゴールドマンの実際の仕事を政府は理解できないだろうとたかをくくっている[23]。しかし前章で見たように、法律が適正に執行されているかどうかを確かめるため、政府機関が民間の専門家を雇用することが既に行われている。政府が医療詐欺の防止に成功したことは、他の種類の詐欺対策のモデルとして役立つだろう。但し政治的意志や理解があればの話だが。

特に「理解が必要」という点は強調する必要がある。私がとあるディナーの集まりで、検索の中立性に関するいくつかの基本原則を話していたら、一人のシリコンバレーのコンサルタントが突然、「私たちは中立性をコード化できない」と言った。彼が言いたかったのは、指定されたサイトを公正に扱うという決定は大部分のサイトの作動を動かすアルゴリズムに還元はできない、ということだろう。私が本書に書いたようないくつかの提案を話すと彼はやや遜る態度を見せながら「はい、しかしコード化はできません、だから無理ですよ」と語った。彼にとって、テクノロジーだけでなく、現在の作動にかかわる社会的実践でさえ、将来の政策的な介入があっても変えられないということらしい。改革は、シリコンバレーの巨人を動かすか、でなければ何も動かない。彼は、現在の検索と同じ速度で決定がなされなければ、起こり得ないと前提していた。

どのような政治的態度（右派であれ左派であれ）の政治家であっても、テクノリバタリアン（官僚や政治家が技術革新に影響を与えることはできないという考え方）の立場に立つ政治家は、役に立たない。テック巨大企業のやり方を「具体化」する傾向には歯止めをかけなくてはならない。大部分自動化された彼らの議論の仕方や顧客の扱い方が、物事のあり方として望ましいわけではないからだ。不要な無力感や、自動的な感化に陥らないために。

「評判を作る」多くのやり方は、単に恣意的なものであることが明らかとなっている。既に検証した差別の問題（人種的、政治的、経済的、競争的）についてここで繰り返すつもりはない。今日のインターネット産業における不公正さは公表されるべきであり、「具体化」を警戒するもう一つの重要な理由となっている。「インターネット」は人工物であり、人間によって変えることができる。検索や「評判」についてのアルゴリズムは現状のものが続くだろうという議論は、ある領域では信じられているようだが、これはテック企業の利益に沿った単純化であって、現実の反映ではないのだ。グーグルがプライバシーおよび反トラスト法の件でEUの権威に譲歩したように、オンラインの場をより平等にすることは可能である。だが行動に移すためにはまず、その必要性をクリアに認識しなくてはならない。(24)

現代のテクノロジーは、技術進歩の産物であるのと同時に、社会や市場、政治の力によっても形作られており、人間の判断に依存する社会的実践の中に埋め込まれている。フェイスブックは利用者がシェアするコンテンツの適切性を評価するために人を雇っている。アルゴリズムが明らかに人種差別的な話を「おすすめ」するのを止めるために、人間のレビュアーを雇うことは、ソーシャル・ネットワーキングの巨人にとって大した負担ではないのだ。(25)グーグルでは人間の試験者が、アルゴリズムの変化を提案するシステムを作っている。試験者は最良のページを選ぶだけではなくその理由も説明する。こうした人間による介入は既にこうした企業のビジネス論理の重要な一部、および法的規範や義務への彼らの応答の一部にもなっている。(26)テクノロジーが政治家の理解を超えてしまった時、彼らはその隙間を埋めるために専門家を雇うことができる。政府内法律家は、ウォール街の詐欺師を追うために、シリコンバレーのパランティア[3]を雇っている。法の執行者はそのひそみにならうべき時である[27]。

「**規模の失敗**」　ウォール街における査定では、非常な速さで「規模」を達成することが「投機的な」資本を惹きつけるのに重要である。目標は成長の速度だけではなく、加速することである。投機家は「受託資本」をより多く得て、成功、認知、投資という好循環の道を開こうとしている[28]。グーグルやフェイスブックのようなプラットフォーム企業は、規模の大きさから力が生じる。「全情報認知」という同じ目標に向かって、データ業者たちは、マーケターとスパイがともに欲しがる「マスター」という称号を得ようとしている。

これはなるべく素早く、数百万もの取引一つ一つから数ペニーずつ得ようという考えだ。もしこれを継続的に行えれば、資金はあなたのところへ雪崩を打って流れ込むだろう。あらゆるものから少しずつ、素早く、そして大きな規模で取れるのなら、二〇〇七年にＡＩＧ幹部が富の蓄積の「聖杯」として売りつけた「自由なお金」を得ることに等しい[29]。

しかしビジネスの「規模」があまりにも速い時、賢い判断に何が起きるだろうか？　抵当証券を買う際に、そこにパッケージ化されている何百もの担保付き証券を精査している暇はない。グーグルやフェイスブックが、評判や著作権に関する議論を個人化することはまれだろう。金融男爵やデータ男爵による「議論解決の自動化」は多数の人を蚊帳の外に置くだろう。プルダウンメニューや、電話連絡網や、コールセンタースタッフの「サイボーグ的」アマルガムと対話するという「うんざりする経験」からすると、大多数の人は何かを変えようなどと思わないだろう。

しかし、内部レビューや外部のアピール権を通じて、こうしたプロセスを人間的にする方法はある。

これまでの章でも触れたように、私の提案は、こうした企業と顧客とのやりとりをみな裁判に持ち込もうというものではない。不平を理不尽なやり方で扱われたら、より高位の権威にそれを訴える機会が与えられるということ、自分の事例を別の人間に伝えるだけの権威が与えられるということである。[30]法的手続きの義務は時として、民間部門の「評判」を作る者にも課せられてきた。その中には特定の手法の開示も含まれていた。医師を格付けするサイトの品質は、カギとなるデータやモデルを規制側が開示するよう要求したら、上がった。信用格付け機関もこうした例から学ぶところが多いだろう。彼らの使うデータの一貫性を検証するのにも役立つだろう。[31]

しかし、小さい国の人口に匹敵するような利用者を抱えるプラットフォーム企業(グーグル、フェイスブック、アマゾン、マイクロソフト、アップルのように)が、自発的であれ強制的であれ、彼らに被害を受けたと主張する人に対してより対話的なアプローチを取るようにならないと、文化的なシフトは起きないだろう。こうしたプロセスが始まっているのは米国以外、巨大企業が国家のような性質を持っていると司法がより認識しているような国である。例えばドイツ、アルゼンチン、日本などでは、グーグルに対して、個人を傷つけたり、利用者をミスリードしたりする検索結果を変えるように要求する判決が出ている。裁判所ほど公的ではないところ(例えばNGOが主導する自発的パネル)で、こうした決定を制度化することも、ネット利用者を単なるアルゴリズムの飼料ではなく権威をもった存在として扱うための重要な一歩となるだろう。[32]

投機資本による呪い　公正や権威を求めることは決して不可能な野望ではない。しかし費用はかかる。大部分の金融機関が、説明責任を拒む最大の理由は経済的なものだ。トップの年収を最大化し、より多くの資金を惹き付け続けるためである。金融機関の幹部は、確かに彼らの技能やビジョンによって報酬を得ているのかもしれない。しかしこうした巨額の報酬がいったいどこから来たもので、どれほどのコストを伴うものなのかについては疑問が残る。

こうした疑問は、二〇世紀前半に規制当局や裁判所が、公益事業の「妥当な利益率」概念を確立した時にも問われた。彼らは社会を支えるインフラの重要性を認識し、その責任を保持する補償としての権利を与えた。しかし同時に、社会を人質にして理由なく金銭を要求するようなことは所有者・経営者に許さなかった。安全で信頼できるサービスと引き換えに、保証を与えたのである。

確かに銀行は私たちの重要なインフラである。二〇〇八年の緊急援助の必要性に対する答えがこれだろう。しかし妥当な利益という点ではどうなのか？　重要性と責任とのバランスはどこにあるのか？　値上げが「ゆすり」に近づくのはいつからか？　安全で信頼できるサービスとは？　結局のところ、多額の給与とボーナスは実際に何のためなのか？　彼らが行っている仕事から理論的に、社会が引き出しているのはどのような価値なのか？

博士号を持ったガン治療の研究者の年収はおよそ一一万ドルから一六万ドルであることを考えてみていただきたい。それに対してM＆Aを専門とする銀行家の年収は約二〇〇万ドルである。CEOになれば年収一〇〇〇万ドルにもなる。ヘッジファンドのトップ・マネージャーは年間何十億ドルも稼ぎ出す。彼らが行っている影の工作が人々の精査の目に晒されることはない。まれに捜査当局がインサイダー取引の疑いで目をつけた場合を除けば(33)。

銀行員はリスクを取っているから高収入だと論じる人もいる。しかし自分のお金でなく他人のお金にリスクを負わせるためにブラックボックス技術を使っているとしたら、彼らが自分たちを「恐れを知らない産業のキャプテン」と描いていてもまったく信用できない。こうした莫大な収入は経済の中にインフレ化した期待を作り出す（学校で成長曲線がインフレ化するのと同じように）。医療の改革者たちは外科医に、金融関係の仕事をしている友人よりもはるかに低い収入をどう納得させるのか？ 銀行員の高収入は、価値を攪乱し、荒廃させる。

銀行はその実際のサービスに対して十分過ぎるほどの料金を取っている。クレジットカードの延滞料の高さを考えてほしい。あなたが責を負う前に銀行は既にあなたが行った購買からかなりの分け前を得ているのである。あなたが401kをすると謎の手数料がかかるし、あなたのブローカーが売買すると取引コストがかかる。こうした料金が金融のプロの生活を大部分支えている。しかしこのプロセスの中で金融のプロは一体どれほどの価値を創造しているのだろうか？

あまり多くはないように思える。金融仲介業者による手早い「スコア」が主流の投資家に資源を流出させた最近の目立った例が、二〇〇八年の危機である。投資銀行に勤めていたウォラス・ターバヴィルは、「金融部門への過剰な富の移動は年額六三五〇億ドルに達している」と推計している。[34] ニューエコノミクス財団（NEF）による研究では、「ロンドンの銀行家は、一ポンドの価値を生み出す間に、七ポンドの社会的価値を破壊している」と見積もった。[35] カウフマン財団は、「膨張を続ける金融部門は、潜在的な起業家集団の才能を使い果たしている」と結論付けた。[36] 金融業界で投資の仲介や格付けを行うことで、リスク少なくより多額のお金を儲けることができるなら、誰が新たな製品やサービスを生み出すという労を取るだろうか？[37]

研究手法についてはいろいろな議論があるだろうが、少なくともターバヴィル、NEF、カウフマン財団は、金融の世界がどのように現実の経済と接しているのかという、必要だが困難な問題に取り組んだ。金融部門の本当の価値を評価するための最初の一歩は、経済への生産的価値を反映しているリターンを見積もること、正当な料金と詐欺や不正操作を弁別することである。[38]これは真剣に考えないといけない問題だろう。[39]

金融機関のマネージャーは他の産業に対してコストカットや賃金引下げを強要するが、金融産業自体が「値段の高い」産業になってしまっていると、研究者のトーマス・フィリポンは指摘する。[40]マクロ経済学者のJ・ブラッドフォード・デロングとスティーブン・コーエンの試算では、米国経済は製造業が七％縮小し、「金融取引」は七％増加した。労働力を実業から金融業へと移動させる時に私たちは、実際に財やサービスを「生産している」人の「生産性に対する要求を出す」人々に、効果的に特権を与えているのである。[41]

例えばウォール街は製薬企業に、「コア・コンピタンス」[4]のため、数千人の開発者の解雇と研究開発予算の削減を要求した。研究に投資するメルク社[5]を罰し、研究予算をカットしたファイザーには報いた。四半期ごとの利益を重視して研究投資をカットすることは、その時点では合理的かもしれないが、長期的には悪い影響を及ぼす。医薬の面では私たちすべてに、経済的な面では豊かな部門から排除されて低賃金のサービス労働に従事している（あるいは最も苦境にある）数百万のアメリカ人に。金融部門以外の人々が、縮みゆくパイのわずかなかけらを求めて争っているのに何の不思議があろうか？[42]

現在の金融部門は、買うことのできる財やサービスの増加に対してよりも、「購買力」への地位競争に対して、より投資が行われる。[43]これはゼロサムゲームであり、目標は持続可能な投資や永続する価値の創造ではなく、不注意な人を欺す複雑なリスク移転なのである。この「利己主義」も、これほどひどく公的補助金に依存しているのでなければ、まだ許されるのかもしれない。こうした金融機関の「大き過ぎて潰せない」という地位からすると、私たちはこうした「重要な」金融機関から、現在私たちが得ているものよりもはるかに大きな公的サービスを期待すべきなのではなかろうか。

メイカー、テイカー、フェイカー　現代の金融の最大の幻想は、将来の富への請求権を絶え間なく処理し続けることが、より生産的な経済へと導くというものである[44]。検索や評判に関する産業でも同様の幻想が広がり始めている。仲介業者が儲かるのは、財やサービスの市場に何かを付け加えたからではなく、投資にファイナンスし、オーディエンスに提示し、機会を保障するといった、入札合戦の舞台を整える仕事をしたからである。こうした金融機関が自らの方法について秘密厳守にするのには十分な理由がある。カーテンを引き、自らはコンテストに参加しない「経済の魔法使い」のような仕事をしているからだ。彼らはプレイヤーではなく審判である。他方で、何百万人ものクリエイターの仕事は、非常に競争的なグローバルマーケットに投げ込まれて格付けされ、検索され、シャッフルされ、集約されている。評判、検索、金融部門では、彼ら自身がデバイスを有し、これからも生産的なイノベーションの努力を吸い上げ、それを混ぜたりシャッフルしたりし続けるのだろう[45]。

私たちは「メイカー」（作る人）の価値を、「テイカー」（取る人）や「フェイカー」（騙す人）より上だと考えている。誰がそうなのかを知るためには、「知的な社会」（intelligible society）が必要である。仲介業者とコンテンツ所有者との間に秘密の取引があるので、ネット企業はこの目標に向かうための手助けにはならない。海賊版サイトの検索での順位を徐々に、秘密裡に下げても、コンテンツ産業（あるいは、コンテンツから収入を得ている、もしくは得ていた個人）の問題の解決には、ほとんどつながらない。[46] オンラインを完全にコントロールするというやり方は、著作権所有者の力を強化し過ぎ、表現の自由を踏みにじり、リミックスという発展途上の文化を単一の目的へと従わせることになる。オンラインでのコントロールを強化することが唯一の方法ではない。レコード業界自体が繰り返しロビイング活動を行って、作曲者や作詞者に、政府による「強制許諾」を受け入れるよう説得（そして成功）している。[47] かつて議会は、新たなテクノロジーがコピーを広げることから、コピー一件あたりわずかな金額を徴収することにした。これが「強制許諾」と呼ばれる。この枠組みは各分野で使われているが、作品への補償と、利用のコントロールとを分けるというものである。

強制許諾という手法は、ネット配信という「管理されない西部」では機能しないのではないかと主張する人もいる。しかし、ハーヴァード大学法学教授のウィリアム・W・フィッシャーは、『守る約束——テクノロジー、法律、そして娯楽の未来』と題する著書の中で詳しく魅力的な提案をしている。このフィッシャー・プランは、無料での複製を導くようなテクノロジーに薄く課税し、文化に対して補助金を出すというものだ。通信キャリアや検索エンジンにこうした料金を課し、クリエイターの補助金を配分する法案を議会で通すこともできるのではないか。[48]

お金を得るのはだれか？　フィッシャーの案は、ある作品が実際にどのくらい視聴あるいは聴取されたかに従って、アーティストにその分のお金が入るというものだ。ディーン・ベイカーはかつて、「芸術自由バウチャー」を提案した。これは納税者が毎年事前に、その年にサポートしたいアーティストを選ぶというものである。いずれの提案とも現行の、著作権法と秘密の「ランク下げ」の組み合わせよりは効果的であろう。二〇〇四年にフィッシャーは、ブロードバンド加入者に毎月六ドルの料金を課せば、海賊版によって音楽および映画業界から失われている全損失をカバーすることができる

と見積もった。(49)

もちろん現在の極端な、拡大しつつある不平等を前提とすれば、こうした料金には上限を設ける必要があり、願わくば収入や資産に応じて徴収されるべきであろう。スライド制を取ればおそらく最も上手く集められる。不労投資所得のある豊かな世帯にわずかでも税を課せば、アフォーダブル・ケア法〔オバマケア〕の場合と同様に手助けとなるだろう。医療と同じように文化にも正の外部性があり、社会の共通の必要に対してお金を払うことのできる人々からのサポートを受けるだけの価値がある。(50)

残念なことに、娯楽産業の世論における全米レコード協会やアメリカ映画協会の態度は、ヘルスケアに対して民間保険会社がとった態度と同じようなものだった。その反対のために、フィッシャーの考えは不可能と受け取られた。新しい税金が議会を通過するとは思われなかったのである。(51)

しかし他に選択肢はあるだろうか? 二〇一二年、コンテンツ産業は「オンライン海賊版防止法案」(SOPA)の立法化を推進していた。この法案は、著作権保有者や商標所有者にかつてないほどの力を与え、侵害者とみなされた人への正当な手続きを否定し、自由な表現に脅威を与えるものだった。ヒュージョン・センターと同じようにSOPAは、説明責任のない政府と産業との連合体による監視を加速すると想定された。奮闘しているジャーナリストやアーティスト、ミュージシャンを援助するライセンス手法を改正・拡大するよりも、寡占的なコンテンツ産業の利害に大部分沿いながら「警察国家」へと舵を切る議会に対してどう言えば良いだろうか? コンテンツを買い得るもの、アクセス可能なものとすれば、海賊版問題はすぐさま解消していくだろう。(52)

自己破壊的な方法で次第に、現代のアメリカ政治は、警備や処罰に重きを置くようになってきた。他方で福祉国家およびそのアートやコモンズへの援助は周縁に追いやられている。通信企業や検索エンジンによるブラックボックス的介入は、単にこうした懲罰的な衝動を民間部門へと持ち込むもので、そこでは通常の報告で要求されることと法執行濫用への上訴チェックとのバランスが取れていない。(53)

デジタルでの強制許諾か、芸術自由バウチャーの導入がなくては、もし知的財産権の政治経済が、垂直統合の企業がボトルネックをコントロールして、利益を脅かすようなコンテンツをモニタリング、妨害、果ては禁止するような事態になっても驚くべきことではない。SOPAは最終的に議会を通過しなかった。法的手続きや表現の自由、オンライン上の説明責任といった基本原則を支持するネチズン（ネット市民）が強く団結したおかげである。しかしこの戦いは、デジタル収入の適切な分配をめぐるより白熱した論争の、単なる前触れに過ぎない。医療分野における医療従事者と保険会社の戦いのように、クリエイターと仲介業者との闘争は、深いところで私たちの日常生活に影響を及ぼすだろう。SOPAを阻止することは、公正、自由、民主的なオンライン・カルチャーを維持するための、一つの小さなステップに過ぎない。(54)

「テクノロジーによる解決策」に対しても懐疑的であるべきだ。(55)フィッシャーによる提案がうまく機能するためには、何を聞き何を見るかについての包括的な監視がなければならない。ただ「ダウンロード数」「ビュー数」を基にするのでは、ゲーム的な精神を喚起してしまうだろう。ユーチューブでは既にアーティストが、収入を上げるため、もしくは実際より人気があるように装うため、ビューのカウンターを操作していたらしいというスキャンダルが持ち上がっている。こうした「ゲーム」は対抗措置を生む。この場合は、「誰が視聴したか」「誰がいいねを押したか」をチェックすることだろう。例えばレディ・ガガがマグネティック・フィールズの五〇倍の収入であることを確かめるために、こうした類の情報を集権的に集めることを、私たちは本当に望んでいるのだろうか？

娯楽産業の歳入をこのような形で分配することは、あるコミュニティ（ここではアーティスト）をモニターしてソフトに管理する「調整」の例となるだろう。[56] 強制許諾料といった制度の柔軟な運用を考えるべきである。すべてのアーティストに何ほどかの収入が行くように（WPA2・0？）最低額が保証されなければならないし、ゲーム化が極端に進まないように最高額も決めておく必要があるだろう。何回視聴あるいは聴取されたかを測って正確に「価値」を定めようという野望は、経済用語として間違っている。特に素晴らしい映画は、一度に見た際に効果を発揮するものだろう。一つの素晴らしい楽曲が、一〇〇のBGM音楽を上回って価値があるという経験も、普通にあるだろう。

より巨視的に見ると、創造性の発露と、既存の産業が持つ知的財産権からの収益の最大化との間には、対立があるだけではない。最も進歩的な改革提案さえ、意図せずして創造者の努力をある方向や別の方向に歪めることがある。法律の専門家はしばしば、こうした考えを締め出そうとする。「私たちは法律とお金について心配する。創造的な角度からはアーティスト自身に考えてもらおう」。しかし、こうした仕事の核心にあるのは、遊びや創造の経験であり、それらは「付け足し」「法律的な配慮とは別」と扱われるべきではない。クリエイター自身の言葉で、芸術的創造の良い様式および悪い様式を考えることなしに、正しい文化政策は得られない。

法律ではリスクと報酬を適切に比較衡量することがほとんど不可能だと判明したらどうするか？ここで思い起こされるのはジョン・ケイの著書『傾斜——なぜ私たちの目標は間接的に最もよく達成されるのか』の洞察である。この本の精神で、目標に到達する道筋を横から観察してみよう。私の経験では、ある人が芸術家（あるいは起業家）としてキャリアを追求するかどうかを予測する最良の方法は、配偶者や家族の資産を見ることである。どういうことか。画家、音楽家、俳優、詩人などとして生計を立てるのは単純にリスクが高すぎる。福祉予算、フードスタンプ、メディケイドへの予算を削減せよという圧力が強い現在の米国では特にそうである。

しかし社会的なセーフティネットがより寛大な他の国では、失敗してもさほど深刻なことにはならない。J・K・ローリングの例を考えよう。彼女は（彼女の言葉によれば）執筆時に最底辺の状態で、英国の福祉システムに頼っていた。数年間援助を受け、彼女は文芸の仕事をする足がかりをつかんだ。それがなければ『ハリー・ポッター』は書かれなかっただろう。二〇一四年のオバマケアの施行により、米国の周縁労働者にも多少明るい光が見えた。私たちはそれから一〇年後に、芸術家（およびあらゆる独立的な仕事）をキャリアに向かわせる最大の力が、州政府による医療保険政策であり、買い上げ補助であることを発見するだろう。知的財産権の政策担当者が束になるよりも、医療政策の専門家の方が、創造産業において避けられない失敗の際にも「息をつく余地」を与えることで、創造性を高めることとなるだろう。

このアプローチに対して、「古き良きアメリカの資本主義」と「邪悪な社会主義」という、言い古された二分法が持ち出されるだろう。しかし、より国家主義的な選択肢として、a)国土安全保障省と契約した業者が著作権侵害者のドアを打ち破る、b)グーグル／ユーチューブ／フェイスブックがすべてを見、あなたが何を視聴しているか報告する、c)普遍的なベーシック・インカムで、上記のaやbを採用する必要性を激減させる、がある。社会主義の亡霊は、国家とビジネスの金融および法執行の分野における相互交流が両者の利害をかつてなく近づけている状況では、笑い話だろう。

政府とビジネスの接近

米国の政治論議では「自由市場vs国家」の闘いが溢れているが、その論調は現実としてよりも見かけ上のものとして言及することが多くなっている。ヘルスケアを例に取ろう。一方において「市場」は政府の交付する免許や品質規制に縛られているが、他方においてメディケアのような政府のプログラムは、有資格かどうか決定し、事業を実際に行い、その事業から利益を得る契約業者に依存している。金融業でもパターンは似ている。シカゴ商品取引所のような本質的に「市場」である機関でも、ルールの枠組みの中で動いている。さらに、ルールに動かされる人々が不断に、ルールの変更を求めて働きかけたり、ルールを自分に有利になるように活用したりする。(57)二〇一二年時点で、グーグルがロビー活動に投じた資金は、GEに次いで二番目に多かった。(58)

市場の秩序付けが政治の意思決定によって影響を受けることはみな知っているが、逆に政治的意思決定もまた市場の影響を受けている。というのは、過去の政治的な決定によって恩恵を受けた層が、それで儲けたお金をさらに将来の政治的な目的のために使うからだ。(59)例えばサブプライムの借り手が数年間搾取された後に担保付証券の価格が下がり始めると、米国の金融機関はすぐさま政府（大統領、議会、連銀）に頼り、政府も直ちに彼らの特権を守るよう動いた。しかし政府は一般の借り手に対しては、同じような保護の手は差し伸べなかった。「銀行は救済され、俺たちは売られた」と抗議者たちは叫んでいる。巨大金融機関は、自分たちの得た棚ぼたの資金を、将来も政治的に有利になるように注ぎ込む。ドッド・フランク法の影響を小さくするためにロビイストの軍団を雇ったのがその例である。

そのうえ、「金融」市場についての「エリート・パニック」（この場合はレバレッジを効かせ過ぎた企業の未来について）は、経済が非常に危険な状態にあることへの分かりやすく適切な反応であると重要人物たちは考えた。一般の借り手は、「住宅ローン条件変更プログラム」（Home Affordable Modification Program=HAMP）のカフカ的な対応に直面することになる。このプログラムは、ぎこちない名前が示すように、のろのろした怠惰なものだった。

ビジネス界の持つ影響力は「占拠」（capture）といった呼ばれ方をした。産業側が規制当局に対して持つ力の方が、規制当局が産業側に対して持つ力を上回っていたからである。しかし「占拠」という表現は、実際に起きている出来事に対してあまりにも静的過ぎる。静かな「ウォール街占拠」がないように、不活性な証券取引委員会（ＳＥＣ）や連銀はない。産業界のある部分は、上手くライバルを出し抜き、政府機関に対して力を振るい、彼らのアジェンダを変えてしまう。そして新たに生まれた規制環境では、特定の企業群には有利に、それ以外には不利になっている。新たな秩序で有利になった企業には、その下でさらにお金が入ってくる。ワシントン、ニューヨーク、（そして今では）シリコンバレーの往来に熟達した人々は、組織（ひいては産業）を当初の価値、目的、戦略から動かすことができるのだ。

イェール大学の社会科学者であるチャールズ・Ｅ・リンドブロムは、こうした相互の影響や変容を表す言葉として「占拠」よりも「循環」の方が適切ではないかと提案している。(60) 情報時代に入り、政府と主導的なビジネス部門との間の「回転ドア」は明らかに増え、不安を与えている。私たちが生きるブラックボックス社会のルールを作っているのは、「産業」のような名前のない抽象的なものではなく、ある特定の人々なのだ。(61)

この新たな現実を無視するのは危険過ぎる。政治家や官僚が「反対」するのは、彼らが参入あるいは奉仕したいと思っている産業界の利害に関わる場合だけである。少なくとも一八九〇年のシャーマン法以降、「独占」を規制してきた米国政府が、今ではさらなる競争のための平等な市場を整えることよりも、最大の勝者をさらに強くする方に肩を持っているようだ。その上、国家の持つ巨大な強制力は、今では検索、評判、金融などのブラックボックス技術の補強に使うことができる。評論家たちは「国家」と「市場」という時代遅れの二分法で解決を考えることの危うさに気が付いていない。この二分法では考えが麻痺してしまうか、さらに悪い。多少の違いはあったとしても私たちの大部分が望んでいる「安全、公正、威厳」といった社会的理想を、それでは決して実現できない。ここから私たちがどこに行きたいのか、そしてその途上で何を得るのか、新鮮な目で考えるべき時であろう。

公的オルタナティブの公約

政府が規制を行うのは、単に民間の富を増やすためだけではなく、民間の利潤追求行動に付随する本質的には公的な機能を産業界が果たすようにするためもある。もし私たち市民がこうした公的機能を「直接に」自分たちで果たそうとするなら、私たちは本当の説明責任を理解することになるだろう。

例えば政府は、「公的な」信用スコアシステムに関わり、閉じた占有的なサービスとの間で予測力を比べるかもしれない[62]。私たちは経験から、オープンソース・ソフトウェアが占有的アルゴリズムと同等か、時にはそれを上回って機能することを知っており、信用スコアではそれが不可能と考える理由はない。最新の情報に追いついているのであれば、金融規制当局は資金の貸し手に対して、透明なシステムを使用することや、それを部分的に採用したパイロット・プログラムを導入することを要求できるだろう。[63] 公的な信用スコアシステムが使われている国もある。[64] 透明な形での価値付けが消費者信用の分野でうまくいけば、人の評判に関わるソフトウェア一般においても、より大きな役割を果たすようになるかもしれない。さらに、数千人もの専門家の精査の目に十分晒されることになれば、ごく少数の人だけが理解し、価値付けを行い、モニターしているシステムよりも、より素早く（そして公平に）間違いや見落としを見つけて修正することもできるだろう。

公的なネット企業も、もう一つの可能性としてある。グーグルとアマゾンは現在、書籍について二社寡占状態に近づいている。グーグルは、個別には採算の取れない書籍のスキャン、目録作り、アーカイブ化といったより公的な機能に乗り出している。議会図書館（ＬＯＣ）はどうしているのか？文化理論家のシヴァ・ヴァイディヤナサンは、「公的機関の機能不全によって生じた空白に、私企業が足を踏み入れた」としている。その存在はヴァイディヤナサンが「公の失敗」と呼ぶものを指している。[65] ＬＯＣのアーカイブが、ブックサーチプログラムのためのコンテンツを提供することもできたはずだ。メディケアが、カバーする範囲の決定や民間保険の支払い率の基準を（さらに民間保険市場ではサービスが供給されない人にケアへのアクセスを）提供しているように、公的な「ブックサーチ」はグーグルブックスを補い、そこに含まれない書籍についてサービスを提供することもできただろう。[66] 広大なデジタル・データベースを透明な方法で組織化し、包括的に、理解できるあり方で、少なくとも一つの本の推薦システムを作り上げることができたろう。

今のところ私たちは、アマゾンやグーグルが、例えば「肥満」（ダイエット薬を勧めるもしくは批判する本を見たのか？）、「パレスチナ紛争」、「銀行の規制緩和」「グーグルの反トラスト問題」など、特定のトピックスに関する本を勧めるシステムをどのように構築しているのか、正確なところを知らない。公的な順位付けシステムがあれば、図書館情報学者たちが、現在のフィルタリングやランキングに関する問題に対して、真っ当な理論や原則を適用する機会が与えられる。グーグルやアマゾンが支配するデータにアクセスさえできれば、「アメリカデジタル公共図書館基金」のようなNGOも、また別の視点を付け加えることができるだろう。

金融部門の問題は、「評判」や「検索」部門の問題よりは深く、より徹底した検討に値する。金融部門について政府は、よりバランスのとれた互酬制を打ち立てる必要がある。陰に陽に行われている補助に対する返報を、正確にコントロールしなくてはならない。ここでも医療部門が範となるだろう。巨大金融機関と同じように、大病院も政府からの補助に依存している。メディケアおよびメディケイドのシステムも、様々な補助を提供する。しかしこうしたシステムに病院が参入できるかどうかには、医療の質や、救急体制や、外部監査など様々な条件が付けられている。医療に対する規制当局が日常的に達成していることのごく一部が、金融への規制当局にも求められているに過ぎない。

同じやり方である必要はない。例えば連銀が生産性上昇、インフラの再構築、不平等の改善、労働の価値の認識といったことを責任をもって行う金融機関に対してだけ、低利の貸出しをするといった方法もある。[67]議会は、SECや商品先物取引委員会（CFTC）といった機関に、真っ当で社会的に価値のある投資にインセンティブを与えるような制度を作らせることもできるだろう。金融取引税は、ブラックボックス金融の背後にある複雑な取引の枠組みやそれがもたらす変動を、抑止することにつながる。

さらに、大銀行から預金を下ろそうという最近の（自発的な）社会運動「Move Your Money」に倣って、政府は透明性を推進する市民を奨励し、不必要な複雑さを罰することもできる。銀行口座のない数百万人のアメリカ人に対し、価値ある低コストの選択肢として、郵便局で「銀行サービス」を提供することも可能だ(68)。これは別に過激な考え方ではない。ノースダコタ銀行では、州の「農業商業ローン」をほぼ一世紀にわたり提供してきた(69)。公的銀行は社会的利益のための投資にインセンティブを与えるだろう。年金計画も、理解できるビジネスプランへの明確なコミットを行うという、旧来の「価値投資」を強調することができる(70)。

筋金入りの「自由放任(レッセフェール)」支持者の中には、社会的に責任のある投資といった考え方をヨーロッパ社会主義の一形態と見る人もいるかもしれないが、これはアメリカの土壌に深く根差した考え方である。フランクリン・ルーズベルト政権で金融改革を担った計画立案者たちは、「民間産業における新たな投資」を、狂騒の二〇年代のようなある種の自己取引（およびその後の住宅バブル）から、社会的に有用なプロジェクトへと向けさせようとした(71)。レックスフォード・タグウェルは、「資本の流れを様々な産業に、積極的に流したり、流さなかったり」するための権限を要求した(72)。現在の米国で、道路や橋梁、公共交通の貧困を考えると、多額の担保付証券の保有を補うため連銀に「インフラ債」を買ってもらうのでは足りないのではないか？(73)ルーズベルトのアドバイザーは、金融の安定性に関してより直接的なアプローチを取った。コーポレート・ガバナンスの専門家であるアドルフ・ベールは、「信用機関の野放図な拡大を現実的にコントロールする」機関を提唱した(74)。この提案は当時だけなく現在も時宜を得ている(75)。

循環のダイナミクスからすると、規制する側と規制される側とで安定した、静的な均衡などないということが分かる。政府は産業に対して、公的価値（例えば、プライバシーの尊重や、持続可能な発展への投資）を悟らせるか、もしくは、産業側が規制側に自らの利益を促進させるか、である(76)。金融に見られるブラックボックス動学は、この対立を糊塗することに失敗した努力に発している。例えば信用機関が「ソフトな」規制者になるとか、政府が「ファニー&フレディー」や大手金融機関と「目と目で通じ合って」保証を与える（あるいは与えない）とか、である。[77] このパターンは現在でも続いている。ドッド・フランク法を起草した人たちは、この法案が「大き過ぎて潰せない」問題を解決すると言うが、ダラス連邦準備銀行頭取のリチャード・フィッシャーは、もしあまりにも多くの「賭け」に失敗した場合には、大量の金融機関を政府が救済することが不可避であると語る。[78] 信用の格付けも同じ前提を反映している。メガバンクのリスクは複雑過ぎて数値化不可能だが、「賢いお金」は、メガバンクが危機の際には政府が介入するだろうと前提している。

金融の専門家は危機以降、「構造」の問題にこだわっている。例えば私たちは失敗のリスク（およびその結果）を低くするために、銀行がどのように小さくなり、相互の連結が少なくなり、資本が注入されやすくなることをいかにして保証できるだろうか？　しかし強靭な社会を構築するためには、「実質」の問題がより重要である。例えば、不動産担保証券（MBS）、債務担保証券（CDOs）、クレジット・デフォルト・スワップ（CDS）といった「鏡の広間」へ不適切に投資された資本をどこに配分すべきだったのか？　マリアナ・マッツカート、ジェフ・マルガン、ジョセフ・スティグリッツ、ロバート・クットナーといった人々はみな、インフラ、抗生物質、基礎研究、教育など、それぞれ説得力のある答えを出している。彼らの助言は傾聴に値する。金融についてのこの問題に実質的な回答がなくては、将来においても、利己的な仲介業者が最も高い手数料の取れるような金融商品へ資本が流れていくと考えざるを得ない。[79]

「金融のことは専門家に任せよう」というのは、滅びへの道である。金融産業の成功と経済の長期的な健全さとは、必然的に結びつくものではないからだ。金融は利益を抜くだけのものにも、人々の支えにもなり得る。近視眼的にもなれれば、社会全体のためのインフラや投資に焦点を当てることもできる。こうしたニーズに首尾一貫して応えるのであれば、政府は未来志向の産業政策を持たなければならず、その利益を強化しなくてはならない(80)。しかしワシントンにはこうした態度が現在欠けている。かつて政府が財布の紐を握っていることで良い効果がもたらされた時代もあった。もう一度そうすることもできるだろう。中国によるインフラ、教育、レアアース、グリーンテクノロジーに対する投資は、米国にとって「スプートニク」の瞬間[6]となるべきだ。私たちは資源をもっと、リアルで平等に行き渡るようなプロジェクトへと向けるべき時なのである(81)。

　こうした提案が独善的なエコノミストにとって静的に過ぎると取られるのであれば、別の選択肢を考えよう。米国の司法機関は明らかに、金融部門における違法行為を適切に処罰することに失敗してきた。前章において、金融業で情報を十分に生かすという話をした。ネット上のコンテンツに関するテリー・フィッシャーの提案では、大量監視が不可欠である。私はこのモデルを医療分野から借用している。医療分野では、多数の契約された人々が帳票記録を精査して、詐欺や濫用を防いでいる。しかし、過剰投薬や過剰治療を防ぐために設計されたもう一つの医療モデルは、医師に「出来高制」でなく固定給を払うというものだった。このアプローチがウォール街の「ボーナス文化」と比べて優れているかどうか想像していただきたい（ウォール街のスタープレイヤーの大部分にとって、給料は成功した時の報奨金と比べると微々たる金額である）。医療分野で固定給となると、萎縮をもたらすのではないかという懸念はある。しかしこの一〇年間、破壊的な金融イノベーションが広まったことを考えると、銀行家は仕事を減らすべきだ。少なくとも、金融部門がリアルな生産性に対して貢献するということ

が証明されるまでは。(82)

信頼回復

私たちは長らく、金融規制の核となる目的は情報開示であると前提していた。(83)消費者全員が自分の行動の結果を理解した時、そして、すべての投資家がセキュリティについてのデータを売り手と同じだけ持った時、私たちは金融市場が最終的には平等になると信じたい。ある場合においては「日光が最高の消毒薬である」(84)。しかし常にそうとは限らない。「真実」は歪められることが多い。それが何度も起こり過ぎて真実は保証されないのだ。

最近では、信頼問題が付きまとうのは金融だけではない。評判や検索の先導的業者もそうなっている。危機以前のメディアによって崇拝されていた「ロケット科学者」も、その輝きを何ほどか失った。(85)シリコンバレーの巨大企業も、ロマンティックなヒーローというよりはむしろ、「西のウォール街」と見られるようになった。手っ取り早い金儲けを求める欲望に動かされる内輪集団というわけだ。金融部門と同じように明白なスキャンダルに満ちている。最も知られているのは二〇一二年の、リボーレート（銀行間金利）の不正操作だろう。一つ一つを見れば、問題は少数の「腐ったリンゴ」の仕業だと説明できるかもしれないが、巨視的に見れば全体が腐敗している。銀行や、シリコンバレーの幹部は同じように、大量の取引に小さな操作を加えるだけで簡単にお金が稼げるという誘惑に晒されている。速度（スピード）、規模（スケール）、そして投機（スペキュレーション）の文化は、「オープン」「正直」といったものを踏み潰す可能性がある。

元検察官のニール・バロフスキーは回顧録『救済』において、「インセンティブは詐欺である。詐欺は何の成果ももたらさないので儲かる」とまとめている。[86] 四億五〇〇〇万ドルの罰金さえ、五〇〇億ドル以上の収入がある銀行（の責任者）にとって、不快さは蚊に刺された程度だ。[87] シリコンバレーへの罰など、規模からすればもっと些細なことと言える。公正取引委員会が記録的な額だと喧伝する二二五〇万ドルさえ、グーグルにとっては四時間分の収入である。フェイスブックはあるケースを、一〇〇〇万ドルで解決した。[88] 連邦通信委員会（ＦＣＣ）はグーグルを、罰金二万五〇〇〇ドルで「罰した」。法の執行としては壊れたモデルである。これはかなりの部分がブラックボックスのせいだろう。人々は理解できないものには怒りようがない。こうした罰則のあり方に人々が関心を持たなければ、政治家がそれに責任を感じることもない。

ブラックボックスの限界――ハイエク的視点

ブラックボックスが物事をスムーズにすることは認める。通常の取引はより速く、効率的にもなるだろう。私の提案する改革は、物事の速度を遅くする。費用もかかり、それは私たちにも跳ね返るだろう。時間もかかる。アルゴリズムならば著作権の問題をミリ秒単位で自動的に処理するだろう。フェアユースに関するホームページのクレームを人間が処理するならそれより時間がかかる。信用格付け業者は、ネガティブな信用情報が、その対象となっている人よりも信用できない回数を数えるのに、人間の時間と判断を使わなければならなくなるだろう。

こうした構想にかかるコストについて、シンクタンクが不吉な予想をするだろうことは疑いない（彼らが姿の見えないスポンサーとの同一化に積極的であるか否かにせよ）。[89] 金融取引に課税したり、信用機関が十分かつ公正な説明義務を課せられたら、数万人が失職すると予測することは簡単で、ウォール街の企業はそうした「研究成果」を買い、ロビー活動に使った。しかし、法学教授のジョン・C・コーテスがかつて示したように、規制をコスト・ベネフィットで分析するのは、自然科学の方法を社会科学の問題に誤って適応する例となり得る。(90) 当該産業の「暗い予測」にも反して、金融・評判・検索といった部門で説明責任を義務付けることは、職を減らすよりむしろ増やすと考えるもっともな理由がある。説明責任には人間の判断が必要である。社会関係のオートメ化が進む中、支配や差別が密かにコードの中に組み込まれていないかどうかを確かめるという批判的機能を果たせるのは、人間だけなのである。

ブラックボックスによるもう一つの「過剰効率化」には、情報は必ずしも一般化に馴染まないという懸念がある。例えば、タフツ大学のアマル・ビデ教授は、金融やコンサルタントの経験を持つ人だが、地方の住宅市場の引受基準の同一化がもたらした影響を厳しく批判している。大銀行が共産主義者による中央計画を不気味に受け継ぐという過ちを犯していると、ハイエク的な視点から批判しているのである。(91)

経済の中で財やサービスにどのような値段をつけるべきかをすべて知っているような個人は存在せず、中央計画局が何百万人もの人のそれぞれの嗜好や、価値観や、購買力を実際に把握することは無理だというのが、ハイエクの洞察である。(92) ハイエクの言い方では、こうした種類の知識は「分散している」のだ。

今日、ハイエクの最も声高な支持者たちは、ハイエクが国家を批判していただけだと前提する傾向にある。しかし金融部門は十分に中央集権的であり、しかも国家権力とくっついている。金融業における権力集中も懸念材料であり、意思決定を地方に下ろすべきだというのがビデの意見である。フェニックスのローン担当者の方が、何百マイルも離れたところにいる上級管理職よりも、地元のやばい抵当志願者についてははるかによく知っている。実際にローンを組む地元銀行の方が、その決定に伴う潜在的なリスクと報酬について、強いインセンティブを有しているだろう。[93]

ブラックボックス企業に対するハイエク的な批判はさらに続く。なぜインターネットの大部分が、グーグルという単一の企業によって組織化されなければならないのか？ グーグルがスタートアップ企業を素早く買収するのは、コンピュータについての才人をますます集中させようとのプロメテウス的な野望ではないのか？ 同様のことは、アプリで帝国を築いているアップルや、ＳＮＳで支配的な地位を築いているフェイスブックにも言える。[94] 熱心なハイエク主義者なら、こうしたテック企業を、反トラスト法で訴えるであろう。[95]

ブラックボックス・エンドゲーム

評判、検索、金融という三つの産業部門は、その目標や手続きが共通しており、次第に文化も似通ってきたところから、強い同盟関係を築くようになった。「評判」と「検索」はデータを扱うが、ウォール街の扱う「証券」は、少なくとも見た目上は、もう少し具体的なものに見える。しかしその違いは根本的なものではなく、結局は似ている。究極的にこれらはみな、情報に関する産業である。金銭およびその派生形態のすべてとは結局、その持ち主が、どのくらい財とサービスを集合的に要求できるかという「情報」ではないのか？ そして、評判や検索の企業がしていることは、機会や注目を分配する新たな「貨幣」を樹立することではないのか？ これらの企業は、情報を加工して素早く儲けを得ようとしている。ただし私たちは、彼らのコンピュータ端末に表示される数字が、「誰が融資を受けるか」「誰が見つけられるか」「誰が信用されないか」「誰が目立つことができないのか」といったことに、リアルに影響しているという事実を忘れるべきではない。

即座に計算されるスコアが依存している情報は、秘密に守られている。秘密には様々な形式のものがあるのに、なぜ本書は特にシリコンバレーとウォール街に焦点を当てているのか？　それは、ネットや金融にかかわる企業が、プライバシー、尊厳、公正といった重要な価値に対して相当な脅威となっているからである。さらにこの脅威は今や、ますます政府の権力と結びついているのだが、自らを守るブラックボックスの実践と、それに伴う気散じによって、明瞭には見えないものとなっている。ここ数十年来の米国の政治論争は、「市場の力」vs「国家の対策」という闘争で硬直化してきた。その間、「評判、検索、金融の企業」の背後では機敏な興行主が、国家だけでも市場だけでも解けない問題を（作り、そして）利用してきたのだ。

彼らにとって、市場と国家との主導権争いは、実は「パ・ドゥ・ドゥー」（二人のダンスステップ）になっていて、市場と国家という伝統的な区別がぼやけた核心部には「ブラックボックス社会」があるのだ。本書でいう「市場」とは大部分、情報の市場である。ある人がどのくらい広告をクリックするのか、どのくらい医療費を使うのか、ローンをどのくらい払うのか、といった情報だ。こうした種類の情報が価値を持つのは、それが排他的である場合のみである。「排他的であるためには、国家権力が、権限なしにそうした情報を開示しようとする人を押しとどめておかなければならない」。

一九五六年、社会学者のC・ライト・ミルズは、当時の米国の企業、軍、政府の中の「パワーエリート」の姿を描いた。ミルズは冷戦のほぼ均衡状態の中でのエリートの姿を見ていたのだが、彼らはそれぞれ独立した権力（他の人が自らは望まないことをさせる力）の基盤を持っていた。ミルズによる分け方の妥当性は、二〇世紀には強まったり弱まったりした。例えばベルリンの壁が崩壊した後、軍が国内で持つ権力は弱まった。しかし9・11テロの後では防衛・諜報・警備の複合体が復活している。但しミルズによる概念は、未だに注目され関心を寄せられている(96)。

社会理論家の中には、ミルズによる三分類に、例えば「メディア」といった新たな類型を付け加える人もいた。しかしもしミルズの「権力の三角形」の更新が必要だとすれば、それは別の権力が含まれていないからというよりはむしろ、ミルズがその三つに「離れているが同等」という地位を与えたところだろう。二一世紀の「回転ドア」は公僕に対して、民間部門での良い稼ぎという誘惑を常につきつける。公僕が彼ら自身や同僚・部下の(退職後の)主なチャンス等を妨げるような行動を取るのを嫌うのだ。

もし私たちが時代遅れの利己的な轍を抜けて政治プロセスを更新するつもりならば、新たな光景を認識しなくてはならない。そのためには単に市場のやり方を脱すべきと前提するのでなく、「一国の経済的、社会的組織における国家の理想的な役割」を直接に研究しなくてはならない(97)。これは長らく分断されていた分野を統合する手法をとる、政治経済の古典的な社会科学の仕事である。こうした知識で武装することで、私たちは長らく避けていた問題をもう一度取り上げることができる。「私たちが本当に望んでいるのはどんな社会なのか?」という問題である。

知的な社会に向けて

資本主義的民主主義では、リスクを測定し機会を分配するのに、自動化されたプロセスをますます使うようになってきた。こうしたプロセスをコントロールする企業が、情報経済の最もダイナミックで、最も儲かり、最も重要な部分となっている。莫大な量の情報を秩序付けるために、そうした企業では、（通常は秘密の）アルゴリズムを使っている。そこには明らかにテクノロジーの誘惑がある。未来を予測したいという古代からの欲望に、現代では「しらふの」統計学というひねりが効かされている。

依然として秘密を尊重する風潮の中で、悪い情報が良い情報として通用したり、その結果として不公正で、ひどい場合には破壊的な予測がなされたりする。だからこそブラックボックスによるモデル化を広く利用することは、たとえそれがモデルを操る内部者にとっては利益が上がるとしても、社会全体にとっては危険なのだ。無実の人が傷つけられることがある。抗弁できない、あるいは知らされることさえないかもしれない不正確な情報によって、何も悪くない人が「安全への脅威」「給与泥棒」「信用リスクあり」といったレッテルを貼られる可能性がある。不公正もしくは不適切な思考がアルゴリズムの力と結びついて失敗すると、モデル化は一層悪い影響をもたらす（モデル化を進めている人たちは単に予測しただけだと言い訳するだろうが）。

その上、過ちがシステム的なものだとすると、アルゴリズムそれ自体でコントロールできない。それが最も派手な形で起きたのが二〇〇八年の危機である。政府の資金を何千億ドルも注入してやっと秩序が回復した。この秘密の巨額介入が知られるようになっても、関わった銀行関係者の名前は秘密にされていた。

今日の教養ある市民は、政府のことを理解するだけでは足りない。政府は、社会組織の中で「氷山の一角」に過ぎない。私たちの政府や文化に影響を与える企業のことも知らなくてはならない。インターネットを秩序付けする企業、資本の流れを方向付けする企業が、ワシントンに対して多大な影響力を有している。労働や企業や投資の価値および可視性をますます決めているのも、良くも悪くもこうした企業群である。しかし彼らはこれを見えないところで行っている。検索や金融において人々に選択する余地が与えられなくてはならないのは、透明性という理由だけではなく、知的な社会のためでもある。それに失敗すると私たちは、ブラックボックスの内部者（インサイダー）の利益のために歪められた社会に依存せざるを得ず、人々は、重要な制度が実際にどのように作動しているかについて、一層無知のままに置かれるだろう。

自動車のエンジンがどのように動くのかきちんと理解している人は少ない。しかし、それが私たちを安全かつ快適に目的地へと運んでくれるかどうか、私たちは判断することができる。評判、検索、金融といった分野で、実際にどのように仕事がなされているのか、私たちは容易に評価できない。あちこちにはびこる「企業秘密」のせいで、彼らの判断が妥当か、誠実か、公正かを判断することが、実質的に不可能になっている。違法な目的に動機付けられて、ある人が「雇うのに不適切」「ホームページがつまらない」「ローン貸し倒れの恐れがある」といった判断を下されるかもしれないが、大多数の場合私たちは、その真実を確かめるための情報を持たない。私たちに分かること、それは、積み上げたものの頂上に現在立っている人は、過去の成功によって築かれた評判のおかげで、今後も成功し続けるだろうということだ。そして現在底辺にいる人は、不利がさらに積み重なっていく。情報時代の有力者は、自由や自己決定を公約として掲げているが、ブラックボックスという手法は、専門家に力を与えて「デジタル貴族」を守っているように思える。

テクノロジーのオープンな利用は、公約として難しい。米国政府は監視テクノロジーを市民に向けるのではなく、私たちのために、企業の貪欲や浪費をモニターする用途に使うことができるはずだ。

テクノロジーや金融において人々の選択肢が広がることは、私たちの社会をより公正に、より分かりやすくするだろう。「真に人間的な目的を欠いた、非人間的な経済」に自分を合わせるのではなく、いかにして組織を、株主の価値の最大化から、より高次の目的へと作り変えることができるかを問うてみよう。(98) 確かに威厳やデュープロセス、社会的正義を求めることには議論が付きまとう。既得権益を他人に分け与えたくない人々もいるだろう。にもかかわらず、金融や通信のインフラについての重要な意思決定は独立した評価者の目に晒すべきだと、私たち市民は要求する時である。さらに、一年なり一〇年なりしかるべき時が過ぎた後には、市民全員が見ることのできる公的な記録として残すべきである。

ブラックボックス化したサービスは、驚異的に見える。しかしブラックボックス社会は、危険なほどに、不安定、不公正、非生産的なものだ。ニューヨークのクオンツも、カリフォルニアのエンジニアも、堅実な経済や安全な社会を築くことはできない。それは市民の仕事である。市民はそこで賭けられているものを理解してはじめて、この仕事を遂行することができるのである。

原註

エピグラフ

Heracleitus, *On the Universe*, in *Hippocrates IV*, Loeb Classical Library 150, trans. W.H.S.Jones (Cambridge: Harvard University Press, 1931), 501.

Gerald Manley Hopkins, "That Nature is a Heraclitean Fire and of the Comfort of the Resurrection." *Poetry Foundation*. http://www.poetryfoundation.org/poem/173662.で利用可能。

第1章

（1） Harold D.Lasswell, *Politics: Who Gets What, When How* (New York: Meridian Books, 1972).

（2） Robert H. Frank and Philip J. Cook, *The Winner-Take-All Society* (New York: Penguin, 1996)（ロバート・H・フランク＋フィリップ・J・クック著、香西泰監訳『ウィナー・テイク・オール』日本経済新聞社、一九九八年）; David C. McClelland, *The Achieving Society* (Eastford, CT: Martino Fine Books, 2010); Hassan Masum and Mark Tovey, eds., *The Reputation Society* (Cambridge, MA: MIT Press, 2012); Jeffrey M. Berry and Clyde Wilcox, *The Interest Group Society* (Upper Saddle River, NJ: Pearson, 2008); Robert N. Bellah et al., *The Good Society* (New York: Vintage 1992)（ロバート・N・ベラー他著、中村圭志訳『善い社会』みすず書房、二〇〇〇年）; Avishai Margalit, *The Decent Society* (Cambridge: Harvard University Press, 1996). 社会秩序の批評家もこうした形を使うことがある。例えば、Robert B. Edgerton, *Sick Societies* (New York: Free Press, 1992).

（3） ギリアン・テットは、経済の核心にある「社会的沈黙」について描いた。Gillian Tett, *Fool's Gold* (New York: Free Press, 2009). 社会学者のジョン・ガヴェンタは、アントニオ・グラムシの理論に基づいて、政治的アジェンダから排除されていることを「第三の次元」として焦点を当てた。John Gaventa, *Power and Powerlessness* (Champaign: University of Illinois Press, 1982). David E. Pozen, "Deep Society," *Stanford Law Review* 62 (2010) 257-340.

(4) Robert N. Proctor, "Agnotology: A Missing Term to Describe the Cultural Production of Ignorance (and Its Study)," in *Agnotology: The Making and Unmaking of Ignorance*, ed. Robert N. Proctor and Londa N. Shiebinger (Stanford, CA: Stanford University Press, 2008), 3.

(5) Alan Greenspan, "Dodd-Frank Fails to Meet Test of Our Times," *Financial Times*, March 29, 2011. Friedlich Hayek, "The Use of Knowledge in Society," *American Economic Review* 35 (1945): 519-530. もちろんリチャード・ブロンクが言うように、「ハイエクの分析には、価格という叡智を歪める支配的語り、分析的モノカルチャー、自己強化的感情、フィードバック・ループ、マーケット・パワーの役割を無視しているという欠陥がある」。Richard Bronk, "Hayek on the Wisdom of Prices: A Reassessment," *Erasmus Journal for Philosophy and Economics* 6, no.1 (2013): 82-107.

(6) Lee H. Fang, "The Invisible Hand of Business in the 2012 Election," *The Nation*, November 19, 2003, http://www.thenation.com/article/177252/invisible-hand-business-2012-election.

(7) 哲学においてこの言葉は多義的である。例えば、もしあるプロセスの出力が妥当であると十分な数の人々が単に納得したのであれば、これは有用なブラックボックスと言える。現実のある側面が真実であると前提され、それ以上の調査は必要がない。グレアム・ハーマンは次のように書く。「ある言明が、その起源やその話者についての言及なく生の事実であると提示される時、それは真にブラックボックスである。ラトゥールが言うように、「水をH_2Oで表す時、だれがラボワジェの論文に言及するだろうか?」」。Harman, *Prince of Networks: Bruno Latour and Metaphysics* (Melbourne: re.press, 2009), 37. 本書の主たる目的は、主導的なネット企業や金融企業によって提示される結果への疑問を呈することにある。彼らがこの種のブラックボックスに逃げ込まないように。

(8) Jack Balkin, "The Constitution in the National Surveillance State," *Minnesota Law Review* 93 (2008): 1-25.

(9) George Packer, "Amazon and the Perils of Non-disclosure," *The New Yorker*, February 12, 2014.

(10) Arkady Zaslavsky, "Internet of Things and Ubiquitous Sensing" (Sept. 2013). *Computing Now*. http://www.computer.org/portal/web/computingnow/archive/september2013. で利用可能。

(11) April Dembosky, "Invasion of the Body Hackers," *Financial Times*, June 10, 2011.

(12) Tal Zarsky, "Transparent Predictions," *Illinois Law Review* (2013): 1503-1570.

(13) Bradley Keoun and Phil Kuntz, "Wall Street Aristocracy Got $1.2 Trillion in Secret Loans," *Bloomberg News*, August 22, 2011, http://www.bloomberg.com/news/2011-08-21/wall-street-aristocracy-got-1-2-trillion-in-fed-s-secret-loans.html.

(14) Maxwell Strachan, "Financial Sector Back to Accounting for Nearly One-Third of U.S. Profits," *Huffington Post* (blog), March 30, 2011, http://www.huffingtonpost.com/2011/03/30/financial-profits-percentage_n_841716.html. 金融機関の利益は金融ブームの時代よりも良く

なっている。
（15） Jaron Lanier, *Who Owns the Future?* (New York: Simon & Schuster, 2013).「写真会社のコダックは最盛期には一四万人以上を雇用し、二八〇億ドルの価値があった。コダックは最初にデジタルカメラを発明した。しかし今日、コダックは破綻し、デジタル写真の新顔としてインスタグラムが現れた。二〇一二年、インスタグラムがフェイスブックに一〇億ドルで買収された時、従業員はわずか一三人しかいなかった」（同書p.2）。
（16） Frederic Bloom, "Information Lost and Found," *California Law Review* 100 (2012): 635-690.
（17） 難読化（obfuscation）が複雑さを増幅する。これは時として現代のビジネスの自然な帰結でもあるが、よからぬ目的のために故意に企てられることも多い。Steve Randy Waldman, "Why Is Finance So Complex?" *Interfluidity* (blog), December 26, 2011, http://www.interfluidity.com/v2/2669.html.
（18） G・K・チェスタトンが書いているように、全く知らないことは「謎」である。私たちはそれを解いたり分解したりできない。それについて賢くなることができるだけである。
（19） これは法律では昔からある問題である。Grant Gilmore, "Circular Priority Systems," *Yale Law Journal* 71 (1961): 53-74を参照。
（20） Frank Partnoy and Jesse Eisinger, "What's Inside America's Banks?," *The Atlantic*, January 2, 2013.
（21） Ibid.
（22） Clay Shirky, "A Speculative Post on the Idea of Algorithmic Authority," *Shirky* (blog), November 13, 2009, http://www.shirky.com/weblog/2009/11/a-speculative-post-on-the-idea-of-algorithmic-authority/.
（23） Scott Patterson, *The Quants: How a New Breed of Math Whizzes Conquered Wall Street and Nearly Destroyed It* (New York: Crown Publishing, 2010).（スコット・パタースン著、永峯涼訳『ザ・クオンツ』角川書店、二〇一〇年）を参照。
（24） Jeff Connaughton, *The Payoff: Why Wall Street Always Wins* (Westport, CT: Prospecta Press, 2013). 同書の第一〇章は"The Blob"というタイトルで、政府、ロビイスト、実業界、メディアの、隠れた利益交換に言及している。政治エリートと経済エリートの間の混交を理論的、批判的に取り上げたものとして、Hanna Fenichel Pitkin, *Attack of the Blob: Hannah Arendt's Concept of the Social* (Chicago: University of Chicago Press, 2000), 5; Janine R. Wedel, *Shadow Elite: How the World's New Power Brokers Undermine Democracy, Government, and the Free Market* (New York: Basic Books, 2009).
（25） John Elster, *Local Justice: How Institutions Allocate Scarce Goods and Necessary Burdens* (New York: Russell Sage Foundation, 1993).
（26） モデル化を合理化とする洞察ある説明は、Gerd Gigerenzer, *Risk Society: How to Make Good Decisions* (New York: Viking, 2014)を参

照。

（27） Ben Goldacre, *Bad Pharma: How Drug Companies Mislead Doctors and Harm Patients* (London: Fourth Estate, 2012), 3（ベン・ゴールドエイカー著、忠平美幸＋増子久美訳『悪の製薬』青土社、二〇一五年）; Frank Pasquale, "Grand Bargains for Big Data: The Emerging Law of Health Care Information," *Maryland Law Review* 72 (2013): 668-772 (collecting studies on secrecy in the health context).

（28） 例えば、David Dayan, "Massive new fraud coverup: How banks are pillaging—homes while the government watches," *Salon*, at http://www.salon.com/2014/04/23/massive_new_fraud_coverup_how_banks_are_pillaging_homes_while_the_government_watches/ (Apr. 23, 2014); Yves Smith, "The Private Equity Limited Partnership Agreement Release: The Industry's Snowden Moment, Naked Capitalism," May 28, 2014, at http://www.nakedcapitalism.com/2014/05/private-equity-limited-partnership-agreement-release-industrys-snowden-moment.html. を参照。

（29） Dave Gilson, Gavin Aronsen, Tasneem Raja, Ben Breedlove and E.J.Fox, "An Internet Map of the Dark-Money Universe" (June 2012). *Mother Jones*. http://www.motherjones.com/politics/2013/06/interactive-chart-super-pac-election-money で利用可能。Ciara Torres-Spelliscy, "Transparent Elections after Citizens United" (Mar. 2011). *Brennan Center for Justice, New York University School of Law*, http://www.brennancenter.org/publication/transparent-elections-after-citizens-united. で利用可能。

オバマケアに関する議論の中で、医療保険会社は、「表向きは改革を支持する立場を取っていたが、ワシントンでひそかに改革に反対するロビイスト集団にお金をわたしていた」。Elahe Izadi, "Exclusive: AHIP Gave More Than $100 Million to Chamber's Efforts to Derail Health Care Reform," *National Journal* (blog), June 13, 2012, http://www.nationaljournal.com/blogs/influencealley/2012/06/exclusive-ahip-gave-more-than-100-million-to-chamber-s-efforts-to-derail-health-care-reform-13.

（30） Shane Richmond, "Eric Schmidt: Google Gets Close to the 'Creepy Line,'" *The Telegraph*, October 5, 2010.

（31） 『マクルーア』のような雑誌が、ブランダイスなどの不正追及者・改革者のために道を開いた。Adam Curtis, "What the Fluck?" *BBC Blog*, December 5, 2013, http://www.bbc.co.uk/blogs/adamcurtis/posts/WHAT-THE-FLUCK. カーティスは、今日における暴露と説明の必要性についても述べ、「ＮＳＡやＧＣＨＱから世界銀行、未公開株（…）メディア産業複合体にいたるまでのスキャンダル」を説明し、「しかし、スキャンダルが集まってもより大きな構図を描き出さない。私たちの反応は時に、透明性と監視の場合のように、混乱し矛盾している。スキャンダルはあたかも大きなジグソーパズルのひとかけらであるようだ。私たちが待っているのは、こうした断片を組み合わせて、何が起きているのか明確な、大きな図柄を与えてくれる誰かなのである」とする。Ibid.

（32） Robert H.Wiebe, *The Search for Order: 1870-1922* (New York: Farrar, Straus and Giroux, 1967), 132.（「彼らは、生活に関して、旧来の

方法や価値観ではもはや十分でないことに気づくだけの洞察を有していた」)。

（33） Trevor Potter and Bryson B. Morgan, "The History of Undisclosed Spendings in U.S. Elections and How 2012 Became the Dark Money Election," *Notre Dame Journal of Law, Ethics and Public Policy* 27 (2013): 383-480.

（34） 連邦通信委員会（FCC）は一九三四年の通信法によって作られた（47 U.S.C. §151 et seq.）。

（35） Robert L.Rabin, "Federal Regulation in Historical Perspective," *Stanford Law Review* 38 (1986): 1189-1326.

（36） Martin Shapiro, "APA: Past, Present, Future," *Virginia Law Review* 72 (1986): 447-492.

（37） Harvey J. Goldschmid, ed., Business Disclosure: Government's Need to Know (New York: McGraw-Hill, 1979): President John F. Kennedy, "Secrecy Is Repugnant," YouTube video, 5: 29, from an address to newspaper publishers at the Waldorf-Astoria in New York City, April 27, 1961 (posted Dec. 2010). *4The Record*. http://tzimnewman.blogspot.com/2010/12/jfk-secrecy-is-repugnant-1961-speech.html. で利用可能（「秘密という言葉は、自由で開かれた社会と矛盾している。私たちは人民として、本質的に、そして歴史的に、秘密社会、秘密の誓い、秘密の手続きに反対する」）。

（38） Rabin, "Federal Regulation in Historical Perspective".

（39） Ruckelshaus v. Monsanto Co., 467 U.S. 986 (1984); Pamela Samuelson, "Information as Property: Do *Ruckehaus* and *Carpenter* Signal a Changing Direction in Intellectual Property Law?," *Catholic University Law Review* 38 (1989): 365-400.

（40） 金融理論で構築された「洗練された投資家」の役割の背景（およびその批判）については、Jennifer Taub, "The Sophisticated Investor and the Global Financial Crisis," in *Corporate Governance Failures: The Role of Institutional Investors in the Global Financial Crisis*, ed. James P. Hawley, Shyam J. Kamath, and Andrew T. Williams (Philadelphia: University of Pennsylvania Press, 2011), 191を参照。（「「洗練された投資家」という概念への依存は現実を無視している。法律がそのように想定する人々は、大多数、道具立ての複雑さに見合うほど洗練されてもいない。もしくはデータがなく、自らの資産をリスクにさらす現実の投資家でもない」）。

（41） Rakesh Khurana, *From Higher Aims to Hired Hands: The Social Transformation of American Business Schools and the Unfulfilled Promise of Management as a Profession* (Princeton: Princeton University Press, 2009); George F. DeMartino, *The Economist's Oath: On the Need for and Content of Professional Economic Ethics* (Oxford, UK: Oxford University Press, 2011); Charles Ferguson, "Larry Summers and the Subversion of Economics," *The Chronicle Review*, October 3, 2010; Philip Mirowski and Esther-Mirjam Sent, eds., *Science Bought and Sold: Essays in the Economics of Science* (Chicago: University of Chicago Press, 2002).

（42） Frederic Filloux, "Google News: The Secret Sauce," *The Guardian*, February 25, 2013を参照。

(43) 新自由主義〔ネオリベラリズム〕は様々な概念の複合体だが、Philip Mirowski, *Never Let a Serious Crisis Go to Waste: How Neoliberalism Survived the Financial Meltdown* (London: Verso, 2013), 53-67におそらく最もうまくまとめられている。私たちの目的からすると、新自由主義の「集合的思想」の核心は、「最初に市場が引き起こしたと見える問題に対して、（上手に調整され促進された）市場が常に解決策を与えてくれる」ことである。Ibid., 64.

(44) Barton Gellman, *Angler: The Cheney Vice Presidency* (New York: Penguin, 2009), 138.（バートン・ゲルマン著、加藤祐子訳『策謀家チェイニー』朝日新聞出版、二〇一〇年）。

(45) より詳しくはJulian E. Zelizer, *Arsenal of Democracy* (New York: Basic Books, 2010)を参照。

(46) Dana Priest and Willian Arkin, *Top Secret America: The Rise of the New American Security State* (New York: Hachette Book Group, 2011).

(47) Noah Shachtman, "Pentagon's Black Budget Tops $56 Billion," *Wired*, February 1, 2010, http://www.wired.com/2010/02/pentagons-black-budget-tops-56-billion/.

(48) Glenn Reynolds, *An Army of Davids* (Nashville, TN: Thomas Nelson, 2007); David Brin, *The Transparent Society* (Cambridge, MA; Perseus Books, 1998).

(49) "2007 Electronic Monitoring and Surveillance Survey" (Feb, 2008). *American Management Association* (press release). http://press.amanet.org/press-release/177/.で利用可能。

(50) Alexander Halavais, *Search Engine Society* (Cambridge, UK: Polity, 2008), 85（アレクサンダー・ハラヴェ著、田畑暁生訳『ネット検索革命』青土社、二〇〇九年）; Adam Raff, "Search, but You May Not Find," *New York Times*, December 28, 2009, A27も参照。

(51) オンラインの検索エンジン一般に関するレビューとしては、Jon Rognerud, *Ultimate Guide to Search Engine Optimization* (Irvine, CA: Entrepreneur Media, 2008).

(52) 透明性や監査が欠けていると、偏向や利己的なふるまいが起きるだけでなく、「見つけること」の妥当性をも掘り崩す。ティム・ハーフォードが観察しているように、「理論のない、単なる相関だけの分析はあやうい。相関の背後にあるものに対して何の考えもない時、その相関を分析することができないということである」。Tim Harford, "Big data: are we making a big mistake?," *Financial Times*, Mar. 28, 2014, at http://www.ft.com/cms/s/21a6e7d8-b479-11e3-a09a-00144feabdc0.html#ixzz32xoXh98S.

(53) Jamie Court and John Simpson, Letter to Google, October 13, 2008. *Consumer Watchdog*. http://www.consumerwatchdog.org/resources/CWLetterToGoogle10-13-08.pdf.で利用可能。

(54) 先見の明があるヘレン・ニッセンバウムは、「コンピュータ化が進んだ社会において説明責任が損なわれる」ことを警告していた。Helen Nissenbaum, "Accountability in a Computerized Society," *Science & Engineering Ethics* 2 (1) (1996).

(55) John Gapper, "The Price of Wall Street's Black Box," *Financial Times*, June 22, 2011.

(56) George Dyson, *Turing's Cathedral: The Origins of the Digital Universe* (NewYork: Pantheon, 2012), 308.（ジョージ・ダイソン著、吉田三知世訳『チューリングの大聖堂』早川書房、二〇一三年）。

(57) 州当局は評判に関する業者を綿密に観察し、「医師を格付けする」サイトに対して、彼らが使っているデータならびに、それを分析する手法の開示を要求している。新たな医療プライバシー規制も、患者が自らに関するデータがいかに集積され、拡散されているのかを理解する手助けとなるような「開示に関する説明」に焦点を当てている。

(58) 多くの法学者が、規制戦略としての開示に失望している。Omri Ben-Shahar & Carl E. Schneider, *More Than You Wanted to Know: The Failure of Mandated Disclosure* (Princeton: Princeton University Press, 2014).

(59) David Brin, "The Self-Preventing Prophecy: How a Dose of Nightmare Can Help Tame Tomorrow's Perils," in *On Nineteen Eighty-Four: Orwell and Our Future*, ed. Abbott Gleason, Jack Goldsmith, and Martha C. Nussbaum (Princeton, NJ: Princeton University Press, 2005).

(60) Benjamin Kunkel, "Dystopia and the End of Politics," *Dissent*, Fall 2008.

(61) George Orwell, *1984* (London: Secker and Warburg, 1949); Aldous Huxley, *Brave New World* (London: Chatto & Windus, 1932).（両書とも邦訳多数あり）。

(62) テリー・ギリアム監督『未来世紀ブラジル』(1985, Universal Studious, DVD)。

(63) もちろんある文脈においては、その洗練および精度によってより警告の度合いが増す。Julia Angwin, *Dragnet Nation* (New York: Times Books, 2014).（ジュリア・アングウィン著、三浦和子訳『ドラグネット 監視網社会』祥伝社、二〇一五年）。ある内部告発者は著者アングウィンに、「NSAが集めているデータの量は、世界で最も抑圧的な秘密警察体制であるゲシュタポ、シュタージ、KGBよりも桁違いに大きい」と語った。

第2章

(1) John Gilliom and Torin Monahan, *SuperVision: An Introduction to the Surveillance Society* (Chicago: University of Chicago Press, 2012), 32.

(2) Katy Bachman, "Big Data Added $156 Billion in Revenue to Economy Last Year," *AdWeek*, October 14, 2013. http://www.adweek.com/news/technology/big-data-added-156-billion-revenue-economy-last-year-153107（「消費者レベルのデータをマーケティングに使い、消費者を維持している企業によって、経済がどのくらい駆動されているか」を産業面で見積もった報告）。

（3） Jennifer Valentimo-Devries, Jeremy Singer-Vine, and Ashkan Soltani, “Websites Vary Prices, Deals Based on User's Information,” *Wall Street Journal*, December 24, 2012, http://online.wsj.com/news/articles/SB10001424127887323777204578189391813881534.

（4） “Facebook Using Offline Purchase History to Target Ads,” *RT*, March 27, 2013, http://rt.com/usa/offline-facebook-ads-history-900/.

（5） Charles Duhigg, “Biking the Elderly, with a Corporate Assist” *New York Times*, May 20, 2007, http://www.nytimes.com/2007/05/20/business/20tele.html?pagewanted=all&_r=0

（6） Inside Google, “Liars and Loans: How Deceptive Advertisers Use Google,” February 2011. *Consumer Watchdog*. http://www.consumerwatchdog.org/resources/liarsandloansplus021011.pdf.で利用可能。Nathan Newman, “The Cost of Lost Privacy, Part 3: Google, the Supreme Meltdown and Antitrust Implications,” *Huffington Post* (blog), July 15, 2011, http://www.huffingtonpost.com/nathan-newman/the-cost-of-lost-privacy-_3_b_893042.html. Jeff Chester, “Role of Interactive Advertising and the Subprime Scandal: Another Wake-Up Call for FTC,” *Digital Destiny* (blog), August 28, 2007, http://www.centerfordigitaldemocracy.org/jcblog/?p=349.

（7） David Anthony Whitaker, “How a Career Con Man Led a Federal Sting that Cost Google $500 Million,” *Wired*, May 1, 2013, at http://www.wired.com/2013/05/google-pharma-whitaker-sting/.

（8） Federal Trade Commission, *Data Brokers: A Call for Transparency and Accountability* (Washington: FTC, 2014), vii.

（9） Joanne Leon, “Husband Internet Searches on Pressure Cooker and Backpack at Work. Law Enforcement Shows Up at House,” *Dailykos* (blog), August 1, 2013. http://www.dailykos.com/story/2013/08/01/1228194/-Wife-searches-online-pressure-cookers-husband-a-backpack-Terrorism-task-force-shows-up-at-house. 警察は、検索された単語の中に「圧力鍋　爆弾」があったと言っているが、カタラノは「圧力鍋」だけだとしている。もし警察の主張が正しいとしても、グーグルのオートサジェスト機能によって、カタラノが「圧力鍋」と打ったあとに自動的に「爆弾」が表示された可能性があることには注意する必要がある。ボストンでの爆弾テロ事件の後数日間は、その爆弾の威力がどの程度だったのかを知るために、多くの人がこの検索をしたと考えられるからだ。警察には、カタラノが自分で「爆弾」と打ったのか、それともグーグルのおすすめ機能でたまたまそうなったのか、知る術はない。Philip Bump, “Update: Now We Know Why Googling ‘Pressure Cookers’ Gets a Visit from the Cops,” *The Wire*, August 1, 2013, http://www.thewire.com/national/2013/08/government-knocking-doors-because-google-searchs/67864/#.UfqCSAXy7zQ.facebook.も参照。

（10） Martin Kuhn, *Federal Dataveillance: Implications for Constitutional Privacy Protections* (New York: LFB Scholarly Publishing, 2007), 178.

（11） Robert Ellis Smith, *Ben Franklin's Web Site* (New York: Sheridan Books, 2004), 318-320.

（12） 15 U.S.C. §1681 et seq. (2012); Priscilla M. Regan, *Legislating Privacy: Technology, Social Values, and Public Policy* (Chapel Hill: University of North Carolina Press, 2009), 101; 15 U.S.C. §1681a (f) (2012).

(13) 15 U.S.C. §1681i (2012)を参照。

(14) 60 Minutes, "40 Million Mistakes: Is Your Credit Report Accurate?," CBS News, Aug. 25, 2013, transcript at http://www.cbsnews.com/news/40-million-mistakes-is-your-credit-report-accurate-25-08-2013/4/.

(15) Meredith Schramm-Strosser, "The 'Not So' Fair Credit Reporting Act: Federal Preemption, Injunctive Relief, and the Need to Return Remedies for Common Law Defamation to the States," *Duquesne Business Law Journal* 14 (2012): 170-171 を参照（「信用報告産業に有利になりがちな規制枠組み」を描く）。

(16) FTC, "Marketer of Free Credit Reports Settles FTC Charges," Aug. 16, 2005, at http://www.ftc.gov/news-events/press-release/2005/08/marketer-free-credit-reports-settles-ftc-charges. freecreditreport.comというサイトは、「あなたの即時の信用報告に沿って、三〇日間無料で、何の義務もなく、適切なクレジットチェックをモニターするサービスを提供します」と謳っている。但し、「トライアル期間の終了後、このサービスを解約しなかった場合には、会費として年七九・九五ドルがかかる」ということを、キャンセル可能な三〇日間の間に、不適切にも知らせなかった。ＥＰＩＣの、エクスペリアン問題についての差し止め要求に関するページも参照。http://epic.org/privacy/experian/.

(17) Daniel J. Solove, *The Digital Person: Technology and Privacy in the Information Age* (New York: New York University Press, 2004). Daniel Solove, "The Choicepoint Settlement," *Concurring Opinions* (blog), January 30, 2006, http://www.concurringopinions.com/archives/2006/01/the_choicepoint_1.html.

(18) クリス・ジェイ・フフナーゲル他から連邦通商委員会ジョエル・ワトソンにあてた二〇〇四年一二月七日の手紙を参照。ＥＰＩＣのサイトにある。http://epic.org/privacy/fcra/freereportltr.html

(19) Daniel Solove, "FTC: Letting Experian Keep the Spoils," *Concurring Opinions*, Nov 13, 2005, at http://www.concurringopinions.com/archives/2005/11/ftc_letting_exp.html.

(20) ＦＩＣＯという名称で知られるフェア・アイザックアンドコーポレーションは、信用に関するランク付けに科学的方法を使っていると約束した。この会社はスロースタートだったが着実に成長し、そのスコアは多くの信用に関する決定に使われた。Martha Poon, "Scorecards as Devices for Consumer Credit: The Case of Fair, Isaac and Company Incorporated," *Sociological Review* 55 (2007). 289; Kenneth G. Gunter, "Computerized Credit Scoring's Effect on the Lending Industry," *North Carolina Banking Institute* 4 (2000): 445; Martha Poon, "Statistically Discriminating without Discrimination" (dissertation chapter, University of California, San Diego, 2012). http://www.

ardis-recherche.fr/files/speakers_file_32.pdf. で利用可能。名誉を傷つけるような出来事に関しては、"The FICO Score," *The Credit Scoring Site*, http://creditscoring.com/creditscore/fico/（二〇一四年二月一六日アクセス）を参照。Cassandra Jones Harvard, "'On The Take': The Black Box of Credit Scoring and Mortgage Discrimination," *Boston University Public Interest Law Journal* 20 (2011): 241-288.

（21）Danielle Keats Citron and Frank Pasquale, "The Scored Society," *Washington Law Review* 89 (2014): 10-15.

（22）Kevin Simpson, "Insures' Use of Credit Reports Rankles Many," *Denver Post*, August 20, 2003, A1（「信用スコアは、過去三〇年間、規制者への不平が増加したことを示す「警告トレンド」の主要な要素だった」。）Equal Employment Opportunity Commission, "EEOC Files Nationwide Hiring Discrimination Lawsuit against Kaplan Higher Education Corp.," December 21, 2010 (news release), http://www.eeoc.gov/eeoc/newsroom/release/12-2-10a.cfm. も参照。

（23）天候による大災害が信用スコアを直撃した（さらに役所が対応を拒んだ）例としては、Daniel Solove, "Hurricane Katrina and Credit Scores," *Concurring Opinions*, Oct. 10, 2005, at http://www.concurringopinions.com/archives/2005/10/hurricane_katri_1.html; Amy Traub, "Discredited: How Employment Credit Checks Keep Qualified Workers out of a Job," Demos (Feb., 2013), at http://www demos.org/sites/default/files/publications/Discredited-Demos.pdf. を参照。

（24）Brenda Reddix-Smalls, "Credit Scoring and Trade Secrecy: An Algorithmic Quagmire," *University of California Davis Business Law Journal* 12 (2011): 87-124; Havard, "On The Take," 248.（「チェックを受けない信用スコアは、「赤線引き」に似て本質的に、確立された差別の形態である」）。

（25）抵当詐欺の背景については、Yves Smith, *Whistleblowers Reveal How Bank of America Defrauded Homeowners and Paid for a Cover Up—All with the Help of 'Regulators'* (2013). http://econ4.org/wp-content/uploads/2013/04/Naked-Capitalism-Whistleblower-Report-on-Bank-of-America-Foreclosure-Review-12/pdf. で利用可能。

（26）例えば、Matthew Hector, "Standing, Securitization, and 'Show Me the Note,'" *Sulaiman Law Group*, http://sulaimanlaw.com/Publications/Standing-Securitization-and-Show-Me-The-Note.shtml を参照（二〇一四年二月一五日アクセス）。

（27）Jeff Harrington, "2010 Adds Its Own Terminology to Business Lexicon," *Tampa Bay Times*, December 23, 2010, http://www.tampabay.com/news/business/2010-adds-its-own-terminology-to-business-lexicon/1141681.（「ロボットによる署名は、実際には宣誓供述書に書かれたことがなされていなくても署名するように、担保権執行に素早く署名するような事務管理システムを伴う」）。

（28）DeltaFreq による、Barry Ritholtz のブログへのコメントを参照。"Where's the Note? Leads BAC to Ding Credit Score," *The Big Picture* (blog), December 14, 2010, 11: 03 a.m., http://www.ritholtz.com/blog/2010/12/note-bac-credit-score/.

(29) Ibid.

(30) "Credit Checks and Inquiries," *myFICO*, http://www.myfico.com/crediteducation/creditinquiries.aspx（二〇一四年二月一六日アクセス）。

(31) Ibid.（「一般的に、FICOのスコアの高い人々の特徴は、請求はすぐに支払う（…）、クレジットカードやリボ払いの割合は低い（…）、新たなクレジットは必要な際にしか申し込まない」）。

(32) 例えば、G. William McDonald, *Owing! 5 Lessons on Surviving Your Debt Living in a Culture of Credit* (Scottsdale, AZ: ACG Press, 2013)を参照。

(33) myFICO Forums, http://ficocorums.myfico.com/（二〇一四年二月一五日アクセス）。

(34) "Credit Bureau and Credit Reporting," USA.Gov, April 11, 2013, http://www.usa.gov/topics/money/credit/credit-reports/bureaus-scoring.shtml.

(35) Carolyn Carter et al., "The Credit Card Market and Regulation: In Need of Repair," *North Carolina Banking Institute* 10 (2006): 41.（二九％の人が、信用機関によって五〇ポイント以上の信用スコアの違いがある。五〇から七〇％の信用情報が間違った情報を含んでいる）。

(36) Robert Pregulman, "Credit Scoring Highly Unfair," *SeattlePI*, January 28, 2002, http://www.seattlepi.com/local/opinion/article/Credit-scoring-highly-unfair-1078615.php. Deirdre Cummings, "Testimony in Favor of an Act Banning the Use of Socio-Economic Factors for Insurance Underwriting and Rating of Motor Vehicle Liability Insurance," *MassPirg* (blog), October 18, 2011, http://masspirg.org/blogs/blog/map/testimony-favor-favor-act-bannning-use-socio-economic-factors-insurance-underwriting.も参照。

(37) 例えば、Consumer Reports, "The Secret Score behind Your Auto Insurance," *MSN*, http://editorial.autos.msn.com/article.aspx?cp-documentid=435604（二〇一四年二月一五日アクセス）を参照（文中で「クレジットを適切に使っている消費者を罰することがある」と指摘）。M. Beddingfield, "How Important Is Your Debt to Limit Ratio?" *Saving Advice*, October 11, 2008, http://www.savingadvice.com/articles/2008/10/11/102973_debt-to-limi-ratio.html.

(38) Donncha Marron, "'Lending by Numbers': Credit Scoring and the Constitution of Risk within American Consumer Credit," *Economics and Society* 36 (2007): 111. 別のブラックボックスのアナロジーについては、Martha Poon, "From New Deal Institution to Capital Markets: Commercial Consumer Risk Scores and the Making of Subprime Mortgage Finance," *Accounting, Organizations and Society* 34 (2009): 654-674.

(39) Theodore M. Porter, *Trust in Numbers: The Pursuit of Objectivity in Science and Public Life* (Princeton: Princeton University Press, 1996),

45.（「数字は規範を作り、規範と比較され得る、現代民主主義の中で最も優しく、最も普及した権力形態の一つである」）。

（40）　例えば、Shawn Fremstad and Amy Traub, *Discrediting America: The Urgent Need to Reform the Nation's Credit Reporting Industry* (New York: Dēmos, 2011), 11. http://www.demos.org/sites/default/files/publications/Discrediting_America_Demos.pdf. も参照。

（41）　Jeffrey Zaslow, "If TiVo Thinks You Are Gay, Here's How to Set It Straight," *Wall Street Journal*, November 26, 2002, http://online.wsj.com/news/articles/SB1038261936872356908.

（42）　Matthew Moore, "Gay Men Can Be Identified by Their Facebook Friends," *The Telegraph*, September 21, 2009. http://www.telegraph.co.uk/technology/facebook/6213590/Gay-men-can-be-identified-by-their-Facebook-friends.html.

（43）　Katie Heaney, "Facebook Knew I Was Gay before My Family Did," *BuzzFeed*, March 19, 2013, http://www.buzzfeed.com/katieheaney/facebook-knew-i-was-gay-before-my-friends.html.

（44）　Ellen Jean Hirst, "Critics Take Aim at Data Mining after OfficeMax Addresses a Letter to Father with Line, 'Daughter Killed in Car Crash'," *Chicago Tribune*, January 21, 2014, 1.

（45）　Casey Johnston, "Data Brokers Won't Even Tell the Government How It Uses, Sells Your Data," *Ars Technica* (blog), December 21, 2013, http://arstechnica.com/business/2013/12/data-brokers-wont-even-tell-the -government-how-it-uses-sells-your-data/.

（46）　Pam Dixon and Robert Gellman, *The Scoring of America* (San Diego: World Privacy Forum, 2014).

（47）　Frank A. Pasquale and Tara Adams Ragone, "The Future of HIPAA in the Cloud," *Stanford Technology Law Review* (forthcoming 2014). http://papers.ssrn.com/sol3/papers.cfm?abstract_id=2298158. で利用可能。

（48）　アクシオム社は何千もの情報源を使い、米国の成人の九八%について、一六〇〇の情報の断片を持っている。Eli Pariser, *The Filter Bubble* (New York: Penguin, 2011), 3.（イーライ・パリサー著、井口耕二訳『閉じこもるインターネット』早川書房、二〇一二年）。その中には病気・怪我の症状や予測に関する情報も含まれる。Daniel J. Solove, *The Future of Reputation: Gossip, Rumor and Privacy on the Internet* (New Haven, CT: Yale University Press, 2008); Natasha Singer, "You for Sale: Mapping the Consumer Genome," *New York Times*, June 16, 2012; Nicolas P. Terry, "Protecting Patient Privacy in the Age of Big Data," *UMKC Law Review* 81 (2011): 385-416.

（49）　Chad Terhune, "They Know What's in Your Medicine Cabinet," *BusinessWeek*, July 22, 2008.

（50）　Terhune, "They Know What's in Your Medicine Cabinet,"　オバマケアの下で医療保険業者がより利益を追求するようになった一方、病気の兆候のある人とのビジネスを避けることで利益を得るという別の文脈も各所で存在している。

（51）　Intelliscript Complaint, In the Matter of Milliman, Inc. (2008) (No.C-4213), http://www.ftc.gov/os/caselist/0623189/080212complain

t.pdf.

（52） William W.Yu and Trena M. Ezzati-Rice, "Concentration of Health Care Expenses in the U.S. Civilian Noninstitutionalized Population," Agency for Healthcare Research and Quality Statistical Brief No.81, 2005. http://www.meps.ahrq.gov/mepsweb/data_files/publications/st81/stat81.shtml.

（53） 二〇一〇年のオバマケアのもと、これは現在の保険では「保証されている」。42 U.S.C. §1201 (4), 42 U.S.C. §2702 (a)- (c) (1), 42 U.S.C. §300gg-1 (a)- (b) (1)（すべての応募者を受け入れなければならないが、但し特定の「開かれた、もしくは特別な加入」期間を限定することは許される）。

（54） Terry, "Protecting Patient Privacy."

（55） Ibid.（保証書に記入する人、懸賞に応募する人、オンライン調査に回答する人、オンラインのプライバシーポリシーに合意する人、ブランドからメールを受け取るサインアップをする人、彼らはしばしば、名前もしくは顧客IDコードにリンクされている特定の細かな情報が、他の企業にわたされるのかどうか分からない）。

（56） Lori Andrews, *I Know Who You Are and I Saw What You Did* (New York Free Press, 2011), 70. アンドリュースは「ウェブライニング」（「レッドライニング」といった差別的な意味を感じさせる）という言葉を、インターネット・プロファイリングが新たな、自分が差別されていることさえ気づかないマイノリティを作り出す可能性があることを示唆するために用いている）。

（57） Charles Duhigg, "How Companies Learn Your Secrets," *New York Times Magazine*, February 16, 2012, http://www.nytimes.com/2012/02/19/magazine/shopping-habits.html?pagewanted=all.

（58） Elizabeth A. Harris and Nicole Perlroth, "For Target, the Breach Numbers Grow," *New York Times*, January 1, 2014, http://www.nytimes.com/2014/01/11/business/target-breach-affected-70-million-customers.html?_r=0.

（59） Thomas R. McLean & Alexander B. McLean, "Dependence on Cyberscribes-Issues in E-Security," *8F. Bus & Tech.1.* (2013): 59（ブラックマーケットで医療情報が扱われる例を議論している）。Brian Krebs & Anita Kumar, "Hackers Want Millions for Data on Prescriptions," *Wash. Post*, May 8, 2009, at B1.

（60） Misha Glenny, *DarkMarket: How Hackers Became the New Mafia* (New York: Vintage Books, 2012) 2（「ギーク、テクノス、ハッカー、コーダー、セキュロクラッツなどと呼ばれるこの小さなエリートは、残りの私たちが黙るしかないような、毎日の生活に広く激しく影響するテクノロジーを深く理解している」）。

（61） "Experian Sold Consumer Data to ID Theft Service," *Krebs on Security*, October 20, 2013, http://krebsonsecurity.com/2013/10/exoeriansold-consumer-data-to-id-theft-service/.

（62） Duhigg, "How Companies Learn Your Secrets."

（63） Ryan Calo, "Digital Market Manipulation," *George Washington University Law Review* (forthcoming, 2014). At http://papers.ssrn.com/sol3/papers.cfm?abstract_id=23009703&download=yes.

（64） PRNewsWire, "New Beauty Study Reveals Days, Times and Occasions When U.S. Women Feel Least Attractive," October 2, 2013 (new release), http://www.prnewswire.com/news-release/new-beauty-study-reveals-days-times-and-occasions-when-us-women-feel-least-attractive-226131921.html.

（65） パウル・オームは、ある人に打撃を与える情報が累積する可能性を指して「破滅のデータベース」という言葉を作った。Paul Ohm, "Broken Promises of Privacy: Responding to the Surprising Failure of Anonymization," *University of California at Los Angeles Law Review* 57 (2010): 1750-51.

（66） Joseph Walker, "Data Mining to Recruit Sick People," *Wall Street Journal*, December 17, 2013, http://online.wsj.com/news/articles/SB10001424052702303722104579240140554518458.同紙は、「体の大きな人はミニバンを買う、他の車では体が入らないから」という仮定を使ってビッグデータ分析を説明しようとしている。しかし、別の結論も簡単に思いつく。ミニバンがあてはまったのは、スポーツ用品を多数運ぶために、大きな車が必要だったのかもしれない。ビッグデータの相関では、後付けの合理化に注意が必要である。とりわけ、使われたデータやアルゴリズムを検証できない場合には。

（67） Ibid.

（68） 検索ログには多少のプライバシー保護手段が取られている。しかし、ニッセンバウムとトウビアナが観察しているように、「検索ログに対して外部監査がなければ、個人を特定しようとする攻撃に対してどのくらい頑健なのか、評価することができない」。V. Toubiana and H. Nissenbaum, "An Analysis of Google Log Retention Policies," *The Journal of Privacy and Confidentiality* 3, no.1 (2011): 5.匿名化への努力に対して、検索語によって多くが明らかになってしまうことに関しては、Thomas Barbaro and Michael Zeller, "A Face Is Exposed for AOL, Searcher No.4417749," *New York Times*, August 9, 2006, A1.

（69） Walker, "Data Mining to Recruit Sick People."

（70） Julie Brill, "Reclaim Your Name," Keynote Address at Computers, Freedom, and Privacy Conference, June 26, 2013. http://www.ftc.gov/speeches/brill/13062computersfreedom.pdf.

（71） Ibid.（ある医療保険会社は、例えば特大サイズの服を買うといった健康関連の行動に警告を出すため、三〇〇万人分以上の消費者購買データを最近購入した。『ウォールストリートジャーナル』紙の記事では、「この会社が情報を買ったのは現在のプランの加入者のためであって、潜在的加入者のスクリーニングのためではない」としている)。

(72) Peter Maass, "Your FTC Privacy Watchdogs: Low-Tech, Defensive, Toothless," *Wired*, June 28, 2012, http://www.wired.com/threatlevel/2012/06/ftc-fail/all/.

(73) Charles Duhigg, "What Does Your Credit Card Company Know about You?" *New York Times*, May 17, 2009, http://www.nytimes.com/2009/05/17/magazine/17credit-t.html?pagewanted=all. 連邦取引委員会（FTC）が、消費者への不公正な行為を規制しプライバシーに関するコモンローを樹立するのに重要な役割を果たしていることについての納得できる説明は、Daniel J. Solove and Woodrow Hartzog, "The FTC and the New Common Law of Privacy," *Columbia Law Review* 114 (2014): 583-676.

(74) Duhigg, "What Does Your Credit Card Company Know about You?"

(75) Kashmir Hill, "Could Target Sell Its 'Pregnancy Predictions Score'?" *Forbes*, February 16, 2012, http://www.forbes.com/sites/kashmirhill/2012/02/16/could-target-sell-its-pregnancy-prediction-score/.

(76) Frank Pasquale, "Reputation Regulation: Disclosure and the Challenge of Clandestinely Commensurating Computing," in *The Offensive Internet: Speech, Privacy, and Reputation*, ed. Saul Levmore and Martha C. Nissenbaum (Cambridge, MA: Harvard University Press, 2010), 107-123; Frank Pasquale, "Beyond Innovation and Competition: The Need for Qualified Transparency in Internet Intermediaries," *Northwestern University Law Review* 104 (2010): 105-174.

(77) Lois Beckett, "Everything We Know about What Data Brokers Know about You," *ProPublica*, March 7, 2013 (updated September 13, 2013), http://www.propublica.org/article/everything-we-know-about-what-data-brokers-know-about-you.

(78) Federal Trade Commission, *Protecting Consumer Privacy in an Era of Rapid Change: Recommendation for Business and Policymakers* (March 2012). http://www.ftc.gov/sites/default/files/documents/reports/federal-trade-commission-report-protecting-consumer-privacy-era-rapid-change-recommendation-report-protecting-consumer-privacy-era-rapid-change-recommendations/120326privacyreport.pdfで利用可能（データ業者のタイプ別リストがある)。

(79) Joseph Turow, *The Daily You: How the New Advertising Industry Is Defining Your Identity and Your Worth* (New Haven, CT: Yale University Press, 2012).

(80) Natasha Singer, "Secret E-Scores Chart Consumers' Buying Power," *New York Times*, August 18, 2012, http://www.nytimes.com/2012/08/19/business/electronic-scores-rank-consumers-by-potential-value.html?_r-0&pagewanted=print.

（81） Dixon and Gellman, *The Scoring of America*.

（82） Ylan Q. Mui, "Little-Known Firms Tracking Data Used in Credit Scores," *Washington Post*, July 16, 2011, http://www.washingtonpost.com/business/economy/little-known-firms-tracking-data-used-in-credit-scores/2011/05/24gIQAXHcWII_print.html. この企業はチョイスポイントである（現在はより大きな企業に買収された）。ほぼすべてのアメリカ人に関するファイルを保有していた。

（83） データ業者の多くは評判に関する仕事もしており、個人についての報告をランク付けやスコアに縮約しているが、その中身はブラックボックスである。前註のムイによる記事では、「情報がどこに由来し、それがどのように分析され、誰が買うのかといったことが秘密のヴェールに隠されている」と指摘されている。

（84） Ibid., 79.

（85） Sherry D.Sanders, "Privacy Is Dead: The Birth of Social Media Background Checks," *39 Southwestern University Law Review* 243, (2012): 264; Alexander Reicher, "The Background of Our Being: Internet Background Checks in the Hiring Process," *28 Berkeley Tech, L. J.* (2013): 153.

（86） Don Peck, "They're Watching You at Work," *The Atlantic*, December 2013, 76. 仕事の大半がコンピュータ環境でなされる時、その評価は非常にいい加減なものになる可能性がある。ソフトウェア・エンジニアは、オープンソース・プロジェクトへの貢献を、他の人がそのコードを使った時に与えられるポイントで評価されている。 E. Gabriella Coleman, Coding Freedom: *The Ethics and Aesthetics of Hacking* (Princeton, NJ: Princeton University Press, 2013).（デビアンのオープンソース・コミュニティおよびコミュニティメンバーの貢献の評価について探究している）。Stephen Baker, The Numerati (New York: Houghton-Miffin, 2008), 33.

（87） Mat Honan, "I Flunked My Social Media Background Check. Will You?," *Gizmodo* (July 7, 2011). http://gizmodo.com/5818774/this-is-a-social-media-background-check/. で利用可能。（「ソーシャルメディアの情報を基に、ソーシャル・インテリジェンスは「合格」か「不合格」かという判定を行い、「コカインやLSDの使用を許容している」「ケタミン（別の娯楽用麻薬）の使用に言及している」といったコメントをつける」）。

（88） Solove, *The Digital Person*, 47.

（89） Tom Burghardt, "Big Brother a Click Away," *Pacific Free Press*, October 10, 2010, http://www.pacificfreepress.com/news/1/7119-big-brother-a-click-away.html. Mickey Huff and Project Censored, *Censored 2012: The Top Censored Stories and Media Analysis of 2010-2011* (New York: Seven Stories Press, 2011), 61. グーグル・ベンチャーズやイン・Q・テルといったベンチャー企業が、レコーデッド・ヒューチャーに投資している。

（90） Peck, "They're Watching You at Work."

（91） Lewis Maltby, *Can They Do That? Retaking Our Fundamental Rights in the Workplace* (New York: Portfolio, 2009), 20（監視の広い浸透を描く）; Chris Bertram, "Let It Bleed: Libertarians and the Workplace," *Crooked Timber* (blog), July 1, 2012, http://crocktimber.org/2012/07/01/let-it-bleed-libertarianism-and-the -workplace/.（米国のほとんどの地域で、解雇をちらつかせてトイレを禁じられたり、トイレに行かされたりといった罰がある。後者では上司が、用を足している様子をカメラで監視するのだ）。

（92） プライバシーの侵害という従業員からの訴えに積極的に対抗する措置が、「従業員の同意」があるという主張である。Larry O. Natt Gantt, II, "An Affront to Human Dignity: Electronic Mail Monitoring in the Private Sector Workplace," 8 *Harv. J. L., & Tech.* (1995): 345-375. 但し、公共政策に反する場合や、権利放棄のそうした特定の側面を禁止している場合には、裁判所は使用者側の防衛策を認めないことがある。例えば、Speer v. Ohio Dept. of Rehab. & Corr., 624 N.E.2d 251 (Ohio, 1993)（従業員のトイレでのプライバシー権放棄を禁じている）。

（93） William Bogard, *The Simulation of Surveillance: Hypercontrol in Telematic Societies* (Cambridge: Cambridge University Press, 1996).（ウィリアム・ボガード著、田畑暁生訳『監視ゲーム』アスペクト、一九九八年）。

（94） Peck, "They're Watching You at Work."

（95） Leigh Buchanan, "Unemployment Is Up. Why Is It So Hard to Find the Right Hires?" *Inc.*, June 1, 2012, http://www.inc.com/leigh-buchanan/hiring-recruiting-unemployment-wharton-peter-cappelli.html.

（96） Peter Cappelli, *Why Good People Can't Get Jobs: The Skills Gap and What Companies Can Do About It* (Philadelphia, PA: Wharton Digital Press, 2012).

（97） 彼らは「二〇〇八年、開業ごとに二九人の志願者を処理しており、これは二〇〇七年の二二人から増えている」。Vanessa O'Connell, "Test for Dwindling Retail Jobs Spawns a Culture of Cheating," *Wall Street Journal*, January 7, 2009, http://online.wsj.com/article/SB123129220146959621.html?mod=googlenews_wsj; Christopher Ingraham, "Wal-Mart Has a Lower Acceptance Rate than Harvard," Washington Post, Mar.28, 2014, at http://www.washingtonpost.com/blogs/wonkblog/wp/2014/03/28/wal-mart-has-a-lower-acceptance-rate-than-harvard/.

（98） Barbara Ehrenreich, "Time Theft," *New International Magazine*, November 2, 2002, http://www.newint.org/features/2002/11/01/women/.

（99） O'Connell, "Test for Dwindling Retail Jobs Spawns a Culture of Cheating."

(100) Chris Anderson, "The End of Theory: The Data Deluge Makes the Scientific Method Obsolete," *Wired*, June 23, 2008, http://www.wired.com/science/discoveries/magazine/16-07/pb_theory.

(101) Ibid.

(102) Charles Tilly, *Why?: What Happens When Persons Give Reasons* (Princeton: Princeton University Press, 2008).

(103) Omer Tene and Jules Polonetsky, "A Theory of Creepy: Technology, Privacy and Shifting Social Norms," *Yale Journal of Law and Technology* 16 (2014): 59-102.

(104) Leon R. Kass, "The Wisdom of Repugnance," *The New Republic*, June 1997; Martha C. Nussbaum, *Upheavals of Thought: The Intelligence of Emotions* (New York: Cambridge University Press, 2001).

(105) Bruce Schneier, "Will Giving the Internet Eyes and Ears Mean the End of Privacy?" *The Guardian*, May 16, 2013, http://www.guardian.co.uk/technology/2013/may/16/internet-of-things-privacy-google.

(106) Danielle Keats Citron, "Technological Due Process," *Washington University Law Review* 85 (2008): 1260-1263; Danielle Keats Citron, "Open Code Governance," *University of Chicago Legal Forum* (2008): 363-368.

(107) Peck, "They're Watching You at Work."

(108) Lior Jacob Strahilevitz, "Less Regulation, More Reputation," in *The Reputation Society: How Online Opinions Are Reshaping the Offline World*, ed. Hassan Masum and Mark Tovey (Cambridge, MA: MIT Press, 2012), 64.

(109) Associated Press, "EEOC Sues over Criminal Background Checks," *CBSNews*, June 11, 2013, http://www.cbsnews.com/8301-505123_162-57588814/eeoc-sues-over-criminal-background-checks/.

(110) Executive Office of the President, *Big Data: Seizing Opportunities, Preserving Values* (2014).

(111) David Talbot, "Data Discrimination Means the Poor May Experience a Different Internet," *Technology Review*, Oct.9, 2013, at http://www.technologyreview.com/news/520131/data-discrimination-means-the-poor-may-experience-a-different-internet/（ケイト・クロフォードおよびジェイソン・シュルツの仕事を論ずるもの）。

(112) Devony B. Schmidt, "Researchers Present Findings on Online Criminal Record Websites," *The Harvard Crimson*, November 20, 2012, http://www.thecrimson.com/article/2012/11/20/research-finds-profiling/.

(113) Latanya Sweeney, "Discrimination in Online Ad Delivery," *Communications of the ACM* 56 (2013): 44. この研究では、二一八四例の、人種を連想させるような個人名を検索にかけて、表示される広告において統計的に有意な差別を見出している。黒人を連想させる名前には、その名前に逮捕歴がなくても、逮捕を示唆するような表示がなされた。より一般的な話として、Seeta Gangadaran, "Digital Inclusion and Data Profiling," *First Monday*, 5 (2012).

(114) "Racism Is Poisoning Online Ad Delivery, Professor Says," *MIT Technology Review*, February 4, 2013, http://www.technologyreview.com/view/510646/racism-is-poisoning-online-ad-delivery-says-harvard-professor/.

(115) Toon Calders & Indre Zliobaite, "Why Unbiased Computational Processes Can Lead to Discriminative Decision Procedures," in *Discrimination and Privacy in the Information Society* (Bart Custers, et al., eds.) (Heidelberg: Springer, 2013).

(116) Max Nisen, "Only 2% of Google's American Workforce Is Black," *The Atlantic*, May 29, 2014, at http://www.theatlantic.com/business/archive/2014/05/only-2-percent-of-googles-american-workforce-is-black/371805/.

(117) Nathan Newman, "Racial and Economic Profiling in Google Ads: A Preliminary Investigation (Updated)," *Huffington Post* (blog), September 20, 2011, http://www.huffingtonpost.com/nathan-newman/racial-and-economic-profi_b_970451.html.（ニューマンによる研究の一部は、グーグルのライバルであるマイクロソフトによる資金に支えられている）。

(118) Ibid.

(119) FTC, "Spring Privacy Series: Alternative Scoring Products," March 19, 2014 (news release), http://www.ftc.gov/news-events/events-calendar/2014/03/spring-privacy-series-alternative-scoring-products.

(120) 公正取引委員会委員長のエディス・ラミレズは、アルゴリズムがある個人を、「その人がこれまでしてきたことや、将来においてしそうなことではなく、アルゴリズムが相関や推測で、信用が乏しいとか保険上のリスクがあるから雇用や入学、組織加入に不適であるとか、ある種の機能を果たせないといった判断を下す」ことに対して、懸念を表明した。Edith Ramirez, "Privacy Challenges in the Era of Big Data: The View from the Lifeguard's Chair," Keynote Address at the Technology Policy Institute Aspen Forum, August 19, 2013. http://www.ftc.gov/sites/default/files/documents/public_statements/privacy-challenge-big-data-view-lifeguard%E2%80%99s-chair/130819bigdataaspen.pdf. で利用可能。

(121) Ibid.

(122) Michael Pinard, "Collateral Consequences of Criminal Convictions: Confronting Issues of Race and Dignity," *New York University Law Review* 85 (2010): 457-534.

(123) オバマ政権の政策作りにおいて要職についていた人々がこの問題について報告書を出しており、「この報告書が見出した重要な事実は、ビッグデータが新たな形式の差別や略奪を生む可能性があるということである」。Executive Office of the President, *Big Data:*

Seizing Opportunities, Preserving Values (Washington, D.C., 2014), at 53.

(124) Interview by Doug Henwood, *Behind the News*, with Sarah Ludwig, NEDAP Attorney, on *Behind the News Radio* (August 30, 2007). http://www.leftbusinessobserver.com/Radio.html. で利用可能。

(125) 一般論として、Jerry Kang, *Implicit Bias, A Primer For Courts* (Williamsburg, VA: National Center for State Courts, 2009)を参照。http://wp.jerrykang.net.s110363.gridserver.com/wp-content/uploads/2010/10/kang-Implicit-Bias-Primer-for-courts-09.pdf. で利用可能。

(126) Loïc Wacquaint, "The Punitive Regulation of Poverty in the Neoliberal Age", *OpenDemocracy*, August 1, 2011, http://www.opendemocracy.net/5050/lo%C3%AFc-waquant/punitive-regulation-of-poverty-in-neoliberal-age. を参照。一般論として、Bernard E. Harcourt, *Against Prediction: Profiling, Policing and Punishing in an Actuarial Age* (Chicago: University of Chicago Press, 2007)を参照。

(127) Robert E. Goodin, "Laundering Preferences," in *Foundation of Social Choice Theory*, ed. John Elster and Aanund Hylland (Cambridge, UK: Cambridge University Press, 1989), 75.

(128) Charles Taylor, *Philosophical Papers II: Philosophy and the Human Sciences* (New York: Cambridge University Press, 1986). データドリブンの分析は、クレジットの分配やマーケティングにおいて、物語や一次元のスコア化よりも科学的なアプローチを約束するが、「より合理的」とされる信用スコアが有害なサブプライムローンを生んだように、「客観的分析」は「物体化」に変わることがある。

(129) Marx W. Wartofsky, *Conceptual Foundations of Scientific Thought* (New York: Macmillan, 1968).

(130) Alice Goffman, *On the Run: Fugitive Life in an American City* (Chicago: University of Chicago Press, 2014); Matt Taibbi, *The Divide* (New York: Spiegel & Grau, 2014).

(131) チャールズ・テイラーが言うように、「「生のデータ」という言葉で私が意味するのは（…）その妥当性が他の解釈や読解によって疑われる可能性がないデータということである」。Taylor, *Philosophical Papers*, Vol. II, 19.

(132) Harcourt, *Against Prediction*, 156.

(133) 例えば、Floyd v. City of New York, Case No.1:08-cv-01034-SAS-HBP (Aug. 12, 2013), 58.を参照。http://ccjustice.org/files/Floyd-Liability-Opinion-8-12-13.pdf.（裁判所は、「ニューヨーク州警察が人種的に定義されたグループを呼び止めのターゲットとする不文律の方針を持っていること」を明らかにした）。

(134) William Harless, "'Ban the Box' Laws Make Criminal Pasts Off-Limits," *Wall Street Journal*, August 3, 2013, http://online.wsj.com/news/articles/SB10001424127887323997004578640623464096406.

(135) Radley Balko, *Rise of the Warrior Cop: The Militarization of America's Police Forces* (New York: Public Affairs, 2013).

(136) Daniel Solove, *Nothing to Hide: The False Tradeoff between Privacy and Security* (New Haven, CT: Yale University Press, 2011).

(137) Gregory B. Hladky, "Arrest Exposes State's Threats List," *New Haven Register*, January 9, 2007, A1. Christine Stuart, "Reporter Arrested for Political Activism," *Conneticut News Junkie* (blog), January 5, 2007, http://www.ctnewsjunkie.com/ctnj.php/archives/entry/reporter_arrested_for_political_activism_updated_with_police_report/. Gerri Willis, "Are You on the List?," *CNN*, September 30, 2009, http://www.cnn.com/video#/video/crime/2009/09/30/willis.fusion.centers.cnn.

(138) *Protecting National Security and Civil Liberties: Strategies for Terrorism Information Sharing: Hearing before the Subcomm. On Terrorism, Technology, and Homeland Security of the S. Comm. on the Judiciary*, IIIth Cong. 56-57 (2009) (statement of Caroline Fredrickson, Director, Washington Office, ACLU); Lisa Rein, "Police Spied on Activist in Maryland," *Washington Post*, July 18, 2008, A1; Office of Senator Barbara Mikulski, "Senators Demand Answers," February 19, 2009 (news release), http://mikulski.senate.gov/media/pressrelease/02-19-2009-2.cfm.

(139) Matthew Harwood, "Maryland State Police Spied on Nonviolent Activists and Labeled Them Terrorists," *Security Management*, October 8, 2008. http://www.securitymanagement.com/news/maryland-state-police-spied-nonviolent-activists-and-labeled-them-terrorists-004742; Rein, "Police Spied on Activists in Maryland."

(140) ACLU, "Policing Free Speech" (June 2010). https://www.aclu.org/files/assets/Spyfiles_2_0.pdf. で利用可能。

(141) 例えば、Jennifer Stisa Granick and Christopher Jon Sprigman, Op-Ed, "The Criminal N.S.A.," *New York Times*, June 28, 2013, http://www.nytimes.com/2013/06/28/opinion/the-criminal-nsa.html?ref=opinion&_r=2&; Jennifer Stisa Granick and Christopher Jon Sprigman, "NSA, DEA, IRS Lie about Fact That Americans Are Routinely Spied on by Our Government: Time for a Special Prosecutor," *Forbes*, August 14, 2013, http://www.forbes.com/sites/jennifergranick/2013/08/14/nsa-dsa-irs-lie-about-fact-that-americans-are-routinely-spied-on-by-our-government-time-for-a-special-prosecutor-2/. を参照。

(142) Pam Martens, "Wall Street Firms Spy on Protestors in Tax-Funded Center," *CounterPunch*, October 18, 2011. http://www.counterpunch.org/2011/10/18/wall-street-firms-spy-on-protestors-in-tax-funded-center/.

(143) Ibid.

(144) Colin Moynihan, "Officials Cast Wide Net in Monitoring Occupy Protests," *New York Times*, May 22, 2014, at http://www.nytimes.com/2014/05/23/us/officials/cast-wide-net-in-monitoring-occupy-protests.html.

(145) Naomi Wolf, "The Shocking Truth about the Crackdown on Occupy," *The Guardian*, November 25, 2011, http://www.theguardian.com/commentisfree/cifamerica/2011/nov/25/shocking-truth-about-crackdown-occupy. Naomi Wolf, "Revealed: How the FBI Coordinated the

Crackdown on Occupy," *The Guardian*, December 29, 2012, http://www.theguardian.com/commentisfree/2012/dec/29/fbi-coordinated-crackdown-occupy.

（146） Partnership for Civil Justice Fund, "FBI Documents Reveal Secret Nationwide Occupy Monitoring," December 22, 2012. http://www.justiceonline.org/commentary/fbi-files-ows.html. で利用可能。

（147） Matthew Stroller, "Occupy Wall Street Is a Church of Dissent," *Naked Capitalism* (blog), September 29, 2011, http://www.nakedcapitalism.com/2011/09/matt-stroller-occupywallstreet-is-a-church-of-dissent-not-a-protest.html. W.J.T. Mitchell, Bernard E. Harcourt, and Michael Taussig, *Occupy: Three Inquiries in Disobedience* (Chicago: University of Chicago Press, 2013).

（148） Susan Will, Stephen Handelman, and David C. Brotherton, eds., *How They Got Away with It: White Collar Criminals and the Financial Meltdown* (New York: Columbia University Press, 2013).

（149） "FBI Documents Reveal Secret," *Partnership for Civil Justice Fund*, December 22, 2012, http://www.justiceonline.org/commentary/fbi-files-ows.html. Yves Smith, "Banks Deeply Involved in FBI-Coordinated Suppression of 'Terrorist' Occupy Wall Street," *Naked Capitalism* (blog), December 30, 2010, http://www.nakedcapitalism.com/2012/12/banks-deeply-involved-in-fbi-coordinated-suppression-of-terrorist-occupy-wall-street.html. Wolf, "Revealed."

（150） Martens, "Wall Street Firms Spy on Protestors in Tax-Funded Center."

（151） Department of Homeland Security, "Secretary Napolitano Unveils 'Virtual USA' Information-Sharing Initiative," December 9, 2009 (news release), http://dhs.gov/news/2009/12/09/virtual-usa-information-sharing-initiative.

（152） Department of Homeland Security, "National Network of Fusion Centers Fact Sheet." http://www.dhs.gov/national-network-fusion-centers-fact-sheet."（二〇一四年一月一七日アクセス）で利用可能。

（153） Mike German and Jay Stanley, "Fusion Center Update," *ACLU* (July 2008), 12. https://www.aclu.org/files/pdfs/privacy/fusion_update_20080729.pdf; Mark A. Randol, *The Department of Homeland Security Intelligence Enterprise: Operational Overview and Oversight Challenges for Congress*, CRS Report for Congress, RL 40602 (2010), 11（七二ヵ所のヒュージョン・センターがあることを記載）を参照。

（154） Monihan, "Officials Cast Wide Net."

（155） *Beyond ISE Implementation: Exploring the Way Forward for Information Sharing: Hearing before Intelligence, Information Sharing, and Terrorism Risk Assessment Subcomm. on Homeland Security*, IIIth Cong. 18 (2009). Robert O'Harrow. Jr., "Centers Tap into Personal Databases," *Washington Post*, April 2, 2008, A1.（ヒュージョン・センターの幹部が記しているように、「決して情報は十分ではない（…）それが９・11後の現

状である」)。

(156) Ryan Singel, "Fusion Centers Analyzing Reams of Americans' Personal Information," *Wired*, April 2, 2008, http://www.wired.com/threatlevel/2008/04/fusion-centers/.

(157) Michael German and Jay Stanley, "What's Wrong with Fusion Centers?" ACLU (December 2007), 12; Randol, *The Department of Homeland Security Intelligence Enterprise*, II. を参照。

(158) Michael Fickes, "The Power of Fusion," *American City & Country*, March 1, 2008, http://americancityandcountry.com/security/homeland/power_husion_nsa. Matthew Harwood, "Port of Long Beach Fusion Center Opens," *Security Management*, February 9, 2009, http://www.securitymanagement.com/news/port-long-beach-fusion-center-opens-005197/.

(159) Tom Monahan, "Safeguarding America's Playground," *UNLV Institute for Security Studies*, July/August 2010.

(160) そのうちのいくつかは、名称からその「包摂性」がうかがえる。Department of Homeland Security, "Fusion Center Locations," https://www.dhs.gov/fusion-center-locations-and-contact-information(二〇一四年五月二二日アクセス)。G. W. Schulz, "Homeland Security USA: Obama Wants to Hire 'Thousands' for Domestic Intel," *The Center for Investigative Reporting* (blog), March 10, 2009, http://cironline.org/blog/post/homeland-security-usa-obama-wants-hire-%E2%80%98thousands%E2%80%99-domestic-intel-486

(161) Torin Monahan, *Surveillance in the Time of Insecurity* (Piscataway, NJ: Rutgers University Press, 2010), 46.

(162) Ibid.

(163) John Rollins, *Fusion Centers: Issues and Options for Congress*, CRS Report for Congress, RL 34070 (January 2008), 21.

(164) CRS報告によると、「この報告のためのインタビューに応じたヒュージョン・センターのうち、自分たちの使命がテロ対策だけであると答えたのは一五％以下であった。昨年、テロ対策に焦点を当てていたセンターの多くが、使命をあらゆる犯罪、あらゆる危険へと拡大していた」。Rollins, *Fusion Centers: Issues and Options*, 21.

(165) Christopher Slobogin, "Surveillance and the Constitution," *Wayne Law Review* 55 (2009): 1118.

(166) John Shiffman and Kristina Cooke, "Exclusive: U.S. Directs Agents to Cover Up Program Used to Investigate Americans," Reuters, August 5, 2013, http://www.reuters.com/article/2013/08/05/us-dea-sod-idUSBRE97409R20130805.

(167) Michael Coleman, "Ex-CIA, NSA Chief Defends U.S. Intelligence Gathering," *The Washington Diplomat*, August 28, 2013, http://ww.washdiplomat.com/index.php?option=com_content&view=article&id=9543&Itemid=414. に引用されている。

(168) United States Senators Tammy Baldwin, Rom Wyden, Sherrod Brown, Tom Udall, and Richard Blumenthal, Letter to the Honorable

Eric Holder, August 22, 2013. https://www.fas.org/irp/congress/2013_cr/nsa-dea.pdf.

(169) U.S. Department of Homeland Security, *Civil Liberties Impact Assessment for the State, Local, and Regional Fusion Center Initiative* (2008), 2.

(170) Rollins, *Fusion Centers: Issues and Options*, 41-42.

(171) Schulz, "Homeland Security USA."

(172) Danielle Keats Citron and Frank Pasquale, "Network Accountability for the Domestic Intelligence Apparatus," *Hastings Law Journal* 62 (2011): 1441-1494: Pam Martens, "Wall Street's Secret Spy Center, Run for the 1% by NYPD," *CounterPunch*, February 6, 2012, http://www.counterpunch.org/2012/02/06/wall-street-secret-spy-center-run-for-the-1-by-nypd/.

(173) Spokesperson, California Anti-Terrorism Information Center, David E. Kaplan, "Spyies among Us," *U.S. News and World Report*, May 8, 2006, 40に引用されている。

(174) Robert Mueller, FBI Director, Stephan Salisbury, "Surveillance, America's Pastime," *The Nation*, October 4, 2010, http://www.thenation.com/article/155158/surveillance-americas-pastime.に引用されている。

(175) "2009 Virginia Terrorism Threat Assessment" (Mar. 2009). *Virginia Fusion Center*. http://rawstory.com/images/other/vafusioncenterterrorassessment.pdf.で利用可能。Matthew Harwood, "Fusion Centers under Fire in Texas and New Mexico," *Security Management*, March 9, 2009.

(176) "MIAC Strategic Report: The Modern Militia Movement," *Missouri Information Analysis Center*, February 20, 2009, http://constitution.org/abus/le/miac-strategic-report.pdf; Chad Livengood, "Agency Apologizes for Militia Report on Candidates," *Springfield News-Leader*, March 10, 2009.

(177) T. J. Greaney, "'Fusion Center' Data Draws Fire over Assertions," *Columbia Daily Tribune*, March 14, 2009, A1.

(178) Chris Jay Hoofnagle, "Big Brother's Little Helpers: How ChoicePoint and Other Commercial Data Brokers Collect, Process, and Package Your Data for Law Enforcement," *University of North Carolina Journal of International Law and Commercial Regulation* 29 (2004): 595-638.

(179) Jon D. Michaels, "All the President's Spies: Private-Public Intelligence Partnerships in the War on Terror," 96 (2008): 915.

(180) Solove, *The Digital Person*, 171.

(181) Richard Hovel, Senior Adviser on Aviation and Homeland Security, Boeing Company, Alice Lipowicz, "Boeing to Staff FBI Fusion Center," *Washington Technology*, June 1, 2007, http://washingtontechnology.com/articles/2007/06/01/boeing-to-staff-fbi-fusion-center.aspx. に

引用されている。ASIS International, "ASIS Foundation and Illinois Law Enforcement Create the First Private-Sector Funded Position for the Illinois Statewide Terrorism and Intelligence Fusion Center," April 21, 2009 (news release), https://www.asisonline.org/News/Press-Room/Press-Release/2009/Pages/FirstPrivateSectorFundedPosition.aspx. Lipowicz, "Boeing to Staff FBI Fusion Center"; "Novel Fusion Center to Boost Anti-Fraud Efforts in California," *Fraud Focus*, Summer 2008, 1. http://www.insurancefraud.org/downloads/FF-Summer2008.pdf.で利用可能。

(182) Joseph Straw, "Smashing Intelligence Stovepipes," *Security Management*, http://www.securitymanagement.com/article/smashing-intelligence-stovepipes（二〇一四年五月二二日アクセス）。

(183) Michaels, "All the President's Spies," 914-916.

(184) EPIC v. NSA, 798F. Supp. 2d 26 (D.D.C. July 8, 2011).

(185) Eric Limer, "How Google Gives Your Information to the NSA," Gizmodo, June 12, 2013, at http://gizmodo.com/hou-google-gives-your-information-to-the-nsa-512840958.

(186) James Glanz and Andrew Lehren, "NSA Spied on Allies, Aid Groups and Businesses," *New York Times*, December 20, 2013, A1

(187) Gillian E. Metzger, "Privatization as Delegation," *Columbia Law Review* 103 (2003): 1378.

(188) 「国土安全保障省の最高幹部は、二〇〇六年時点で、人民のために奉仕することをやめ、むしろ企業のためのロビー活動に精を出していた。（…）彼らの収入は劇的に増加した。年収一五万五〇〇〇ドルから、九三万四〇〇〇ドルまで増えたのである」。John Mueller, *Overblown* (New York: Free Press, 2009), 43, Eric Lipton, "Former Antiterror Officials Find That Industry Pays Better," *New York Times*, June 18, 2006, A1を引用。Eric Lipton, "Company Ties Not Always Noted in Push to Tighten U.S. Security," *New York Times*, June 19, 2006, A1. Paul R. Verkuil, *Outsourcing Sovereignty: Why Privatization of Government Functions Threatens Democracy and What We Can Do about It* (New York: Cambridge University Press, 2007).

(189) ＳＡＩＣ (Science Applications International Corporation) について考える。ドナルド・バーレットとジェームズ・スティールはＳＡＩＣに関する報告書の中で、「ワシントンの契約業者の中で、ＳＡＩＣほど真っ当に、粘り強く、政府による資金を追求してきた団体はない。（…）秘密保持の点でも他の追随を許さない」としている。Donald L. Barlett and James B. Steele, "Washington's $8 Billion Shadow," *Vanity Fair*, March 2007 http://www.vanityfair.com/politics/features/2007/03/spyagency200703. Tim Shorrock, *Spies for Hire: The Secret World of Intelligence Outsourcing* (New York: Simon & Schuster, 2008).

(190) Luke Harding, *The Snowden Files: The Inside Story of the World's Most Wanted Man* (London: Vintage, 2014).

(191) 学校襲撃やテロを企てる可能性のある人を特定するために、政府機関がソーシャルメディアから情報を発掘することがある。もちろんこうした行為には、「偽陽性」の高いリスクがつきまとう。Gabe Rottman, "Open Source Intelligence and Crime Prevention," *ACLU: Free Future* (blog), December 21, 2012, https://www.aclu.org/blog/technology-and-liberty-national-security-free-speech/open-source-intelligence-and-crime.

(192) Hoofnagle, "Big Brother's Little Helpers."

(193) 監視機関が秘密に閉ざされていても、ジャーナリストにはエドワード・スノーデンのような人物のリークに頼るという方法は残されている（あるいは、ジェームズ・バムフォードのＮＳＡ取材のように、信頼できる情報源を使う）。

(194) Stephen Benavides, "Outsourced Intelligence: How the FBI and CIA Use Private Contractors to Monitor Social Media," *Truthout*, June 13, 2013. http://truth-out.org/news/item/16943-outsourced-intelligence-how-the-fbi-and-cia-use-private-contractors-to-monitor-social-media.

(195) テロすべての合計よりは、大きな脅威ではないだろうが、この問題は費用対効果で分析するよりは、おそらく「シナリオ作り」で取り組む方が望ましいであろう。

(196) フーコーは、権力を見せつけるやり方と、ひそかに行使される「生権力」という古典的な対比を行った。Michel Foucault, *Discipline and Punish: The Birth of the Prison* (Trans. Alan Sheridan) (New York: Vintage Books, 1979).（ミシェル・フーコー著、田村俶訳『監獄の誕生』新潮社、一九七七年）。早い暴力と遅い暴力の相対的な重要性についてより詳しくは、Rob Nixon, *Slow Violence and the Environmentalism of the Poor* (Cambridge: Harvard University Press, 2011).

(197) Jathan Sadowski, "Why We Should Wash Out Hands of 'CyberHygiene,'" *Slate* (blog), June 13, 2013, http://www.slate.com/blogs/future_tense/2013/06/19/cyber_hygiene_vint_cerf_s_concept_of_personal_cybersecurity_is_problematic.html

(198) Finn Brunton and Helen Nissenbaum, "Political and Ethical Perspectives on Data Obfuscation," in *Privacy, Due Process and the Computational Turn*, ed. Mireille Hildebrandt and Katja de Vries (New York: Routledge, 2013), 171; Finn Brunton and Helen Nissenbaum, "Vernacular Resistance to Data Collection and Analysis: A Political Theory of Obfuscation," *First Monday* 16, no.5 (May 2011). http://firstmonday.org/article/view/3493/2955.

(199) Adam Ostrow, "Track Who's Tracking You with Mozilla Collusion," *Mashable*, February 28, 2012, http://mashable.com/2012/02/28/mozilla-collusion/.

(200) Jerry Kang, Katie Shilton, Deborah Estrin and Jeff Burke, "Self-Surveillance Privacy," *Iowa Law Review* 97 (2010): 809-843; Jonathan Zittrain, "What the Publisher Can Teach the Patient: Intellectual Property and Privacy in an Era of Trusted Privication," *Stanford Law Review*

52 (2000): 1201-1250; Latanya Sweeney, *The Data Map* (2012), http://thedatamap.org/maps.html.

(201) 規制当局の中にはセキュリティ基準を設定しているところもあるが、多いのは単に違反を伝えるという反応だった。Gina Stevens, *Federal Information Security and Data Breach Notification Laws*, CRS Report for Congress, RL. 34120 (2010).

(202) Kim Zetter, "Use These Secret NSA Google Search Tips to Become Your Own Spy Agency," *Wired*, May 8, 2013. http://www.wired.com/threatlevel/2013/05/nsa-manual-on-hacking-internet/.

(203) Lucas Mearian, "'Wall of Shame' Exposes 21M Medical Record Breaches," *Computerworld*, August 7, 2012, http://www.computerworld.com/s/article/9230028. Office of Civil Rights, Department of Health and Human Services, "Breaches Affecting 500 or More Individuals," http://www.hhs.gov/ocr/privacy/hipaa/administrative/breachnotificationrule/breachtool.html.（二〇一四年三月一一日アクセス）。

(204) Jonathan Dame, "Will Employers Still Ask for Facebook Passwords in 2014?," *USA Today College*, January 10, 2014, http://www.usatoday.com/story/money/business/2014/01/05/facebook-passwords-employers/4327739/.

(205) ヨーロッパには「忘れられる権利」がある。EU基本権憲章七条および八条に照らしてデータ主体が、問題となっている情報が広く一般にアクセス可能となっている状態をやめてほしいと要求した場合、グーグルのようなデータ管理業者はそれに応じなければならない。データ主体の持つ権利は、「一般に検索エンジン業者の経済的利益に対してだけでなく、そのデータ主体の名前を検索した人々がその情報にアクセスする権利、データ主体の基本権への干渉をも上回る利益があると正当化される場合を除いて、優先される」。Google Inc. v. Agencia Esapñola de Protección de Datos (AEPD), Case C-131/12, May 13, 2014.

(206) Timothy Lee, "Five Ways to Stop the NSA from Spying on You," *Washington Post Wankblog*, June 10, 2013, http://www.washingtonpost.com/blogs/wonkblog/wp/2013/06/10/five-ways-to-stop-the-nsa-from-spying-on-you/ (recommending Tor). Bruce Schneier, "Has Tor Been Compromised?." *Schneier on Security* (blog), August 6, 2013, https://www.schneier.com/blog/archives/2013/08/has_tor_been_co.html.

(207) Julia Angwin, *Dragnet Nation* (New York: Times Books, 2014).（アングウィン『ドラグネット　監視網社会』）。

(208) Sarah N. O'Donohue, "'Like' it or Not, Password Protection Laws Could Protect Much More than Passwords," *Journal of Law, Business, and Ethics* 20 (2014): 77, 80.

(209) Peppet, "Unraveling Privacy."

(210) Scott Peppet's article "Unraveling Privacy" [o] has described how individual behavior can render past models of privacy protection obsolete. Scott R. Peppet, "Unraveling Privacy: The Personal Prospectus and the Threat of a Full-Disclosure Future," *Northwestern Law Review* 105 (2011): 1153-1204.

（211） Nicholas Shaxson, *Treasure Islands: Tax Havens and the Men Who Stole the World* (New York, NY: Vintage Books, 2012); Hedda Leikvang, "Piercing the Veil of Secrecy: Securing Effective Exchange of Information to Remedy the Harmful Effects of Tax Havens," *Vanderbilt Journal of Transnational Law* 45 (2012): 330; David Leigh, Harold Frayman, and James Ball, "Front Men Disguise the Offshore Game's Real Players" (Nov. 2012). *International Consortium of Investigative Journalists*. http://www.icij.org/front-men-disguise-offshore-players. で利用可能。

（212） James S. Henry, *The Price of Offshore Revisited* (Chesham, Buckinghamshire, UK: Tax Justice Network, 2012). http://www.taxjustice.net/cms/upload/pdf/Price_of_Offshore_Revisited_120722.pdf. で利用可能。

（213） International Consortium of Investigative Journalists and Center for Public Integrity, *Secrecy for Sale: Inside the Offshore Money Maze* (Washington, DC: Center for Public Integrity, 2013). http://cloudfront-files-1.publicintegrity.org/documents/pdfs/ICIJ%20Secrecy%20for%20Sale.pdf. で利用可能。この報告書は、収入源を隠そうとデザインされた、迷宮のような企業構造の外形が、「ウィキリークス」風に違反が暴露されて、はじめて可能となった。「資産防衛産業」が、将来の情報漏洩を避けるための投資を倍増していることは確かである。Dan Froomkin, "'Wealth Defense Industry' Protects 1% from the Rabble and Its Taxes," *Huffington Post* (blog), December 13, 2011, http://www.huffingtonpost.com/dan-froomkin/wealth-defense-industry-p_b_1145825.html.

（214） Omri Marian, "Are Cryptocurrencies Super Tax Havens?," *Michigan Law Review First Impressions* 112 (2013): 38-48. http://www.michiganlawreview.org/articles/are-cryptocurrencies-em-super-em-tax-havens. で利用可能。

（215） Frank Pasquale, "Grand Bargains for Big Data: The Emerging Law of Health Information," *Maryland Law Review* 72 (2013): 682-772.

（216） 社会的管理および調整のシステムとしてのニューエコノミーについては、Julie Cohen, *Configuring the Networked Self* (New Haven, CT: Yale University Press, 2012). を参照。

（217） 一八一三年八月一三日付けで、トマス・ジェファーソンからアイザック・マクファーソンに宛てられた手紙。http://press-pubs.uchicago.edu/founders/documents/a1_8_8s12.html. で利用可能。

第3章

（1） David Stark, *The Sense of Dissonance: Accounts of Worth in Economic Life* (Princeton, NJ: Princeton University Press, 2009), 1.

（2） 現実生活と仮想空間との区別を利用・濫用することに関しては、Nicholas Carr, "Digital Dualism Denialism," *Rough Type* (blog), February 20, 2013, http://www.roughtype.com/?p=2090.

（3） Rotten Tomatoes, http://www.rottentomatoes.com/; "Customer Reviews," *Amazon Help*. http://www.amazon.com/gp/help/customer/

display.html/?nodeId=12177361. Sam Costello, "Buying Music from the iTunes Store," *About.com*. http://ipod.about.com/od/buyingfromitunesstore/ss/buying_itunes_3.htm.

（4） Philip Evans and Thomas S. Wurster, *Blown to Bits: How the New Economics of Information Transforms Strategy* (Cambridge, MA: Harvard Business Review Press, 1999); Don Tapscott, *The Digital Economy: Promise and Peril in the Age of Networked Intelligence* (New York: McGraw-Hill, 1996).（ドン・タプスコット著、野村総合研究所訳『デジタル・エコノミー』野村総合研究所情報リソース部、一九九六年）。

（5） エコノミストのリチャード・ケイヴスはかつて、「マニア、流行、教育による嗜好」が文化への先導となりやすいとした。Richard Caves, *Creative Industries: Contracts between Art and Commerce* (Cambridge, MA: Harvard University Press, 2000), 175. アマゾン、アップル、グーグル、フェイスブックは現在、「キュレーターのキュレーター」として機能しており、流行の一部を（マニアがつくような）持続的な文化事象にするが、他は見えなくしている。

（6） Phil Simon, *The Age of Platform: How Amazon, Apple, Facebook and Google Have Redefined Business* (Henderson, NV: Motion Publishing, 2011). 通常グーグルは〝検索エンジン〟としてのみ言及されるが、私たちがインターネットという怪物を検索を通じて経験していることは忘れるべきではない。評判が、世界が私たちを〝知る〟方法である一方、検索は次第に私たちが世界を〝知る〟方法となってきた。引用符は、現代の金融が認識システムに押し付けている、スリッページ〔注文価格と約定価格の差〕、難読化、バイアスを暗示するためにつけている。

（7） ニュースの集積の経済的インパクトについては、Raquel Xalabarder, "Google News and Copyright," in *Google and the Law*, ed. Aurelio Lopez-Tarruella (The Hague, The Netherlands: Springer, 2012), 113を参照。ニュースで言及された人が、ニュースの物語に対して「反論権」を要求することがあり、グーグルはそれを実験的に行っている。Brad Stone, "Names in the News Get a Way to Respond," *New York Times*, August 8, 2007, http://www.nytimes.com/2007/08/13/technology/13google.html?_r=0.7.

（8） Aaron Wall, "Google Paid Inclusion Programs: Buy a Top Ranking Today," *SEOBook* (blog), June 22, 2012, http://www.seobook.com/Paid-inclusion（グーグルの有料インクルージョン・プログラムを、ホテル検索を例に、元の検索結果とお金を払った場合の検索結果を比較することで説明する）。Pamela Parker, "Google Experimenting with 'Promoted Hotels' Ads on Hotel Finder" (June 2012). *Search Engine Land*. http://searchengineland.com/google-experimenting-with-promoted-hotels-ads-on-hotel-finder-123475で利用可能（グーグルのホテル・ファインダーが、「検索結果のトップ」になりたい広告主たちに「競り」をさせていたことを報告）。Danny Sullivan, "Once Deemed Evil, Google Now Embraces 'Paid Inclusion'" (May 2012), Marketing Land. https://martech.org/once-deemed-evil-google-now-embraces-paid-inclusion/ で利用可能。（グーグル・ホテル・ファインダーなどの、有料での検索結果表示(paid inclusion)の歴史とそ

の範囲を描き、グーグル自身は、結果にマークをつけているので、それを「有料での検索結果表示」とは捉えていないと報告している)。Danny Sullivan, "Google Blurs the Line between Paid and Unpaid Results Again" (Feb, 2010), *Search Engine Land*, http://searchengineland.com/google-blurs-the-line-between-paid-unpaid-results-again-36268で利用可能(グーグルは、地方での「七パック」といったリストによって、地方ビジネスがお金を払えば掲載するといった新たなプログラムを始めた)。

(9) Alexander Halavais, *Search Engine Society* (Cambridge, UK: Polity, 2008), 85.(ハラヴェ著『ネット検索革命』)。Adam Raff, "Search, but You May Not Find," *New York Times*, December 27, 2009, A27も参照。

(10) Jamie Court and John Simpson, Letter to Google, October 13, 2008. *Consumer Watchdog*. http://www.consumerwatchdog.org/resources/CWLetterToGoogle10-13-08.pdf.で利用可能。

(11) Andrew Leonard, "How Google Lost Its Cool," *Salon*, March 29, 2013, http://www.salon.com/2013/03/29/when_google_lost_its_cool/.

(12) バイアスに関する議論の例として、グーグルとサーチキングの間の論争の要約・説明を参照。Niva Elkin-Koren and Eli M. Salzberger, *Law Economics, and Cyberspace* (Northampton, MA: Edward Elgar Publishing, 2004), 74-75を参照。Jennifer Chandler, 'A Right to Reach and Audience," *Hofstra Law Review* 35 (2007): 1106-1115.

(13) 「古き良き日々」のためのスナップショットについては、Matthew Fagin, Frank Pasquale, and Kimberlee Weatherall, "Beyond Napster: Using Antitrust Law to Advance and Enhance Online Music Distribution," *Boston University Journal of Science and Technology Law* 8 (2002): 451-573を参照。

(14) アップルの「帝国」および秘密主義についてより詳しくは、Adam Lashinsky, *Inside Apple; How America's Most Admired—and Most Secretive—Company Really Works* (New York: Business Plus, 2012).(アダム・ラシンスキー著、依田卓巳訳『インサイド・アップル』早川書房、二〇一二年)を参照。

(15) Albert-László Barabási, *Linked: The New Science of Networks* (Cambridge, MA: Perseus Publishing, 2002)(アルバート=ラズロ・バラバシ著、青木薫訳『新ネットワーク思考』日本放送出版協会、二〇〇二年), 19.(ネットワークで参加者が多くなるほど、ノードの価値が高まることを描く)。

(16) Amar Bhidé, *The Venturesome Economy* (Princeton, NJ: Princeton University Press, 2008).

(17) Jonathan Zittrain, *The Future of Internet—And How to Stop It* (New Haven, CT: Yale University Press, 2009).(ジョナサン・ジットレイン著、井口耕二訳『インターネットが死ぬ日』早川書房、二〇〇九年)。Tim Wu, *The Master Switch* (New York: Random House, 2010).

（ティム・ウー著、斎藤栄一郎訳『マスタースイッチ』飛鳥新社、二〇一二年）。

（18） Cody Lee, "Former Apple Employees Shed Light on App Review Process," *iDownload Blog*, July 4, 2012, http://www.idownloadblog.com/2012/07/04/shedding-light-on-app-review/.

（19） Chris Foresman, "iPhone App Rejection Madness Still Hasn't Stopped," *Ars Technica* (blog), May 22, 2009, http://arstechnica.com/apple/2009/05/iphone-app-rejection-madness-still-hasnt-stopped/. James Montgomerie, "Whither Eucalyptus?," *James Montgomerie's World Wide Web Log,* May 21, 2009, http://www.blog.montgomerie.net/whither-eucalyptus. David Chartier, "iPhone App Tweetie Rejected for User Generated Content," *Ars Technica* (blog), March 10, 2009, http://arstechnica.com/apple/2009/03/iphone-app-tweetie-rejected-for-user-generated-content/. も参照。Jacqui Cheng, "NIN's iPhone App Update Finally Gets Apple's Seal of Approval," *Ars Technica* (blog) May 7, 2009, http://arstechnica.com/apple/2009/05/nins-iphone-app-update-finally-gets-apples-seal-of-approval/.

（20） James Montgomerie, "Hither Eucalyptis!," *James Montgomerie's World Wide Web Log,* May 24, 2009, http://www.blog.montgomerie.net/hither-eucaluptus.

（21） ネット上でパブリック・ドメインの文書にアクセスする方法を集めたものとして、Sean P. Aune, "20＋ Places for Public Domain E-Books," *Mashable*, November 12, 2007, http://mashable.com/2007/11/12/public-domain-ebook-sources/.を参照。

（22） Christina Bonnington and Spencer Ackerman, "Apple Rejects App That Tracks U.S. Drone Strikes," *Wired*, August 30, 2012, http://www.wired.com/dangerroom/2012/08/drone-app/.

（23） Ibid.

（24） Nick Wingfield, "Apple Rejects App Tracking Drone Strikes," *New York Times Bits Blog*, August, 30, 2012, http://bits.blog.nytimes.com/2012/08/30/apple-rejects-app-tracking-drone-strikes/.

（25） 彼が最終的にツイッターを通して、すべてのドローン攻撃をリストし始めた時、米国の行動について驚くような会話が行われた。ベグリーの仕事を評価し建設的に話し合う聴衆がいたのである。 Michael Kelly, "The NYU Student Tweeting Every Reported U.S. Drone Strike Has Revealed a Disturbing Trend," *Business Insider*, December 12, 2012, http://www.businessinsider.com/us-drone-tweets-reveal-double-rap-plan-2012-12.

（26） Bonnington and Ackerman, "Apple Rejects App That Tracks U.S. Drone Strikes."

（27） Lorenzo Franceschi-Bicchierai, "After 5 Rejections, Apple Accepts App That Tracks U.S. Drone Strikes," *Mashable*, February 7, 2014, http://mashable.com/2014/02/07/apple-app-tracks-drone-strikes./

（28） Benjamin Poynter, in an interview with *GameScenes* (transcript posted Oct. 2013). http://www/gamescenes.org/2012/10/interview.html.で利用可能。説得ゲーミング一般については、Ian Bogost, *Persuasive Games* (Cambridge, MA: MIT Press, 2007)を参照。

（29） Yves Smith, "Wired's Embarrassing Whitewash of Foxconn," *Naked Capitalism* (blog), February 8, 2012, http://nakedcapitalism.com/2012/02/wireds-embarrassing-whitewash-of-foxconn.html.

（30） ここにはパターンがある。「苦汗工場で作られたHDはアップルストアから取り除かれた。苦汗工場の再創造は不快だったからである」。Tracey Lien, "The Apple Obstacle for Serious Games," *Polygon*, June 21, 2013, http://www.polygon.com/2013/6/21/4449770/the-apple-obstacle-for-serious-games.

（31） アップル社の開発ガイドラインは、"App Review Guideline," *Apple Developer*. https://developer.apple.com/appstore/guidelines.html.を参照。このガイドラインを見ることができるのは登録した開発者だけだが、全文がレンダー・カーニーによって投稿されている。Leander Kahney, "Here's the Full Text of Apple's New App Store Guidelines," *Cult of Mac*, September 9, 2010, http://www.cultofmav.com/58590/heres-the-full-text-of-apples-new-app-store-guidelines/.

（32） 「製造元に電話で確認」については、Randal C. Picker, "Rewinding Sony: The Evolving Product, Phoning Home and the Duty of Ongoing Design." (Mar, 2005). John M. Olin Law and Economics Working Paper No. 241. http://picker.uchicago.edu/Papers/PickerSony.200.pdfで利用可能。

（33） Zittrain, The Future of Internet—And How to Stop It, (New Haven, CT: Yale University Press, 2009) 67.（ジットレイン『インターネットが死ぬ日』）（レイヤーについて説明する）。Rob Frieden, "Apple iPhone Apps Store—Refreshing Openness or Walled Garden?," *TeleFrieden* (blog), December 18, 2008, http://telefrieden.blogspot.com/2008/12/appe-iphone-apps-storerefreshing.html.

（34） アップル社によるランク付けシステムだけでなく、ランクの操作を防ぐ努力については、Dean Takahashi, "Apple's Crackdown on App-Ranking Manipulation: Confused Developers Caught in the Dragnet." *Venture Beat*, July 3, 2012, http://venturebeat.com/2012/07/03/applies-crackdown-on-app-ranking-manipulation/.

（35） グーグルの、マルウェアに対する警告システムのために、サイトを訪れる利用者が（何の落ち度もないのに）減ってしまったという不満を持つ会社がある。John Peterson, "Websites Say Google Malware Warnings Hurting Business." *The Daily Caller*, February 18, 2013, http://dailycaller.com/2013/02/18/websites-say-google-malware-warnings-hurting-business/.

（36） Yochai Benkler, *The Wealth of Networks: How Social Production Transforms Markets and Freedom* (New Haven, CT: Yale University Press, 2007). Clay Shirky, "A Speculative Post on the Idea of Algorithmic Authority" *Shirky*, November 15, 2009, http://www.shirky.com/

weblog/2009/11/a-speculative-post-on-the-idea-of-algorithmic-authority/. 批判的な見方については、Oren Bracha and Frank Pasquale, "Federal Search Commission? Access, Fairness, and Accountability in the Law of Search," *Cornell Law Review* 93 (2008): 1149-1209（ペンクラーを批判している）。Frank Pasquale, "Assessing Algorithmic Authority," *Balkinization* (blog), November 18, 2009, http://balkin.blogspot.com/2009/11/assessing-algorithmic-authority.html/（シャーキーを批判している）。Amy N. Langville and Carl D. Meyer, *Google's PageRank and Beyond: The Science of Search Engine Rankings* (Princeton, NJ: Princeton University Press, 2012).

（37） Tarleton Gillespie, "The Relevance of Algorityms," in *Media Technologies: Essays on Communication, Materiality, and Society*, ed. Tarleton Gillespie, Pablo J. Boczkowski, and Kirsten A. Foot (Cambridge, MA: MIT Press, 2014), 178.

（38） プロバイダがするように、ただ同じスパム業者からのメールをブロックするわけではない。グーグルはサイトを訪れるだけで、そのサイトへのアクセスのコントロールはできない。スパム業者は、異なるＩＰアドレスを使って正体を隠したり、身元を隠したりする。

（39） Elizabeth Van Couvering, "Is Relevance Relevant? Market, Science, and War: Discourses of Search Engine Quality," *Journal of Computer-Mediated Communication* 12 (2007): 876.

（40） Mark Walters, "How Does Google Rank Websites?" *SEOmark*, http://www.seomark.co.uk/how-does-google-rank-websites/. Amy N. Langville and Carl D. Meyer, "Deeper inside PageRank," *Internet Mathematics*, 1 (2004): 335-380. Langville and Meyer, *Google's PageRank and Beyond*.

（41） Siva Vaidhyanathan, *The Googlization of Everything (And Why We Should Worry)* (Berkeley: University of California Press, 2010).（シヴァ・ヴァイディアナサン著、久保儀明訳『グーグル化の見えざる代償』インプレスジャパン、二〇一二年）。

（42） Ibid.

（43） "Trust Us—We're Geniuses and You're Not—The Arrival of Google," *Searchless in Paradise* (blog), February 19, 2013, http://feyla39.wordpress.com/page/2/. グーグルの現在のミッションステートメントは、「世界の情報を秩序付け、広くアクセス可能にし、有用にすること」。"Company Overview," Google. http://www.google.com/about/company/. で利用可能。グーグルの最近の支配については、Matt McGee, "Google NOW #1 Search Engine in Czech Republic; 5 Countries to Go for Global Domination" (Jan. 2011), *Search Engine Land*. http://searchengineland.com/google-number-one-czech-republic-5-countries-left-61174. で利用可能。グーグルの書籍への拡大については、Mary Sue Coleman, "Google, the Khmer Rouge, and the Public Good," Speech before the Association of American Publishers, February 6, 2006を参照。http://president.umich.edu/speech/archive/MSC_AAP_Google_address.pdf. グーグルによるザガットの買収については、

"Google Just Got ZAGAT Rated!" *Google Official blog*, September 8, 2011, http://googleblog.blogspot.com/2011/09/google-just-got-zagat-rated.html.を参照。

（44） "List of Mergers and Acquisitions by Google," *Wikipedia*. http://en.wikipedia.org/wiki/Google_acquisitions.で利用可能。

（45） Caitlin McGarry, "The Disappearing Web: How We're Losing the Battle to Preserve the Internet," *Tech Hive*, October 9, 2012. http://www.techhive.com/article/2011401/the-disappearing-web-how-were-losing-the-battle-to-preserve-the-Internet.html. Tom Chatfield, "The Decaying Web and Our Disappearing History," *BBC*, September 28, 2012 http://www.bbc.com/future/story/20120927-the-decaying-web.

（46） Vaidhyanathan, *The Googlization of Everything*, 26.（ヴァイディアナサン『グーグル化の見えざる代償』）。アル・フランケンによるグーグルおよび他のネット企業批判については、Al Franken, "Remarks to the American Bar Association (Antitrust Section)," March 29, 2012. http://assets.sbnation.com/assets/1033745/franken_aba_antitrust_speech.pdf.で利用可能。

（47） グーグルリーダーの「死亡」は、一度だけではない。二〇〇八年以来、グーグルは三〇を超えるサービスを終了させ、そのプラットフォームに時間を投資してきた利用者の時間を浪費している。Chris Kirk and Heather Bracy, "The Google Graveyard," *Slate*, March 25, 2013, at http://www.slate.com/articles/technology/map_of_the_week/2013/google_reader_joins_graveyard_of_dead_googole_products.html.

（48） これを単に「オンライン世界」と呼ぶことに私は抵抗がある。あまりにも二元論的であるからだ。Nathan Jurgenscn, "Digital Dualism and the Fallacy of Web Objectivity," *Cyborgology*, "September 13, 2011, http://thesoxietypages.org/cyborgology/2011/09/13/digital-dualism-and-the-fallacy-of-web-objectivity/. William Gibson," Google's Earth," *New York Times*, September 1, 2010, A23.

（49） ファウンデムのオーナーは私に「ブロックされた」と語ったが、この表現がより適切であると確信する。というのは、利用者が見ることができるのはグーグルがモニターに表示したものだけで、ウェブ全体ではないからである。グーグルでこの問題を扱う会議に出た時、ラフの懸念に対する答えになっているかどうかは微妙だが、何らかの反応は得られた。但し、グーグルの建物に入る時、「守秘義務契約」にサインしなくてはならなかったので、私はこれについて口外することはできない。これに関する記事として例えば、John Lettice, "When Algorithms Attack, Does Google Hear You Scream?" *The Register*, November 19, 2009, http://www.theregister.co.uk/2009/11/19/google_hand_of_god/.を参照。

（50） グーグルがウェブサイトの品質をどのように分析しているかについては、"More Guidance on Building High Quality Sites," *Google Webmaster Central Blogspot*, May 6, 2011, http://googlewebmastercentral.blogspot.com/2011/05/more-guidance-on-building-high-quality.html.を参照。

（51） Google Annual Form 10-K Report for 2009 (filed with United States Securities and Exchange Commission on February 12, 2010). http://google.client.shareholder.com/secfiling.cfm?filingid=1193125-10-30774.

（52） 支配的な社会ソーシャルネットワークにおいても同様のダイナミクスは働いている。例えば、ある若い開発者が、心尽くしの手紙をマーク・ザッカーバーグに書いたが、その中で、フェイスブックの買収チームとの話し合いで、罠にかけられたように感じたと不平を漏らしている。彼は、開発したアプリをフェイスブックに売るか、それとも、フェイスブックが同様の自社アプリを開発し、彼が顧客を失うというリスクを負うか、二つに一つを選ばされたというのである。「目立つためにお金を払う」という取り決めも、支配的なプラットフォームが持つ並外れた権力による厄介な問題と言える。Adrianne Jeffries, "Developer Has No Regrets after Angry Letter to Zuckerberg Goes Viral," *The Verge*, August 3, 2012, http://www.theverge.com/2012/8/3/3216313/dalton-caldwell-facebook-developer-letter-mark-zuckerberg-app-net.

（53） スタートアップ企業にとってグーグルの存在感は決定的なものとなった。Greg Lastowka, "Google's Law," *Brooklyn Law Review* 73 (2008): 1328.（「成功するか失敗するかはグーグルの検索結果による」）。Stephen Spencer, "SEO Report Card: The Google Death Sentence" (Apr. 2007), *PracticalECommerce*. http://www.practicaleecommerce.com/articles/453-SEO-Report-Card-The-Google-Death-Sentence. で利用可能。

（54） "Foundem's Google Story" (Aug. 2009). *Search Neutrality*. http://www.searchneutrality.org/eu-launches-formal-investigation/foundem-google-story. で利用可能。

（55） "Google Faces EU Antitrust Investigation," *The New Statesman*, February 24, 2010, http://www.newstatesman.com/technology/2010/02/google-search-european.（「グーグルはこの要求を拒否し、ファウンデムが検索結果のランクで苦戦しているのは、そのサイトにオリジナルのコンテンツがないからだと主張している」）。Charles Arthur, "Foundem Accuses Google of Using Its Power to Favour Own Links," *The Guardian*, November 30, 2010. http://www.theguardian.com/technology/2010/nov/30/google-foundem-ec-competition-rules.（「ファウンデムのコンテンツの大部分、約八七%が他のサイトのコピーであるので、インデックスから外したというのが、グーグルの言い分である」）。"Defendant Google's Reply Memorandum," KinderStart v. Google, No. C-06-2057 (N.D. Cal.2006), 17.

（56） Danny Sullivan, "Google Launches 'Universal Search' & Blended Results" (May 2007), *Search Engine Land*. http://searchengineland.com/google-20-google-universal-search-11232. グーグルがどのように垂直検索市場に参入し、そのサービスを「ユニバーサル検索」へと統合したのかについては、Damian Ryan and Calvin Jones, *Understanding Digital Marketing* (London: Kogan Page, 2012), 90を参照。

（57） Alex Goldman and PJ Vogt, "How Google is Killing the Best Site on the Internet," *On the Media*, June 2, 2014, at http://www.

onthemedia.org/story/27-how-google-killing-best-site-internet/.

(58) Oren Bracha, "Standing Copyright Law on Its Head? The Googlization of Everything and the Many Faces of Property," *Texas Law Review* 85 (2007); 1799-1870; Field v. Google, 412F. Supp. 2d 1106 (D. Nev. 2006).

(59) Greg Sterling, "Vertical vs. Horizontal Search Engines," *Search Engine Journal*, January 17, 2007, http://www.searchenginejournal.com/vertical-vs-horizontal-search-engines/4274/.

(60) Donald MacKenzie, *An Engine, Not a Camera: How Financial Models Shape Markets* (Cambridge, MA: MIT Press, 2008).

(61) Vaidhyanathan, *The Googlization of Everything*, 58-64.（ヴァイディアナサン『グーグル化の見えざる代償』）。

(62) "Commitments in Case COMP/C-3/39.740—Foundem and Others" (Apr. 2013), 5-7. http://ec.europa.eu/competition/antitrust/cases/dec_docs/39740_8608_5.pdf（欧州委員会反トラスト事例予備評価への応答）。こういった解決策に対する注意点を指摘するものとして、David A. Hyman and David J. Franklyn, "Search Neutrality and Search Bias: An Empirical Perspective on the Impact of Architecture and Labeling" (Sept. 2013). Illinois Program in Law, Behavior and Social Science Paper No. LE13-24; Univ. of San Francisco Law Research Paper No.2013-15. http://papers.ssrn.com/sol3/papers.cfm?abstract_id=2260942.で利用可能。 Mark Paterson, "Search Engine Objectivity," *Concurring Opinions* (blog), November 23, 2013, http://www.cpncurringopinions.com/archives/2013/11/search-engine-objectivity.html.

(63) Federal Trade Commission, "Google Agrees to Change Its Business Practices to Resolve FTC Competition Concerns in the Markets for Devices Like Smart Phones, Games and Tablets, and in Online Search," January 3, 2013 (news release), http://ftc.gov/opa/2013/01/google.shtm.

(64) グーグルのウェブサイトによると、同社の「広告プログラムは、シンプルなテキスト広告から、リッチメディア広告にわたり、業者には顧客の発見を、コンテンツを作っている人はそのマネタイズを手助けし、さらにクラウドコンピューティングでコスト削減、組織をより生産的にする」と謳っている。"Our Products and Services," *Google*. http://www.google.com/about/company/products/で利用可能。

(65) Ellen P. Goodman, "Stealth Marketing and Editorial Integrity," *Texas Law Review* 85 (2006): 83-89; Federal Trade Commission Staff, *Dot Com Disclosures: Information about Online Advertising* (Washington, DC: Federal Trade Commission, 2000). http://www.ftc.gov/os/2000/05/0005dotcomstaffreport.pdf. で利用可能。「情報開示へと導く」ハイパーリンクは、明示され、適切なラベルが付けられ、適切な場所に置かれるべきである。 Ibid., 1-2.

(66) Laurianne McLaughlin, "The Straight Story on Search Engines," *ComputerWorld*, June 25, 2002, http://www.computerworld.com/au/

article/27204/straight_story_search_engines/.（不安はあるが状況は絶望的ではない。常にグーグルはある。グーグルは、図抜けて適切な結果を提示してくれるだけでなく、広告を識別するのに最善の集合体を示してくれる）。

（67） Steven Levy, *In the Plex: How Google Thinks, Works, and Shapes Our Lives* (New York: Simon & Schuster, 2010);（スティーブン・レヴィ著、仲達志＋池村千秋訳『グーグル　ネット覇者の真実』ＣＣＣメディアハウス、二〇一一年）。John Battelle, *The Search: How Google and Its Rivals Rewrote the Rules of Business and Transformed Our Cultures* (New York: Portfolio, 2005); Randall Stross, *Planet Google* (New York: Free Press, 2008).（ランダル・ストロス著、吉田晋治訳『プラネット・グーグル』日本放送出版協会、二〇〇八年）。

（68） Levy, *In the Plex: How Google Thinks, Works, and Shapes Our Lives*.（レヴィ『グーグル　ネット覇者の真実』）。

（69） John Koetsier, "Search Expert Danny Sullivan Asks FTC to Review Google's New Paid Ad Politics," *Venture Beat*, June 10, 2012, http://venturebeat.com/2012/06/10/ftc-review-google-paid-inclusion-policies/.

（70） Andrew Sinclair, "Regulation of Paid Search Listings," *Boston University Journal of Science and Technology Law* 10 (2004): 146-170; Acting Associate Director, FTC, Heather Hippsley, Letter to Search Engine Companies about Paid Placement Search Engines, June 27, 2002. *Keytlaw*. http://www.keytlaw.com/FTC/Rules/seplacementltr.hrm.

（71） 中国の検索エンジン「百度」は、積極的に支払いを要求してくる。Chi-Chu Tschang, "The Squeeze at China's Baidu," *Bloomberg Businessweek*, December 30, 2008, http://businessweek.com/stories/2008-12-30/the-squeeze-at-chinas-baidu.

（72） Danny Sullivan, "Once Deemed Evil, Google Now Embraces 'Paid Inclusion'" (May 2012), *Marketing Land*. https://martech.org/once-deemed-evil-google-now-embraces-paid-inclusion/ で利用可能。

（73） Danny Sullivan, "Google's Broken Promises and Who's Running the Search Engine?" (Nov. 2013), *Marketing Land*. https://martech.org/google-broken-promises/ で利用可能。

（74） Matthew Ingram, "Giants behaving badly: Google, Facebook and Amazon show us the downside of monopolies and black-box algorithms," GigaOm, at http://gigaom.com/2014/05/23/giants-behaving-badly-google-facebook-and-amazon-show-us-the-downside-of-monopolies-and-black-box-algorithms/ (May 23, 2014); Derek Muller, "The Problem with Facebook," YouTube video, 7:00, posted by "2veritasium," January 14, 2014, https://youtu.be/l9ZqXlHl65g（クリエイターはファンに届けたいが、作品を見るにはお金が必要な仕組みになっている、と主張）。

（75） EdgeRankについて詳しくは、Chris Treadaway and Mari Smith, "*Facebook Marketing: An Hour a Day* (Indianapolis: Sybes/Wiley, 2012), 43-44, 233-234.

（76） Josh Constine, "Facebook Now Lets U.S. Users Pay $7 to Promote Posts to the News Feeds of More Friends," *TechCrunch*, October 3, 2010. http://techcrunch.com/2012/10/03/us-promoted-posts/. Casey Johnson, "Is Facebook 'Broken on Pupose' to Sell Promoted Posts?" *Ars Technica* (blog) November 4, 2012, http://arstechnica.com/business/2012/11/is-facebook-broken-on-purpose-to-sell-promoted-posts/.

（77）「murketing (=murky marketing)」については、Rob Walker, *Buying In: What We Buy and Who We Are* (New York: Random House, 2009)を参照。

（78） Sergey Brin and Lawrence Page, "The Anatomy of a Large-Scale Hypertextual Web Search Engine," in Seventh International World-Wide-Web Conference, April 14-18, 1998, Brisbane, Australia, Appendix A. http://ilpubs.stanford.edu:8090/361/.で利用可能。

（79） Goodman, "Stealth Marketing and Editorial Integrity."

（80） Ibid.

（81） Konrad Lischka, "Blaming the Algorithm: Defamation Case Highlights Google's Double Standard," *Spiegel*, September 10, 2012.（「あるグーグルの広報担当者」は、検索結果には介入しないという決定を擁護し、検索結果に含まれる攻撃的なものは、「その検索語自体の人気を含むいくつかの客観的な要素が、アルゴリズムに影響を及ぼしたため」と語っている）。David Auerbach, "Filling the Void," *Slate*, November 19, 2013. http://slate.com/articles/technology/bitwise/2013/11/google_autocomplete_the_results_arne_t_always_what_you_think_they_are.html.

（82） ウルフの事例を概観したものとして、Stefan Niggermeier, "Autocompleting Bettina Wulff: Can a Google Function Be Libelous?" *Spiegel*, September 20, 2012, http://www.spiegel.de/international/zeitgeist/google-artocomplete-former-german-first-lady-defamation-case-a-856820.html. および、"Google Refuses Order to Take Down Defamatory Auto Complete Search Results," *Japan Real Estate Commentary* (blog), October 22,2012, https://japanrealestatecommentary.blogspot.com/2012/10/google-refuses-court-orders-to-take.htmlを参照。

（83） "Autocomplete," *Google*. https://support.google.com/websearch/answer/106230. で利用可能（オートコンプリートをオフできないことも明らかにしている）。

（84） Evgeny Morozov, "Don't Be Evil," *The New Republic*, July 30, 2011, http://www.newrepublic.com/article/books/magazine/91916/google-schmidt-obama-gates-technocrats.

（85） Evan McMorris-Santoro, "Search Engine Expert: Rick Santorum's New Crusade against Google Is Total Nonsense" (Sept, 2011). *Talking Points Memo*. http://2012.talkingpointsmemo.com/2011/09/serach-engine-expert-rick-satorums-new-crusade-against-google-is-total-nonsense.pnp?ref=fph. James Grimmelmann, "Don't Censor Search," *Yale Law Journal* 117 (2007) (pocket part 48).

(86)「グーグル爆弾」について二〇〇五年、グーグルは、「問題のある検索結果が表示されるのを避けるために手作業で結果を操作することはしたくありません。悪ふざけは一部の人の目を惹くでしょうが、検索サービス全体の質は常に保たれています。客観的であることが私たちのミッションの中心なのです」とのステートメントを公表した。Marziah Karek, "Google Bombs Explained," *About.com*. http://google.about.com/od/socialtoolsfromgoogle/a/googlebombatcl.htm. で利用可能。但しグーグルは、ブッシュのグーグル爆弾に関しては結果を訂正している。Danny Sullivam "Google Kills Bush's Miserable Failure Search and Other Google Bombs" (Jan 2007), *Search Engine Land*, http://searchengineland.com/google-kills-bushs-miserable-failure-search-other-google-bombs-10363. で利用可能。

(87) James Grimmelmann, "Some Skeptism about Search Neutrality," in *The Next Digital Decade*, eds. Berin Szoks and Adam Marcus (Washington, DC: TechFreedom, 2011), 435-461.(手作業での介入を四種類に分けて議論している)。

(88) サイト http://www.jewwatch.com/ は明らかにヘイトである。

(89) David Segal, "A Bully Finds a Pulpit on the Web," *New York Times*, November 26, 2010.(疑わしいサングラス業者のサイトが、多数の批判的なレビューやそれへの言及のおかげで、いかにして検索結果のトップに躍り出たかを記す)。

(90) "Google Search Ranking of Hate Sites Not Intentional" (Apr. 2004), *Anti-Defamation League*. を参照。http://www.adl.org/rumors/google_search_rumors.asp. で利用可能。(「ジューウォッチなどのヘイト・サイトがランク上位に来るのは、グーグルが意識してそうしているのではなく、単に自動的なランク付けの結果である」)。"ADL Praises Google for Responding to Concern about Rankings of Hate Sites" (Apr, 2004), *Anti-Defamation League*. http://archive.adl.org/PresRele/Internet_75/4482_75.htm. で利用可能(「グーグルはこのサイトで、どのように検索結果が得られたのか、明解に説明している」)。

(91) "An Explanation of Our Search Results," *Google*. http://www.google.com/explanation.html. で利用可能(「もしあなたが最近グーグルで「Jew」と検索したらその結果に当惑するでしょう。表示された多数のサイトをグーグルが推奨しているわけでは決してありません。なぜ検索でそのような結果が出るのかをご説明したいと思います」)。とはいえEric Goldman, "Demise of Search Engine Utopianism," *Yale Journal of Law and Technology* 8 (2006): 533も参照。

(92) Craig Timberg, "Could Google Tilt a Close Election?," *Washington Post*, March 29, 2013, http://www.washingtonpost.com/opinions/could-google-tilt-a-close-election/2013/03/29/c8d7f4e6-9587-11e2-b6f0-a5150a247b6a_story.html.(ロバート・エプスタインによる実験を報告している)。

(93) Jonathan Zittrain, "Facebook Could Decide an Election Without Anyone Ever Finding Out," *The New Republic*, June 3, 2014, a: http://www.newrepublic.com/article/117878/information-fiduciary-solution-facebook-digital-gerrymandering.

(94) Mary Ann Ostrom, "Google CEO Eric Schmidt to Stump for Obama," *San Jose Mercury News*, October 20, 2008 http://www.mercurynews.com/google/ci_10769458（グーグルのＣＥＯがオバマ支持をあからさまに語っている）。

(95) Chris Crum, "Is Google Showing Political Bias with Search Results?" (Feb. 2009). *Web Pro News*. http://www.webpronews.com/is-google-showing-political-bias-with-search-results-2009-02. で利用可能。

(96) Michelle Malkin, "Google News: Not So Fair and Balanced," *Michelle Malkin*, February 5, 2005, http://michellemalkin.com/2005/02/05/google-news-not-so-fair-and-balanced/.

(97) Tom Zeller, Jr., "A New Campaign Tactic: Manipulating Google Data," *New York Times*, October 26, 2006, http://nytimes.com/2006/10/26/us/politics/26googlebomb.html?_r=0. Ira S. Nathenson, "Internet Infoglut and Invisible Ink: Spamdexing Search Engines with Meta Tags," *Harvard Journal of Law & Technology* 12 (1998): 43-148 も参照。

(98) Joshua Rhett Miller, "Unlike Bush's 'Google Bomb' Google Quickly Defuses Obama's," *Fox News*, January 30, 2009. https://www.foxnews.com/story/unlike-bushs-google-bomb-google-quickly-defuses-obamas

(99) Ibid.

(100) Frank Pasquale, "Rankings, Reductionism, and Responsibility," *Cleveland States Law Review* 54 (2006): 114-140.

(101) Brian McDowell, "Between the Lines of Google Search Algorithm Improvements," *Conductor* (blog), September 6, 2011. https://www.conductor.com/blog/2011/09/between-the-lines-of-googles-search-algorithm-improvements/

(102) Daniel Crane, "Search Neutrality as an Antitrust Principle," *George Mason Law Review* 19 (2012): 1199-1210.

(103) グーグルはかつて、グーグルニュースの記事に対して「反論権」(right of reply) を提案したことがある。Brad Stone, "Names in the News Get a Way to Respond," *New York Times*, August 13, 2007, https://www.nytimes.com/2007/08/13/technology/13google.html 検索によって打撃を受けた個人に対して個別に対応するという、ヨーロッパで強制された変化を受け入れる米国企業は、おそらくより公共心のある企業であろうと想像できる。欧州司法裁判所で認められた「忘れられる権利」は、過去の事件やそれについての記事による性格付けから、個人を解放する機会を与えるものである。

(104) ニュースや更新を検索するツールとしてのツイッターについてより詳しくは、Mark Levene, *An Introduction to Search Engines and Web Navigation*, 2nd ed. (Hoboken, NJ: John Wiley & Sons, 2010), 351 を参照。

(105) "FAQs about Trends on Twitter," *Twitter Help Center*. https://support.twitter.com/groups/31-twitter-basics/topics/111-features/articles/101125-about-trending-topics（二〇一四年五月二三日アクセス）。ここで「署名」（subscribe）という言葉は強すぎるかもしれな

い。数千ものアカウントをフォローしている人も多いが、実際には「リスト」を使ってより少ない部分と関わっている。リストの多くはプライベート設定なので、誰が誰を細かく観察しているかを知っているのはツイッター社だけである。もちろん「リツイート」や「いいね」も、例えばKloutのような他の会社が、ある人物の有名度や影響力を操作するのを手助けする。

(106) Tarleton Gillespie, "Can an Algorithm Be Wrong? Twitter Trends, the Spector of Censorship, and Our Faith in the Algorithms around Us," *Culture Digitally* (blog), October 19, 2011, https://culturedigitally.org/2011/10/can-an-algorithm-be-wrong/

(107) Gilad Lotan, "Data Reveals That 'Occupying' Twitter Trending Topics Is Harder Than It Looks," *Social Flow* (blog), October 12, 2011, http://giladlotan.com/?p=7120244374（トレンド入りを目指した人々が直面した様々な困難を論じる）。Gillespie, "Can an Algorithm Be Wrong?"

(108) Sean Garrett, Twitter post, October 1, 2011, 6:00 p.m., http://twitter.com/SG/status/120302135597473794. ツイッター社と「ウォール街を占拠せよ」派との論争について、およびツイッターのアルゴリズムに関して、詳しくは、Laura Sydell, "How Twitter's Trending Algorithm Picks Its Topics," *National Public Radio*, December 7, 2011, http://www.npr.org/2011/12/07/143013503/how-twitters-trending-algorithm-picks-its-topics.

(109) "To Trend or Not Trend..." *Twitter Blog*, December 8, 2010, http://blog.twitter.com/2010/12/to-trend-or-not-to-trend.html. Gillespie, "Can an Algorithm Be Wrong?"

(110) Christina Chaey, "Silenced by Twitter. Thunderclap Returns with a Bang on Facebook," *Fast Company*, June 20, 2012. http://www.fastcompany.com/1840874/silenced-twitter-thunderclap-returns-bang-facebook.html.

(111) Tarleton Gillespie, "Can an Algorithm Be Wrong? *Limn* (blog), https://limn.it/articles/can-an-algorithm-be-wrong.（二〇一四年三月二三日アクセス）。

(112) Ibid.

(113) Robert W. McChesney, *Digital Disconnect: How Capitalism Is Turning the Internet against Democracy* (New York: The New Press, 2013) を参照。

(114) この立場は特に興味深い。というのもこれは、たとえ「話し手」であると想定される時でさえも、責任を逸らす方法となるからだ。もし「自動的なサジェスチョン」が単なる意見と性格付けされるなら、その立場を、憲法修正第一条の言うところの「話し手」であるとの立場を一貫して維持しようとすることができるだろう。

(115) 憲法修正第一条のもとでの「導管」への規制について、より詳しくは、Jim Chen, "Conduit-Based Regulation of Speech," *Duke*

Law Journal 54 (2005): 1359-1456.

(116) Eugene Volokh and Donald Falk, "First Amendment Protection for Search Engine Results," *Journal of Law, Economics and Policy* 8 (2012): 883-900.

(117) Frank Pasquale, "Asterisk Revisited: Debating a Right of Reply on Search Results," *Journal of Business and Technology* Law 3 (2008): 61.

(118) Vaidhyanathan, *The Googlization of Everything*, 183.（ヴァイディアナサン『グーグル化の見えざる代償』）。

(119) Danny Sullivan, "Google Now Personalizes Everyone's Search Results" (Dec. 2009). *Search Engine Land*. http://searchengineland.com/google-now-personalizes-everyones-search-results-31195.

(120) 私たちも、仕事としてデジタル・プラットフォームへの参加を「再概念化」することを楽しむべきなのである。というのもこれは、不可避かつ骨が折れるが、価値を作り出すものだからだ。Kevin Kelly, *What Technology Wants* (New York: Viking, 2010), 331.（私たちがリンクをクリックするたびに、私たちはスーパーコンピュータの心の中のどこかのノード〔端点〕を強化し、プログラムしている（…））（ケヴィン・ケリー著、服部桂訳『テクニウム』みすず書房、二〇一四年）。Trebor Scholz, ed., *Digital Labor: The Internet as Playground and Factory* (New York: Routledge, 2013); Jaron Lanier, *Who Owns the Future?* (New York: Simon & Schuster, 2013); Jessica Weisberg, "Should Facebook Pay Its Users?," *The Nation*, January 14, 2014（「私たちは仕事であるものを仕事と呼びたい。友情とは何かを私たちは時に再発見するように」という宣言を引用している）。

(121) Eli Pariser, *The Filter Bubble* (New York: Penguin, 2011).（パリサー『閉じこもるインターネット』）。

(122) Ibid, 6-7.

(123) 幸運なことに人は、フィクションを書いて将来どのような間違いが起こり得るかを示唆することがある。Shumeet Baluja, *The Silicon Jungle: A Novel of Deception, Power and Internet Intrigue* (Princeton, NJ: Princeton University Press, 2011).

(124) Cathy O'Neil, "When Accurate Modeling Is Not Good," *Mathbabe* (blog), December 12, 2012. http://mathbabe.org/2012/12/12/when-accurate-modeling-is-not-good（予測分析を気に掛けるカジノCEOの仕事を分析する）。

(125) Evgeny Morozov, *The Net Delusion: The Dark Side of Internet Freedom* (New York: PublicAffairs, 2011); Senator Dick Durbin, Letter to Mark Zuckerberg, February 2011.（「フェイスブック社は、抑圧的な政治体制の中にいる民主運動家や人権活動家が匿名でフェイスブックを使えなくした」）。

(126) cost-per-impression（印象ごとの費用）や、cost-per-click（一クリックごとの費用）を基礎とする。デジタル広告について詳しく説明したものとして、Joseph Turow, *The Daily You: How the New Advertising Industry Is Defining Your Identity and Your Worth* (New Haven,

CT: Yale University Press, 2012)を参照。

(127) John O'Cinner et al., "Electronic Marketing and Marketing Communications," in *Marketing Communication: New Approaches, Technologies, and Styles*, ed. Allan J. Kimmel (New York: Oxford University Press, 2005).

(128) 例えばGeoffrey Manne and Joshua Wright, "Google and the limits of Antitrust: The Case against the Antitrust Case against Google," *Harvard Journal of Law and Public Policy* 34 (2011): 181を参照。

(129) この「空白」についての最近の説明としては、Deborah Perry Piscione, *Search of Silicon Valley* (New York: Palgrave Macmillan, 2013)を参照。

(130) Doc Searls, *The Intention Economy: When Customers Take Charge* (Boston: Harvard Business Review Press, 2012), 188.

(131) この部分および次のパラグラフについては、Frank Pasquale, "Privacy, Antitrust, and Power," *George Mason Law Review* 20 (2013): 1009-1024で詳しく説明している。

(132) 反トラストの標準としての消費者福祉の向上（およびそれに起因する問題）については、Barak Orbach, "How Antitrust Lost Its Goal," *Fordham Law Review* 81 (2013): 2253-2278を参照。

(133) Paul Ohm, "The Rise and Fall of Invasive ISP Surveillance," *University of Illinois Law Review* (2009): 1425.（企業が、「利用者のプライバシーを犠牲にしてでも行動データでお金を稼ぐ」方向に商業的圧力がかかることを描く）。

(134) Viktor Mayer-Schönberger and Kenneth Cukier, *Big Data: A Revolution That Will Transform How We Live, Work and Think* (New York: Houghton Miffin Harcourt, 2013).

(135) Elizabeth Gudrais, "Googling Google," *Harvard Magazine*, November-December 2007, 16. ウェブを検索する人の大多数が、速く適切なレスポンスのみを求めていることに鑑み、プライバシーへの懸念によって市場のシェアが変わるといったことはなさそうだ。支配的企業によって引き起こされた多数のプライバシー論議があったにもかかわらず、現在までこうした変化は起きていない。

(136) The Force on Competition Policy and Antitrust Laws, House Committee on the Judiciary, *Internet Nondiscrimination Principles for Competition Policy Online*, 110th Cong. (2010).

(137) グーグルは、「人口一〇万人から二〇万人の都市と同じくらいの電力」を使っている。James Glanz, "Google Details and Defends Its Use of Electricity," *New York Times*, September 9, 2011, B1.

(138) Stross, *Planet Google*.（ストロス『プラネット・グーグル』）。さらにグーグルが買収したスタートアップ企業所有のコンピュータ台数も考慮に入れる必要がある。Evelyn M. Rusli, "For Google, a New High in Deal-Making," *New York Times Deal Book* (blog), October 27,

2011, http://dealbook.nytimes.com/2011/10/27/google-hits-new-ma-record/.

(139) Frank Pasquale, "Internet Nondiscrimination Principles: Commercial Ethics for Carriers and Search Engines," *University of Chicago Legal Forum* (2008): 263-300; Rusli, "For Google, a New High in Deal-Making,"

(140) Nathan Newman, "If Microsoft Can't Compete with Google, Who Can?" *Huffington Post* (blog), August 2, 2011, http://www.huffingtonpost.com/nathan-newman/if-microsoft-cant-compete-_b_916000.html.

(141) David Goldman, "Microsft's Plan to Stop Bing's $1 Billion Bleeding," *CNN Money*, September 20, 2011, http://money.cnn.com/2011/09/20/technology/microsoft_bing/index.htm. クエロの予算については、William D. Bygrave and Andrew Zacharakis, *Entrepreneurship* (Hoboken, NJ: John Wiley & Sons, 2011), 350.

(142) James Pitkow et al., "Personalized Search," *Communications of the ACM* 45 (2002): 50（パーソナル化された検索システムの手法を議論する）。Elinor Mills, "Google Automates Personalized Search," *CNET*, June 28, 2005, http://www.news.com/Google-automates-personalized-search/2100-1032_3-57668899.html（グーグルが、過去の検索をモニターして、将来の結果の質を向上させる新バージョンの「パーソナル化検索」を進めていることを報告する）。

(143) Robert K. Merton, "The Matthew Effect in Science: The Reward and Communication System of Science," *Science* 59 (1968): 56-63（「持っている者はさらに与えられるであろう」という、聖書マタイ書の一節に触発されたもの）。

(144) グーグルの「サービス利用規約」では、このサービス利用規約への干渉を禁じている。"Terms of Service" (Mar. 2012), *Google*, http://www.google.com/accounts/TOS で利用可能。データを集めるために問いを繰り返すことは、規約に違反するおそれがある。

(145) Ibid. グーグルの「サービス利用規約」では、グーグルのデータベースに接続して自動でデータを収集することも承認されない「インターフェイス」を使うことも、（正確な表現ではないが）禁じている。（「あなたは私たちのサービスもしくは含まれるソフトウェアについて、複製、改変、配布、販売、貸付をすることはできません」）。

(146) Chris Lake, "Ben Edelman on Affiliate Marketing Fraud," *Econsultancy* (blog), November 4, 2008, http://econsultancy.com/uk/blog/2908-ben-edelman-on-affiliate-marketing-fraud.（結果的にはキャンセルされた議会でのヒアリングのために準備された証言）（「グーグルが広告主のキャンペーンの輸出や複製を禁じていることは（…）インターネット広告における競争を阻害している」と主張する）。Ben Edelman, "PPC Platform Competition and Google's 'May Not Copy' Restriction" (Jun. 2008). *Ben Edelman*. http://www.benedelman.org/news/062708-1.html. で利用可能。

(147) Battelle, *The Search*, 8. 企業秘密のために政策立案者は、仲介業者の成功のうちどのくらいが従業員の発明の才によるものなのか、何百万人にもわたる利用者のうちどのくらいが仲介業者のコンピュータをトレーニングしたためなのか、測定することは不可能である。

(148) Stross, *Planet Google*.（ストロス『プラネット・グーグル』）を参照。

(149) Steve Lohr, "Drafting Antitrust Case, F.T.C., Raises Pressure on Google," *New York Times*, October 12, 2012, http://www.nytimes.com/2012/10/13/technology/ftc-staff-prepares-antitrust-case-against-google-over-search.html?pagewanted=all&_r=0.「グーグルは金曜日に出したステートメントで、「規制当局によるどんな質問にも喜んでお答えする」とした」。過去においては「競争はワンクリックで」と何度も語っている。

(150) 二〇一三年の「アルゴリズム統治」会議での発言やディスカッション・ペーパー、応答については、Governing Algorithms, "Conference Updates," のウェルカム・ページを参照。http://governing algorithms.org/. で利用可能。

(151) 人工知能の先駆者のひとりは、このプロセスをより一般的に語っている。「プログラムを自ら向上させるためには、問題解決プロセスについての少なくとも初歩的な理解と、それを見つけた時の「改善」を認識する能力が必要である。これが機械には本質的に不可能だとする理由はない」。Marvin L. Minsky, "Artificial Intelligence," *Scientific American* 215 (September 1966): 260.

(152) Martin Ford, *The Lights in the Tunnel* (Acculant Publishing, 2009), 60-62.

(153) このダイナミクスを理解するほどに、インフラを提供する側と、それを使う人々との間の適切なバランスについて、学問的な洞察を適用できるようになる。Brett Frischman, *Infrastructure: The Social Value of Shared Resources* (New York: Oxford University Press, 2013).

(154) Gar Alperovitz and Lewis C. Daly, *Unjust Deserts* (New York: New Press, 2009).

(155) Tom Slee, *No One Makes You Shop at Walmart* (Toronto: BTL Books, 2006).

(156) ウォルマートのある取締役は実際、グーグルを真剣に競争相手と考えていた。Steve Lohr, "Just Googling It Is Striking Fear into Companies," *New York Times*, November 6, 2005, http://www.nytimes.com/2005/11/06/technology/06google.html?pagewanted=all&_r=0.

(157) Mark Ames, "Revealed: Apple and Google's wage-fixing cartel involved dozens more companies, over one million employees," *Pando Daily*, March 22, 2014, at http://pando.com/2014/03/22/revealed-apple-and-googles-wage-fixing-cartel-involved-dozens-more-companies-over-one-million-employees/.

(158) 少なくともユーチューブにおいて「コンテンツ・パートナー」は、ユーチューブチャンネルで広告を流したことによる収入の額を公開することが契約で禁じられてきたので、どのくらい「良い待遇」なのか判定することは難しい。Ben Austen, "The YouTube Laugh Factory: A Studio System for Viral Video," *Wired*, December 16, 2011, http://www.wired.com/magazine/2011/12/ff_youtube/all/.

(159) デジタル労働者の組織化を阻む障壁については、Scholz, *Digital Labor* を参照。

(160) Lawrence Lessig, *Remix: Making Art and Commerce Thrive in the Hybrid Economy* (New York: Penguin, 2008), 128.（ローレンス・レッシグ著、山形浩生訳『REMIX』翔泳社、二〇一〇年）。

(161) James Galbraith, *The Predator State* (New York: Free Press, 2008), xix.

(162) Thomas Piketty, *Capital in the Twenty-First Century* (Cambridge: Harvard University Press, 2014): 571.（トマ・ピケティ著、山形浩生＋守岡桜＋森本正史訳『21世紀の資本』みすず書房、二〇一四年）。

(163) Turow, *The Daily You*.

(164) Jerry Kang, "Race. Net Neutrality," *Journal on Telecommunications and High Technology Law* 6 (2007): 9-10.

(165) Ibid. Jack Balkin, "Media Access: A Question of Design," *George Washington Law Review* 76 (2008): 933.

(166) "Complaint of McGraw-Hill Companies, Inc.," McGraw-Hill Companies, Inc. v. Google Inc., No 05-CV-8881 (S.D.N.Y. 2005); "Complaints of the Author's Guild," The Authors Guild v. Google Inc., No 05-CV-8136 (S.D.N.Y. filed Sept. 20 2005); Siva Vaidhyanathan, The Googlization of Everything and the Future of Copyright, "*University of California Davis Law Review* 40 (2007): 120 .（「グーグル図書館プロジェクトは著作権法のまさに根本を脅かす」と論ずる）。Emily Anne Proskine," Google's Technicolor Dreamcoat: A Copyright Analysis of the Google Book Search Library Project," *Berkeley Technology Law Journal* 21 (2006): 217-219.（グーグル図書館プロジェクトを論じる）。

(167) 一般的な議論としては、Hannibal Travis, "Google Book Search and Fair Use: iTunes for Authors, or Napster for Books?," *University of Miami Law Review* 61 (2006): 87を参照。

(168) Katie Hafner, "Libraries Shun Deals to Place Books on Web," *New York Times*, October 22, 2007, A1.

(169) Frank Pasquale, "Breaking the Vicious Circularity: Sony's Contribution to the Fair Use Doctrine," *Case Western Reserve University Law Review* 55 (2005): 777.

(170) 上昇し続けるケーブルのレートについては、Igor Greenwald, "The Cable Bill's Too High. Here's Why," *Forbes*, January 15, 2013, http://www.forbes.com/sites/igorgreenwald/2013/01/15/the-cable-bills-too-high-heres-why/.

(171) Giancarlo F. Frosio, "Google Books Rejected: Talking the Orphans to the Digital Public Library of Alexandria," *Santa Clara Computer and High Technology Law Journal* 28 (2011): 81.

(172) Floora Ruokonen, *Ethics and Aesthetics: Intersections in Iris Murdoch's Philosophy* (Finland: University of Helsinki, Department of

Philosophy, 2008), 37-38. http://helda.helsinki.fi/bitstream/handle/10138/21816/ethicsan.pdf?sewuence=1.で利用可能。

（173） このアナロジーは、Nick Carr, *The Big Switch: Rewiring the World, form Edison to Google* (New York: W.W. Norton & Campany, 2013).（ニコラス・G・カー著、村上彩訳『クラウド化する世界』翔泳社、二〇〇八年）に触発されたものである。

（174） 他のユーティリティの比較については、Rebecca MacKinnon, *Consent of the Networked* (New York: Basic Books, 2012)を参照。Lanier, *Who Owns the Future?* も参照。

（175） Wu, *The Master Switch*; Charles Monroe Haar and Daniel William Fessler, *The Wrong Side of the Tracks* (New York: Simon & Schuster, 1986), 109-140; Jim Rossi, "The Common Law 'Duty to Serve' and Protection of Consumers in an Age of Competitive Retail Public Utility Restructuring," *Vanderbilt Law Review* 51 (1998): 1242-1250; Herbert Hovenkamp, "Regulatory Conflict in the Gilded Age: Federalism and the Railroad Problem," *Yale Law Journal* 97 (1988): 1087; Sallyanne Payton, "The Duty of a Public Utility to Serve in the Presence of New Competition," in *Application of Economic Principles in Public Utility Industries*, ed. Werner Sichel and Thomas G. Gies (Ann Arbor: University of Michigan Press, 1981): 121, 139-144.

（176） Hovenkamp, "Regulatory Conflict in the Gilded Age," 1044-1054; Joseph D. Kearney and Thomas W. Merrill, "The Great Transformation of Regulated Industries Law," *Columbia Law Review* 98 (1998): 1323, 1331-1333; Joseph William Singer, "No Right to Exclude: Public Accommodations and Private Property," *Northwestern University Law Review* 90 (1996): 1283.

（177） 公的なものとして「通話」を法的に捉えた起源としては、一般論としてHaar and Fesser, *The Wrong Side of The Tracks*, 55-108を参照。David S. Bogen, "The Innkeeper's Tale: The Legal Development of a Public Calling," *Utah Law Review* (1996): 51-92; Charles K. Burdick, "The Origin of the Peculiar Duties of Public Service Companies," *Columbia Law Review* 11 (1911): 514-531.

（178） Haar and Fessler, *The Wrong Side of the Tracks*, 109-140, 141-193; Rossi, "The Common Law 'Duty to Serve'," 1244-1260; Gustavus H. Robinson, "The Public Utility Concept in American Law," *Harvard Law Review* 41 (1928); 277. 二〇世紀の初めに固められた規制モデルは、「規制緩和」のこの一〇年間に根本的な変容を遂げた。Joseph D. Kearney and Thomas W. Merrill, "The Great Transformation of Regulated Industries Law," *Columbia Law Review* 98 (1996): 1323-1409. ほとんどの産業でこうした変化は、規制なしと言うよりは、規制の新たなパラダイムを意味した。

（179） Wu, *The Master Switch*.

（180） Christopher S. Yoo, "Deregulation vs. Reregulation of Telecommunications: A Clash of Regulatory Paradigms," *Journal of Corporation Law* 36 (2011): 847-868.

(181) Bracha and Pasquale, "Federal Search Commission?," 1149.

(182) Frank Pasquale, "Beyond Innovation and Competition," *Northwestern University Law Review* 104 (2010): 105.

(183) Zittrain, *The future of Internet—And How to Stop It* (New Haven, CT: Yale University Press, 2009). 67.（ジットレイン『インターネットが死ぬ日』）（レイヤーについて説明する）。

(184) 彼らの成長は、隣接領域での独占をも進めている。例えば、グーグルやフェイスブックが自らのサイズや顧客ベースを最大化しようとしたら、巨大ケーブル企業でさえ規制当局に泣きつくだろう。スーザン・クロフォードが熱心に論じたように、既存の企業で市場を分け合っている時、ブロードバンド企業は競争を望まないのだ。Susan Crawford, *Captive Audience* (New Haven, CT: Yale University Press, 2012).

(185) Pasquale, "Internet Nondiscrimination Principles: Commercial Ethics for Carriers and Search Engines," 263（スプリントによるクリアワイヤの買収を論ずる）。Frank Pasquale, "Search, Speech, and Secrecy: Corporate Strategies for Inverting Net Neutrality Debates," *Yale Law and Policy Review Inter Alia* 29 (2010): 25-33. http://ylpr.yale.edu/inter_alia/search-speech-and-secrecy-corporate-strategies-inverting-net-neutrality-debates.

(186)「コーペティション」概念を発展させた学者たちは、新しいパターンのビジネス・インタラクションとして賞賛している。Adam M. Brandenburger and Barry Nalebuff, *Co-Opetition: A Revolution Mindset That Combines Competition and Cooperation* (New York: Currency Doubleday, 1997). マネージャーでなく顧客の視点から見るならば、また違った光景が見えるだろう。

(187) David Weinberger, *Everything Is Miscellaneous* (New York: Holt Paperbacks, 2007). ユーチューブがブレイクした当時の記述については、Scott Kirsner, "Now Playing: Your Home Video," *New York Times*, October 27, 2005, C1を参照。

(188) 一般論としてEugene C. Kim, "YouTube: Testing the Safe Harbors of Digital Copyright Law," *Southern California Interdisciplinary Law Journal* 17 (2007): 139; Amir Hassanabadi, "Viacom v. YouTube—All Eyes Blind: The Limits of the DMCA in a Web2.0 World," *Berkeley Technology Law Journal* 26 (2011): 405を参照。

(189) Tim Wu, "Tolerated Use" (May 2008). Columbia Law and Economics Working Paper No.333. http://papers.ssrn.com/sol3/papers.cfm?abstract_id=1132247.で利用可能。

(190) Hassanabadi, "Viacom v. YouTube."

(191)「パートナーは、「ユーチューブチャンネルで広告を流したことによる収入の額を公開することが契約で禁じられてきたので、どのくらい「良い待遇」なのか判定することは難しい。」」Ben Austen, "The YouTube Laugh Factory: A Studio System for Viral Video,"

Wired, December16, 2011, http://www.wired.com/magazine/2011/12/ff_youtube/all/. John Carr, "I Want My Net TV!," *Information Today*, June 2008, at 1も参照（ユーチューブには収入を山分けする仕組みがあるが、そのプロセスは不透明で、不開示の契約が必要であり、どのビューでお金が発生したのかは報告されない）。

（192） Frank Pasquale, "A 'Content Loss Ratio' for Cable Companies?" *Madisonian* (blog), January 4, 2010, http://madisonian.net/2010/01/04/a-content-loss-ratio-for-cable-companies/; William W. Fisher, *Promises to Keep* (Stanford, CA: Stanford University Press, 2004).

（193） Frank Pasquale, "Digital Cultural Wars," *Boston Review*, January 18, 2012, http://www.bostonreview.net/frank-pasquale-sopa-pipa-free-internet.

（194） Vaidhyanathan, *The Googlization of Everything*, 18, 32-36.（ヴァイディアナサン『グーグル化の見えざる代償』）Niggemeier, "Autocompleting Bettina Wulff"も参照。

（195） Julie Samuels and Mitch Stoltz, "Google's Opaque New Policy Lets Rightsholders Dictate Search Results," *Electronic Frontier Foundation*, Deeplinks Blog, August 10, 2012, https://www.eff.org/deeplinks/2012/08/googles-opaque-new-policy-lets-rightsholders-dictate-search-resilts.

（196） Vaidhyanathan, *The Googlization of Everything*, 36-37.（ヴァイディアナサン『グーグル化の見えざる代償』）。

（197） Vevoとユーチューブとの関係についてより詳しくは、Jemima Kiss, "Vevo Boss Nic Jones: 'We're at the Pointy End of Labels' Activities,'" *The Guardian*, May 19, 2013, http://www.guardian.co.uk/media/2013/may/19/vevo-nic-jones.を参照。

（198） "An Explanation of Our Search Results," *Google*.

（199） Samuels and Stoltz, "Google's Opaque New Policy Lets Rightsholders Dictate Search Results."

（200） グーグルが、マルウェアに感染しているウェブサイトを見つけた時は、非営利の第三者であるメディエーターを介して、その傷を負ったサイトに、何が悪いのか、どうすれば修理できるのかを連絡する。しかし、違反を理由に格下げされたサイトが、こうした「助け」を利用できるかどうかは明らかでない。Sullivan, "The Pirate Update: Google Will Penalize Sites Repeatedly Accused of Copyright Infringement." グーグルはマルウェアに感染しているウェブサイトを「Stopbadware.org」にリンクする。このサイトは、「ハーバード・ロースクールのバークマン「インターネットと社会」センターおよび、オックスフォード大学のインターネット研究所が先導している」。Jeremy Kirk, "Google Irks Web Site Owners over Malware Alerts," *Info World*, January 11, 2007. http://www.infoworld.com/d/security-central/google-irks-web-site-owners-over-malware-alerts-839.

（201） Jeffrey Rosen. "Google's Gatekeepers," *New York Times Magazine*, November 30, 2008, http://www.nytimes.com/2008/11/30/magazine/30google-t.html?partner=rss&emc=rss&pagewanted=all.

(202) Bruce Ackerman and Ian Ayres, "A National Endowment for Journalism," *The Guardian*, February 12, 2009, http://www.theguardian.com/commentisfree/cifamerica/2009/feb/12/newspapers-investigative-journalism-endowments. Jacob Weisberg, "The New Hybrids: Why the Debate about Financing Journalism Misses the Point," *Slate*, February 21, 2009, http://www.slate.com/articles/news_and_politics/the_big_idea/2009/02/the_new_hybrids.html（新聞産業の残念な苦境を説明）。

(203) "All the News That's Free to Print: Is Charity the Newspaper Industry's Last, Best Hope? *The Economist*, July 21, 2009, http://www.economist.com/node/14072274; Steve Waldman, *The Information Needs of Communities: The Changing Media Landscape in a Broadband Age* (Washington, D.C.: Federal Communication Commission, 2011).

(204) Bob Garfield, *The Chaos Scenario* (Nashville, TN: Stielstra Publishing, 2009), 10; Tim Arango, "Broadcast TV Faces Struggle to Stay Viable," *New York Times*, Februay 28, 2009, A1.

(205) "66% of those ages 18-29 own smartphones." Lee Rainie, "Smartphone Ownership Update" (Sept. 2012), *Pew Research Internet Project*. http://pewInternet.org/Reports/2012/Smartphone-Update-Sept-2012.aspx.で利用可能。 Evan Hark, "Will Spotify Become the Most Popular Music Service Behind iTunes? (Jul. 2011). *Wall St. Cheat Sheet*. http://wallstcheatsheet.com/stocks/will-spotify-become-the-most-popular-music-service-behind-itunes.html/.

(206) Leslie Marable, "False Oracles: Consumer Reaction to Learning the Truth about How Search Engines Work—Results of an Ethnographic Study," *Consumer WebWatch*, June 30, 2003, 5. http://www.kruse.co.uk/contextreport.pdf.

(207) Jim Edwards, "Google Is Now Bigger Than Both the Magazine and the Newspaper Industries," *Business Insider*, November 12, 2013, http://www.businessinsider.com/google-is-bigger-than-all-magazines-and-newspapers-combined-2013-11. もし現在の傾向が続くのであれば、グーグルは新聞産業・雑誌産業を合わせたものより大きくなるだろう。

(208) Glenn Reynolds, *An Army of Davids: How Markets and Technology Empower Ordinary People to Beat Big Media, Big Government and Other Goliaths* (Nashville, TN: Thomas Nelson, Inc., 2007).

(209) Jane Hamsher, "Has Google Destroyed the 4th Estate?," *ByteGeist* (blog), October 4, 2012, http://bytegeist.firedoglake.com/2013/10/04/has-google-destroyed-the-4th-estate/. Craig Timberg, "Web Sites Lose to Google, AOL in Race for Obama, Romney Campaign Ads," *Washington Post*, October 4, 2012, http://articles.washingtonpost.com/2012-10-04/business/35498725_1_web-sites-online-ads-aim-ads.

(210) Vaidhyanathan, *The Googlization of Everything*.（ヴァイディアナサン『グーグル化の見えざる代償』）。Jeff Jarvis, *What Would Google Do?* (New York: Harper Business, 2009); Stephen Baker, The Numerati (New York: Houghton Mifflin, 2008); Ian Ayres, *Super Crunchers* (New

York: Bantam, 2007). ジャーヴィスの本のタイトル「グーグルは何をするか」（ＷＷＧＤ）は、福音書の格言「イエスは何をするか」（ＷＷＪＤ）を思わせる。これはジャーヴィスが同社に対して持っている態度を示唆するものだろう。

（211） Lanier, *Who Owns the Future?*

（212） Alexis C. Madrigal, “How Google Builds Its Maps—and What It Means for the Future of Everything,” *The Atlantic*, September 6, 2012, http://www.theatlantic.com/technology/archive/2012/09/how-google-builds-its-maps-and-what-it-means-for-the-future-of-everything/261913/. マット・イグレシアスによる、「これが究極的に、いかにアップルを助けたのか」という説明と、得られた根本的な教訓、「誰もアップルを置き換えることはできず、市場シェアについての「タイタンの戦い」に過ぎない」については、Matthew Yglesias, “A Great iOS Google Maps Product Vindicate Apple's Strategy,” *Slate MoneyBox* (blog), December 13, 2012, http://slate.com/blogs/moneybox/2012/12/13/ios_google_maps_if_it_s_great_thank_apple_s_strategy.html. に注目のこと。

（213） 労働の専門家は、アマゾンが倉庫やオンライン（アマゾン・メカニカルターク）で実際に行わせている労働を厳しく批判している。Trebor Scholz, ed., *Digital Labor; The Internet as Factory and Playground* (New York: Routledge, 2013).

（214） Norman Solomon, “If Obama Orders the CIA to Kill a U.S. Citizen, Amazon Will Be a Partner in Assassination,” *Alternet*, February 12, 2014, http://www.alternet.org/print/news-amp-politics/if-obama-orders-cia-kill-us-citizen-amazon-will-be-partner-assassination.

（215） ヴェライゾン／グーグルの枠組みについては、Pasquale, “Search, Speech, and Secrecy: Corporate Strategies for Inverting Net Neutrality Debates.” を参照。

（216） David Amerland, “Google Takes Sides in Fight against Piracy,” *Digital Journal*, August 17, 2012, http://digitaljournal.com/article/331014.

（217） Langdon Winner, “Technology as Forms of Life,” in *Readings in the Philosophy of Technology*, ed. David M. Kaplan (New York: Rowman & Littlefield, 2004), 103.

（218） Greg Lastowka, *Virtual Justice: The New Laws of Online Worlds* (New Haven, CT: Yale University Press, 153).（仮想社会における所有者と利用者との関係は、封建社会における領主と農奴の関係に似ているのかを議論する）。Bruce Schneier, “Feudal Security,” *Schneier Blog* (Dec 3, 2012), at http://schneier.com/Blog/archives/2012/12/feudal_sec.html.

（219） David Columbia, *The Cultural Logic of Computation* (Cambridge, MA: Harvard University Press, 2009).

（220） Wu, *The Master Switch*, 83, 312, 314.（ウー『マスタースイッチ』）; Robert Lee Hale, *Freedom through Law* (New York: Columbia University Press, 1952).

（221） Lanier, *Who Owns the Future?*（新たなデジタルエコノミーが作り出した不平等について記述する）。
（222） Hale, *Freedom through Law*, 541.

第4章

（1） Hernando de Soto, *The Other Path* (New York: Harper & Row, 1989).
（2） Hernando de Soto and Karen Weise, "The Destruction of Economic Facts," *Bloomberg Businessweek*, April 28, 2011, http://www.businessweek.com/magazine/content/11_19/b4227060634112.htm.
（3） 主導的企業が短期の利益を得る機会を求めることに執着するようになると、あるエコノミストは半ば冗談で、金融機関のコア・コンピテンシーは、規制を避けながら、ギャンブルをリスクヘッジだと言いくるめて、「取引相手のためにバカを見つけることだ」と語った。Robert Waldmann, quoted in "What Are the Core Competences of High Finance?" *Grasping Reality with Both Invisible Hands: Fair, Balanced, and Reality-Based: A Semi-Daily Journal*, May 19, 2012, http://delong.typepad.com/sdj/2012/05/what-are-the-core-competences-of-high-finance.html.
（4） 家庭での販売から株取引まで、取引は細かな規則が支配している。プログラムは、数学的な手続きの中でステップを踏んで行き、大規模なデータセットを分析するために複雑なパターン認識技術を使う。Scott Paterson, *The Quants: How a New Breed of Math Whizzes Conquered Wall Street and Nearly Destroyed It* (New York: Crown Business, 2011), 251.（パタースン『ザ・クオンツ』）。
（5） 信用スコアのインパクトを十分に理解している人は少ない。クレジットカードの支払いが遅れると延滞金は三五ドルくらいである。しかし、もしも信用スコアの点数が下がると、その代償ははるかに大きい。例えば二〇一〇年に、信用スコアが七六五点の人が、三〇年ローン固定金利で五〇万ドルを借りたとしよう。ある時、クレジットカードの支払いが遅れて信用スコアが六九〇点に下がったとする。これも悪い数字ではない。しかし当時、信用スコアが七六〇点以上の人は利率が四・五二％（毎月の支払いは二五三九ドル）であったのに対し、七〇〇点以下の人は利率が四・九一％となると、毎月の支払は二六五七ドルとなる。つまり、ローンの残り期間ずっと、月額で一二八ドル余計に支払うことになり、もし三〇年分ならば四万六〇八〇ドルである。住宅ローン以外であれば金利はもっと高いだろう。したがって、支払いが遅れたことによる実際の損失額は二〇一二年の標準的な年収である五万ドルを大きく超えることになる。
（6） 「サイボーグ金融」という言葉は、Tom C.W. Lin, "The New Investor," *University of California at Los Angeles Law Review* (2013): 678から借りたものである。

（7） Andrew W. Lo, "Reading about the Financial Crisis: A Twenty-One-Book Review," *Journal of Economic Literature* 50 (2012): 151-178; Andrew Ross Sorkin, *Too Big to Fail: The Inside Story of How Wall Street and Washington Fought to Save the Financial System—and Themselves* (New York: Penguin, 2010).（アンドリュー・ロス・ソーキン著、加賀山卓朗訳『リーマン・ショック』上下、早川書房、二〇一〇年）。

（8） Jeremy Gogel, "Shifting Risk to the Dumbest Guy in the Room—Derivatives Regulation after the Wall Street Reform and Consumer Protection Act." *Journal of Business and Securities Law* 11 (2010): 1-52.

（9） Ibid. Robert Stowe England, *Black Box Casino: How Wall Street's Risky Shadow Banking Crashed Global Finance* (Santa Barbara, CA: Praeger, 2011) も参照。

（10） Tom Frost, "The Big Danger with Big Banks," *Wall Street Journal*, May 16, 2012, A15.

（11） Stephen Davidoff, "Did Going Public Spoil the Banks?" *New York Times*, August 22, 2008, http://query.nytimes.com/gst/fullpage.html?res=9C03E7DF1639A1575BC0A96E9C8B63; Claire Hill and Richard Painter, "Berle's Vision beyond Shareholder Interests: Why Investment Bankers Should Have (Some) Personal Liability," *Seattle University Law Review* 33 (2010): 1173-1199.

（12） Jeff Madrick, *Age of Greed: The Triumph of Finance and the Decline of America, 1970 to the Present* (New York: Vintage, 2011); Joseph E. Stiglitz, *Freefall: America, Free Markets, and the Sinking of the World Economy* (New York: W.W.Norton, 2010).（ジョセフ・E・スティグリッツ著、楡井浩一＋峯村利哉訳『フリーフォール』徳間書店、二〇一〇年）; Hedrick Smith, *Who Stole the American Dream* (New York: Random House, 2012).（ヘドリック・スミス著、伏見威蕃訳『誰がアメリカンドリームを奪ったのか？』上下、朝日新聞出版、二〇一五年）。

（13） 金融の言葉は独特である。「デリバティブ」という言葉を定義するには、まず「証券」（security）から始めなくてはならない。「証券」とは金融上の価値を示す道具と言え、「債権」（bond）や「株式」（stock）といった種類がある。債権の所有者は、決まった利子を受け取る権利があり、決められた期間が過ぎたら元本が償還される。株式の所有は、ある事業に対して持つ所有権だが、価値は変動する。配当が得られる場合もあるが、株式自体の価格は、事業の好不調にかかわって上がったり下がったりするのである。

そして第三のタイプの証券が、デリバティブと呼ばれる契約である。これにも「先物」や「オプション」といった種類がある。これには将来においてお金と引き換えに証券を買う権利であったり、支払い義務が発生したりする。その価値は元の証券（あるいは示されている証券）から派生（derive）する。デリバティブの売り手は、買い手に対して、ある出来事が起きた場合に支払いをしなくてはならないことがある。あるいはなんらかの行動が必要になる場合がある。

（14） Cheryl Strauss Einhorn, "The Shadow War at AIG," *Investment Dealers' Digest*, September 6, 1993, 14.

（15） Gregory J. Millman, *The Vandal's Crown* (New York: The Free Press, 1995). 通貨監督庁のユージーン・ラドウィグはデリバティブを、火の発見にも譬えられるような、金融テクノロジー上の「まったく新しいもの」だとしている。April 2010 Senate Report, S. R.E.P. 111-176, The Restoring American Financial Stability Act of 2010, at 41 (April 29, 2010), 43. ウォーレン・バフェットは、金融における「大量破壊兵器」と呼んだ。

（16） Philippe Jorion, *Big Bets Gone Bad: Derivatives and Bankruptcy in Orange County—The Largest Municipal Failure in U.S. History* (San Diego, CA: Academic Press, 1995).

（17） Frank Partnoy, *F.I.A.S.C.O.: Blood in the Water on Wall Street* (New York: Penguin, 1997).（フランク・パートノイ著、森下賢一訳『大破局』徳間書店、一九九八年）。

（18） テリー・カーターは以下の論文で、法的な議論をより詳しく書いている。Terry Carter, "How Lawyers Enabled the Meltdown: And How They Might Have Prevented It," *ABA Journal* (January 2009): 34-39.

（19） Simon Johnson and James Kwak, *13 Bankers: The Wall Street Takeover and the Next Financial Meltdown* (New York: Pantheon Books, 2010), 9.（サイモン・ジョンソン＋ジェイムズ・クワック著、村井章子訳『国家対巨大銀行』ダイヤモンド社、二〇一一年）。

（20） Jennifer Taub, "The Sophisticated Investor and the Global Financial Crisis," in *Corporate Governance Failures: The Role of Institutional Investors in the Global Financial Crisis*, ed. James P. Hawley, Shyam J. Kamath, and Andrew T. Williams (Philadelphia: University of Pennsylvania Press, 2011), 191.（「洗練された投資家に依存することは、現実を無視している。法律が、定義に合うと想定している存在は大部分が、道具の複雑性に適合するほど洗練されていない（もしくはデータがない）し、自らの資本をリスクにさらす実際の投資家でもない」）。

（21） Adam J. Levitin and Susan M. Wachter, "Explaining the Housing Bubble," *Georgetown Law Journal* 100 (2011): 1254.

（22） 集計結果を算出するためのプロトコルは、複雑なレーティングや優先付けに特徴付けられている。Christopher L. Peterson, "Predatory Structured Finance," *Cardozo Law Review* 28 (2007): 2209; Eamonn K. Moran, "Wall Street Meets Main Street: Understanding the Financial Crisis," *North Carolina Banking Institute* 13 (2009): 38-39.（債務担保証券＝CDOは、不動産担保証券＝MBSや不動産抵当証券担保債権＝CMOといった、資産を裏付けにもち様々な利子率やリターンのある金融商品を集めたもので、（…）実際のローンや証券など何百あるいは何千もの固定収入資産のポートフォリオから構成されている）。

（23） Ibid.

（24） Donald MacKenzie, "Unlocking the Language of Structured Securities," *Financial Times*, August 19, 2010.

（25） Ibid.
（26） Ashwin Parameswaram, "How to Commit Fraud and Get Away With It: A Guide for CEOs," *Macroresilience* (Dec.4, 2013).（「アルゴリズムが複雑になるほど、営業マンがペテンをしたり、詐欺をするためにシステムの中抜きをするといったチャンスが多くなる」）。
（27） Michael W. Hudson, *The Monster* (New York: Times Books, 2010), 3, 7. アメリクエスト社は住宅市場論争で長い歴史を有している。Jennifer Taub, *Other People's Houses* (New Haven: Yale University Press, 2014).
（28） Ibid., 163.
（29） 受け継がれてきた武道の密かな暗殺術のように、「忍者ローン」は不動産担保証券の中に忍び込んでいた。モーゲージが十分多く集まれば、理論上はリスクが無視できるはずだったが、実際には「毒入りサラダ」のようになって終わった。腐った一枚のリーフがサラダ全体を危険なものにしてしまった。
（30） Linda E. Fisher, "Target Marketing of Subprime Loans: Racialized Consumer Fraud and Reverse Redlining," *Journal of Law and Policy* 18 (2009): 121-155; Baher Azmy, "Squaring the Predatory Lending Circle: A Case for States as Laboratories of Experimentation," *Florida Law Review* 57 (2005): 295-405.
（31） Suzanne McGee, *Chasing Goldman Sachs* (New York: Crown Publishing, 2010), 285.
（32） Timothy Sinclair, *The New Masters of Capital* (Ithaca, NY: Cornell University Press, 2005); Elizabeth Devine, "The Collapse of an Empire? Rating Agency Reform in the Wake of the 2007 Financial Crisis," *Fordham Journal of Corporate and Financial Law* 16 (2011): 177-202.
（33） Devine, "The Collapse of an Empire?" 181-185.
（34） Ibid., 181.
（35） Ibid.
（36） Ibid.
（37） 格付け機関の判断をアウトソーシングすることは、大規模なテクノクラシー的な民営化のプロジェクトと同様な多くの困難が伴うことは、Jon Michaels, "Privatization's Pretensions," *University of Chicago Law Review* 77 (2010): 717-780で論じられている。
（38） Jonathan M. Barnett, "Certification Drag: The Opinion Puzzle and Other Transactional Curiosities," *Journal of Corporation Law* 33 (2007): 95-150.
（39） ジョン・キギンは、格付け機関に伴う他の問題を集めているが、とりわけ、民間投資を優先するという明らかなバイアス（公的投資に対しては低く評価する）を指摘している。John Quiggin, "Discredited," *Crooked Timber* (blog), October 20, 2008, http://

crookedtimber.org/2008/10/20/discredited/.

（40）　米国上院国土安全保障・政府問題委員会の調査小委員会による「ウォール街と金融危機――金融破綻の分析」（二〇一一年四月）のp.6による。https://hsgac.senate.gov/public/_files/Financial_Crisis/FinancialCrisisReport.pdf. で利用可能。

（41）　一つの格付け機関だけで、二〇〇〇年から二〇〇七年の間に、四万五〇〇〇件に近いモーゲージ関連の証券にＡＡＡの格付けをしていた。Financial Crisis Inquiry Commission, *The Financial Crisis Inquiry Report* (Jan, 2011), xxv.（以後は*FCIC Report*とする）。http://fcic-static.law.standard.edu/cdn_media/fcic-reports/fcic_final_report_full/pdf. で利用可能。

（42）　Roger Lowenstein, "Triple-A Failure," *New York Times*, April 27, 2008, http://www.nytimes.com/2008/04/27/magazine/27Credit-t.html?pagewanted=all&_r=0.二〇〇六年六月の信用格付け機関の予測では、モーゲージのうち損失を被るのは四・九％だけだと予測をしていた。しかしこれを受けて活発に売られ、一年も経たないうちに一三％が不良債権となった。二〇〇八年初頭にはその割合は二七％に達した。

（43）　Will Davies, "The Tyranny of Intermediaries" (Feb. 2013). https://www.academia.edu/5236421/The_Tyranny_of_Intermeciaries. で利用可能。

（44）　John Cassidy, "Burning Down the House of S&P," *The New Yorker*, February 5, 2013; Lorraine Woellert and Dawn Kopwck., "Moody's, S&P Employees Doubled Ratings, E-Mails Say," *Bloomberg*, October 22, 2008, http://www.bloomberg.com/apps/news?pid=newsarchive&sid=a2EMIP5s7iMo. Ｓ＆Ｐは二〇一三年の訴訟において、客観性というモットーを誇大広告だったと認めていることに注目。Order Denying Defendant's Motto to Dismiss, United States v. S&P, July 16, 2013. http://online.wsj.com/public/resources/documents/sandpdismiss0717.pdf.

（45）　S&P Corrected Answer and Demand for Jury Trial, September 3, 2013, para. 140. http://online.wsj.com/public/resource/documents/090313sandp.pdf.（Ｓ＆Ｐは、二〇〇四年には、パラグラフ一三九で言及された式を、新バージョンのLEVELSに導入することができた（LEVELS6.0とでも呼べる）ということを認めた。しかしそうすると、実際のＳ＆Ｐの格付けモデルが不安定化するとし、政府の申し立てであるパラグラフ一四〇を否定している）。

（46）　Roberta Romano, "Does the Sarbanes-Oxley Act Have a Future?" *Yale Journal on Regulation* 26 (2009): 239.（「セクション四〇四は（…）内部管理の適切性を確実にし、マネジメントの確実性を請け負う外部監査を要求している」）。

（47）　Alison Frankel, "Sarbanes-Oxley's lost Promise: Why CEO's haven't been prosecuted," *Reuters*, July 27, 2012, at http://blogs.reuters.com/alison-frankel/2012/07/27/sarbanes-oxleys-lost-promise-why-ceos-havent-been-prosecuted/（サブ認証によって経営トップは、誤った

認証の罪を逃れたと説明する）。Walter “Trey” Stock, “United States v. Scrushy and its Impact on Criminal Prosecutions Under the Certification Requirements of Sarbanes-Oxley,” *Texas Wesleyan Law Review* 13 (2006).

（48） Michael Hudson, “Countrywide Protected Fraudsters by Silencing Whistleblowers, Say Former Employees,” *Center for Public Integrity*, September 22, 2011, http://www.publicintegrity.org/2011/09/22/6687/countrywide-protected-fraudsters-silencing-whistleblowers-say-former-employees.

（49） Eileen Foster, “Obama Administration Needs to Tap, Not Stiff-Arm, Wall Street Whistleblowers,” *Rolling Stone* (blog), August 9, 2012, http://www.rollingstone.com/politics/blogs/national-affairs/the-obama-administration-needs-to-tap-not-stiff-arm-wall-street-whistleblowers-20120809.

（50） Ibid.; Emily Flitter, “Countrywide Whistleblower Sees No Change in Financial Sector,” Reuters, April 26, 2012. http://www.reuters.com/article/2012/04/26/us-usa-banks-whistleblower-idUSBRE83P1CY20120426. で利用可能。

（51） Michelle Conlin and Peter Rudegeair, “Former Bank of America Workers Allege It Lied to Home Owners,” Reuters, June 14, 2013. http://www.reuters.com/article/2013/06/14/us-banks ofamerica-mortgages-idUSBRE95D10O20130614.

（52） Hudson, *The Monster*.

（53） Bob Ivry, “Woman Who Couldn't Be Intimidated by Citigroup Wins $31 Million,” *Bloomberg*, May 31, 2012, http://www.bloomberg.com/news/2012-05-31/woman-who-couldn-t-be-intimidated-by-citigroup-wins-31-million.html.

（54） *FCIC Report*, 19.

（55） Scott Patterson, *The Quants*, 8, 93-94.（パタースン『ザ・クオンツ』）。

（56） Erik Gerding, “Code, Crash, and Open Source: The Outsourcing of Financial Regulation to Risk Models and the Global Financial Crisis,” *Washington Law Review* 84 (2009): 134; Kenneth Bamberger, “Technologies of Compliance: Risk and Regulation in a Digital Age,” *Texas Law Review* 88 (2010): 669.

（57） クレジット・デフォルト・スワップ（ＣＤＳ）は本来、債務不履行時に備えるためのものである（スワップと呼ばれるのは、デフォルトの際には不運な第三者が払う羽目になるから）。これは保険ではないのか、保険であれば規制されているのでは？とあなたは考えるかもしれない。なぜＣＤＳがこうした規制の多くを免れているのかについてのおぞましい詳細は、Todd Henderson “Credit Derivatives Are Not ‘Insurance’,” *Connecticut Law Journal* 16 (2009): 1-58を参照。

（58） Michael Simkovic, “Secret Liens and the Financial Crisis of 2008,” *American Bankruptcy Law Journal* 83 (2009): 253-296.

（59） Andrew G. Haldane, "The Dog and the Frisbee." Speech delivered at the Federal Reserve Bank of Kansas City's 366th Economic Policy Symposium, Jackson Hole, Wyoming, August 31, 2012 (on manipulability of Basel II and III capital requirements).

（60） ＣＤＳは、金融危機をもたらしたレバレッジ拡大の「主犯」である。不動産担保証券（ＭＢＳ）に投資した企業は、価値が下落した時に備えて、損失をカバーするための「エクイティ・クッション」が必要であろうが、ＣＤＳを買っていればその損失は他の誰かがかぶってくれるのだ。投資家も規制当局も、とりわけＡＩＧによるＣＤＳの裏書きには強く印象付けられていた。ＡＩＧは当時、米国でも最も高く評価されている企業の一つだったからである。他はより不安定な企業だった。さらに、クレジットのリスクを追跡するのがより困難であった。スティーブン・ルベンが言うように、「多くのＣＤＳは、売り手の同意なしで、買い手に新たな保護を保証した」。国際スワップ・デリバティブ協会（ＩＳＤＡ）の基本契約書ではこうした取引を禁じているのだが。Stephen J. Lubben "Credit Derivatives and the Future of Chapter II," *American Bankruptcy Law Journal* 81 (2007): 415.

（61） 金融危機調査委員会の多数派報告書では、ＣＤＳのような一部のデリバティブにおいて、売り手の側では準備金やヘッジを要求されなかった、としている。目立つＣＤＳの「保険」の対象となった資産の価値は、二〇〇四年末の六・四兆円から、二〇〇七年末の五八・二兆円へと膨れ上がった。投資銀行は普通銀行と同等の資本準備金は必要とされないことから、資本の要求を決定するのに独自の（誤った）リスクモデルを使うことができる。予想された通り、投資銀行は異常な水準までレバレッジを上げ、時には四〇倍にも達した。高いレバレッジを隠すために、調査が入る直前に資産を売り、調査後に買い戻すといったことも行われた。The Final Crisis Inquiry Commission, *Financial Crisis Inquiry Report*, February 25, 2011. http://www.gpo.gov/fdsys/pkg/GPO-FCIC/pdf/GPO-FCIC.pdf.

（62） William K. Sjostrom, Jr., "The AIG Bailout," *Washington and Lee Law Review* 66 (2009): 943-994; *FCIC Report*, 351-354（この企業のファンドの大部分は、規制を受ける保険子会社にロックインされており、親会社の債務に充当することができないことを指摘）。

（63） このように保険がかけられたので、貴重な資本を再びレバレッジにあてることができた。

（64） Gretchen Morgenson, "Behind Insurer's Crisis, Blind Eye to a Web of Risk," *New York Times*, September 28, 2008, http://www.nytimes.com/2008/09/28/business/28melt.html?pagewanted=all&_r=0. AIG, *2006 Annual Report* (Form 10-K) 94 (March 1, 2007). http://idea.sec.gov/Archives/edgar/data/5271/000095012307003026/y27490e10vk.htm.（「各ＣＤＳ取引の下では、たとえ市場が不況に陥るシナリオでも、ＡＩＧＦＰが支払い義務を負う可能性はわずかだった」）。

（65） Roddy Boyd, *Fatal Risk: A Cautionary Tale of AIG's Corporate Suicide* (Hoboken, NJ: John Wiley & Sons, Inc., 2011).

（66） 二〇〇八年七月一日時点でＡＩＧは、このオペレーションに必要な現金および現金同等の流動性のある資産を一七六億ドル確保していたが、もしもの際に取引相手に支払うべき額よりははるかに少なかった。Sjostrom, Jr., "The AIG Bailout."

（67） Sjostrom, Jr., "The AIG Bailout."

（68） *FCIC Report*.

（69） *FCIC Report*.

（70） "Bank Regulators Cutting the Red Tape and Screwing the Rest of Us," *Investment Mercenaries* (blog), September 1, 2011, http://investmentmercenaries.blogspot.com/2011/09/bank-regulators-cutting-red-tape-and.html.

（71） Watters v. Wachovia Bank, 550 U.S. 1 (2007).

（72） 金融危機調査委員会（ＦＣＩＣ）の多数派は報告書（*FCIC Report*）の中で、貯蓄機関監督局（ＯＴＳ）が「ＥＵの金融複合企業指令（ＦＣＤ）の下で同局が果たすべき責任を無視した」と批判している。二〇〇四年および二〇〇五年、複数の大規模金融機関が、州法およびＥＵ法の両方から逃れようとしていた。連邦の免除制度を利用して州法を逃れ、米国の規制機関が主たる監督機関であるとの保証を取り付けてＥＵ法を逃れようとしたのである。ＦＣＩＣの報告書ではこれを可能にしたＯＴＳを批判している。

（73） "FASB: Here Comes Mark to Fantasy Accounting!," *Socio-Economic History Blog*, April 3, 2009. http://socioecohistory.wordpress.com/2009/04/03/fasb-here-comes-mark-to-fantasy-accounting/.

（74） Arthur E. Wilmarth. Jr., "Citigroup: A Case Study in Managerial and Regulatory Failures," *Indiana Law Review* 47 (forthcoming 2014).

（75） "Understanding Corporate Networks—Part 2: Control without Voting," *OpenCorporates* (blog), October 31, 2013, http://blog.opencorporates.com/2013/10/31/understanding-corporate-networks-part-2-control-without-voting/.

（76） Graham Harman, *Prince of Networks: Bruno Latour and Metaphysics* (Melbourne: re.press, 2009), 32.

（77） William W. Bratton and Adam J. Levitin, "A Transactional Genealogy of Scandal: From Michael Milken to Enron to Goldman Sachs," *Southern California Law Review* 86 (2013): 783-868.

（78） Simkovic, "Secret Liens and the Financial Crisis of 2008."

（79） James K. Galbraith, "Tremble, Banks, Tremble," *The New Republic*, July 9, 2010, http://www.rnr.com/article/economy/76146/tremble-banks-tremble.

（80） Matt Taibbi, "Invasion of the Home Snatchers: How Foreclosure Courts Are Helping Big Banks Screw Over Homeowners," *Rolling Stone*, November 10, 2010, http://rollingstone.com/politics/news/matt-taibbi-courts-helping-banks-screw-over-homeowners-20101110

（81） Mike Konczal, "Foreclosure Fraud for Dummies," *Rortybomb*, Oct. 8, 2010, at http://rortybomb.wordpress.com/2010/10/08/

foreclosure-fraud-for-dummies-1-the-chains-and-and-the-stakes/.

（82） Christopher L. Peterson, "Two Faces: Demystifying the Mortgage Electronic Registration System's Land Title Theory," *William and Mary Law Review* 53 (2011): 111-162.

（83） Ibid.

（84） Dustin A Zacks, "Robo-Litigation," *Cleveland State Law Review* 60 (2013): 867-912; Dale A. Whitman, "A Proposal for a National Mortgage Registry: MERS Done Right," *Missouri Law Review* 78 (2013); Nolan Robinson, "Note: The Case Against Allowing Mortgage Electronic Registration Systems, Inc. (MERS) to Intimate Foreclosure Proceedings," *Cardozo Law Review* 32 (2011).

（85） サイモン・ヘッドが言うように、「ウォール街という機械は、時間のかかる面倒な分析に任されていた複雑な判断を自動化することによってのみ到達できる速度を達成した」。Simon Head, *Mindless: Why Smarter Machines are Making Dumber Humans* (New York: Basic Books, 2014), 82.

（86） Donald MacKenzie, "What's in a Number?" *London Review of Books* 30, no.18 (September 25, 2008); 11-12. http://www.lrb.co.uk/v30/n18/donald/mackenzie/whats-in-a-number. で利用可能。

（87） このシステムの優位性は、実際の借り入れが進んでいなくても、多様な見積もりができるというところにある。リボーの中には（一一カ月ローンのように）取引の薄いものがある。

（88） U.S. Commodity Futures Trading Commission, "CFTC Orders Barclays to Pay $200 Million Penalty for Attempted Manipulation of and False Reporting Concerning LIBOR and Euribor Benchmark Interest Rates," June 27, 2012 (news release). http://www.cftc.gov/PressRoom/PressRelease/pr6289-12. で利用可能。

（89） U.S. Commodity Futures Trading Commission, "CFTC Orders the Royal Bank of Scotland plc and RBS Securities Japan Limited to Pay $325 Million Penalty to Settle Charges of Manipulation, Attempted Manipulation, and False Reporting of Yen and Swiss Franc LIBOR," February 6, 2013 (news release). http://www.cftc.gov/PressRoom/PressRelease/pr6510-13. で利用可能。

（90） Ibid.

（91） Matthew Leising, Lindsay Fortado, and Jim Brunsden, "Meet ISDA-fix, the Libor Scandal's Sequel," *Bloomberg Businessweek*, April 18, 2013, http://www.businessweek.com/articles/2013-04-18/meet-isdafix-the-libor-scandals-sequel.

（92） Matt Taibbi, "Everything Is Rigged: The Biggest Price-Fixing Scandal Ever," *Rolling Stone*, April 13, 2013, http://www.rollingstone.com/politics/news/everything-is-rigged-the-biggest-financial-scandal-yet-20130425#ixzz2pRbVNiew.

（93） Frank Partnoy and Jesse Eisinger, "What's Inside America's Banks?," *The Atlantic*, January 2, 2013, http://www.theatlantic.com/magazine/archive/2013/01/whats-inside-americas-banks/309196.

（94） Asiylyn Loder, Stephanie Bodoni, and Rupert Rowling, "Oil Manipulation Inquiry Shows EU's Hammer after Libor," *Blomberg*, May 22, 2013, http://www.bloomberg.com/news/2013-05-23/oil-manipulation-inquiry-shows-eu-s-hammer-after-libor.html.

（95） ここにはある種のマジックがある。天才ではない。クライヴ・ディルノットはかつて、巧妙なＣＤＳと税の仕組みについてこう書いた。「負債を隠すのに金融の才能は要らない。（…）生産者はもっと独創的だった。一九二〇年代の株取引ゲームはもっと複雑だった」。Clive Dilnot, "The Triumph—and Costs—of Greed," *Real-World Economics Review* 49 (2009): 46.

（96） Justin Baer et al., "'Fab' Trader Liable in Fraud: Jury Finds Ex-Goldman Employee Tourre Misled Investors in Mortgage Security," *Wall Street Journal*, August 2, 2013, http://online.wsj.com/news/articles/SB10001424127887323681904578641843284450004.

（97） E. J. Dionne, Jr., "How Wall Street Creates Socialists," *Trutbout*, April 28, 2010, http://www.truthout.org/ej-dionne-jr-how-wall-street-creates-socialists58971.

（98） ツールの事例はこの点を実証するのに役立つ。Lawrence Cunningham, "Goldman's $550 Million SEC Settlement," *Concurring Opinions* (blog), July 15, 2010, http://www.concurringopinions.com/archives/2010/07/goldmans-550-million-sec-settlement.html.（「連邦での最終判決に向けての痛みを伴う合意の中で、ゴールドマンは、当該ポートフォリオは別企業のＡＣＡマネジメント合同会社が選んだものだと認めた。実際には、利害関係のある、ポールソン株式会社が選択に役割を果たしていた」）。Cora Currier, "13 Reasons Goldman's Quitting Exec May Have a Point," *ProPublica*, March 14, 2012, http://www.propublica.org/article/13-reasons-goldmans-quitting-exec-may-have-a-point. Shahien Nasiripour, "Goldman Sachs Values Assets Low, Sells High to Customers as Senate Panel Alleges Double Dealing," *Huffington Post*, April 14, 2011. http://www.huffingtonpost.com/2011/04/14/goldman-sachs-values-asse_n_849398.html.

（99） Kayla Tausche, "Wall Street into Snapchat, and Regulators Are on Alert," *CNBC*, July 20, 2013, http://www.cnbc.com/id/100924846.

（100） 例えば、「単純な固定／変動金利のスワップ契約では（…）最初は価値がゼロ」で、「資産でも負債でもなく、バランスシート外の項目とされる」。Carol J. Loomis, "Derivative: The Risk That Still Won't Go Away (Fortune 2000)," *CNN Money*, May 20, 2012, http://features.blogs.fortune.cnn.com/2012/05/20/derivatives-the-risk-that-still-wont-go-away-fortune-2009/.

（101） Bill Davidow, "Why the Internet Makes It Impossible to Stop Giant Wall Street Losses," *The Atlantic*, May 18, 2012, http://www.theatlantic.com/business/archive/2012/05/why-the-internet-makes-it-impossible-to-stop-giant-wall-street-losses/257356/.

（102） Loomis, "Derivatives."

(103) Gretchen Morgenson and Joshua Rosner, *Reckless Endangerment: How Outsized Ambition, Greed, and Corruption Created the Worst Financial Crisis of Our Time* (New York: Times Books, 2011); Bethany McLean and Joe Nocera, *All the Devils Are Here: The Hidden History of the Financial Crisis* (New York: Portfolio Books, 2010). 故意のリスク忘却志向と、数珠つなぎ型取引の「大馬鹿者理論」〔自分より馬鹿な投資家がいて後から買うだろうと予想して高値でも買ってしまう〕とが結びつくさまを、アイシンガーとドラッカーが描き出している。信用リスクが明らかでも、債務担保証券（ＣＤＯ）の所有者は、後からそのリスクを取る者が現れると前提するのである。Jake Bernstein and Jesse Eisinger, "Banks' Self-Dealing Super-Charged Financial Crisis," Pro Publica, August 26, 2010, at http://www.propublica.org/article/banks-self-dealing-super-charged-financial-crisis.

(104) Jaron Lanier, *You Are Not a Gadget: A Manifesto* (New York: Alfred A. Knopf, 2010), 96.（ジャロン・ラニアー著、井口耕二訳『人間はガジェットではない』早川書房、二〇一〇年）。

(105) U.S. Senate Permanent Subcommittee on Investigation, *JPMorgan Chase Whale Trades: A Case History of Derivatives Risks and Abuses* (2013), 8.（「ＣＩＯ（投資担当重役）のＶａＲ（予想最大損失額）の場合、現在のモデルがあまりにも保守的でリスクを誇張しすぎているとアナリストが結論付け、二〇一二年一月末に急いで別のＣＩＯモデルが採用された。そのＣＩＯ自身はＶａＲの限界を破っていた。新しいモデルは即座にＶａＲを五〇％下げ、限界内に納めただけでなく、さらにリスキーなデリバティブ取引へと進んだ。一か月後銀行は、そのモデルが不適切に操作させられたものだとして、間違いやすい手作業でのデータ入力を行い、公式や計算のエラーまで付け加わった」）。

(106) Ibid. これとは対照的に医療分野では、安全の「航空モデル」が多数の供給者によって真剣に検討され、勇気付けられる結果も出ている。Lucian Leape et al., "What Practices Will Most Improve Safety?: Evidence-Based Medicine Meets Patient Safety," *Journal of the American Medical Association* 288 (2002) 501, 504; James Reason, "A System Approach to Organizational Error," *Ergonomics* 38 (1995): 1708-1721; Richard L. Cook, *How Complex Systems Fail* (Chicago: University of Chicago Press, 1998).

(107) Intelligence Squared U.S., "Break Up the Big Banks" (October 16, 2013). http://intelligencesquaredus.org/images/debates/past/transcripts/101613%20big%20banks.pdf. で利用可能。

(108) Adair Turner et al., eds., *The Future of Finance: The LSE Report* (London: London School of Economics and Political Science, 2010).

(109) Gillian Tett, *Fool's Gold: How the Bold Dream of a Small Tribe at J.P.Morgan was Corrupted by Wall Street Greed and Unleashed a Catastrophe* (New York: Free Press, 2009).

(110) Arthur E. Wilmarth, Jr., "Turning a Blind Eye: Why Washington Keeps Giving In to Wall Street," *University of Cincinnati Law Review* 81

(2013): 1283-1446; Haley Sweetland Edwards, "He Who Makes the Rules," *Washington Monthly*, March/April 2013, http://www.washingtonmonthly.com/magazine/march_april_2013/features/he_who_makes_the_rules043315.php?page=all（いかにして「影にかくれており、かつ複雑な法律作りのプロセスにおいて、ロビイストや保守的な法律家たちがドッド・フランク法を骨抜きにできたかを探究する」）。

（111）Lawrence E. Mitchell, *The Speculation Economy: How Finance Triumphed over Industry* (San Francisco: Berrett-Koehler Publishers, Inc., 2007); Greta R. Krippner, *Capitalizing on Crisis: The Political Origins of the Rise of Finance* (Cambridge, MA: Harvard University Press, 2011).

（112）Joe Nocera, *A Piece of the Action: How the Middle Class Joined the Money Class* (New York: Simon & Schuster, 1994).

（113）Doug Henwood, *Wall Street: How It Works and for Whom* (New York: Verso, 1997).

（114）Lynne Dallas, "Short-Termism, the Financial Crisis, and Corporate Governance," *Journal of Corporation Law* 37 (2011): 264.

（115）このパラグラフおよび次の二つのパラグラフは、以下の文献の図表による。Matthew Philips and Cynthia Hoffman, "What Really Happen When You Buy Shares," *Businessweek*, January 6, 2013.（かつては単純だった取引が、いまでは無数の種類の道筋を取ることが可能になっている）。

（116）Scott Patterson, *Dark Pools: The Rise of the Machine Traders and the Rigging of the U.S. Stock Market* (New York: Crown Business, 2(12), 202.（スコット・パタースン著、永野直美訳『ウォール街のアルゴリズム戦争』日経ＢＰ社、二〇一五年）。

（117）アルゴリズム取引とは、コンピュータを使って、株式市場で特定の注文について、アルゴリズムがそのタイミング、価格、量などを人間の介入なしに決定するというものである。Nathan D. Brown, "The Rise of High Frequency Trading: The Role Algorithms, and the Lack of Regulations, Play in Today's Stock Market," *Appalachian Journal of Law* 11 (2012): 209-230. アルゴリズムコードは独自のものであり、秘密にされている。Ibid., 222.

（118）Brody Mullins, Michael Rothfeld, Tom Mcginty and Jenny Strasburg, "Traders Pay for an Early Peek at Key Data," *Wall Street Journal*, June 12, 2013, at http://online.wsj.com/news/articles/SB10001424127887324682204578515963191421602.

（119）Ibid., 209-210; Tor Brunzell, "High-Frequency Trading—To Regulate or Not to Regulate—That Is the Question," *Journal of Business and Financial Affairs* 2 (2013), http://www.omicsgroup.org/journals/high-frequency-trading-to-regulate-or-not-to-regulate-that-is-the%20question-does-scientific-data-offer-an-answer-2167-0234.1000e121.pdf（高頻度取引（ＨＦＴ）を支持する人たちに共通する議論について論ずる）。アルゴリズム取引には様々な戦略があり、ＨＦＴもその一つのサブカテゴリーと言える。David Golumbia, "High-Frequency Trading: Networks of Wealth and the Concentration of Power," *Social Semiotics* 23 (2013): 278-299.

(120) ＨＦＴはしばしば、「大量の取引、素早いキャンセル、日ごとにフラットポジションに戻る取引、一取引当たりのマージンの低さ、極めて高速の取引」といったことを伴う。Andrew J. Keller, "Robocops: Regulating High Frequency Trading after the Flash Crash of 2010," *Ohio State Law Journal* 73 (2012): 1459.

(121) Matthew O'Brien, "High-Speed Trading Isn't About Efficiency—It's About Cheating," *The Atlantic*, February 8, 2014. http://www.theatlantic.com/business/archive/2014/02/high-speed-trading-isnt-about-efficienct-its-about-cheating/283677/で利用可能；Charles Schwab and Walt Bettinger, "Statement on High-Frequency Trading," April 3, 2014. http://www.aboutschwab.com/press/issues/statement_on_high_frequency_trading.で利用可能。

(122) Robert Hiltonsmith, *The Retirement Savings Drain: The Hidden and Excessive Costs of 401 (k)s* (New York: Dēmos, 2012). http://ww.demos.org/sites/default/files/publication/TheRetirementSavingsDrain-Final.pdf.で利用可能。

(123) Martin Smith, "The Retirement Gamble," *Public Broadcasting Service*, at April 23, 2013.（投資信託に投資をするとして、総収益が七%、しかし年間の手数料が二%だと仮定する。一生にわたり五〇年間投資をすると、その二%の手数料が、得られたはずの利益の六三%を持って行ってしまう。ボグルが言うように、複利のコストの暴力性は圧倒的である）。

(124) Adair Turner, "What Do Banks Do? Why Do Credit Booms and Busts Occur and What Can Public Policy Do about It?," in *The Futures of Finance*, 40.

(125) Wallace Turbeville, "Cracks in the Pipeline, Part Two: High Frequency Trading," *Dēmos*, March 8, 2013, http://www.demos.org/publication/cracks-pipeline-part-two-high-frequency-trading. Sal Arnuk and Joseph Saluzzi, *Broken Market: How High Frequency Trading and Predatory Practices on Wall Street Are Destroying Investor Confidence and Your Portfolio* (Upper Saddle River, NJ: FT Press, 2012).

(126) Report of the Staffs of the CFTC and SEC to the Joint Advisory Committee on Emerging Regulatory Issues, *Findings Regarding the Market Events of May 6, 2010* (September 2010). http://www.sec.gov/news/studies/2010/marketevents-report.pdf.で利用可能。

(127) Ibid.

(128) Ibid., 79を参照。（「こうした遅延は、「クオート・スタッフィング」と呼ばれる市場操作のためではないかとされている。大量のクオート（建値）をわざと送り、データを遅延させることで優位を得るという手法である」）。二〇一二年八月の、解決まで約一時間を要したシステムトラブルのために、ナイト・キャピタル（Knight Capital）が四億四〇〇〇万ドルもの損失を被った事件にも注目。Dan Olds, "How One Bad Algorithm Cost Traders $440m," *The Register*, August 3, 2012. http://www.theregister.co.uk/2012/08/03/bad_algorithm_lost_440_million_dollars/. Stephnie Ruhle, Christine Harper, and Nina Mehta, "Knight Trading Loss Said to Be Linked to

Dormant Software," *Bloomberg Technology*, August 14, 2012, http://bloomberg.com/news/2012-08-14/knight-software.html. 韓国の取引所も二〇一三年暮れに小規模なクラッシュに見舞われている。

(129) 例えばマッケイブは「シカゴとニューヨークの間のケーブルは、通信時間を三ミリ秒節約する」としている。Thomas McCabe, "When the Speed of Light Is Too Slow: Trading at the Edge." *Kurzweil Accelerating Intelligence* (blog), November 11, 2010, http://www.kurzweil.net/when-the-speed-of-the-light-is-too-slow.

(130) これはマイケル・ルイスの『フラッシュ・ボーイズ』の冒頭に出てくる話である（Michael Lewis, *Flash Boys* (New York: W.W. Norton, 2014), 15、マイケル・ルイス著、渡会圭子＋東江一紀訳『フラッシュ・ボーイズ』、文藝春秋、二〇一四年）。経済社会学者も、スプレッド・ネットワークス社を研究している。Donald Mackenzie et al., "Drilling Through the Allegheny Mountains: Liquidity, Materiality and High-Frequency Trading" (Jan., 2012), at http://www.sps.ed.ac.uk/_data/assets/pdf_file/0003/78716/LiquidityResub&pdf.

(131) Ibid. A.D. Wissner-Gross and C.E. Freer, "Relativistic Statistical Arbitrage," *Physical Review E* 056104-1 82 (2010): 1-7. http://www.alexwg.org/publications/PhysRevE_82-056104.pdf. で利用可能。

(132) Keller, "Robocops," 1468.

(133) Ibid.

(134) Ibid.

(135) Matt Prewitt, "High-Frequency Trading: Should Regulators Do More?," *Michigan Telecommunication and Technology Law Review* 19 (2012): 148 を参照（「スプーフィング」など高頻度取引で使われる詐欺的な戦術を論じる）。

(136) Andrew Saks McLeod, "CFTC Fines Algorithmic Trader $2.8 Million for Spoofing in the First Market Abuse Case Brought by Dodd-Frank Act, and Imposes Ban," *Forex Magnates*, July 22, 2013, http://forexmagnates.com/cftc-fines-algorithmic-trader-2-8-million-for-spoofing-in-the-first-market-abuse-case-brought-by-dodd-frank-act/（「スプーフィング」を論じるもの）。

(137) Prewitt, "High-Frequency Trading."「スプーフィング」を巧みに説明するもう一つの論文が、ロバート・C・ファロンが"Lexology"に書いたものである。Robert C. Fallon, "High Frequency Trader 'Spoofs' and 'Layers' His Way to Penalties from U.S. and British Regulators," *Lexology*, July 30, 2013, http://www.lexology.com/library/detail.aspx?g=c6f66fb4-e220-47be-896a-7352984c9622.

(138) 「ストロービング」とはHFTの戦略の一つで、流動性があるように装うために、何度も同じ取引の注文とキャンセルを行うこと。米商品先物取引委員会はこれを「スプーフィング」の一種と捉えている。Robert Fallon, "CFTC's Final Rule on Disruptive Trading Clarifies Disruptive Trading Practices" *Dodd-Frank.com*, May 24, 2013, http://dodd-frank.com/cftc-disruptive-trading-practices-

strobing-and-spoofing/（「ストロービング」は禁止されている「スプーフィング」だ、とする）。
(139) 「スモーキング」は、魅力的な指値注文を提示し、それを素早く書き換えることで、速度の遅いトレーダーを搾取するという高頻度取引の手口の一つである。Prewitt, "High-Frequency Trading," 148.
(140) 「最後の瞬間での撤退」は、手続きの最後の瞬間に注文をキャンセルするという戦略。Brunzell, "High-Frequency Trading—To Regulate or Not to Regulate."を参照。
(141) Graham Bowley, "Computers That Trade on the News," *New York Times*, December 23, 2010, http://www.nytimes.com/2010/12-23/business/23trading.html?ref=technology.
(142) Edward Tenner, "Wall Street's Latest Bubble Machines," *The Atlantic*, December 27, 2010, http://www.theatlantic.com/business/archive/2010/12/wall-streets/latest-bubble-machines/68547/.
(143) Felix Salmon and Jon Stokes, "Algorithms Take Control of Wall Street," *Wired*, December 27, 2010, http://www.wired.com/magazine/2010/12/ff_ai_flashtrading/.
(144) 億万長者のピート・ピーターソンはシンクタンク「ピーターソン研究所」に出資し、借金を誘発する公的財政はもろいという「ワシントンのコンセンサス」を支持している。オートメ化した取引で億万長者となったトマス・ペタフィーも、米国の「社会主義」をストップさせるキャンペーンに参加している。
(145) 法律の変化で、「確定給付」から「確定拠出」の方へと労働者も企業も誘導され、公的年金計画によって、金融部門は成長した。James W. Russell, *Social Insecurity: 401 (k)s and the Retirement Crisis* (Boston: Beacon Press, 2014); Robin Blackburn, *Banking on Death* (London: Verso, 2004).
(146) ピーター・ブーンとサイモン・ジョンソンは、「運命の日のサイクル」がこの日まで続いた様子（利益は個人が得、損失は社会にかぶせる）を描き出している。Peter Boone and Simon Johnson, "Will the Politics of Global Moral Hazard Sink Us Again?," in *The Future of Finance*. Paul De Grauwe and Yuemei Ji, "Strong Government, Weak Banks," CEPS Policy Brief No.305, November 25, 2013, http://www.ceps.eu/ceps/dld/8646/pdf(彼らを弱くしたい銀行でこうした「稼ぎ」が最大になることに注目。強い組織は強い支払いを制限するためにそれ以上のことをするだろう）。
(147) Associated Press, "10-Year Treasury Yield Rises from Near Record Low," May 18, 2012. http://bigstory.ap.org/content/10-year-treasury-yield-rises-near-record-low.で利用可能。
(148) John Kay, "It's Madness to Follow a Martingale Betting Strategy in Europe," *Financial Times*, November 22, 2011, http://www.ft.com/

intl/cms/s/0/0fd87642-14fe-11e1-a2a6-00144feabdco.html#axzz2NZ6LQwOn.

(149) Stephen Mihm, "The Black Box Economy," *The Boston Globe*, January 27, 2008, http://www.boston.com/bostonglobe/ideas/articles/2008/01/27/the_black_box_economy/?page=full.

(150) William K. Black, *The Best Way to Rob a Bank Is to Own One: How Corporate Executives and Politicians Looted the S&L Industry* (Austin: University of Texas Press, 2005); Kenneth Harney, "FBI Cracks Down on Growing Mortgage Fraud," *U-T San Diego*, July 31, 2005, http://www.utsandiego.com/uniontrib/20050731/news_1h31harney/html. も参照。

(151) Lynn A. Stout. "Derivatives and the Legal Origin of the 2008 Credit Crisis," *Harvard Business Law Review* 1 (2011): 13.

(152) Yves Smith and Tom Adams, "FCIC Report Misses Central Issue: Why Was There Demand for Bad Mortgage Loans?," *Huffington Post*, January 31, 2011. http://www.huffingtonpost.com/thomas-adams-and-yves-smith/fcic-report-misses-centra_b_816149.html.

(153) Mike Konczal, "An Interview on Off-Balance Sheet Reform," *Rorty bomb* (blog), April 30, 2010, http://rortybomb.wordpress.com/2010/04/30/an-interview-on-off-balance-sheet-reform/; Mike Konczal, "An Interview with Jane D'Arista on the Volcker Rule," *Rorty-bomb* (blog), April 30, 2010, http://rortybomb.wordpress.com/2010/04/30/an-interview-with-iane-darista-on-colcker-rule /

(154) Alireza Gharagozlou, "Unregulable: Why Derivatives May Never Be Regulated," *Brooklyn Journal of Corporate, Financial and Commercial Law* 4 (2010): 269-295.（デリバティブ契約を規制する様々な手法を探求する。（a）新たな個別法での規制、（b）ギャンブルとしての規制、（c）保険としての規制、（d）証券としての規制、（e）クリアリングハウスを通じての規制、（f）強力な金融規制当局による監督、などを含む）。

(155) Nassim Nicholas Taleb, *Black Swan* (New York: Random House, 2007).（ナシーム・ニコラス・タレブ著、望月衛訳『ブラック・スワン』上下、ダイヤモンド社、二〇〇九年）。

(156) Nomi Prins, *Other People's Money: The Corporate Mugging of America* (New York: New Press, 2004). Nomi Prins, *It Takes a Pillage: Behind the Bailouts, Bonuses and Backroom Deals from Washington to Wall Street* (Hoboken, NJ: Wiley, 2009).

(157) 例えばイブ・スミスは、サブプライム証券に投資された一ドルあたり、五三三ドルの変化を引き起こす構造について描いている。Yve Smith, *ECONned: How Unenlightened Self Interest Undermined Democracy and Corrupted Capitalism* (New York: Palgrave Macmillan, 2010), 261.

(158) Thorvaldur Gylfason, "Mel Brooks and the Bankers," *Vox EU*, August 17, 2010, http://economistsview.typepad.com/economistsview/2010/08/mel-brooks-and-the-bankers.html. John K. Galbraith, "In Goldman Sachs We Trust," in *The Great Crash of 1929* (New

York: Houghton Mifflin Harcourt, 1954), 43-66.

(159) Frank Pasquale, "The Economics Was Fake, but the Bonuses Were Real," *Concurring Opinion* (blog), December 19, 2008, http://www.concurringopinions.com/archives/2008/12/only_the_bonuse.html.

(160) Roben Farzad, "AIG May Not Be as Healthy as It Looks," *Bloomberg Businessweek*, April 26, 2012, http://www.businessweek.com/articles/2012-04-26/aig-may-not-be-as-healthy-as-it-looks（財務当局がAIG、Ally、シティバンクに対して、前年の損失を使って税額を減らす決定をしたことを議論する。こうした控除が破産企業や合併企業に対して行われることは普通はない）。

(161) 一般論としてGolumbia, "High-Frequency Trading."を参照。

(162) Amar Bhidé, *A Call for Judgement: Sensible Finance for a Dynamic Economy* (New York: Oxford University Press, 2010). Meredith Schramm-Strosser, "The 'Not So' Fair Credit Reporting Act: Federal Preemption, Injunctive Relief, and the Need to Return Remedies for Common Law Defamation to the States," *Duquesne Business Law Journal* 14 (2012): 169も参照。

(163) 腐敗や対立について歴史的な説明として、Galbraith, *The Great Crash of 1929*; Fred Schwed, *Where Are the Customers' Yachts?* (New York: Wiley 2006); Henwood, *Wall Street: How it Works*; Robert Kuttner, *The Squandering of America: How the Failure of Our Politics Undermines Our Prosperity* (2010), 112, 231を参照。

(164) Satyajit Das, *Traders, Guns and Money: Knowns and Unknowns in the Dazzling World of Derivatives* (Great Britain: FT Press, 2006), 144.

(165) Daniel Carpenter, *Reputation and Power: Organizational Image and Pharmaceutical Regulation at the FDA* (Princeton, NJ: Princeton University Press, 2010), 20.

(166) Brian McKenna, "How Will Gillian Tett Connect with the Natives of the U.S. Left?," *CounterPunch*, March 4, 2011, http://www.counterpunch.org/2011/03/04/how-will-gillian-tett-connect-with-the-natives-of-the-us-left/.に引用されている。

(167) 例えばエリック・バンクスの先進的な『ウォール街の失敗』での鋭い分析を考えてみて欲しい。同書では、「ビジネスの性質を理解しない経理部長や監査人が「独立してモニタリングを行う」さまや、「どのようなリスクにさらされているのか」を分からない運用担当者」が描き出されている。Erik Banks, *The Failure of Wall Street: How and Why Wall Street Fails—And What Can Be Done about It* (New York: Palgrave Macmillan, 2004).

(168) Bruno Latour, *Reassembling the Social: An Introduction to Actor-Network-Theory* (New York: Oxford University Press, 2005), 245.

(169) Benjamin Kunkel, "Forgive Us Our Debts," *London Review of Banks* 34, no.9 (May 10, 2012): 23-29. http://www.lrb.co.uk/v34/no9/benjamin-kunkel/forgive-us-our-debts. で利用可能。

(170) Michael Hudson, *The Bubble and Beyond: Fictious Capital, Debt Deflation, and Global Crisis* (Dresden: Islet, 2012).

(171) Matt Taibbi, *Griftopia: A Story of Bankers, Politicians, and the Most Audacious Power Grab in American History* (New York: Spiegel & Grau, 2010).

(172) Alan D. Morrison, *Investment Banking: Institution, Politics, and Law* (New York: Oxford University Press, 2008).

第5章

(1) Frank Pasquale, "Reputation Regulation: Disclosure and the Challenge of Clandestinely Commensurating Computing," in *The Offensive Internet: Speech, Privacy and Reputation*, ed. Saul Levmore and Martha C. Nussbaum (Cambridge, MA: Harvard University Press, 2010), 107-123; Oren Brachs and Frank Pasquale, "Federal Search Commission: Access, Fairness, and Accountability in the Law of Search," *Cornell Law Review*, 93 (2008): 1149-1210.

(2) Stephen Breyer, *Breaking the Vicious Circle: Toward Effective Risk Regulation* (Cambridge, MA: Harvard University Press, 1993), 70.（カーター政権時代の、「省庁間における規制を連携するグループ」は、適切なスタッフもおらず、サポートもなかったことに不満を述べ、諸外国での調整メカニズムがモデルになると指摘する）。

(3) Preston Thomas, "Little Brother's Big Book: The Case for a Right of Audit in Private Databases," *CommLaw Conspectus* 18 (2009): 155-198.（監査の権利に含まれている多様な要素を量り、効果的にこの権利を樹立する中心的な要素を示唆する）。

(4) Archon Fung, Mary Graham, and David Weil, *Full Disclosure: The Perils and Promise of Transparency* (New York: Cambridge University Press, 2007).

(5) ＦＴＣの議長だったジョン・リーボビッツはこの点を認めており、「私たちは、消費者がプライバシーポリシーを読まないことに合意する」としている（プライバシーポリシーは同委員会の戦略の中で重要だったのだが）。Jon Leibowitz, Chairman, Federal Trade Comission, "Introductory Remarks at the FTC Privacy Roundtable" (Dec. 2009). http://www.ftc.gov/speeches/leibowitz/091207privacyremarks.pdf で利用可能。法学教授のフレッド・Ｈ・ケイトも、「連邦機関の中で最もプライバシーポリシーを推進してきたところが認めてしまった」ことに注目している。Fred H. Cate, "Protecting Privacy in Health Research: The Limits of Individual Choice," *California Law Review* 98 (2010): 1772.

(6) Margaret Jane Radin, *Boilerplate: The Fine Print, Vanishing Rights, and the Rule of Law* (Princeton, NJ: Princeton University Press, 2013), 116.

（7） M. Ryan Calo, "Against Notice Skepticism in Privacy (and Elsewhere)," *Notre Dame Law Review* 87 (2012): 1027-1072.

（8） Daniel J. Solove, "Introduction: Privacy Self-Management and the Consent Dilemma," *Harvard Law Review* 126 (2013): 1880-1903.（プライバシーの「同意理論」を批判）。

（9） Mark A. Lemley, "Terms of Use," *Minnesota Law Review* 91 (2006): 469（「いずれにしてもこうした契約の大部分は誰も読まない」）: Yanis Bakos, Florencia Marotta-Wurgler, and David R. Trossen, "Does Anyone Read the Fine Print? Consumer Attention to Standard Form Contracts," *Journal of Legal Studies* 43 (2014): 1-35.

（10） Timothy J. Muris, Chair, Federal Trade Commission, "Protecting Consumers' Privacy: 2002 and Beyond." Remarks at the Privacy 2001 Conference (Oct. 2001). http://www.ftc.gov/public-statements/2001/10/protecting-consumers-privacy-2002-and-beyond（この通知の不毛さを論じる）。

（11） Alexis C. Madrigal, "Reading the Privacy Policies You Encounter in a Year Would Take 76 Work Days," *The Atlantic*, March 1, 2012, http://www.theatlantic.com/technology/archive/2012/03/reading-the-privacy-policies-you-encounter-in-a-year-would-take-76-work-days/253851/.

（12） "Facebook Settles FTC Charges That It Deceived Consumers by Failing to Keep Privacy Promises," *Federal Trade Commission*, November 29, 2011. http://www.ftc.gov/opa/2011/11/privacysettlement.shtm. で利用可能。

（13） 「クラウドの領主」（lords of the cloud）という言葉は、ジャロン・ラニアーから拝借した。Lanier, *You Are Not a Gadget*. (New York: Alfred A. Knopf, 2011), xii（ラニアー『人間はガジェットではない』）。

（14） Casey Johnston, "Data Broker Won't Even Tell the Government How It Uses, Sells Your Data," *Ars Technica* (blog), December 21, 2013, http://arstechnica.com/business/2013/12/data-brokers-wont-even-tell-the-government-how-it-uses-sells-your-data/.

（15） 医療分野において、データアクセスへの基準は、電子医療記録への補助を行う上で重要な要素となっている。政府の補助金を受け取っている適格な業者（あるいは、二〇一五年以降の罰則を避けたい業者）は、検査結果、投薬リスト、病歴、アレルギーなどを含む健康情報のデジタルファイルを患者に提供し、要求に応じて、医療機関を訪れる毎の治療の要諦も提供している。Frank Pasquale, "Grand Bargains for Big Data: The Emerging Law of Health Information," *Maryland Law Review* 72 (2013): 682-772.

（16） Woodrow Hartzog, "Chain-Link Confidentiality," *Georgia Law Review* 46 (2012): 657-704.

（17） スマートフォンを所有している人は自分に関する情報をコントロールしているが、この要求はもちろん万人に適用するものではない。この規制は第一義的には、営利のために五〇〇〇人以上分の個人記録を持っている業者に対して、透明性や、請求があった場合の情報開示を、要求しているものである。

（18） 誤った情報を訂正する開発者の誠実さを過小評価すべきでない。例えば、Brian Fung, "Retwact: A Tool For Fixing Twitter's Misinformation Problem," *The Atlantic*, April 30, 2013, http://www.theatlantic.com/technology/archive/2013/04/retwact-a-tool-for-fixing-twitters-misinformation-problem/275418/.

（19） データ移転に関する、医療プライバシー放棄の厳格さの意味については、Frank Pasquale and Tara Adams Ragone, "The Future of HIPAA in the Cloud," *Stanford Technology Law Review* (forthcoming, 2015).

（20） ここで気に留めるべきは、公正信用報告法（ＦＣＲＡ）自体も拡大すべきであるということである。この法律には例外や抜け穴が多い。これに関する法律の景色については、Richard Fischer, *The Law of Financial Privacy* (New York: LexisNexis, 2013), 1-133 to 1-135.（信用報告における利用者の義務を述べる）。

（21） Ryan Calo, "Digital Market Manipulation," *George Washington Law Review* 995 (2014). 草稿は以下で利用可能。http://www.gwlr.org/wp-content/uploads/2014/10/Calo_82_41.pdf.

（22） Federal Rules of Evidence, Rule 407, 88 Stat. 1932 (2011 edition).

（23） Sharona Hoffman, "Employing E-Health: The Impact of Electronic Health Records on the Workplace," *Kansas Journal of Law and Public Policy* 19 (2010): 409-432. これは現在、実際に起きているだろう（しかし上司が予測手法を従業員に開示することは期待できない。士気を落とすかもしれないので）。

（24） Kate Crawford and Jason Schultz, "Big Data and Due Process: Toward a Framework to Redress Predictive Privacy Harms," *Boston College Law Review* 55 (2014): 93-128.

（25） 信用スコアに悪影響を与え、差別的な取り扱いの理由となるような主要な要因を四点特定することで、立法や規制当局は効果的に、理由のコードを作ってきた。15 U.S.C. §1681g (f) (1) (c) (2012). 消費者信用保護法（ＦＣＲＡ）では、クレジットの審査に落ちた場合、消費者がその理由の説明を求めることができる。この法律の下では、与信業者が消費者に対して不利益を与える行動を取ると、その説明を求められるのだ。15 U.S.C. §1681m (a) (2012); 15 U.S.C. §1681a (k) (2012). 不利益を与える行動とは、拒否、キャンセル、手数料の割増、減額、保険の変化、不利益を与える雇用上の決定が含まれる。§1681a (k); Julie J. R. Huygen, "After the Deal Is Done: Debt Collection and Credit Reporting," *Air Force Law Review* 47 (1999): 102-103も参照。「サフェコ保険 vs バリ」の裁判で、米最高裁は、ＦＣＲＡでの「不利益を与える行動」には、それまで取引がないのに不利益な保険利率を課す場合も含まれるとした。新規顧客の初期の料率のことである。551 U.S.47, 63 (2007).

（26） Lawrence Lessig, *Code: And Other Laws of Cyberspace* (New York: Basic Books, 2000).（ローレンス・レッシグ著、山形浩生＋柏木亮二訳『ＣＯＤＥ』翔泳社、二〇〇一年）。

（27） 二〇〇六年、ペンシルバニア東部地区裁判所で、「ペッティネオ vs ハーリースビル国民信託銀行」の裁判で、与信を拒否する業者の決定が正当かどうかを決めるのに「一般透明試験」を導入した。判決において、「同一信用機会法（ＥＣＯＡ）およびその思考規則の規定では、通知書は必ずしも特定の様式に合わせる必要はない」としている。（Pettineo v. Harleysville National Bank and Trust Co., No. Civ. A. 05-4138, 2006 WL 241423, at *3 (E.D. Pa. Jan. 31, 2006). アイケンズ vs ノースウェスタン・ドッジ社の裁判でも、ほぼ同様の結論に至っている。No. 03-C-7956, 2006 WL 59408 (N.D. Ill. Jan. 5, 2006). ヒギンス vs Ｊ・Ｃ・ペニー社の裁判では、原告は、「銀行口座の種類」や「信用照会の種類」を根拠にして与信を拒否するのは、特定化が不十分であると主張した。ヒギンス裁判では、声明ではあいまいではない、なぜなら規制の中にリスト化されているものと類似しているから、と判決で述べている。630F. Supp. 722, 725 (E.D. Mo. 1986).

（28） Office of Inspector General, Department of Health and Human Services, *Fiscal Year 2008 Annual Performance Report* (2003), 2. http://oig.hhs.gov/publications/docs/budget/FY2008_APR.pdf. で利用可能。

（29） Frank Pasquale, "Industrial Policy for Big Data," Technology Academics Policy, 2014, https://www.techpolicy.com/Pasquale_IndustrialPolicy-BigData.aspx

（30） American Recovery and Reinvestment Act of 2009 (ARRA), Pub. L. No. 111-5, 123 Stat. 115; Mark Faccenda and Lara Parkin, "Meaningful Use—What Does It Mean to You?," *Health Lawyer* 23, No.3 (2011): 10-19 (citing ARRA, Title IV, Subtitles A and B).

（31） Frank Pasquale, "Grand Bargains for Big Data." About 30$ billion in subsidies were appropriated for this purpose. "CMS Medicare and Mediated EHR Incentive Programs Milestone Timeline," *Centers for Medicare and Medicaid Services* (November 15, 2010). https://www.cms.gov/EHRIncentivePrograms/Downlads/EHRIncentProgtimeline508V1.pdf. で利用可能。Bob Brown, "What Is a 'Certified EHR'," *Journal of Health Care Compliance* 12, No.1 (2010): 31-67. 一般論としてはNicholas P. Terry, "Certification and Meaningful Use: Reframing Adoption of Electronic Records as a Quality Imperative," *Indiana Health Law Review* 8 (2011): 45-70を参照（ＥＨＲ＝電子医療記録の補助金を受け取るための条件の有効性を検証する）。

（32） クラウドコンピューティングとは、「アプリケーション・ソフトウェアおよび、サーバーに置いたデータベースから、集中化した大規模データセンターに移行」させるものである。Jared A. Harshbarger, "Cloud Computing Providers and Data Security Law," *Journal of Technology Law and Policy* 16 (2011): 230-231.

（33） David A Moss, *When All Else Fails: Government as the Ultimate Risk Manager* (Cambridge, MA: Harvard University Press, 1999).

（34） Richard A. Posner, *A Failure of Capitalism: The Crisis of '08 and the Descent into Depression* (Cambridge, MA: Harvard University Press, 2009); Andrew Ross Sorkin, *Too Big to Fail: The Inside Story of How Wall Street and Washington Fought to Save the Financial System—and Themselves* (New York: Viking Penguin, 2009).（アンドリュー・ロス・ソーキン著、加賀山卓朗訳『リーマン・ショック・コンフィデンシャル』早川書房、二〇一〇年）。

（35） Danielle Keats Citron, "Cyber Civil Rights," *Boston University Law Review* 89 (2009): 61-126.

（36） Cathy O'Neil, "Let Them Game the Model," *MathBabe* (blog), February 3. 2012, http://mathbabe.org/2012/02/03/let-them-game-the-model/. たとえゲーム化が行き過ぎたとしても、規制によって対処できる。Tal Z. Zarsky, "Law and Online Social Networks: Mapping the Challenges and Promises of User-Generated Information Flows," *Fordham Intellectual Property, Media, and Entertainment Law Journal* 18 (2008): 780.

（37） アメリカ自由人権協会（ＡＣＬＵ）は、米国の半分の州において、憲法修正第一条で守られた行動を警察が監視や妨害してきたことを公表している。ACLU, *Spying on First Amendment Activity*—State by State, December 19, 2012. https://www.aclu.org/files/assets/spying_on_first_amendment_activity_12.19.12_update.pdf で利用可能。

（38） バラク・オバマ大統領の二〇一四年一月一七日の演説における、シギント（諜報活動）見直しに関する言及。http://www.whitehouse.gov/the-press-office/2014/01/17/remarks-president-review-signals-intelligence. で利用可能。

（39） ＮＳＡの支持者の中には、「もしＮＳＡが人々の脅迫を始めたら、その情報は必ず表に出る。誰かを脅迫するためには、その人に話しかけなければならないからだ」と私たちを納得させようとする人もいる。Eric Posner, "The NSA's Metadata Program Is Perfectly Constitutional," *Slate*, December 30, 2013, http://www.slate.com/articles/news_and_politics/view_from_chicago/2013/12/judge_pauley_got_it_right_the_nsa_s_metadata_program_is_perfectly_constitutional.2.html. だがそうしたモニタリングシステムは、誰かが、当惑や非難、果ては投獄といったリスクを冒してまで悪事を暴露することに依存している。

（40） Lawrence Rosenthal, "First Amendment Investigation and the Inescapable Pragmatism of the Common Law of Free Speech," *Indiana Law Journal* 86 (2011): 37.

（41） チャーチ委員会による調査についての洞察力のある説明として、Frederick A.O. Schwarz, Jr., and Aziz Z. Huq, *Unchecked and Unbalanced: Presidential Power in a Time of Terror* (New York: The New Press, 2011), 32-52.（フランク・チャーチ上院議員のリーダーシップのもと、諜報活動での権力乱用をチャーチ委員会が何百例も表に出したことを描き出す）。

（42） Hanna Fenichel Pitkin, *The Attack of the Blob: Hannah Arendt's Concept of the Social* (Chicago: University of Chicago Press, 1998), 6-7.（アレントが社会的という概念で示そうとしていた現実世界の問題とは、（…）巨大でなおますます大きくなっていく権力と、私たちに忍び寄る様々な大災害（国家的、地域的、国際的）を避けることの難しさとの間のギャップへの懸念である）。

（43） Mark Rotenberg, "Privacy and Secrecy after September 11," in *Bombs and Bandwidth: The Emerging Relationship between Information Technology and Security*, ed. Robert Latham (New York: The News Press, 2003), 138-139.

（44） 一般論としてはDanielle Keats Citron, "Mainstreaming Privacy Torts," *California Law Review* 98 (2010): 1805-1852. を参照。

（45） Danielle Keats Citron, "Technological Due Process," Washington University Law Review 85 (2008): 1305-1306. を参照。

（46） David Singh Grewal, *Network Power: The Social Dynamics of Globalization* (New Haven, CT: Yale University Press, 2009), 21.

（47） Criminal Intelligence Systems Operating Policies, 28C.F.R. 20.23 (2013). 連邦の規制では監査ログを要求しているが、証拠の示すところでは、既存のヒュージョン・センターはこの要求に従っていない。*Protecting National Security and Civil Liberties: Strategies for Terrorism Information Sharing: Hearing before the Subcomm. on Terrorism, Technology, and Homeland Security of the S. Comm. on the Judiciary*, 111th Cong. 46 (2009)（マークル財団総裁のゾーイ・ベアード氏の言明）。

（48） マークル「情報時代における国家公安のためのタスクフォース」は、「信頼される情報共有環境を築いています。安全、信頼、説明責任を増すために、変えられない監査ログを用いています」。(New York: Markle Foundation, 2006), 1. http://research.policyarchive.org/15551.pdf で利用可能（以下、マークル・タスクフォース）。

（49） Ibid., 2.

（50） 改革への示唆はマークル・タスクフォース報告に由来する。Ibid., 2. Viktor Mayer-Schönberger, *Delete: The Virtue of Forgetting in the Digital Age* (Princeton, NJ: Princeton University Press, 2011), 65, 71.

（51） National Human Genome Research Institute, *Review of the Ethical, Legal and Social Implications Research Program and Related Activities* (1990-1995), at http://www.genome.gov/10001747（ＥＬＳＩ計画の合理性について書かれたもの。「ヒトゲノムの解明は個人、家族、社会に深淵な影響を与え、こうした情報の入手はひょっとすると、不安や、スティグマ化、差別につながるという懸念がある」と心配している）。

（52） 議論の多いデータマイニング「全情報認知（ＴＩＡ）」の提案者であるジョン・ポインデクスターでさえ、変えられない監査ログに賛成している。Shane Harris, *The Watchers: The Rise of America's Surveillance State* (New York: Penguin 2010), 190.（ジョン・ポインデクスターは「変えられない監査証跡」を提案した。これはどの分析者が「ＴＩＡ」システムを使い、どのようなデータに接触し、そのデータで何をしたのかを記録するマスターレコードである。（…）ポインデクスターはＴＩＡを使って、観察者を観察しようとした）。

（53）ジェフ・ジョナスとパウル・ローゼンツワイクは、「飛行機への搭乗を禁止する」人をリスト化したデータベースは、「システム全体にデータの訂正が浸透するために、データの紐づけと完全な帰属とを提供すべき」と主張した。Paul Rosenzweig and Jeff Jonas "Correcting False Positives: Redress and the Watch List Conundrum," *Heritage Foundation Legal Memorandum*, June 17, 2005, 1. https://www.heritage.org/homeland-security/report/correcting-false-positives-redress-and-the-watch-list-conundrum で利用可能。

（54）メールの監視が可能になるような、広い「ドラグネット」（地引網）にはいくつかの実例がある。例えば、Harris, *The Watchers*, 112 を参照（コンドリーザ・ライスとウィリアム・コーエンがいかに、「エイブル・デインジャー作戦」に基づいて「重要参考人」とされたのかについて説明する）。

（55）David Auerbach, "The Stupidity of Computers," *n+1 Magazine*, July 5, 2012, http://nplusonemag.com/the-stupidity-of-computers. Xeni Jardin, "U.S. Drones Could Be Killing the Wrong People Because of Metadata Errors," *BoingBoing*, February 10, 2014, http://boingboing.net/2014/02/10/us-drones-could-be-killing-the.html; John Bowman, "Database: Text of Canadian Cables in Wikileaks," *CBC News*, December 2, 2010, http://www.cbc.ca/m/touch/news/story/1.918412.

（56）Helen Nissenbaum, "Privacy as Contextual Integrity," *Washington Law Review* 79 (2004): 155.

（57）チャーチ委員会の調査について詳しくは、Schwarz and Huq, *Unchecked and Unbalanced: Presidential Power in a Time of Terror*, 32-52. を参照。

（58）House Judiciary Committee, *Competition on the Internet*, 110th Cong., July 15, 2008, 5:16-5:20 (video; opening remarks by the committee chair, John Conyers).

（59）George Packer, "Amazon and the Peril of Nondisclosure," *New Yorker*, February 12, 2014, http://newyorker.com/online/blogs/books/2014/02/the-perils-of-non-disclosure.html.

（60）私は、そのサイトの所有者が、一般に検索結果のトップ５に入っているかどうかを知っているという可能性は提起しなかった。というのも、検索のパーソナル化が進み、それを知っているのはグーグルだけだからである。現在私たちが望めるのは、サイトのサンプリングが相対的にマシになることくらいである。

（61）もちろん、もしグーグルが必死になってまで精査を避けるのであれば、「急落」（sudden drop）という手段を使い、企業の検索順位を段階的に下げていくだろう。だからこそ信頼できる第三者が、こうした傾向に気付き、対抗手段を勧めるべきなのである。

例えば、Frank Pasquale, "Beyond Innovation and Competition: The Need for Qualified Transparency in Internet Intermediaries," *Northwestern University Law Review* 104 (2010): 105-174を参照。大規模ネット企業や金融機関は、本書で提案したような規制を頑強に回避している。私が第6章で議論するより包括的な提案は、より説得的でなくてはならない。

（62） Patterson, "Manipulation of Product Ratings: Credit-Rating Agencies, Google, and Antitrust," *Competition Policy International*, April 17, 2012, https://www.competitionpolicyinternational.com/manipulation-of-product-ratings-credit-rating-agencies-google-and-antitrust/（内部の引用符は省略した）。

（63） 「コンピュータの助けを借りた報告」も、ジャーナリズムの中で増えている。Nicholas Diakopoulos, *Algorithmic Accountability Reporting: On the Investigation of Black Boxes* (New York: Tow Center for Digital Journalism, 2014).

（64） Seth Stevenson, "How New Is 'New'? How Improved is 'Improved'?" *Slate*, July 13, 2009, http://www.slate.com/articles/business/ad_report_card/2009/07/how_new_is_new_how_improved_is_improved.html.

（65） Joshua Hazan, "Stop Being Evil: A Proposal for Unbiased Google Search," *Michigan Law Review* 111 (2013): 791.（グーグルの行為は実際のところ、シャーマン法の第二条と、FTC法の第五条に違反していると主張する）。Nathan Newman, "Search, Antitrust, and the Economics of the Control of User Data," August 13, 2013, 1. https://papers.ssrn.com/sol3/papers.cfm?abstract_id=2309547 で利用可能。（グーグルを、反トラスト法から守ろうとする分析の大部分には、グーグルが利用者の個人データのコントロールを拡大し、オンライン広告業者に対する価値を増やすことで、新規参入者に対して超えられない障壁をいかに築いてきたかということを見逃している）。Benjamin Edelman, "Bias in Search Results?: Diagnosis and Response," *Indian Journal of Law and Technology* 7 (2011): 16-32, 30.

（66） 検索エンジンは、少なくとも部分的には、そのサイトが発している信号（例えばそのサイトに向けて貼られているリンクの数、それらのリンクへのリンクの数、検索結果に載った際にリンクされたかどうか、など）をアルゴリズム的に処理することで、ランク付けを行っている。いかなる理由にせよグーグルのテクノロジーは、そのサイトのすべての情報を取り上げているわけではない。そのサイトの所有者が不平を伝えれば応答はあるだろう。

（67） Mark Patterson, "Search Engine Objectivity," *Concurring Opinions* (blog), November 23, 2013, http://www.concurringopinions.com/archives/2013/11/search-engine-objectivity.html; Greg Sterling, "EU Antitrust Chief Says Google Settlement Essentially Done," *Search Engine Land*, March 18, 2014.

（68） David A. Hyman and David J. Franklin, "Search Neutrality and Search Bias: An Empirical Perspective on the Impact of Architecture and Labeling," Illinois Program in Law, Behavior and Social Science Paper No. LE13-24, May 8, 2013. https://papers.ssrn.com/s013/papers.

cfm?abstract_id=2260942. この研究は、間接的にではあるが、一部はマイクロソフトの支援を受けている。

（69） Jeff Bliss and Sara Forden, "Google Antitrust Probe Said to Expand as FTC Demands Information," *Bloomberg*, August 13, 2011, http://www.bloomberg.com/news/2011-08-12/google-probe-expands-as-ftc-demands-information.html.

（70） 例えば、Sara Forden and Jeff Bliss, "Google Antitrust Suit Said to Be Urged by FTC Staffers," *Bloomberg*, October 13, 2012, http://www.bloomberg.com/news/2012-10-12/google-antitrust-suit-said-to-be-urged-by-ftc-staffers.htmlを参照。

（71） Allen Grunes, "Is There a Basis in Antitrust Law for Requiring 'Neutral' Search Results?," *Antitrust and Competition Policy Blog*, May 21, 2012, https://lawprofessors.typepad.com/antitrustprof_blog/2012/05/is-there-a-basis-in-antitrust-law-for-requiring-neutral-search-results-comments-of-allen-grunes-.html

（72） この会社は、高い地位にある人々、例えばロン・ワイデン上院議員などを「友人」にしていた。Declan McCullagh, "Senator Blasts Leaks in FTC's Google Investigation," *CNET*, January 9, 2013, http://news.cnet.com/8301-13578_3-57563103-38/senator-blasts-leaks-in-ftcs-google-investigation/. 二〇〇七年から二〇一二年までに、ワイデン上院議員の選挙運動委員会の寄付額が、グーグルは四番目に多い。Center for Responsive Politics, "Data Available for Ron Wyden," *OpenSecrets*, http://www.opensecrets.org/politicians/contrib.php?cycle=2012&type=I&cid=N00007724&newMem=N&recs=20（二〇一四年二月一二日アクセス）。

（73） Google, "Commitments in Case COMP/C-3/39740." http://ec.europa.eu/competition/antitrust/cases/dec_docs/39470/39740_8608_5.pdf.

（74） Edward Wyatt, "Critics of Google Antitrust Ruling Fault the Focus," *New York Times*, January 6, 2013, http://www.nytimes.com/2013/01/07/technology/googles-rivals-say-ftc-antitrust-ruling-missed-the-point.html

（75） Stephen Shankland, "Watchdog Seeks FTC Staff Opinion on Google Antitrust Case," *CNET*, January 8, 2013, http://news.cnet.com/8301-1023_3-57562841-93/watchdog-seeks-ftc-staff-opinion-on-google-antitrust-case/.

（76） Wyatt, "Critics of Google Antitrust Ruling Fault the Focus,"

（77） Pasquale, "Beyond Innovation and Competition," 105.

（78） Elizabeth Van Couvering, "Is Relevance Relevant? Market, Science, and War: Discourses of Search Engine Quality," *Journal of Computer-Mediated Communication* 12 (2007): 866-887.

（79） Daniel A. Crane, "Search Neutrality as a Neutrality Principle," *George Mason Law Review* 19 (2012): 1199-1210.

（80） Thomas Frank, *The Wrecking Crew: How Conservatives Ruined Government, Enriched Themselves, and Beggared the Nation* (New York: Henry

Holt, 2008).

（81） Jennifer Chandler, "A Right to Reach an Audience: An Approach to Intermediary Bias on the Internet," *Hofstra Law Review* 35 (2007): 1095-1138.

（82） Langdon v. Google, 474F. Supp. 2d 622 (D.Del. 2007); Kinderstart.com LLC, v. Google, Inc., No. C 06-2057 JF (RS), 2007 WL 831806 (N.D.Cal. Mar. 16, 2007); Search King v. Google Technologies, No. CIV-02-1457-M, 2003 WL 21464568, at*4 (W.D. Okla. May 27, 2003).

（83） Dahila Lithwick, "Google-Opoly: The Game No One but Google Can Play," *Slate*, January 29, 2003. http://www.slate.com/articles/news_and_politics/jurisprudence/2003/01/googleopoly_the_game_no_one_but_google_can_play.html.

（84） *Search King*, 2003 WL 21464568, at*4.

（85） Associated Press v. United States, 326 U.S. 1, 20 (1945)（内部の引用符は省略した）。

（86） Lorain Journal Co. v. United States, 342 U.S. 143, 155 (1951).（「ロレイン・ジャーナル社は、私企業として随意に、顧客を選ぶ権利、広告の受け入れを拒む権利を要求した。（…）しかしその権利は、絶対的なものでもなければ、規制を免れるものでもない。州間取引を独占する手段としてその権利を行使することは。シャーマン法によって禁止されている」）。

（87） Eugene Volokh and Donald M. Falk, "Google: First Amendment Protection for Search Engine Search Results," *Journal of Law, Economics and Policy* 8 (2012): 883-900.

（88） James Temple, "Foundem Takes On Google's Search Methods," *SF Gate*, June 26, 2011, http://www.sfgate.com/business/article/Foundem-takes-on-google-s-search-methods-2366725.php.

（89） グーグルでのランクが下がることが、多くの企業にとって壊滅的な打撃となることについては、Spencer, "SEO Report Card: The Google Death Sentence"を参照。反トラスト法と憲法修正第一条との関係については、Wayne Overbeck and Genelle Belmas, *Major Principles of Media Law* (Boston: Wadsworth, 2010), 508-510; Christopher L. Sagers, "The Legal Structure of American Freedom and the Provenance of the Antitrust Immunities," *Utah Law Review* (2002): 927-972.

（90） Mark Patterson, "Additional Online Search Comments," *Antitrust and Competition Policy Blog*, May 23, 2012, http://lawprofessors.typepad.com/antitrustprof_blog/2012/05/additional-online-search-comments-by-mark-patterson.html. 検索アルゴリズムがブラックボックスとなっている以上、もちろん私はファウンデムの要求を客観的に判定することはできない。しかし、グーグルによるファウンデム排除が合理的である（例えばファウンデムよりも良いオファーがあった、など）という考えもあるだろうが、グーグルの主張を文字通りに受け取ることはできない。

(91) 結果は時に検索結果のような形で表示されたり、医師が名前のアルファベット順に並べられて、レストランガイドのように星の数で格付けされたりする。健康保険業者のウェルポイントは、レストラン格付け業者を雇い助けてもらっている。グーグルもザガットを買収してこの分野に参入した。

(92) Frank Pasquale, "Grand Bargains for Big Data."

(93) 米国第一〇巡回区控訴裁判所は、ジェファーソン市学区 vs ムーディズの判決で、格付け機関はしばしばメディアの一端と考えられるとし、「メディアが裁判の被告になった際、少なくとも、公的な事柄についての記事内容が誤りであると証明されなければ、州の名誉棄損法で有罪になることはない」とした。

(94) James Grimmelmann, "The Structure of Search Engine Law," *Iowa Law Review* 93 (2007): 1-60; James Grimmelmann, "Speech Engines," *Minnesota Law Review* 98 (2014): 874.

(95) Frank Pasquale, "From First Amendment Absolution to Financial Meltdown?" *Concurring Opinions* (blog), August 22, 2007, http://www.concurringopinions.com/archives/2007/08/from_first_amen.html#. Ben Hallman, "S&P Lawsuit First Amendment Defense May Fare Poorly Experts Say," *Huffington Post*, February 4, 2013, http://www.huffingtonpost.com/2013/02/04/sp-lawsuit-first-amendment_n_2618737.html. Alison Frankel, "Will CDO Investor's Deal Boost Litigation against Rating Agencies?," *Reuters* (blog), April 29, 2013, http://blogs.reuters.com/alison-frankel/2013/04/29/will-cdo-investors-deal-boost-litigation-against-rating-agencies/.

(96) Ibid.

(97) Jack Balkin, "Information Fiduciaries in the Digital Age," *Balkanization*, March 5, 2014, at http://balkin.blogspot.com/2014/03/information-fiduciaries-in-digital-age.html.

(98) Jennifer Taub, "Great Expectations for the Office of Financial Research," in *Will It Work? How Will We Know? The Future of Financial Reform*, ed. Michael Konczal (New York: Roosevelt Institute, 2011).

(99) Office of Financial Research, *2013 Annual Report* (Dec. 2013), 72. http://www.treasury.gov/initiatives/ofr/about/Document/OFR_AnnualReport2013_FINAL_12-17-2013_Accessible.pdf. で利用可能。

(100) 例えば、Office of Financial Research, *Policy Statement on Legal Entity Identification for Financial Contracts* (Nov. 2010). http://www.treasury.gov/initiatives/Documents/OFR-LEI_Policy_Statement-FINAL.PDF.

(101) CFTC and SEC Staff, *Joint Study on the Feasibility of Mandating Algorithmic Description for Derivatives*. https://sec.report/files/719b-study.pdf

(102) U.S. Securities and Exchange Commission (SEC) and the U.S. Commodity Futures Trading Commission (CFTC), "Joint Study on the Feasibility of Mandating Algorithmic Descriptions for Derivatives," April 7, 2011. http://www.sec.gov/news/studies/2011/719b-study.pdf で利用可能。不幸なことに、会計、証券化、および信用格付けのいい加減さを考えると、証券取引委員会（ＳＥＣ）の楽観性を信じるのは難しい。連邦預金保険公社（ＦＤＩＣ）による「リーマンショックへの解決策」がそのナイーブさを多くから笑われたように、ＳＥＣのスタッフも、願望がすぐに達成できると考えているように見える。Stephen J. Lubben, "Resolution, Orderly and Otherwise: B of A in OLA," *University of Cincinnati Law Review* 81 (2012): 485-486.（「ＦＤＩＣはドッド・フランク法の下で新たな力を見せつけようとし、急ぎリーマンショックの仮説的な解決策を作ったが、そのナイーブさを多くから笑われた」）。Harry Surden, "Computable Contracts," *University of California Davis Law Review* 46 (2012): 629-700.

(103) 例えば、U.S. Securities and Exchange Commission, "SEC Approves New Rule Requiring Consolidated Audit Trail to Monitor and Analyze Trading Activity," July 18, 2011 (news release), http://www.sec.gov/news/press/2012/2012-134.htm を参照。

(104) これは抵抗に直面するだろう。下院共和党に呼ばれたある証人は、金融調査局（ＯＦＲ）のモニタリングについて、「ソビエト型の中央計画」と特徴付けている。Nassim N. Taleb, "Report on the Effectiveness and Possible Side Effect of the Office of Financial Research (OFR)," http://financialservices.house.gov/UploadedFiles/071411nassim.pdf（二〇一四年一月一五日アクセス）。

(105) Alain Deneault, *Offshore: Tax havens and the Rule of Global Crime* (New York: The New Press, 2011).

(106) Foreign Account Tax Compliance Act (FAATCA) in 2010 as part of the Hiring Incentives to Restore Employment Act, Pub L. No. 111-147, 124 Stat. 71 (2010) (codified at 26 U.S.C. §§1471-1474). この法律は二〇一四年のものと同じように有効である。

(107) James S. Henry, *The Price of Offshore Revisited* (Chesham, Buckinghamshire, UK: Tax Justice network, 2012), 3. http://www.taxjustice.net/cms/upload/pdf/Price_of_Offshore_Revisited_120722.pdf

(108) Itai Grinberg, "Beyond FACTA: An Evolutionary Moment for the International Tax System" (Jan. 2012), 3, 23. http://papers.ssrn.com/sol3/papers.cfm?abstract_id=1996752.

(109) J. Richard (Dick) Harvey, Jr., "Offshore Accounts: Insider's Summary of FACTA and Its Potential Future," *Villanova Law Review* 57 (2012): 474.「最終目標は、非上場企業が国内での収入を、海外の口座を使って税逃れを行う手口を特定し、それを阻止することにある」。Ibid., 487.

(110) Leigh Goessl, "Swiss Government Weakens Bank Secrecy to Give U.S. Officials Info," *Digital Journal*, May 30, 2013, http://digitaljournal.com/article/351155. David Voreacos et al., "Swiss Banks Said Ready to Pay Billions, Discourse Customer Names," *Bloomberg*,

October 24, 2011, http://www.bloomberg.com/news/2011-10-24/swiss-banks-said-ready-to-pay-billions-disclose-customer-names.htm.

(111) Ronen Palan, Richard Murphy, and Christian Chavagneux, *Tax Havens: How Globalization Really Works* (Ithaca, NY: Cornell University Press, 2010), 272;（ロナン・パラン＋リチャード・マーフィー＋クリスチアン・シャヴァニュー著、青柳伸子訳『タックスヘイブン』作品社、二〇一三年）。Raymond Baker, *Capitalism's Achilles Heel: Dirty Money and How to Renew the Free-Market System* (Hoboken, NJ: John Wiley & Sons, Inc., 2005).

(112) 26.U.S.C. §§1471 (c) (1).

(113) Grinberg, "Beyond FACTA," 24.

(114) Ibid.

(115) Charles H. Ferguson, *Predator Nation: Corporate Criminals, Political Corruption, and the Hijacking of America* (New York: Crown Publishing, 2012).（チャールズ・ファーガソン著、藤井清美訳『強欲の帝国』早川書房、二〇一四年）。

(116) ファーガソンは次のようにまとめている「金融危機およびその後の時期において金融機関によってなされた、訴訟の可能性のある犯罪リストは次の通りである。証券詐欺、会計不正、サービス上の虚偽、連邦の調査機関に対する贈収賄や偽証および不実記載、サーベンス・オクスリー法（上場企業会計改革および投資家保護法）違反（虚偽の会計報告）、ＲＩＣＯ法違反、悪質な反トラスト法違反、連邦の情報開示規則違反（連邦準備制度ローンに関して）、さらに個人による法律違反（様々だが、麻薬使用や脱税など）もある」。Ibid., 190.

(117) 例えば、Susan Will, Stephen Handelman, and David C. Brotherton eds., *How They Got Away with It: White Collar Criminals and the Financial Meltdown* (New York: Columbia University Press, 2013).

(118) Jed S. Rakoff, "The Financial Crisis: Why Have No High-Level Executives Been Prosecuted?" *New York Review of Books*, January 9, 2014, https://www.nybooks.com/articles/2014/01/09/financial-crisis-why-no-executive-prosecutions/

(119) ブロイアーは後に司法省を去り、年収四〇〇万ドルとも噂されるニューヨーク随一の法律事務所に移った。この事務所の顧客には多数の大銀行も含まれている。Mark Karlin, "Lanny Breuer Cashes In after Not Prosecuting Wall Street Execs," *Buzzflash*, March 28, 2013, http://www.truth-out.org/buzzlash/commentary/item/17885-lanny-breuer-cashes-in-after-not-prosecuting-wall-street-execs-will-receive-approximate-salary-of-4-million-dollars.「回転ドア」問題の一般的な扱いと、それがここ二〇年の間に悪化したことについては、Lawrence Lessig, *Republic, Lost: How Money Corrupts Congress and How to Stop It* (New York: Hatchette Book Group, 2011).

(120) Rakoff, "The Finaicial Crisis."

(121) Ibid.

(122) 法学教授のケネス・バンバーガーが、以下のように説明している。「融資、制度的リスク、投資判断、資本準備金水準の計算などの自動化されたシステムは、無責任な決定、向こう見ずな投機、意図的な操作を、規則の名のもとに守る」。Kenneth A. Bamberger, "Technologies of Compliance: Risk and Regulation in a Digital Age," *Texas Law Review* 88 (2010): 669-740.

(123) Ashwin Parameswaran, "How to Commit Fraud and Get Away with It," *Macroresilience* (blog), December 4, 2013, http://www.macroresilience.com/2013/12/04/how-to-commit-fraud-and-get-away-with-it-a-guide-for-ceos/.

(124) Rakoff, "The Financial Crisis."

(125) Parameswaran, "How to Commit Fraud."

(126) U.S. SEC v. Citigroup Global Mkts, Inc., 827F. Supp. 2d 328, 332 (S.D.N.Y. 2011). Bill Singer, "Judge Rakoff Rejects SEC's 'Contrivances' in Citigroup Settlement," *Forbes*, November 29, 2011, http://www.forbes.com/sites/billsinger/2011/11/29/judge-rakoff-rejects-secs-contrivances-in-citigroup-settlement/.

(127) 予備的見解（のちに確定）でレイコフ裁判官は「監督部局と私的機関との間で、裁判で示されるような事実をいくらかでも反映した自発的な解決を要求する権利はない」としている。U.S. SEC v. Citigroup Global Markets, Inc., 673 F. 3d 158, 166 (2d Cir. 1012). アドリアン・ヴァーミュールが別の文脈で観察しているように、米国の官僚制の大きさと複雑さのため、何百人もの連邦の裁判官は、警察はもちろん何万もの連邦の法執行機関が現実にどのように法律の適用を決めているのか、十分に理解することができない。Adrian Vermeule, "Our Schmittian Administrative Law," *Harvard Law Review* 122 (2009): 1095-1150.

(128) Matt Taibbi, "Is the SEC Covering Up Wall Street Crimes?," *Rolling Stone*, August 17, 2011, http://www.rollingstone.com/politics/news/is-the-sec-covering-up-wall-street-crimes-20110817?print=true.

(129) 例えば、ハリー・マルコポロスは、バーニー・マドフを当局が逮捕するよう忠告してきたが、なかなか捕まえられないことを長く批判してきた。（現在は削除されてしまった）「調査中の問題」（ＭＵＩ）に関するファイルが残っていれば、マドフを追いかけ損ねた人々の多少の説明責任につながるだろう。Harry Markopolos, *No One Would Listen: A True Financial Thriller* (Hoboken, NJ: John Wiley & Sons, Inc., 2010). 過去の悪行が現在の告訴の文脈となり得る。しかしこうしたプロセスは、組織自体にも当惑をもたらすかもしれない。こうしたケースの一部では疑いなく、ＭＵＩは、なぜ関係職員が十分な法的手段をとれなかったのかについて、疑問を提起することになるだろう。

(130) 何人かのジャーナリストが、「官界から金融へ」（およびその逆）とスーパークラスで移動した人々について記録している。

Taibi, "Is the SEC Covering Up Wall Street Crimes?"; Yves Smith, "Sleaze Watch: NY Fed Official Responsible for AIG Loans Joins AIG as AIG Pushes Sweetheart Repurchases to NY Fed," *Naked Capitalism* (blog), March 22, 2011, https://www.nakedcapitalism.com/2011/03/sleaze-watch-ny-fed-official-responsible-for-aig-loans-joins-aig-shortly-before-aig-pitches-sweetheart-repurchase-to-ny-fed.html

（131）「政府監視プロジェクト」(Project on Government Oversight = POGO) については、"POGO Database Tracks Revolving Door between SEC and Wall Street," May 13, 2011 (news release). http://www.pogo.org/about/press-room/releases/2011/fo-fra-20110513.html #sthash.HzMuYDLu.dpuf. Citizens for Responsibility and Ethics in Washington, the Center for Public Integrity, the Center for Effective Government, Public Citizen, およびその他の監視団体も、「回転ドア」という動きがもたらす問題について記録を残している。

（132）Erik F. Gerding, "The Dangers of Delegating Financial Regulation to Risk Models," *Banking and Financial Services Policy Reports* 29, no.4 (2010): 1-8.

（133）William D. Cohan, "Why Are the Fed and SFC Keeping Wall Street's Secrets,? *Bloomberg*, April 1, 2012, http://www.bloomberg.com/news/2012-04-01/why-are-the-fed-and-sec-keeping-wall-street-s-secrets-.html.

（134）William D. Cohan, "A Bomb Squad for Wall Street," *New York Times Opinionator* (blog), January 21, 2010, http://opinionator.blogs.nytimes.com/2010/01/21/a-bomb-squad-for-wall-street/.

（135）Simon Johnson and James Kwak, *13 Bankers: The Wall Street Takeover and the Next Financial Meltdown* (New York: Pantheon, 2010), 94.（ジョンソン＋クワック『国家対巨大銀行』）; Center for Responsive Politics, "Report: Revolving Door Spins Quickly between Congress, Wall Street," *OpenSecrets Blog*, June 3, 2010), http://opensecrets.org/news/2010/06/report-revolving-door-spins-quickly.html.

（136）「米上院調査小委員会は、金融危機に関するレヴィン・コバーン報告を発表した」。April 13, 2011 (news release), http://www.levin.senate.gov/newsroom/press/release/us-senate-investigation-subcommittee-releases-levin-coburn-report-on-the-financial-crisis.

（137）"'Disappointing and Inspiring': Warren, Johnson, Black, and More React to FinReg," *Next New Deal* (blog), June 25, 2010, http://www.nextnewdeal.net/disappointing-and-inspiring-warren-johnson-black-and-more-react-finreg.

（138）ＦＤＩＣは、金融危機に伴う「銀行の失敗」に関連した二〇〇以上もの解決策について「記者発表なし」としている。E. Scott Reckard, "FDIC Begins to Reveal Settlements Related to Financial Crisis," *Los Angeles Times*, March 19, 2013, http://articles.latimes.com/2013/mar/19/business/la-fi-fdic-settlements-20130319.

（139）E. Scott Reckard, "In Major Policy Shift, Scores of FDIC Settlements Go Unannounced," *Los Angeles Times*, March 11, 2013, http://articles.latimes.com/2013/mar-11/business/la-fi-fdic-settlements-20130311.

（140） Kara Scannell, "Law: The Inner Circle," *Financial Times*, May 21, 2013.「回転ドア」という事象は一九八〇年代にもあったが、（政府にとどまる場合と比べて）金融業界に天下りする場合の相対的な報酬の高さは、S&L（貸付貯蓄組合）の破綻以降に上昇していった。

（141） *Testimony on SEC Budget: Hearing before the House Subcommittee on Financial Services and General Government* (May 7, 2013). SEC議長であるホワイト氏の声明。Ben Protess, "White Makes Case for Bigger SEC Budget," *DealBook* (blog), May 7, 2013, https://dealbook.nytimes.com/2013/05/07/white-makes-case-for-bigger-s-e-c-budget/

（142） Ryan Chittum, "The Regulators on the Bus: A *Times* Story Shows the Resources Gap between Regulators and Wall Street," *Columbia Journalism Review*, May 4, 2011, http://www.cjr.org/the_audit/the_regulators_on_the_bus_sec_cftc.php.

（143） SEC chair Mary Shapiro, "Opening Statement at the SEC, Open Meeting—Consolidated Audit Trail," May 26, 2010, http://www.sec.gov/news/speech/2010/spch052610mls-audit.htm. で利用可能。

（144） 収入の数字に関して、Gregory Zuckerman, *The Greatest Trade Ever: The Behind-the-Scenes Story of How John Paulson Defied Wall Street and Made Financial History* (repr., New York: Crown Business, 2010)（グレゴリー・ザッカーマン著、山田美明訳『史上最大のボロ儲け』CCCメディアハウス、二〇一〇年）には、SECの予算と、ジョン・ポールソンの財産とを比較する個所がある。ポールソンは、住宅ローン担保証券（RMBS）を根拠に、債務担保証券（CDOs）を空売りした。David Rothkopf, *Power, Inc.: The Epic Rivalry between Big Business and Government—And the Reckoning That Lies Ahead* (New York: Farrar, Straus and Giroux, 2012)も参照。同書では企業と政府が自由に使える資金を相対的に比較している。

（145） Ryan Grim, "Wall Street Blocked Elizabeth Warren from Her Consumer Protection Board and This Is What They Got." *Huffington Post Politics*, February 17, 2013. https://www.huffpost.com/entry/wall-street-warren-video_n_2707016

（146） Ben Protess, "U.S. Regulators Face Budget Pinch as Mandates Widen," *DealBook* (blog), May 3, 2011, http://dealbook.nytimes.com/2011/05/03/u-s-regulators-face-budget-pinch-as-mandates-widen/

（147） Geoffrey Christopher Rapp, "Mutiny by the Bounties: The Attempt to Reform Wall Street by the New Whistleblower Provisions of the Dodd-Frank Act," *Brigham Young University Law Review* (2012): 124.

（148） Leemore Dafny and David Dranove, "Regulatory Exploitation and Management Changes: Upcoding in the Hospital Industry," *Journal of Law and Economics* 52 (2009): 223-250.（「実施されなかったサービスへの請求書」というのは、何ら医療行為が行われなかったものに対する支払いの請求書を注意深く提出するというものである。「アップローディング」とはそれとは対照的に、医療業者が、実際に行った治療よりも高い請求書を提出するというものである）。Federal Bureau of Investigation, *Financial Crime Report to the Public: 2010-2011*. http://www.fbi.gov/stats-services/publications/financial-crimes-report-2010-2011. で利用可能。この二つの枠組みを区別することは重要である。「何ら包括的な統計が存在しない」ところをコード化する際には、慎重に行っても思わぬ誤りが生じてしまう。Jessica Silver-Greenberg, "How to Fight a Bogus Bill," *The Wall Street Journal, February* 18, 2011.

(149) Thomas L. Greaney and Joan H. Krause, "*United States v. Krizek: Rough Justice under the Civil False Claims Act*," in *Health Law and Bioethics: Cases in Context*. ed. Sandra H. Johnson, Joan H. Krause, Richard S. Saver, and Robin Fretwell Wilson (New York: Aspen, 2009), 187, 199-200.

(150) Alice G. Gosfield, *Medicare and Medicaid Fraud and Abuse* (New York: Thomson West, 2012), §1:4.

(151) Ibid.

(152) 「手入れ」のモデルについては、U.S. Department of Justice, Office of Public Affairs, "Dallas Doctor Arrested for Alleged Role in Nearly $175 Million Health Care Fraud Scheme," February 28, 2012 (news release)を参照。 http://www.justice.gov/opa/pr/2012/February/12-crm-260.html.

(153) Eric Posner and E. Glen Weyl, "An FDA for Financial Innovation: Applying the Insurable Interest Doctrine to 21st Century Financial Markets," *Northwestern University Law Review* 107 (2013): 1307-1358.(「この組織はおそらく、ある金融商品が、ギャンブルとしてより保険として使われそうであるならば、その金融商品を認めるであろう」)。Saule T. Omarova, "License to Deal: Mandatory Approval of Complex Financial Products," *Washington University Law Review* 90 (2012), 63.

(154) Todd Zywicki, "Plain Vanilla through the Back Door," *Volokh Conspiracy* (blog), September 12, 2013, http://www.volokh.com/2013/09/12/cfpb-plain-vanilla-back-door/.

(155) Sara Kay Wheeler, Stephanie L. Fuller, and J. Austin Broussard, "Meet the Fraud Busters: Program Safeguard Contractors and Zone Program Integrity Contractors," *Journal of Health and Life Science Law* 4 (2011): 1-35. 42 (C.F.R. §§421.100 (FIs), 421.200 (carriers), 421.210 (DMERCs)を引用し、それぞれの機能を説明する）。Centers for Medicare and Medicaid Services, *Medicare Program Integrity Manual* §1.3.6. (2009)も参照。42 C.F.R. §421.304（メディケア整合プログラム契約者の機能を説明する）。

(156) Office of the Inspector General, *Fiscal Year 2008 Annual Performance Report* (Washington, DC: Department of Health and Human Services, 2008), 2. http://oig.hhs.gov/publications/docs/budget/FY2008_APR.pdf. で利用可能。

(157) Rebecca S. Busch, *Healthcare Fraud: Auditing and Detection Guide* (Hoboken, NJ: Joho Wiley & Sons, 2012), 52（ヘルスケアにおける「一五層の断片化」について議論する）。Robert Radick, "Claims Data and Health Care Fraud: The Controversy Continues," *Forbes*,

September 25, 2012, http://www.forbes.com/sites/insider/2012/09/25/claims-data-and-health-care-fraud-the-controversy-continues. "New Technology to Help Fight Medicare Fraud," *Fierce HealthIT*, June 22, 2011 (news release), http://www.fiercehealthit.com/press-release/new-technology-help-fight-medicare-fraud.

(158) Gosfield, *Fraud & Abuse*, §6:13.

(159) Ibid.

(160) Ibid.

(161) Office of the Inspector General, *The Medicare-Medicaid (Medi-Medi) Data March Program* (Washington, DC: Department of Health and Human Services, 2012). https:/oig.hhs.gov/oei/reports/oei-09-08-00370.asp. で利用可能。

(162) 18 U.S.C. §1347; 18 U.S.C. §24; Medicare-Medicaid Anti-Fraud and Abuse Amendments, Pub. L. No.95-142 (1977) を参照。

(163) 「(金融詐欺の) 捜査を開始した時、連邦職員たちは楽観的だったが (…) 徐々に、犯罪の意図をいかに証明したらいいのかという苛立ちへと変わっていった」。John Eaglesham, "Financial Crimes Bedevil Prosecutors," *Wall Street Journal*, December 6, 2011, C1.

(164) "State Medicaid Fraud Control Units: Data Mining," 76 Fed. Reg. 14637 (proposed Mar. 17, 2011) (to be codified at 42 C.F.R. pt. 1007). 監査官室（ＯＩＧ）内の部局（例えば監査サービス局、調査局、評価査察部など）もデータ分析を引き受けることができる。5 U.S.C. App. 3§2 (2) (B).Government Accountability Office, GAO-11-592, *Medicare Integrity Program: CMS Used Increased Funding for New Activities But Could Improve Measures of Program Effectiveness* (2011). http://www.gao.gov/assets/330/322183/pdf. で利用可能（ファンディングへのＣＭＳ利用を分析する）。

(165) 例えばEndicott Johnson Corp. v. Perkins. 317 U.S. 501 (1943); Oklahoma Press Pub'g Co. v. Walling, 327 U.S. 186 (1946); FTC v. Crafts, 355 U.S. 9 (1957); U.S. v. Morton Salt, 338 U.S. 632, 652 (1950) を参照。

(166) Scott Cleland, "Google's Global Antitrust Rap Sheet." http://googlepoly.net/wp-content/uploads/2013/05/Googles-Global-Antitrust-Rap-Sheet-Copy.pdf. で利用可能。Scott Cleland, "Google's Privacy Rap Sheet." http://www.googlepoly.net/GooglePrivacySheet/pdf. で利用可能。

(167) Cora Currier and Lena Groeger, "A Scorecard for This Summer's Bank Scandals." *ProPublica*, August 21, 2012, http://www.propublica.org/special/a-scored-for-this-summer-bank-scandals.

(168) マネーロンダリングの脅威を評価するワーキンググループ（その中には、財務省、法務省、国土安全保障省、連銀、郵便事業庁内の組織も含まれる）による仕事も含む。"U.S. Money Laundering Threat Assesment" (Dec 2005). https://livinglies.files.wordpress.

com/2018/02/money-laundering-threat-asssesment-2005-1.pdf で利用可能。United Nations Office for Drug Control and Crime Prevention, "Financial Havens, Banking Secrecy and Money-Laundering," 1998, 57. http://www.cf.ac.uk/socsi/whoswho/levi-laundering.pdf. で利用可能。

(169) J. Weiner, *The Shadow Market: How a Group of Wealthy Nations and Powerful Investors Secretly Dominate the World* (New York: Scribner, 2010), 13; Kevin D. Freeman, *Secret Weapon: How Economic Terrorism Brought Down the U.S. Stock Market and Why It Can Happen Again* (New York: Regnery, 2012).

(170) James Risen and Eric Lichtblau, "E-mail Surveillance Renews Concerns in Congress," *New York Times*, June 16, 2009, http://www.nytimes.com/2009/06/17/us/17nsa.html?pagewanted=all.

(171) National Security Strategy of the United States of America (2001), 1. https://nssarchive.us/national-security-strategy-2002/

(172) Aziz Z. Huq and Christopher Muller, "The War on Crime as Precursor to the War on Terror," *International Journal of Law, Crime, and Justice* 36 (2008): 215-229を参照。

(173) Matt Krantz, "Computerized Stock Trading Leaves Investors Vulnerable," *USA Today*, July 9, 2010, http://www.usatoday.com/money/markets/2010-07-09-wallstreetmachine08_CV_N.htm. を参照。

(174) マックス・ウェーバーは国家の権威を、「力の合法的な利用の独占」に由来すると定義している。Max Weber, "Politics as a Vocation" Speech delivered at Munich University (1918).（マックス・ウェーバー著、脇圭平訳『職業としての政治　改版』岩波書店、二〇二〇年）。in *From Max Weber: Essays in Sociology*, H. H. Gerth and C. Wright Mills eds. and trans. (New York: Routledge, 1958), 77, 78.

(175) Baker, *Capitalism's Achilles Heel*, 186-191. Hilaire Avril, "Political Elites Ensure Continuing Flight of Dirty Money," *IPS*, September 16, 2009, http://www.ipsnews.net/africa/nota.asp?idnews=48460（レイモンド・ベイカーにインタビューし、「途上国からの違法な金融の流れが年一兆ドルとも推定される」ことが述べられている）。

(176) Richard A. Oppel, Jr., "Taping of Farm Cruelty Is Becoming the Crime," *New York Times*, April 6, 2013, http://www.nytimes.com/2013/04/07/us/taping-of-farm-cruelty-is-becoming-the-crime.html.

(177) Dana Milbank, "ALEC Stands Its Ground," *Washington Post*, December 4, 2013, http://www.washington post.com/opinions/dana-milbank-alec-stands-its-ground/2013/12/04/ad593320-5d2c-11e3-bc56-c6ca94801fac_story.html.

(178) Reporters Without Borders, *World Press Freedom Index* (2013). http://fr.rsf.org/IMG/pdf/classement_2013_gb-bd.pdf.

(179) Elizabeth Dwoskin, "Your Food Has Been Touched by Multitudes," *Bloomberg Businessweek*, August 25, 2011, http://www.businessweek.com/magazine/yout-food-has-been-touched-by-multitude-08252011.html/

（180） Ibid.

（181） James B. Rule, "The Search Engine, for Better or Worse," *New York Times*, March 18, 2013, http://www.nytimes.com/2013/03/19/opinion/global/the-search-engine-for-better-or-for-worse.html?pagewanted=all. 神の全知を求める願望は、グロスター伯の全能の神に関する嘆き「神にとって私たち人間は、悪童たちにとってハエみたいなものだ」（シェークスピアの『リア王』）を思い起こさせる。

第6章

（1） Cory Doctorow, "Scroogled" (September 17, 2007). http://blogoscoped.com/archive/2007-09-17-n72.html. で利用可能。

（2） サイバー法専門家のジェームズ・ボイルが言うように、SF作家は「情報時代に関する最良の社会理論家」である。James Boyle, "A Politics of Intellectual Property: Environmentalism for the Net?," *Duke Law Journal* 47 (1997): 88.

（3） Gary Shteyngart, *Super Sad True Love Story* (New York: Random House, 2010).（ゲイリー・シュタインガート著、近藤隆文訳『スーパー・サッド・トゥルー・ラヴ・ストーリー』NHK出版、二〇一三年）。

（4） Adam Haslett, *Union Atlantic* (New York: Anchor, 2011), 162.

（5） Plato, *Republic: Book II*. In *Five Great Dialogues*, ed. Louise Ropes Loomis, trans. Benjamin Jowett (New York: Walter J. Black, 1942), 253, 484.

（6） Plato, *The Republic of Plato*, 2nd ed. Ed. and trans. Allan Bloom (New York: Basic Books, 1968) 193-194. ダグラス・ラシュコフが言うように、「テクノロジーがプログラムされるやり方に、巻き込まれることや気づくことが少ないほど、私たちの選択の幅は狭くなるだろう」。Douglas Rushkoff, *Program or be Programmed* (Boston: Soft Skull Press, 2010), 148-149. Danah Boyd, *It's Complicated: The Social Lives of Networked Teens* (New Haven, CT: Yale University Press, 2014)（オンライン生活に関して「知性を発展させること」は、「アクティブ・ラーニングを必要とする」）。

（7） Creditreport.com ad (June 1, 2013). http://www.youtube.com/watch?v=Ea0bwbtWvWQ.（私のスコアは大したことない。五八〇点だ。信用業者は私を怠け者と考えている）。

（8） Andy Kroll, "Dark Money," *Mother Jones*, January 23, 2014, http://www.motherjones.com/category/secondary-tags/dark-money.

（9） Simon Johnson and James Kwak, *13 Bankers: The Wall Street Takeover and the Next Financial Meltdown* (New York: Pantheon Books, 2010), 135.（ジョンソン＋クワック『国家対巨大銀行』）。

（10） Chris Gentilviso, "Elizabeth Warren Student Loans Bill Endorsed by Several Colleges, Organizations," *Huffington Post*, May 24, 2013, http://www.huffingtonpost.com/2013/05/24/elizabeth-warren-student-loans-bill_n_3329735.html.

（11） Ryan Cooper, "Dodd Frank's Death by a Thousand Cuts," *Political Animal* (blog), March 4, 2013, http://www.washingtonmonthly.com/political-anima-a/2013_03/dodd_franks_death_by_a_thousan043346.php. Gary Rivlin, "Wall Street Fires Back," *The Nation*, May 20, 2013, 11; Davis Polk, *Dodd-Frank Progress Report* (April 2013). http://www.davispolk.com/files/Publication/900769d7-74f0-474c-9bce-0014949f0685/Presentation/RepublicanAttachment/3983137e-639b-4bbc-a901-002b21e2e246/Apr2013_Dodd.Frank.Progress.Report.pdf. ＪＰモルガン・チェースの「ロンドンの鯨」事件は、異常に危険な取引が、二〇一二年の時点では大銀行によっても行われていたことを明らかにしてしまった。大規模な損失に対する政策的な反応が、二〇〇八年と二〇一二年とで違ったかどうかは明らかではない。U.S. Senate Permanent Subcommittee on Investigations, *J P Morgan Chase Whale Trades: A Case History of Derivatives Risks and Abuses* (2013). http //www.hsgac.senate.gov/download/report-jpmorgan-chase-whale-trades-a-case-history-of-derivatives-risks-and-abuses-march-15-2013.

（12） Murray Edelman, *The Symbolic Uses of Politics* (Urbana: University of Illinois Press, 1964).

（13） Hubert L. Dreyfus, *What Computers Can't Do* (Cambridge: MIT Press, 1972) [0].（ヒューバート・Ｌ・ドレイファス著、黒崎政男＋村若修訳『コンピュータには何ができないか』産業図書、一九九二年）。

（14） Joseph Weizenbaum, *Computer Power and Human Reason: From Judgement to Calculation* (San Francisco: W.H. Freeman, 1976), 227.（ジョセフ・ワイゼンバウム著、秋葉忠利訳『コンピュータ・パワー』サイマル出版会、一九七九年）。

（15） Julius Stone, *Legal System and Lawyers' Reasonings* (Stanford, CA: Stanford University Press, 1964), 37-41.（「電子コンピュータが法的な記憶、分析、思考を手助けする用途で使う実験が進められている」が、その濫用を戒めている）。

（16） Samir Chopra and Laurence F. White, *A Legal Theory for Autonomous Artificial Agents* (Ann Arbor: University of Michigan Press, 2011).

（17） Christopher Steiner, *Automate This: How Algorithms Came to Rule Our World* (New York: Portfolio/Penguin, 2012).

（18） Anish Puaar, "Fed Fears Increase in Runaway Algos," *The Trade News*, September 19, 2012, http://www.thetradenews.com/news/Regions/Americas/Fed_fears_increase_in_runaway_algos.aspx. Woodrow Hartzog, "Chain-Link Confidentiality," *Georgia Law Review* 46 (2012): 657-704.

（19） Kenneth Bamberger, "Technologies of Compliance: Risk and Regulation in a Digital Age," *Texas Law Review* 88 (2010): 669-740 Erik F. Gerding, "The Outsourcing of Financial Regulation to Risk Models and the Global Financial Crisis: Code, Crash, and Open Source," *Washington Law Review* 84 (2009): 127-198. Suzanne McGee, *Chasing Goldman Sachs: How the Masters of the Universe Melted Wall Street Down...And Why They'll Take Us to the Brink Again* (New York: Crown Business, 2011), 306から引用。

(20) 他のユーティリティの比較については、Rebecca MacKinnon, *Consent of the Networked: The Worldwide Struggle for Internet Freedom* (New York: Basic Books, 2013).を参照。Jaron Lanier, *Who Owns the Future?* (New York: Simon & Schuster, 2013) も参照。

(21) Susan Crawford, *Captive Audience: The Telecom Industry and Monopoly Power in the New Gilded Age* (New Haven, CT: Yale University Press, 2013).

(22) ポール・ウーリーは、「ここ三〇年間の資本市場では、投資の水準が少ないという特徴があった」としている。Paul Woolley, "Why Are Financial Markets So Inefficient and Exploitative—And a Suggested Remedy," in *The Future of Finance: The LSE Report*, ed. Adair Turner et al. (London: London School of Economics and Political Science, 2010), 133.

(23) William Scheuerman, *Liberal Democracy and the Social Acceleration of Time* (Baltimore, MD): The Jones Hopkins University Press, 2004).

(24) Yunchee Foo, "Google Makes New Concessions to EU Regulators: Paper," Reuters. July 27, 2012. http://www.reuters.com/article/2012/07/17/us-eu-google-idUSBRE86G08T20120717.

(25) 明らかに不適切な「関連する話」の例として、Michael Kranish, "Facebook Draws Fire on Related Stories Push," *Boston Globe*, May 4, 2014, at http://www.bostonglobe.com/news/nation/2014/05/03/facebook-push-related-articles-users-without-checking-credibility-draws-fire/rPae4M2LzpVHIJAmfDYNL/story.html.

(26) Adrian Chen, "Inside Facebook's Outsourced Anti-Porn and Gore Brigade, Where 'Camel Toes' Are More Offensive Than 'Crushed Heads,'" *Gawker* (blog), February 16, 2012, http://gawker.com/5885714/inside-facebooks-outsourced-anti-porn-and-gore-brigade-where-camel-toes-are-more-offenseive-than-crushed-heads. Adrian Chen, "Facebook Release New Content Guidelines, Now Allows Bodily Fluids," *Gawker* (blog), February 16, 2012, http://gawker.com/5885836/facebook-releases-new-content-guidelines-now-allows-bodily-fluids. グーグルがアルゴリズムの変更に人間を使っていることについては、Rob D. Young, "Google Discusses Their Algorithm Change 'Process,'" *Search Engine Journal*, August 26, 2011, http://www.searchenginejournal.com/google-discusses-their-algorithm-change-process/32731/.

(27) Quentin Hardy, "Unlocked Secrets, if Not Its Own Value," *New York Times*, May 31, 2014, at http://www.nytimes.com/2014/06/01/business/unlocking-secrets-if-not-its-own-value.html?_r=0.

(28) William Janeway, *Doing Capitalism in the Innovation Economy: Markets, Speculation, and the State* (New York: Cambridge University Press, 2012).

(29) Philip Coggan, *Paper Promises: Debt, Money, and the New World Order* (New York: PublicAffairs, 2012), 181.

(30) Mathews v. Eldridge, 424 U.S. 319 (1976); Goss v. Lopez, 419 U.S. 565 (1975).

（31）　健康分野の文脈における評判についての説明責任について例えば、Frank Pasquale, “Grand Bargains for Big Data: The Emerging Law of Health Information,” *Maryland Law Review* (2013): 701.

（32）　ドイツの裁判のケースで原告は、グーグルのオートコンプリート機能によって、名前の後に詐欺や、サイエントロジーといった言葉が表示されたと主張した。裁判では、グーグルは名誉を棄損するようなオートコンプリートを、気づいたら削除すべきとした。“Top German Court Orders Google to Alter Search Suggestions” (May 13, 2013), http://www.dw.de/top-german-court-orders-google-to-alter-search-seggestions/a-16811219. アルゼンチンでは反ユダヤのサイトに誘導されるという不満が問題となった。裁判所はグーグルに、「きわめて差別的な」サイトを検索結果から消すようにと命じた。Danny Goodwin, “Argentina Court: Google Must Censor Anti-Semitic Search Results, Suggestions” (May 20, 2011) *Search Engine Watch*. http://searchenginewatch.com/article/2072754/Argentina-Court-Google-Must-Censor-Anti-Semitic-Search-Results-Suggestions. Kadhim Shubber, “Japanese Court Orders Google to Censor Autocomplete, Pay Damages,” *Wired*, April 16, 2013, http://www.wired.co.uk/news/archive/2013-04/16/google-japan-ruling.

（33）　Les Leopold, *How to Make a Million Dollar an Hour: Why Hedge Funds Get Away with Siphoning Off America's Wealth* (Hoboken, NJ: John Wiley & Sons, Inc., 2013); Danielle Kucera and Christine Harper, “Traders' Smaller Bonuses Still Top Pay for Brain Surgeons, 4-Star Generals,” *Bloomberg News*, January 13, 2011, http://www.bloomberg.com/news/2011-01-13/traders-smaller-bonuses-still-top-pay-for-brain-surgeons-4-star-generals.html. Justin Fox, “Just How Useless Is the Asset-Management Industry?” *Harvard Business Review* (blog), May 16, 2013, http://blogs.hbr.org/fox/2013/05/just-how-useless-is-the-asset-.html.

（34）　Wallace C. Turbeville, “A New Perspective on the Costs and Benefits of Financial Regulation: Inefficiency of Capital Intermediation in a Deregulated System,” *Maryland Law Review* 72 (2013): 1179.（「ＧＤＰの中で金融部門のシェアが増えてきたのは、資本仲介からの価値に由来するものであり、金融部門に移転した超過資産は年間六三五〇億ドルに達すると推定している」）。John Quiggin, “Wall Street Isn't Worth It,” *Jacobin*, November 14, 2013, https://www.jacobinmag.com/2013/11/wall-street-isnt-worth-it/.（「金融サービス部門は米国のＧＤＰの二割を超え、このシェアは一九七〇年代以降毎年一〇％ポイント以上増加してきた。（…）金融部門は、そのリターンに見合うだけの貢献を社会に対して行っているだろうか？　証拠の示すところによれば、その答えは圧倒的に「否」である」）。

（35）　New Economics Foundation, *A Bit Rich: Calculating the Real Value to Society of Different Professions* (2009), https://neweconomics.org/uploads/files/8c16eabdbadf83ca79_ojm6b0fzh.pdf で利用可能。

（36）　Jeffrey Hollender, “The Cannibalization of Entrepreneurship in America” (June 2011), *Jeffrey Hollender Partners*, http://www.jeffreyhollender.com/?p=1622. で利用可能。Paul Kedrofsky and Dane Strangler, “Financialization and Its Entrepreneurial Consequence”

(Mar. 2011). Kansas City, MO: Kaufman Foundation Research Series. https://www.kauffman.org/wp-content/uploads/2019/12/financialization_report_32311.pdf. で利用可能。

(37) ウィリアム・K・ブラックは、「確かなもの」と期待されたことがうまくいかなくなった時に何が起こるかの例として、ワシントン・ミューチュアルを取り上げている。William K. Black, *Examining Lending Discrimination Practices and Foreclosure Abuses* (2012). ウィリアム・K・ブラックによって準備された証言。https://www.judiciary.senate.gov/imo/media/doc/12-3-7BlackTestimony.pdfで利用可能。

(38) こうしたプロジェクトの例として、Richard L. Sander, *Good Derivatives: A Story of Financial and Environmental Innovation* (Hoboken, NJ: John Wiley and Sons, Inc., 2012)を参照。

(39) J. Bradford DeLong, *The End of Influence: What Happens When Other Countries Have the Money* (New York: Basic Books, 2010), 146-147.

(40) Thomas Philippon, "Has the U.S. Finance Industry Become Less Efficient?" (Dec. 2011). NYU Working Paper No.2451/31370. http://papers.ssrn.com/s013/papers.cfm?abstract_id=1972808.

(41) DeLong, *The End of Influence*, 146-147. John LaMattina, "Why Should Wall Street Dictate the Level of Pharma R&D Spending?" *Drug Truths*, October 18, 2011. http://johnlamattina.wordpress.com/2011/10/18/why-should-wall-street-dictate-the-level-of-pharma-rd-spending/. Brian Vastag, "Scientists Heeded Call but Few Can Find Jobs," *Washington Post*, July 8, 2012, A14.

(42) Raghuram G. Rajan, *Fault Lines: How Hidden Fractures Still Threaten the World Economy* (Princeton, NJ: Princeton University Press, 2010), 30; James K. Galbraith, *Inequality and Instability: A Study of the World Economy Just before the Great Crisis* (New York: Oxford University Press, 2012).

(43) Dean Baker, "TARP Repayment and Legalized Counterfeiting," *Real-World Economics Review Blog*, December 14, 2010, http://rwer.wordpress.com/2010/12/14/tarp-repayment-and-legalized-counterfeiting/.

(44) Geoff Mulgan, *The Locust and the Bee: Predators and Creators in Capitalism's Future* (Princeton, NJ: Princeton University Press, 2013).

(45) このダイナミクスは金融において最も明確である。Gautam Mukunda, "The Price of Wall Street's Power," *Harvard Business Review* (June, 2014).

(46) Astra Taylor, *The People's Platform* (New York: Metropolitan Books, 2014).

(47) 強制許諾の使用についての過去と現在について詳しくは、Timothy A. Cohan, "Ghost in the Attic: The Notice of Intention to Use and the Compulsory License in the Digital Era," *Columbia Journal of Law and the Arts* 33 (2010): 499-526を参照。

(48) William W. Fisher, *Promises to Keep: Technology, Law, and the Future of Entertainment* (Stanford, CA: Stanford University Press, 2004), 199-

259. 英国のテレビ放送のライセンス料については、"What Does Your License Fee Pay For?" *TV Licensing*. http://www.tvlicensing.co.uk/check-if-you-need-one/topics/what-does-your-license-fee-pay-for-top13/. を参照。

（49） Dean Baker, "The Reform of Intellectual Property," *Post-Autistic Economics Review* 32 (2005): article 1. http://www.paecon.net/PAEReview/wholeissues/issue32.pdfで利用可能。 Fisher, *Promises to Keep*, 221-222.

（50） 富裕層のオバマケアでの課税増について詳しくは、Maximilian Held, "Go Forth and Sin [Tax] No More," *Gonzaga Law Review* 46 (2010-2011): 737を参照。

（51） Frank Pasquale, "Single-Payer Music Care?" *Concurring Opinions* (blog), March 22, 2006, http://www.concurringopinions.com/archives/2006/03/viva_la_france.html.

（52） "Who Owns the Media?" *Free Press*. http://www.freepress.net/ownership/chart.「オンライン海賊版防止法案」（ＳＯＰＡ）についてより詳しくは、Brent Dean, "Why the Internet Hates SOPA," *Computer Crime and Technology in Law Enforcement* 8 (2012): 3.

（53） Bernard E. Harcourt, *The Illusion of Free Markets: Punishment and the Myth of Natural Orders* (Cambridge, MA: Harvard University Press, 2012).

（54） Cavan Sieczkowski, "SOPA Is Dead: Lamar Smith Withdraws Bill from the House," *International Business Times*, January 20, 2012, http://www.ibtimes.com/sopa-dead-lamar-smith-withdraws-bill-house-398552.

（55） Evgeny Morozov, *To Save Everything, Click Here: The Folly of Technological Solutionism* (New York: Public Affairs, 2013).

（56） Julie Cohen, *Configuring the Networked Self* (New Haven CT: Yale University Press, 2012).

（57） Harcourt, *The Illusion of Free Markets*, 179-180; G. Richard Shell, *Make the Rules or Your Rivals Will* (Philadelphia: G. Richard Shell Consulting, 2011).

（58） Tom Hamburger and Matea Gold, "Google Once disdainful of lobbying, now a master of Washington influence," *Washington Post*, Apr 12, 2014. at https://www.washingtonpost.com/politics/how-google-is-transforming-power-and-politicsgoogle-once-disdainful-of-lobbying-now-a-master-of-washington-influence/2014/04/12/51648b92-b4d3-11e3-8cb6-284052554d74_story.html.

（59） 例えば、Harcourt, *The Illusion of Free Markets*; James K. Galbraith, *The Predator State: How Conservatives Abandoned the Free Market and Why Liberals Should Too* (New York: Free Press, 2008); G. Richard Shell, *Make the Rules or Your Rivals Will* (New York : Crown Business, 2004).

（60） Charles E. Lindblom, *Politics and Markets: The World's Political Economic Systems* (New York: Basic Books, 1977).

（61） Janine R. Wedel, *Shadow Elite: How the World's New Power Brokers Undermine Democracy, Government, and the Free Market* (New York: Basic

Books, 2009); Frank Pasquale, "Reclaiming Egalitarianism in the Political Theory of Campaign Finance Reform," *University of Illinois Law Review* 45 (2008): 599-660.

（62） Michael Abramowicz, "Perfecting Patent Prizes," *Vanderbilt Law Review* 56 (2003): 115-116.

（63） ここでも健康部門は、評判、検索、金融に関する企業より、オバマケアを通じたポイントプログラムを採用するなど、先行している。Atul Gawande, "Testing, Testing" *The New Yorker*, December 14, 2009, https://www.newyorker.com/magazine/2009/12/14/testing-testing-2

（64） Nicola Jentzsch, *Financial Privacy: An International Comparison of Credit Reporting Systems* (Berlin: Springer-Verlag, 2007), 62.

（65） Siva Vaidhyanathan, *The Googlization of Everything (And Why We Should Worry)* (Berkeley: University of California Press, 2010).（ヴァイディアナサン『グーグル化の見えざる代償』）。

（66） ハーバード大学図書館議長のロバート・ダーントンによる、「アメリカデジタル公的図書館」提案は一つのモデルである。Robert Darnton, "Can We Create a Digital National Library?," *New York Review of Books*, October 28, 2010, 4.

（67） Timothy A Canova, "The Federal Reserve We Need," *The American Prospect* 21, no.9 (October 2010). https://prospect.org/special-report/federal-reserve-need/. で利用可能。

（68） David Dayan, "The Post Office Should Just Become a Bank," *The New Republic*, Jan 28, 2014, https://newrepublic.com/article/116374/postal-service-banking-how-usps-can-save-itself-and-help-poor.

（69） Jason Judd and Heather McGhee, *Banking on America* (Washington, D.C.: Demos, 2010).

（70） Move Your Money Project. Http://www.moveyourmoneyproject.org/ で利用可能。

（71） Henry T.C. Hu, "Too Complex to Depict? Innovation, 'Pure Information' and the SEC Disclosure Paradigm," *Texas Law Review* 90 (2012): 1601-1715.

（72） Bernard Sternsher, *Rexford Tugwell and the New Deal* (New Brunswick, NJ: Rutgers University Press, 1964).

（73） 詳細についてはCanova, "The Federal Reserve We Need"を参照。

（74） Joel Seligman, *The Transformation of Wall Street: A History of the Securities and Exchange Commission and Modern Corporate Finance* (New York: Aspen, 2003), 40-41.（ジョエル・セリグマン著、田中恒夫訳『ウォールストリートの変革』上下、創成社、二〇〇六年）。

（75） Nathaniel Popper, "Banks Find S&P More Favorable in Bond Ratings," *New York Times*, August 1, 2013, A1.

（76） Galbraith, *The Predator State*. この本は企業と政府の違法行為に厳しい目を向けているが、進歩を推進する積極的な提案も行っている。

（77） Matthew Stroller, "Review of 'Capitalizing on Crisis' by Greta Krippner," *Observations on Credit and Surveillance*, February 15, 2014.（「一九七〇年代、政治家たちは「誰が何を得るか」について争うことに飽き、そうした決定は脱政治化した市場に任せた。これは「金融化」として知られている。政治指導者たちは、選挙の集団に対してノーを言う必要がなくなり、市場に対して文句を言えばよくなった」）。

（78） リチャード・フィッシャーの、ラス・ロバーツへのインタビュー。"Richard Fisher on Too Big to Fail and the Fed" (Dec. 2013). *Econ Talk*. http://www.econtalk.org/archives/2013/12/ruchard_fisher.html. に掲載されている。

（79） 金融についての新たな考え方では、この実質的な転回の重要性を認識している。例えば、Ann Pettifor, *Just Money: How Society Can Break the Despotic Power of France* (London: Commonwealth Publishing, 2014); Mary Mellor, *The Future of Money: From Financial Crisis to Public Resource* (New York: Pluto Press, 2010); Mariana Mazzucato, *The Entrepreneurial State: Debunking Public vs. Private Sector Myths* (New York: Anthem Press, 2013).（マリアナ・マッツカート著、大村昭人訳『企業家としての国家』薬事日報社、二〇一五年）。

（80） Todd Woody, "You'd Never Know He's a Sun King," *New York Times*, May 9, 2010, Bui; "Vice Fund Manager Finds Plenty of Virtue in Sin Stocks," *Middletown Press*, August 24, 2010, http://www.middletownpress.com/articles/2010/08/24/business/doc4c732f5c49a1d717896087.txt.

（81） Mark Kinver, "China's 'Rapid Renewables Surge,'" *BBC News*, August 1, 2008, http://news.bbc.co.uk/2/hi/science/nature/7525339.stm.

（82） その上この業界では、過労の報告は多い。Kevin Roose, *Young Money: Inside the Hidden World of Wall Street's Post-Crash Recruits* (New York: Grand Central Publishing, 2014); Karen Ho, *Liquidated: An Ethnography of Wall Street* (Durham, NC: Duke University Press, 2009).

（83） 例えば、Regina F. Burch, "Financial Regulatory Reform Post-Financial Crisis: Unintended Consequences for Small Businesses," *Penn State Law Review* 115 (2010-2011): 443を参照。一般的には、Thomas J. Schoenbaum, "Saving the Global Financial System: International Financial Reforms and United States Financial Reform, Will They Do the Job?," *Uniform Commercial Code Law Journal* 43 (2010): 482を参照。

（84） Louis Brandeis, "What Publicity Can Do," *Harper's Weekly*, December 20, 1913. Reprinted in *Other People's Money and How the Bankers Use It* (New York: Frederick A. Stokes, 1914), 92（「日光が最良の消毒剤と言われる（…）」）。Eric W. Pinciss, "Sunlight Is Still the Best Disinfectant: Why the Federal Securities Law Should Prohibit Soft Dollar Arrangements in the Mutual Fund Industry," *Annual Review of Banking and Financial Law* 23 (2004): 863-889.

（85） Clive Dilnot, "The Triumph—and Costs—of Greed," *Real-World Economics Review* 49 (2009): 52.

(86) Neil Barofsky, *Bailout: An Inside Account of How Washington Abandoned Main Street While Rescuing Wall Street* (New York: Free Press, 2012).

(87) James B. Stewart, "Calculated Deal in a Rate-Rigging Inquiry," *New York Times*, July 13, 2012.

(88) Jon Mitchell, "Google Gets the Biggest FTC Privacy Fine in History—and Deserves It," *Read Write*, July 20, 2012, https://readwrite.com/google-gets-the-biggest-ftc-privacy-fine-in-history-and-deserves-it/ David Kravets, "Million Will Flow to Privacy Groups Supporting Weak Facebook Settlement," *Wired*, July 13, 2012, https://www.wired.com/2012/07/groups-get-facebook-millions/

(89) Ken Silverstein, "Think Tanks in the Tank?," *The Nation*, June 10, 2013, 18; George F. DeMartino, *The Economist's Oath: On the Need for and Content of Professional Economic Ethics* (New York: Oxford University Press, 2011).

(90) John C. Coates IV, "Cost-Benefit Analysis of Financial Regulation: Case Studies and Implications," *Yale Law Journal* 124 (forthcoming 2014): Matteo Marsili, "Toy Models and Stylized Realities," *European Physics Journal* 55 (2007): 173（「物理学においては、モデル化にコンピュータを使うというアプローチは非常に有益だった。微視的な法則の知識が、極めてコントロールされたやり方で、理論的モデル化を制約しているからである。これは社会経済システムにおいてはほぼ不可能である」）。

(91) Amar Bhidé, *A Call for Judgement: Sensible Finance for a Dynamic Economy* (New York: Oxford University Press, 2010).

(92) Friedrich A. Hayek, "The Use of Knowledge in Society," *American Economics Review* 35 (1945): 519-530.

(93) Bhidé, *A Call for Judgement*.

(94) MacKinnon, *Consent of the Networked*; Anupan Chander, "Facebookistan," *North Carolina Law Review* 90 (2012): 1807-1844.

(95) 反トラスト法へのネオリベ的アプローチの奇妙な履歴については、Robert van Horn and Philip Mirowski, "Reinventing Monopoly," in *The Road from Mount Pèlerin*, ed. Philip Mirowski and Dieter Plehwe (Cambridge, MA: Harvard University Press, 2009), 219ff.

(96) C. Wright Mills, *The Power Elite*. New ed. (New York: Oxford University Press, 2000). First Published 1956.（C・ライト・ミルズ著、鵜飼信成＋綿貫譲治訳『パワー・エリート』筑摩書房、二〇二〇年）。

(97) Thomas Piketty, *Capital in the Twenty-First Century* (Cambridge: Harvard University Press, 2014): 574.（ピケティ『21世紀の資本』）。

(98) Pope Francis, *Evangelii Gaudium (Apostolic Exhortation)*, November 24, 2013, para. 55. https://www.vatican.va/content/francesco/en/apost_exhortations/documents/papa-francesco_esortazione-ap_20131124_evangelii-gaudium.html

訳註

第1章

［1］テネシー大学教授のグレン・レイノルドは二〇〇六年の著書『デイヴィッドの軍隊』において、市場とテクノロジーのおかげで普通の人々が強くなり、大きな組織を打ち破ることになるだろうと論じた。「デイヴィッド」は普通の人々の名前として例示されている。

［2］旧東ドイツの秘密警察。

［3］アメリカの漫画家ルーブ・ゴールドバーグが描いた、簡単なことをあえて複雑なからくりを使って用いる装置。日本で言えば「ピタゴラスイッチ」のようなもの。

第2章

［1］『エルフ・オン・ザ・シェルフ』（棚の上の小人）とは、子どもが良い子にしているかどうかを、棚の上から観察して、サンタクロースに報告する役割を担っている人形。

［2］二〇一五年四月一五日、ボストンマラソンにおいて、圧力鍋を使った爆弾テロ事件が起き、バックパックを背負った容疑者が監視カメラに映っていた。おそらくその捜査の一環であろう。

［3］ハイゼンベルクは「不確定性原理」で知られる物理学者。カフカはチェコ人のドイツ語作家で、不条理文学、官僚制批判で知られる。

［4］『ニューヨークタイムズ』紙の記者を務めた後に独立。邦訳のある著書に『習慣の力』（早川書房）、『あなたの生産性を上げる8つのアイディア』（講談社）がある。

［5］『緋文字』はホーソーンの同名の小説にあるように、姦通をした人が布につけさせられた赤い文字を指す。ここではより広く、名誉を傷つける行為一般に関して言われているのだろう。

［6］　決定木（decision tree）とは、樹形図の形でデータ分析を行う手法で、選択肢ごとに枝分かれが起きる。
［7］「エクイティ・ストリッピング」とは、住宅所有者から投資家が住居を買い取り、その元の所有者に住宅を賃貸する、というスキーム。
［8］　正式名称は「Partnership for Civil Justice Fund」。一九九四年、ワシントンに設立された、市民正義の実現のための非営利な法的組織で、政府の不正などを追究している。
［9］「金の仔牛」とは旧約聖書『出エジプト記』に登場する、イスラエル民族が作ったとされる像。偶像崇拝を禁じるモーセはそのことに怒り、粉砕したと言う。
［10］　徳政令と訳したが原語はdebt jubilee。Jubileeとはカトリックで大赦が行われる聖年を指す。
［11］　一九三五年生まれのアメリカの医師・政治家で、共和党の下院議員を長らく務めたが、一九八八年の大統領選挙では共和党ではなく「リバタリアン党」から出馬した。
［12］　一九四八年生まれのアメリカの弁護士・政治家で、ロン・ポールと同様に共和党の下院議員であったが、二〇〇八年の大統領選挙では「リバタリアン党」から出馬した。
［13］　ポゴとは、一九四八年から一九七三年まで新聞に掲載された、ウォルト・ケリーによる漫画の主人公。

第3章

［1］　ミット・ロムニーが大統領選挙戦の中で行った悪評高いスピーチ。「四七％の人は政府に頼り、自分を被害者だと思っている」といった趣旨の発言をした。
［2］「ゴルディアスの結び目」とは難問のたとえ。古代アナトリアでゴルディアス王が牛車と柱を結びつけ「この結び目を解いたものがアジアの王となるだろう」と予言した。後にアレキサンダー大王がその結び目を一刀両断したという。
［3］　英語名称はフォックスコンだが、「鴻海・富士康グループ」と言う方が分かりやすいかもしれない。
［4］　原語はreality distortion field。アップル社の重役だったバド・トリブル氏が、ジョブズのカリスマ性を言い表すために作った言葉だという。
［5］　英語には「干し草の山の中で針を探す」ということわざがあり、「見つけることができない」「無駄骨を折る」といった意味である。
［6］「ホワイトリスト」とは一般に、リストに入れたもののみを受け入れるという方式。「ブラックリスト」の反対語。特にフィル

タリングソフトが限られたサイトのみ閲覧を許可する場合などに使われる。

［7］「メタフィルター」は一九九九年に作られたコミュニティサイトだが、二〇一二年一一月、グーグルからのトラフィックが急減するという事態に見舞われた。

［8］「自己奉仕バイアス」とは、成功は自分のおかげ、失敗は他人のせいと考えがちな人間の考え方の偏りを示す言葉。

［9］ＡＰＩとは「アプリケーション・プログラム・インターフェイス」の略語。ソフトウェア同士がやりとりをする際のインターフェイス。

［10］トールキン『指輪物語』に登場する魔法使い。

［11］「コーペティション」とは、「コーポレーション」（協力）と「コンペティション」（競争）をくっつけた言葉。

［12］「フォークソノミー」とは、コンテンツに対して利用者が自由に、複数のタグ付けを行うことができる手法。

［13］第四身分とはジャーナリスト、言論界の人々を指す。アベ・シェイエスは『第三身分とは何か』の中で、聖職者を第一身分、貴族を第二身分、平民を第三身分としているが、それをもじった言い方。

［14］二〇一〇年、大統領選挙の本選挙六〇日前、予備選挙三〇日前のテレビコマーシャルを禁止している法律について、最高裁判所が合衆国憲法修正第一条（表現の自由）に照らして「違憲である」とした判決。シティズンズ・ユナイテッド（保守派のＮＰＯ）とＦＥＣ（連邦選挙委員会）とが争っていた。

［15］但し邦題では『グーグル化の見えざる代償』となっている。

［16］「メカニカル・ターク」（機械仕掛けのトルコ人）とはもともと、一八世紀に評判となった「チェスをするからくり人形」だが、実は装置の中に小柄なチェスの名手が隠れて中から操っていた。アマゾンはこれを、画像認識などコンピュータの苦手な仕事をネットを介して人間に安く行わせるサービスの名称に使っている。

第4章

［1］レギオンとはもともと古代ローマにおける大規模な軍隊のことだが、後には単に大量のものを指して使われるようになった言葉。

［2］著者は名前を出していないが、フランス生まれのトレーダーであるブルーノ・イクシル氏のこと。

［3］ギリシア神話に出てくるフリュギア（トルコ）の王で、触れたものを金に変えるという能力を与えられた。

［4］ギリシア神話でトロイの王の娘。真実の予言をするがアポロンに呪われたために、誰も彼女の予言を信じなかったと言う。

［5］　ルイス・ブランダイスは米国の著名な法律家（一八五六－一九四一）。特にサミュエル・ウォーレンとの共著論文で、初めて「プライバシーの権利」を提唱したことで知られている。

第5章

［1］　ＦＢＩの初代長官（一八九五－一九七二、在任期間は一九二四－一九七二）で、その権力を濫用したことでよく引き合いに出される。ジョージ・ワシントン大学卒業。
［2］　一九七五年、米国上院でＣＩＡ、ＦＢＩ、ＮＳＡ、ＩＲＡによる虐待の調査を行った「情報活動特別調査委員会」のこと。フランク・チャーチ上院議員が委員長であったことからこの名前で呼ばれる。
［3］　かつて人々の生命や自由に対して深刻な人権侵害が生じた過去を抱える国々が、過去から積み重なった軋轢を解決するために、そうした過去の過ちを公表する委員会を呼ぶ総称。
［4］　ナッジとは、ある観点から望ましい行動を行わせるために、意識させずに「背中を押して」そちらに誘導するような仕組みを指す。
［5］　税の公正な徴収を求めて二〇〇三年に結成された非政府組織。
［6］　「蛇の穴」の原語はsnake pitで、「悪い場所」「混乱している場所」といったイメージがつきまとっている。

第6章

［1］　自在に姿を消すことができる魔力を持った伝説上の指輪。プラトンの『国家』にも登場する。
［2］　アイオワ州東部にある都市だが、ここでは田舎の象徴として使われている。
［3］　パランティアはピーター・ティールが設立したデータ分析企業。
［4］　経営学の用語で、他社にまねできない同社の圧倒的な強みを指す。
［5］　ドイツに本社を置く製薬会社。
［6］　一九五七年の、ソ連による人工衛星「スプートニク」の打ち上げの成功は、西側諸国に大きな衝撃を与えた。ここでは比喩として使われている。

謝辞

本書は、法律、テクノロジー、社会科学にまたがる一〇年分の研究を基にしている。学界は専門分化への圧力が強いが、複数の研究機関がそこからの避難所となってくれた。ジャック・バーキンのリーダーシップのもと、ローラ・デナルディス、エダン・カッツ、マーゴット・カミンスキー、イェール大学ロースクールの情報社会プロジェクトが開催したカンファレンスが、「評判」と「検索」についての私の考えに影響を与えた。プリンストン大学の情報技術政策センターは私をビジティング・フェローとして招いてくれ、「プライバシーとテクノロジー的な説明責任」の研究拠点となっている。私がセトンホール大学で教え始めた時には、キャスリーン・ブーザン、チャールズ・サリヴァン、ジョン・ジャコビといった先生方が、広い範囲の知的関心についてサポートしてくれた。

メリーランド大学もまた、因習に挑戦することを恐れない学者のコミュニティであることを証明している。「政治経済と法律の教授連合」（APPEAL）に属する同僚（特にマーシャ・マクラスキー、ジェニファー・タウブ、ゼファー・ティーチャウト）から、法と経済学との相互作用について、多くを学んだ。本書が社会正義についての理論や実践になんらかの貢献があるとしたら、これまで教えてきた四校のロースクールでの同僚との長い交際に触発されたものである。ナディア・ヘイ、スーザン・マカティー、デイヴィッド・ヴィベルハウアーは、出版のための原稿準備を、専門的な見地から手助けしてくれた。

振り返ると私は多くの師のおかげをこうむっている。ビル・エスクリッジ、グリン・モーガン、ピーター・シュック、ルエラ・イエイツの各氏である。彼らは折に触れて、私に永続する贈り物をくれた。それは「聴くに値することを言う」という感覚である。原稿の編集中、イヴ・ゴールデンは有益な助言をたくさんしてくれた。また、ハーヴァード出版会の編集者であるエリザベス・ノールにも感謝する。彼女は伝統的に別であった分野を私がつなげることを勇気付けてくれた。オーレン・ブラカ、ダニエル・キーツ・シトロン、キャスリーン・コーマン、ローレンス・ジョセフ、ジョン・デイヴィス・マロイ、タラ・A・ラゴーン、サイモン・スターンも洞察を与えてくれた。

個人的に本書は私の両親の記憶に捧げられる。ブラックボックス社会から多くを奪われながらも、彼らはいつも私のためにいてくれた。両親の価値が、私の仕事を駆動している。リチャード・パワーズの小説『ゲイン』が示唆するように、個人や集団の歴史は、予期せぬ仕方で作用することがあるのだ。

最後に、深い感謝を人生のパートナーであるレイに捧げる。彼の創造性、遊び心、我慢強さ、決断は、日々私に刺激を与えてくれる。彼がこの研究プロジェクトやその他について援助し、勇気づけたことは間違いない。私が現代の政治経済という「難破船」に飛び込むことができるのは、私の家庭が愛と笑いにあふれているからである。

訳者あとがき

本書は、Frank Pasquale, *The Black Box Society: The Secret Algorithms That Control Money and Information* (Harvard University Press, 2015) の翻訳である。一読、非常に面白いので、青土社の篠原一平さんに企画を持ち込んだ。

著者はブルックリン・ロースクールの教授を務める法学者だが、法律だけでなくビジネスやＩＴにも相当の知識を有していることが窺える。本書の後、二〇二〇年には、*New Laws of Robotics: Defending Human Expertise in the Age of AI*（Belknap Press: An Imprint of Harvard University Press）を出版、ＡＩやロボットの時代に人間の価値をどう守るかを探究している。

さて、著者が本書で問題にするのは「ブラックボックス化」、すなわち、一般人には中を見通せない秘密の意思決定やアルゴリズムが、金融機関やネット企業で多用され、普通の人々の人生に大きな影響を与えてしまっているという事態だ。原書の出版は七年前で、内容も基本的には米国が対象だけれど、日本においても金融資本やＧＡＦＡの支配は同じように強く、日本でも多くの人に是非読んでもらいたい内容である。

巨大金融機関の幹部は、儲かればボーナスや株式などで多額の報酬を手に入れ、金融危機に陥っても政府資金で救済され、役員個人は退職金を奪って逃げてしまう。彼らはどちらに転んでも損はない。その陰で、住宅ローンが払えなくなり路頭に迷う庶民が続出した。「邪悪になるな」という理想を掲げていたグーグルがライバルになり得る企業の検索順位を落としつつロビー活動に精を出し、人々をつなぐことを理想としていたフェイスブックが人心を操ったり、権力の手先になったりする。アップルはアプリを承認するかどうかの詳細な基準を明かさないし、アマゾンの「おすすめ」アルゴリズムも謎に包まれている。ブラックボックスの内部で行われている悪業に対して、それを何とか明るみに出すための制度を築き上げようとする著者の努力に、私も大いに共感している。

翻訳中にたまたま『ウォール・ストリート・ジャーナル』紙の記者が書いた『BAD BLOOD ——シリコンバレー最大の捏造スキャンダル全真相』（ジョン・キャリールー著、関美和＋櫻井祐子訳、集英社、二〇二一年）という本を読んだのだが、同書が取り上げている「セラノス社」は若い女性がスタンフォード大学を中退して起業したベンチャーで、指先からの血液一滴で病理学的検査ができるという事業を売りに多額の投資を集めた。が、実際には大した技術はなく、それを隠すために「企業秘密」を連発、力のある弁護士軍団を雇って訴訟攻撃で相手を黙らせようとした。創業者は竟に詐欺罪で逮捕され、現在裁判が進行中だが、これも「ブラックボックス」で人々を騙した一例だろう。

編集作業は青土社の村上瑠梨子氏が担当された。大変な手間をかけて細かく翻訳をチェックしていただいた。非常に感謝している。

田畑暁生

索引

ア行

アイジンガー、ジェシー　19
アウエルバッハ、デイヴィッド　224
アサンジ、ジュリアン　79, 202
アップル　17, 90, 93-96, 100, 106, 122, 126, 139, 141, 143, 203, 229-30, 236, 274, 295
アフォーダブル・ケア法（オバマケア）　47, 125, 280, 283
アブラムズ、フロイド　235
アマゾン　16, 30-1, 53, 76, 90, 98-100, 121-2, 131-2, 141, 143, 226, 228-30, 236, 268, 274, 287-8
アメリカ自由人人権協会（ACLU）　218
アメリカ立法交流評議会（ALEC）　258
アンドリーセン、マーク　141
医療保険の相互運用性と説明責任に関する法律（HIPAA）　213
インスタント・チェックメイト　63
ヴァージニアにおけるテロの脅威に関する評価報告　75
ヴァイディヤナサン、シヴァ　98, 140, 287
ウィキリークス　114, 225
ウィナー、ラングドン　142
ウー、ティム　93, 143-4
ウォール街を占拠せよ　69, 113, 258
ウォーレン、エリザベス　248
ウォルマート　59, 126, 141
エーレンライヒ、バーバラ　59-60
エルスター、ヤン　24
オーウェル、ジョージ　33, 73
オニール、キャシー　217
オバマ政権　28, 188, 215, 219, 238, 249-50
オバマ大統領　218, 249
オンライン海賊版防止法（SOPA）　280

カ行

カーペンター、ダニエル　194
外国口座コンプライアンス法（FATCA）　240-1
外国諜報監視裁判所（FISC）　226
カウフマン財団　296
革新主義時代　25, 28
カペリ、ピーター　58-9
環境影響評価書　26
環境保護庁　27
監査ログ　221-2, 224, 226
企業秘密　13, 27, 30, 45, 49, 64, 79, 121-2, 237, 262, 267, 299
ギレスピー、タールトン　114-5
ギャレット、ショーン　113
行政手続法　26
銀行詐欺対策部会　70
金ぴか時代　25, 132
近隣経済発展支援プロジェクト　65
グーグル　17, 20, 22, 25, 27, 31, 36-7, 56, 63-4, 72-3, 76-8, 81-2, 84, 90-2, 97-112, 115-123, 126-7, 129-32, 135, 137-43, 156, 159, 201, 203, 205, 226-36, 255, 259-60, 262, 268, 271-4, 283-4, 287-8, 293, 295
グレウォル、デイヴィッド　128
クレジット・デフォルト・スワップ（CDS）　164-8, 178, 181, 186, 195, 251, 290
経済的および臨床的健康のための医療情報技術法（HITECH法）　213-4
ケイ、ジョン　189, 282
（憲法）修正第四条　38
（憲法）修正第一条　53, 70, 96, 115-6, 218, 232-6
権利章典　96, 220
故意の盲目　243
コインテルプロ　219
公正信用報告法（FCRA）40, 207, 209
合同テロ対策部隊　38, 70, 218
公認格付け機関（NRSROs）　157
高頻度取引（HFT）　185-6
効率的政府のためのセンター　24
コーエン、スティーブン　277
コーハン、ウィリアム　245
ゴールドマン・サックス　69, 166, 175, 191, 196, 245, 259, 266, 271
国家環境政策法　26
国土安全保障省　16, 69, 71-2, 77, 262, 283
コニャーズ、ジョン　226

コノートン、ジェフ　23
コンシューマー・ウォッチドッグ　231

サ行

サーベンス・オクスリー法（SOX）　160, 162, 241
サイバーセキュリティ　256
サヴェージ、ダン　109
ザッカーバーグ、マーク　111
サブプライム　42, 65, 156, 161, 166, 235, 251, 284
サマーズ、ローレンス　153
サリヴァン、ダニー　105
サンライト財団　24
ジェットブルー・エアライン　75-6
ジットレイン、ジョナサン　93, 96, 110
シティグループ　69, 163, 169, 243-4, 266
シトロン、ダニエル　216
市民正義のためのパートナーシップ　69
ジャーヴィス、ジェフ　140
住宅ローン条件変更プログラム（HAMP）　285
シュエッド、フレッド　191
シュタインガート、ゲイリー　262-3
シュミット、エリック　25, 36
条件付き透明性　229
証券取引委員会（SEC）　157, 186, 200, 227, 239, 243-5, 247-8, 285, 288
証券取引所法（1934年）　26
証券法（1933年）
消費者製品安全委員会　26
商品先物取引委員会（CFTC）　153, 173-4, 186, 190, 239, 248, 288
情報共有環境（ISE）　68, 71, 256
情報自由法　13, 26, 231
食肉検査法（1906年）　258
食品安全近代化法　259
食品医薬品局　26, 252
ショロック、ティム　77
ジョンソン、サイモン　189
シンクレア、アプトン　258-9
真実和解委員会　220
信用格付け機関　157-8, 227, 274
信用機関　40-4, 209, 264-5, 289, 293
信用スコア　16, 39, 41-5, 51, 54, 56, 66, 149, 164, 193, 200, 202, 209, 212, 216, 259, 263-4, 268, 286
スウィーニー、ラターニャ　62-3
スコア化　39, 42-3, 45-6, 86, 202, 217, 264
スターク、デイヴィッド　90
スタウト、リン　196
ストロース、ランドール　121
スノーデン、エドワード　77-9, 202, 222, 255
性格テスト　86
政府監視プロジェクト　245
セーフハーバー協定　206
租税回避地（タックス・ヘイブン）　239-40
ソロヴ、ダニエル　75

タ行

ダークプール　183
ターバヴィル、ウォラス　296
ターヒュン、チャド　46
タイビ、マット　191, 196
ダス、サヤジット　193
ダリー、リュー　125
タレブ、ナッシム　190
知的財産権　202, 229, 267, 281-3
チャーチ委員会　219, 226
調査報告センター　72
チョプラ、サミル　268
チルトン、バート　174
ツイッター　17, 20, 23, 30, 90, 100, 112-4, 116, 119, 141, 225, 229
ツール、ファブリス　175
デイヴィーズ、ウィル　158
データ漏洩　49, 207
デジタル書類　71
デジタル・ミレニアム著作権法（DMCA）　136-7
デ・ソト、エルナンド　148, 196
テット、ギリアン　194
デフォルト　41, 66, 129-30, 154-5, 158-9, 164, 166, 191, 210, 237, 265
デロング、ブラッドフォード　277

電子プライバシー情報センター（EPIC） 76-7, 81
投資銀行 28, 151-2, 169-71, 195, 276
ドゥヒッグ、チャールズ 48-9
透明性 15, 21, 28, 32, 38, 92, 100, 104-5, 107, 116, 134, 203, 209, 226-7, 244-5
トゥロウ、ジョセフ 54, 129
トーチ・コンセプト 76
特殊作戦部 73
ドクトロウ、コリイ 262-3
特別政治行動委員会（super PAC） 25
ドッド・フランクウォール街改革消費者保護法（ドッド・フランク法） 150, 181, 236, 250, 253, 266, 284, 290
トランスペアランシー・インターナショナル 25
取引主体識別子（LEI） 238
ドレイファス、ヒューバート 266

ナ行

内国歳入庁 73
ニッセンバウム、ヘレン 81, 225
ニューエコノミクス財団（NEF） 276
ニューディール 26, 144, 195
ニューマン、ネイサン 64
ニューヨーク証券取引所 69
忍者ローン 156

ハ行

バー、ボブ 75
パートノイ、フランク 19, 152, 175
ハーマン、グレアム 170
ハイエク、フリードリヒ・フォン 13, 294-5
ハクスリー、オルダス 33
ハスレット、アダム 263
パターソン、マーク 227
パターン認識 37, 48, 251
ハッカー 49, 81-2, 202, 267
パッカー、ジョージ 226
パブリシティ法（1910年） 25
ハムシャー、ジェイン 139-40
バムフォード、ジェームズ 77
パリサー、イーライ 117
ハンター、シェリー 163
ピーターソン、クリストファー 171
ピケティ、トマ 128
ビッグデータ 17-8, 24, 30, 34, 36, 38, 44, 47, 50, 56, 62, 65, 120, 124, 134, 140, 200, 209, 211, 213-4, 217, 251, 257, 270
ビデ、アマル 93, 193, 294
ヒトゲノム計画 223
ヒュージョン・センター 71-6, 78, 189, 218, 221, 224, 253-4, 280
ファーガソン、チャールズ 241-2
ファウンデム 100-2, 104, 210, 228, 234
フィッシャー、ウィリアム・W 279-81, 290-1
フィリポン、トマス 277
ブーン、ピーター 189
フェイスブック 17, 20, 23, 30-1, 38, 45, 56, 73, 78, 82, 90, 100, 107, 110-1, 116, 119, 122, 129, 139, 141, 143, 201, 205-6, 229, 272-4, 283, 293, 295
フォアマン、クリス 94
フォスター、アイリーン 161-2
不動産電子登録システム（MERS） 172
フフナーゲル、クリス 78
プライバシーと市民の自由監視委員会（PCLOB） 223
プライバシー権クリアリングハウス 41
「プライバシーの未来」会議 209
ブラック、ビル 246
プラトン 263
フランケン、アル 99
ブランダイス、ルイス 25, 191, 221
フリーデン、ロブ 96
ブリン、セルゲイ 107, 120, 260
フリン、ダーシー 244-5
プリンス、ノミ 191
ブロイアー、ラニー 242
プロファイリング 38, 44, 48, 53, 54, 60, 85, 206-7, 225
ベア・スターンズ 245
ベイカー、ディーン 279
ペイジ、ラリー 107, 120

ヘイデン、マイケル　74
ヘイル、ロバート・リー　144
ペストン、ロバート　175
ベゾス、ジェフ　141
ヘッジファンド　28, 195, 275
ヘンウッド、ダグ　182
ポインター、ベンジャミン　95-6
法務省　70, 74
ポール、ロン　75
ボーン、ブルックスリー　153, 168, 190
ホフマン、シャロナ　211
ホルダー、エリック　242
ホワイト、メアリ・ジョー　247
ホワイト、ローレンス　268

マ行

マーケティング　37, 45, 48, 50, 76, 81, 85, 99, 104, 107, 143
マードック、アイリス　131
マートン、ロバート　122
マイクロソフト　78, 121, 274
マッケンジー、ドナルド　155
マニング、チェルシー　79
ミュラー、ロバート　74-5, 224
名誉毀損防止同盟　110
メディケア　58, 169, 250-4, 284, 287-8
モジロ、アンジェロ　161
モナハン、トリン　72
モンサント　27

ヤ行

ユーチューブ　16, 22, 99, 102-3, 110, 135-7, 230, 281, 283

ラ行

ラトゥール、ブルーノ　195
ラニアー、ジャロン　178
ラミレス、エディス　65
利用規約　204-5
リンドブロム、チャールズ・E　285
レイ、ケネス　161
レイコフ、ジェド　242-4, 246
レヴィン、カール　240, 246
レコーデッド・ヒューチャー　56
レッシグ、ローレンス　127
連邦準備制度　110
連邦取引委員会（FTC）　38, 51, 65, 105, 223, 228, 230-2
連邦通信委員会（FCC）　26, 133, 232, 293
連邦預金保険公社（FDIC）　151, 165, 167, 246, 248
ロー、アンドリュー　175
ローゼンタール、ローレンス　219
ロンドンの鯨　179-80, 194, 243

ワ行

ワイゼンバウム、ジョセフ　267
ワシントン合同分析センター（WJAC）　76

アルファベット

FBI　68-70, 74-5, 190, 219-20, 255
FICO　42
FIRE産業　215
JPモルガンチェース　179-80, 243
LEVELS　159-60, 177
NSA　37, 67-8, 73, 76-8, 85, 177, 218-20, 222, 254-5, 256

著者

フランク・パスカーレ（Frank Pasquale）

ブルックリンロースクール教授。人工知能やアルゴリズムにかんする法律を専門とする。著書に本書のほか、*New Laws of Robotics: Defending Human Expertise in the Age of AI*（Belknap Press: An Imprint of Harvard University Press）がある。

訳者

田畑暁生（たばた・あけお）

神戸大学人間発達環境学研究科教授。専攻は社会情報学。著書に『情報社会論の展開』『「平成の大合併」と地域情報化政策』（以上、北樹出版）、『メディア・シンドロームと夢野久作の世界』（NTT出版）、『風嫌い』（鳥影社）など。訳書にデイヴィッド・ライアン『膨張する監視社会』『監視文化の誕生』（以上、青土社）、マイケル・バックランド『新・情報学入門』（日本評論社）など多数。

ブラックボックス化する社会
金融と情報を支配する隠されたアルゴリズム

2022年6月23日　第1刷印刷
2022年7月 4 日　第1刷発行

著者　フランク・パスカーレ
訳者　田畑暁生

発行者　清水一人
発行所　青土社
東京都千代田区神田神保町1-29　市瀬ビル　〒101-0051
電話　03-3291-9831（編集）　03-3294-7829（営業）
振替　00190-7-192955

組版　フレックスアート
印刷・製本所　双文社印刷

装幀　大倉真一郎

Printed in Japan
ISBN978-4-7917-7483-8　C0030